수능공략 필승학습!
단기간에 끝장내자!

실전에 강한
수능전략

BOOK 1

천재교육

언제나 만점이고 싶은 친구들

Welcome!

숨 돌릴 틈 없이 찾아오는 시험과 평가,
성적과 입시 그리고 미래에 대한 걱정.
중·고등학교에서 보내는 6년이란 시간은
때때로 힘들고, 버겁게 느껴지곤 해요.

그런데 여러분, 그거 아세요?
지금 이 시기가 노력의 대가를
가장 잘 확인할 수 있는 시간이라는 걸요.

안 돼, 못하겠어, 해도 안 될 텐데-
어렵게 생각하지 말아요. 천재교육이 있잖아요.
첫 시작의 두려움을 첫 마무리의 뿌듯함으로 바꿔 줄게요.

펜을 쥐고 이 책을 펼친 순간
여러분 앞에 무한한 가능성의 길이 열렸어요.

우리와 함께 꽃길을 향해 걸어가 볼까요?

#수능공략
#단기간 학습

수능전략
국어 영역

Chunjae
Makes
Chunjae

▼

[수능전략] 국어 영역 문학

개발총괄 김덕유
편집개발 고명선, 김한나, 이은주, 황준택
디자인총괄 김희정
표지디자인 윤순미, 심지영
내지디자인 박희춘, 한유정
제작 황성진, 조규영
조판 한서기획

발행일 2022년 2월 1일 초판 2022년 2월 1일 1쇄
발행인 (주)천재교육
주소 서울시 금천구 가산로9길 54
신고번호 제2001-000018호
고객센터 1577-0902
교재 내용문의 (02)3282-1706

※ 정답 분실 시에는 천재교육 교재 홈페이지에서 내려받으세요.

수능전략

국·어·영·역

문학

BOOK 1

이 책의 구성과 활용

본책인 BOOK 1과 BOOK 2의 구성은 아래와 같습니다.

BOOK 1
1주, 2주

BOOK 2
1주, 2주

BOOK 3
정답과 해설

주 도입

본격적인 학습에 앞서, 만화를 살펴보며 이번 주에 학습할 내용을 확인합니다.

1일

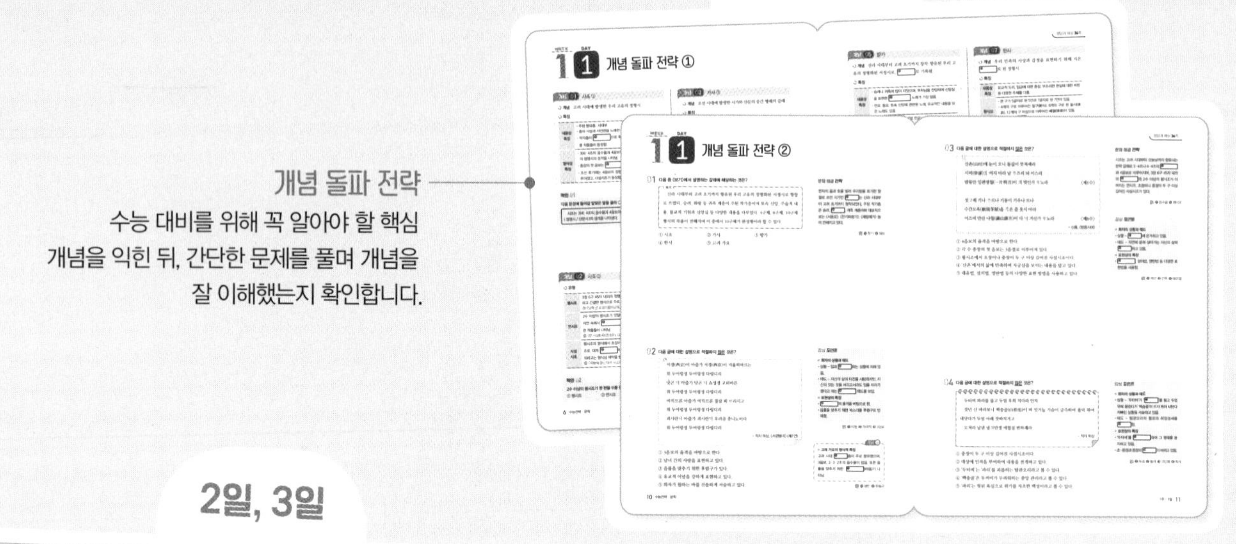

개념 돌파 전략
수능 대비를 위해 꼭 알아야 할 핵심 개념을 익힌 뒤, 간단한 문제를 풀며 개념을 잘 이해했는지 확인합니다.

2일, 3일

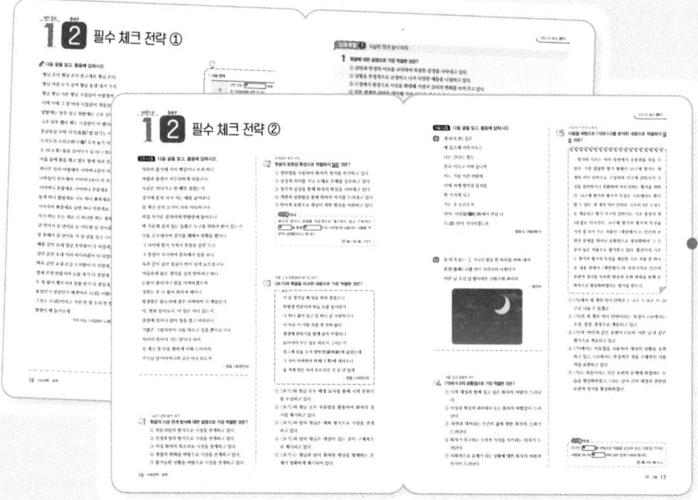

필수 체크 전략
기출문제에서 선별한 대표 유형 문제와 유사 문제를 함께 풀며 문제에 접근하는 과정과 해결 전략을 체계적으로 익힙니다.

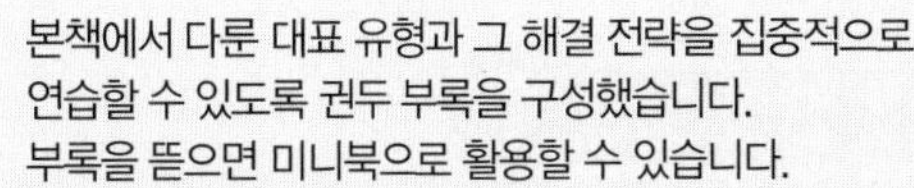

본책에서 다룬 대표 유형과 그 해결 전략을 집중적으로 연습할 수 있도록 권두 부록을 구성했습니다.
부록을 뜯으면 미니북으로 활용할 수 있습니다.

주 마무리 코너

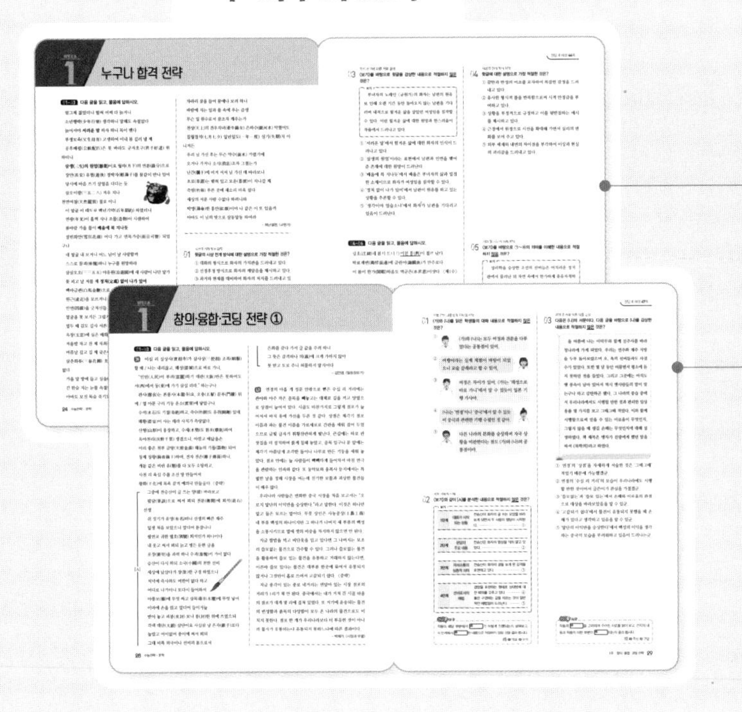

누구나 합격 전략
수능 유형에 맞춘 기초 연습 문제를 풀며 학습 자신감을 높입니다.

창의·융합·코딩 전략
수능에서 요구하는 융복합적 사고력과 문제 해결력을 기릅니다.

권 마무리 코너

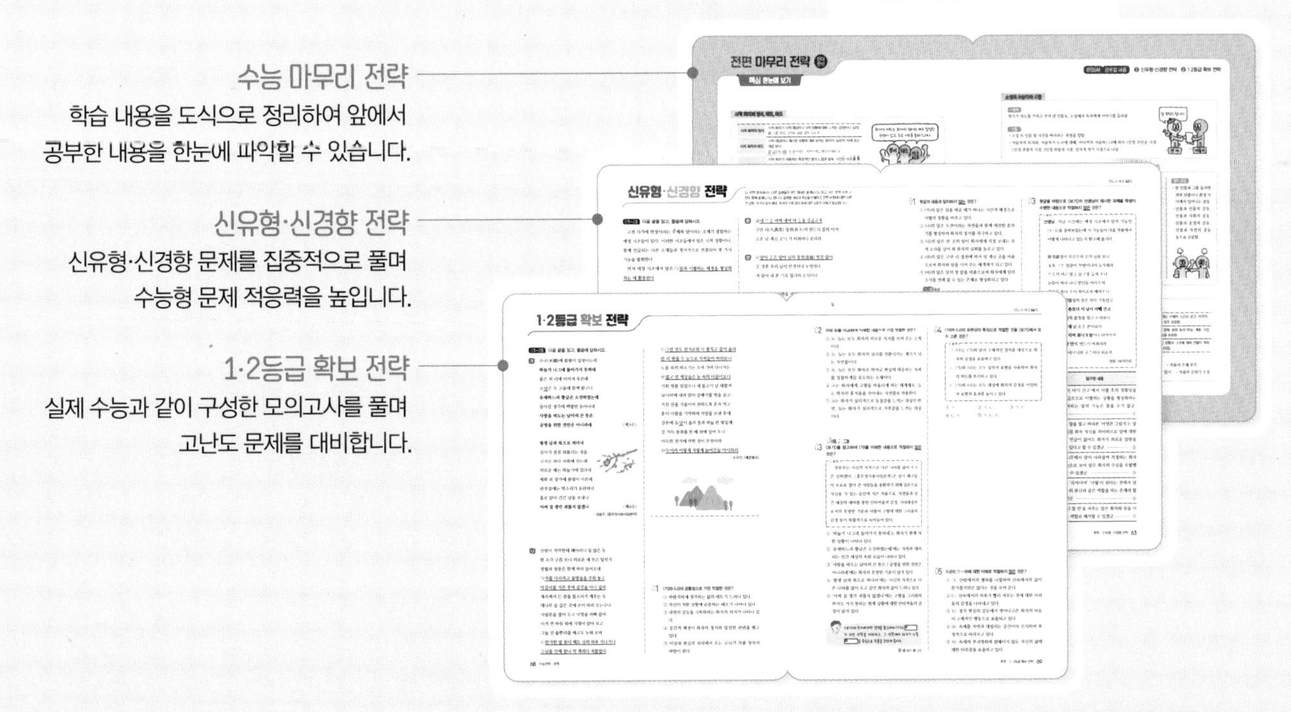

수능 마무리 전략
학습 내용을 도식으로 정리하여 앞에서 공부한 내용을 한눈에 파악할 수 있습니다.

신유형·신경향 전략
신유형·신경향 문제를 집중적으로 풀며 수능형 문제 적응력을 높입니다.

1·2등급 확보 전략
실제 수능과 같이 구성한 모의고사를 풀며 고난도 문제를 대비합니다.

이 책의 **차례**

BOOK 1

WEEK 1

현대시

WEEK 2

현대 소설

BOOK 2

WEEK 1

고전 시가

WEEK 2

고전 소설

WEEK

1 현대시

낯선 시가 시험에 나오면 해석하는 게 너무 어려워.
어떻게 하면 현대시 공부를 잘 할 수 있지?

그래, 결심했어. 현대시를 최대한 많이 읽어 보는 거야!

무슨 책이야? 굉장히 두꺼운데?!
시험에 나오는 현대시를 다 읽으면 문제를 잘 풀 수 있을 것 같았는데…….
으아

많은 작품을 읽는 것도 필요하겠지만, 우선 시를 감상하는 방법을 익히는 게 기본!

먼저 이 시에서 화자의 정서와 태도가 나타나는 부분을 찾아봐.
죽는 날까지 하늘을 우러러
한 점 부끄럼이 없기를,
잎새에 이는 바람에도
나는 괴로워했다.
별을 노래하는 마음으로
모든 죽어 가는 것들을 사랑해야지
그리고 나한테 주어진 길을
걸어가야겠다.
오늘 밤에도 별이 바람에 스치운다.
▲ 윤동주, 〈서시〉
화자는 부끄럼이 없기를 바라고 있어. 괴로워하는 모습이 드러나지만, 의지적인 모습도 보여.

공부할 내용 1. 화자의 정서 및 태도 파악 2. 표현상의 특징 파악 3. 시어 및 시구의 의미 파악
4. 외적 준거에 따른 작품 감상

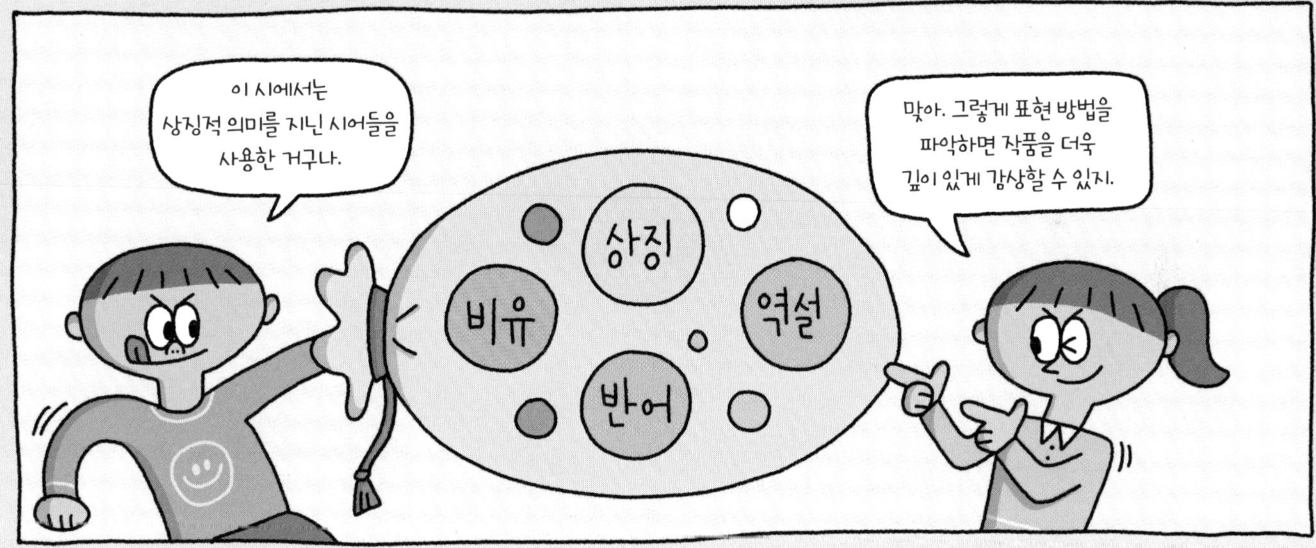

WEEK 1 DAY 1

개념 돌파 전략 ①

개념 01 시적 화자와 시적 대상

시적 화자 시인이 자신의 생각이나 느낌을 효과적으로 전달하기 위해 ❶ [ ] 으로 설정한 사람으로, 서정적 자아라고도 함. 시의 표면에 직접 드러나는 경우도 있고, 드러나지 않고 숨어 있는 경우도 있음.

시적 대상 시적 화자가 바라보는 구체적인 사물·인물·상황 또는 시의 중심 소재가 되는 관념을 가리킴. 때로는 화자가 말을 건네는 대상인 시적 ❷ [ ] 가 시적 대상이 되기도 함.

선지 +

- 화자가 태어난 날의 상황을 구체적으로 서술하여 출생에 대한 감격을 드러내고 있다.
- 시적 대상에 생명력을 부여하여 의지를 지닌 존재로 나타내고 있다.

답 ❶ 허구적 ❷ 청자

확인 01

다음 문장에 들어갈 알맞은 말을 골라 ○표를 하시오.

시를 감상할 때는 시인을 대신해 말하는 (시적 화자 / 시적 대상) 을/를 파악해야 한다.

개념 02 시적 화자의 정서와 태도

정서	시적 화자가 시적 ❶ [ ] 과 상황에 대해 갖는 감정이나 기분. 기쁨, 슬픔, 희망, 고독, 그리움, 안타까움 등 예 삶은 오직 갈수록 쓸쓸하고, / 사랑은 한갓 괴로울 뿐. - 박두진, 〈도봉〉 → 쓸쓸함과 괴로움의 정서가 나타남.
태도	시적 대상이나 시적 상황을 대하는 화자의 ❷ [ ] 나 마음가짐. 의지, 성찰, 비판, 달관, 체념, 예찬 등 예 왜 사냐건 / 웃지요. - 김상용, 〈남으로 창을 내겠소〉 → 달관적 태도가 나타남.

답 ❶ 대상 ❷ 자세

확인 02

다음 시구에 나타난 화자의 태도로 알맞은 것을 찾아 ○표를 하시오.

먹을 것 없는 사람들의 마을로 / 다시 어두워 돌아가야 한다
- 정희성, 〈저문 강에 삽을 씻고〉
(예찬적 태도 / 체념적 태도)

개념 03 시적 화자의 어조

개념 시적 화자가 사용하는 ❶ [ ] 로, 대상을 대하는 시적 화자의 정서와 태도를 드러내고 시의 분위기를 형성하며, 주제를 형상화함.

어조의 종류

독백체	자신의 내면세계를 ❷ [ ] 하듯이 혼자 말하는 느낌을 줌.
대화체	시적 화자가 시적 대상 또는 독자에게 말을 건네는 방식을 말함.
성찰적 어조	시적 화자가 자기 자신을 반성하고 살피는 태도를 드러냄.
애상적 어조	슬퍼하거나 가슴 아파하는 정서가 드러남.

답 ❶ 말투 ❷ 고백

확인 03

시적 화자의 말투로, 시적 화자의 정서와 태도를 드러내는 것은?

① 시어 ② 심상 ③ 어조

개념 04 시적 상황

개념 시적 화자나 시적 ❶ [ ] 이 처해 있는 형편이나, 처지, ❷ [ ] , 정황 등을 일컬어 말함.

다양한 시적 상황

- 사랑하는 대상과 이별하는 상황
- 화자가 특정 대상 또는 상황을 관찰하는 상황
- 자연의 아름다움이나 생명력을 경탄하는 상황
- 부정적인 사회 현실이 배경이 된 상황

예 일제 강점기, 전쟁과 분단의 상처, 독재에 대한 비판과 저항, 소외된 도시 노동자·하층민의 현실과 문명 비판 등

답 ❶ 대상 ❷ 분위기

확인 04

다음 시구에서 찾아볼 수 있는 시적 상황으로 알맞은 것을 찾아 ○표를 하시오.

지금은 남의 땅 – 빼앗긴 들에도 봄은 오는가?
- 이상화, 〈빼앗긴 들에도 봄은 오는가〉
(자연의 아름다움 감탄 / 부정적 사회 현실)

개념 05 시의 운율

개념 시를 읽을 때 느껴지는 말의 ❶ [　　] 으로, 시의 음악성을 형성하는 요소임.

운율의 형성 방법

- 음운, 음절의 반복: 일정한 모음이나 자음, 동일한 음절을 반복하여 운율을 형성함.
- 시어, 시구, 시행의 반복: 시인이 강조하고자 하는 특정 시어, 시구, 시행을 반복하여 운율을 형성함.
- 각 연의 마지막에 반복되는 시행인 후렴구를 사용
- 문장 구조의 반복: 같거나 비슷한 문장 구조를 반복적으로 사용하여 운율을 형성함.
- 음성 상징어의 사용: 의성어나 의태어 등을 사용하여 감각적 반응과 더불어 운율을 형성함.
- 기타: 수미상관 구조, 음보의 반복, 음절 수의 반복 등

운율의 효과

- 일정한 소리의 규칙적인 반복을 통해 시의 분위기를 형성하고 주제를 강조함.
- 화자의 ❷ [　　] 를 이해하는 데 도움을 줌.

선지 ⊕

- 동일한 종결 어미의 반복을 활용하여 리듬감을 형성하고 있다.
- '울 엄매야 울 엄매'는 울림소리의 반복으로 리듬을 창출하고 화자의 정서를 표출한 것이다.

답 ❶ 가락 ❷ 정서

확인 05

시를 읽을 때 느껴지는 말의 가락으로 시의 음악성을 형성하는 요소는?

① 시어　　② 운율　　③ 어조

개념 06 시의 이미지(심상)

개념 시를 읽으면서 마음속에 떠오르는 감각적인 모습이나 느낌

효과 대상의 구체적인 모습과 움직임, 상태 등을 표현함으로써 시인이 전달하려는 ❶ [　　] 과 인상을 독자에게 더 생생하게 느끼도록 해 줌.

감각적 이미지(심상)

시각적 심상	색채, 모양, 움직임 등을 떠올리게 하는 심상 예 구름이 새빨간 노을에 젖어 - 김광균, 〈외인촌〉
청각적 심상	다양한 소리를 떠올리게 하는 심상 예 발자국 소리 호르락 소리 - 김지하, 〈타는 목마름으로〉
촉각적 심상	피부의 ❷ [　　] 을 떠올리게 하는 심상 예 꽃가루와 같이 부드러운 고양이의 털에 - 이장희, 〈봄은 고양이로다〉
후각적 심상	냄새를 떠올리게 하는 심상 예 매화 향기 홀로 아득하니 - 이육사, 〈광야〉
미각적 심상	혀를 통해 맛을 떠올리게 하는 심상 예 메마른 입술이 쓰디쓰다. - 정지용, 〈고향〉
공감각적 심상	둘 이상의 감각이 결합된 심상 예 새파란 초생달이 시리다 - 김기림, 〈바다와 나비〉 → 시각의 촉각화

기타 이미지

상승 / 하강 이미지	• 상승 이미지: 낮은 곳에서 높은 곳으로 올라가는 듯한 느낌을 주는 이미지 • 하강 이미지: 높은 곳에서 낮은 곳으로 내려가는 듯한 느낌을 주는 이미지
동적 / 정적 이미지	• 동적 이미지: 움직임이 느껴지는 이미지 • 정적 이미지: 고요하고 ❸ [　　] 이 느껴지지 않는 이미지
긍정 / 부정 이미지	• 긍정적 이미지: 시어나 시구에 밝음, 희망, 수용 등과 같은 의미가 담길 때 형성되는 이미지 • 부정적 이미지: 시어나 시구에 싫음, 어두움, 절망, 거부 등과 같은 의미가 담길 때 형성되는 이미지

선지 ⊕

- ㉠은 청각적 심상을 활용하여 산뜻한 가을 아침에 대한 화자의 인상을 표현하고 있다.
- 상승과 하강의 이미지를 대비하여 목전에 닥친 위기감을 조성하고 있다.

답 ❶ 감각 ❷ 감촉 ❸ 움직임

확인 06

밑줄 친 부분에 드러나는 알맞은 심상을 골라 ○표를 하시오.

> 젊은 아버지의 서느런 옷자락에
> 열로 상기한 볼을 말없이 부비는 것이었다. - 김종길, 〈성탄제〉
> (시각적 심상 / 촉각적 심상)

개념 07 시상 전개 방식

개념 시인이 시를 통해 전달하고자 하는 시상을 효과적으로 표현하기 위해 소재나 시구 등을 일정한 질서와 규칙에 따라 배열하여 만들어 낸 시의 구조

시상 전개 방식의 종류

시간의 흐름	시간이나 계절의 흐름에 따라 시상을 전개하는 방식 예 순행적 방식(아침 → 점심 → 저녁, 과거 → 현재 → 미래 등), 역순행적 방식(과거 회상 등)
공간의 이동	장소나 시선의 ❶ [　　] 에 따라 시상을 전개하는 방식 예 장소의 이동, 시선의 이동(원경 → 근경, 근경 → 원경, 위 → 아래 등)
기승전결	주로 한시에서 사용되는 구성 방식으로 '시상 제시 - 발전 · 심화 - 고조 · 전환 - 마무리'의 전개 방식
선경후정	사물의 모습이나 자연 풍경을 먼저 제시한 후, 화자의 정서를 드러내는 방식
수미상관	시의 처음과 끝에 형태나 의미가 동일하거나 유사한 시구를 배열하는 전개 방식
대비	둘 이상이 지닌 ❷ [　　] 을 맞대어 비교하는 방식에 따른 전개 방식
점층적 전개	시상이 전개될수록 시어의 의미나 단어의 형태, 화자의 정서나 의지, 시적 상황 등이 점차 고조되는 방식
어조의 변화	어조에 변화를 줌으로써 주제를 효과적으로 드러내는 시상 전개 방식 예 좌절 · 슬픔의 어조 → 의지적 · 희망적 어조

선지 +

- 시간의 변화를 드러내며 시상을 전개하고 있다.
- 선경후정의 방식을 활용하여 시상을 전개하고 있다.
- (가), (나)에서는 모두 과거와 현재의 대비를 통해 시상의 전환이 이루어지고 있다.

답 ❶ 이동 ❷ 차이점

확인 07

다음 작품에 사용된 시상 전개 방식을 쓰시오.

> 나는 / 나는 / 죽어서 / 파랑새 되어 //
> 푸른 하늘 / 푸른 들 / 날아다니며 //
> 푸른 노래 / 푸른 울음 / 울어 예으리. //
> 나는 / 나는 / 죽어서 / 파랑새 되리.
>
> \- 한하운, 〈파랑새〉

(　　　　　　　　　　)

개념 08 비유와 상징

비유 어떤 대상(원관념)을 직접 설명하지 않고 그와 유사한 다른 대상(보조 관념)에 빗대어 표현하는 방법

직유법	원관념과 보조 관념을 ❶ [　　] 연결하여 비유하는 방법으로, '~처럼, ~같이, ~듯이, ~인 양' 등의 표현을 사용함. 예 햇솜 같은 마음을 다 퍼부어 준 다음에야 - 고재종, 〈첫사랑〉
은유법	'A(원관념)는 B(보조 관념)이다.'의 형태로 표현하는 방법으로, 원관념과 보조 관념이 동일한 것처럼 표현하는 방법 예 낙엽은 폴―란드 망명 정부의 지폐 - 김광균, 〈추일서정〉
의인법	사람이 아닌 대상을 사람처럼 인격을 부여하여 표현하는 방법 예 풀은 눕고 / 드디어 울었다. - 김수영, 〈풀〉
대유법	어떤 대상의 ❷ [　　] 이나 특징으로 전체를 대신하여 표현하는 방법 예 껍데기는 가라. / 한라에서 백두까지 - 신동엽, 〈껍데기는 가라〉

상징 표현하고자 하는 대상을 숨기고 구체적인 다른 사물로 대신하여 표현하는 방법으로, ❸ [　　] 은 시에 드러나지 않고 보조 관념만 드러남.

개인적 상징	시인(작가)이 시어에 자신만의 독특한 의미를 부여한 상징
관습적 상징	오랜 세월 동안 사용되어 관습적으로 보편화되어 있는 상징 예 지금 눈 내리고 / 매화 향기 홀로 아득하니 - 이육사, 〈광야〉 → 관습적으로 '절개'와 '지조'를 상징함.
원형적 상징	특정 사회나 집단을 뛰어넘어 인류 전체가 사용하는 상징 예 '물'은 '생명력, 탄생, 정화', '불'은 '밝음, 정열, 파괴'를 상징함.

선지 +

- 4연에서는 비유적 표현을 활용하여 사물에 동적인 이미지를 부여하고 있다.
- 소재에 상징적 의미를 부여하여 주제 의식을 부각하고 있다.

답 ❶ 직접 ❷ 일부분 ❸ 원관념

확인 08

다음 시구에 사용된 표현 방법으로 알맞은 것을 찾아 ○표를 하시오.

(1) 나는 나룻배, / 당신은 행인 - 한용운, 〈나룻배와 행인〉
(직유법 / 은유법)

(2) 바람은 내 귀에 속삭이며 / 한 자국도 섰지 마라 옷자락을 흔들고 - 이상화, 〈빼앗긴 들에도 봄은 오는가〉
(의인법 / 대유법)

개념 09 강조하기와 변화 주기

강조하기 특정 부분을 강조하여 생각이나 감정을 인상적으로 표현하는 방법

점층법	문장의 뜻이 점점 ❶ [ ] 되거나 커지거나 높아지게 표현하는 방법 예 눈은 살아 있다 / 떨어진 눈은 살아 있다 - 김수영, 〈눈〉
열거법	서로 관련이 있거나 비슷한 어구를 나열하여 그 뜻을 강조하는 표현 방법 예 별 하나에 추억과 / 별 하나에 사랑과 - 윤동주, 〈별 헤는 밤〉
반복법	같거나 비슷한 낱말, 구절, 문장 등을 반복하여 리듬을 살리고 뜻을 강조하는 방법 예 산에는 꽃 피네 / 꽃이 피네 - 김소월, 〈산유화〉
영탄법	감탄사나 감탄형 어미 등을 사용하여 화자의 정서를 강하게 표현하는 방법 예 아아, 늬는 산새처럼 날아갔구나! - 정지용, 〈유리창 1〉

변화 주기 문장에 변화를 주어 시를 더욱 생동감 있게 만드는 표현 방법

역설법	이치에 어긋나거나 ❷ [ ] 되는 진술을 통해 진실을 드러내는 표현 방법 예 얻는다는 것은 곧 잃는 것이다 - 김수영, 〈파밭가에서〉
반어법	속뜻과 ❸ [ ] 로 표현해 의미를 강조하는 표현 방법 예 나 보기가 역겨워 / 가실 때에는 / 죽어도 아니 눈물 흘리우리다 - 김소월, 〈진달래꽃〉
설의법	말하려는 내용을 의문문의 형식으로 표현하는 방법 예 사랑도 눈물 없는 사랑이 어디 있는가 - 정호승, 〈내가 사랑하는 사람〉
대구법	같거나 비슷한 문장 구조를 짝을 맞추어 나란히 배열하는 표현 방법 예 떠나고 싶은 자 / 떠나게 하고 / 잠들고 싶은 자 / 잠들게 하고 - 강은교, 〈사랑법〉

선지 +

- 반어적 어조를 활용하여 현실에 대한 비관적 태도를 드러내고 있다.
- 설의적 표현으로 현실에 대한 화자의 안타까움을 드러내고 있다.

답 ❶ 강조 ❷ 모순 ❸ 반대

확인 09

다음 시구에 사용된 표현 방법을 찾아 ○표를 하시오.

> 님은 갔지마는 나는 님을 보내지 아니하였습니다.
> - 한용운, 〈님의 침묵〉

(설의법 / 역설법)

개념 10 객관적 상관물과 감정 이입

객관적 상관물 화자의 정서를 ❶ [ ] 으로 표현하는 데 사용된 구체적인 사물을 말함.

객관적 상관물의 유형

화자의 대리물 (= 분신)	화자를 대신하는 사물 예 그 드물다는 굳고 정한 갈매나무라는 나무를 생각하는 것이었다. - 백석, 〈남신의주 유동 박시봉방〉 → 화자가 지향하는 의지적 삶
정서 자극물 (= 촉매)	화자의 ❷ [ ] 를 불러일으키거나 심화하는 사물
감정 이입물	화자의 감정이 투영된 사물 예 서러운 풀빛이 짙어 오것다 - 이수복, 〈봄비〉 → 애상적 정서의 동일시

감정 이입 시적 화자의 감정을 대상에 이입하여 마치 대상이 그렇게 느끼고 생각하는 것처럼 표현하는 방법

답 ❶ 간접적 ❷ 정서

확인 10

다음 시구에서 화자의 정서를 간접적으로 드러내는 객관적 상관물은?

> 딴은 밤을 새워 우는 벌레는
> 부끄러운 이름을 슬퍼하는 까닭입니다.
> - 윤동주, 〈별 헤는 밤〉

( )

개념 11 시 작품 감상의 관점

절대론적 관점	작품 ❶ [ ] 에서만 의미를 찾아 작품을 이해하는 관점
표현론적 관점	작가가 문학 작품에서 표현하려고 한 사상과 감정 및 표현 의도를 중시하는 관점
반영론적 관점	작품이 ❷ [ ] 세계를 반영한다고 보는 관점
효용론적 관점	작품을 파악할 때 문학 작품에 담긴 의미보다는 그 작품이 독자에게 어떤 의미, 감동, 가치, 교훈, 보람을 주느냐에 주목하는 관점

답 ❶ 안 ❷ 현실

확인 11

작품이 독자에게 끼치는 영향을 중심으로 감상하는 관점은?

① 절대론적 관점 ② 반영론적 관점 ③ 효용론적 관점

WEEK 1 DAY 1

개념 돌파 전략 ②

01 〈보기〉에서 설명하는 개념에 해당하는 것은?

보기

시를 읽을 때 느껴지는 말의 가락으로, 시의 바깥에 뚜렷이 드러나는 외형률과 시 안에서 은근히 느껴지는 내재율로 구분할 수 있다.

① 상징 ② 심상 ③ 어조
④ 운율 ⑤ 시적 화자

문제 해결 전략

운율은 음운이나 음보, 시어와 통사 구조 등의 ❶ [ ]에 의해 형성되기도 하고, 의성어나 의태어와 같은 ❷ [ ]를 사용하여 형성될 수도 있다.

답 ❶ 반복 ❷ 음성 상징어

02 다음 글의 표현상 특징으로 적절하지 않은 것은?

산산이 부서진 이름이여! / 허공중에 헤어진 이름이여!
불러도 주인 없는 이름이여! / 부르다가 내가 죽을 이름이여!

심중(心中)에 남아 있는 말 한마디는 / 끝끝내 마저 하지 못하였구나.
사랑하던 그 사람이여! / 사랑하던 그 사람이여!

붉은 해는 서산마루에 걸리었다. / 사슴의 무리도 슬피 운다.
떨어져 나가 앉은 산 위에서 / 나는 그대의 이름을 부르노라.

설움에 겹도록 부르노라. / 설움에 겹도록 부르노라.
부르는 소리는 비껴가지만 / 하늘과 땅 사이가 너무 넓구나.

선 채로 이 자리에 돌이 되어도 / 부르다가 내가 죽을 이름이여!
사랑하던 그 사람이여! / 사랑하던 그 사람이여!

– 김소월, 〈초혼〉

① 수미상관의 기법을 통해 정서의 변화를 부각하고 있다.
② 영탄법의 반복적 사용으로 화자의 슬픔을 강조하고 있다.
③ 공간적 배경을 통해 시적 대상과의 거리감을 드러내고 있다.
④ 자연물에 화자의 감정을 이입하여 화자의 정서를 드러내고 있다.
⑤ 시간적 배경을 통해 화자가 처한 상황을 상징적으로 드러내고 있다.

감상 포인트

● **화자의 상황과 태도**
- 상황 – 화자는 사랑했지만 지금은 죽고 없는 임을 그리워하고 있음.
- 태도 – 죽은 임에 대한 그리움과 슬픔의 정서와 함께 '❶ [ ]'이라는 시어를 통해 임에 대한 영원한 사랑의 의지를 드러내고 있음.

● **표현상의 특징**
- '❷ [ ]'에 화자의 감정을 이입함.
- 영탄과 반복을 통해 화자의 격정적인 감정을 강조함.
- 삶과 죽음의 경계를 의미하는 ❸ [ ]이라는 시간적 배경과 화자와 임과의 거리감을 드러내는 공간적 배경을 통해 화자의 처지를 상징적으로 드러냄.
- 초혼이라는 전통적 장례 의식과 망부석 설화를 소재로 활용함.

답 ❶ 돌 ❷ 사슴의 무리 ❸ 저녁

개념 +

● **감정 이입**

화자의 감정을 ❶ [ ]에 이입하여 마치 대상이 그렇게 느끼고 생각하는 것처럼 표현하는 방법으로 주로 ❷ [ ]과 연결됨.

예 산 꿩도 섧게 울은 슬픈 날이 있었다
→ 여인의 슬픔을 꿩에게 이입하여 표현함.
– 백석, 〈여승〉

답 ❶ 대상 ❷ 객관적 상관물

03 〈보기〉의 화자가 다음 글의 너에게 들려줄 말로 가장 적절한 것은?

나는 이제 너에게도 슬픔을 주겠다
사랑보다 소중한 슬픔을 주겠다
겨울밤 거리에서 귤 몇 개 놓고
살아온 추위와 떨고 있는 할머니에게
귤값을 깎으면서 기뻐하던 너를 위하여
나는 슬픔의 평등한 얼굴을 보여 주겠다

– 정호승, 〈슬픔이 기쁨에게〉

보기

벼는 서로 어우러져 / 기대고 산다. / 햇살 따가워질수록
깊이 익어 스스로를 아끼고 / 이웃들에게 저를 맡긴다.

– 이성부, 〈벼〉

① 모든 사람을 평등하게 대하도록 노력해야 합니다.
② 큰 일에 못지않게 작은 일의 가치도 알아야 합니다.
③ 어려움은 누구에게나 있으니 참고 이겨 내야 합니다.
④ 자신의 신념을 굽히지 말고 꿋꿋하게 나아가야 합니다.
⑤ 힘겨운 사람들의 아픔을 공감하고 더불어 살아야 합니다.

문제 해결 전략

시적 화자는 시 속에서 말하는 사람을 가리키는 것으로, ❶ 자아라고도 한다. 시인의 정서와 사상이 투영된 인물이므로 화자의 어조와 태도는 시인이 말하고자 하는 ❷ 와 밀접하게 연관되어 있다.

답 ❶ 서정적 ❷ 주제

04 〈보기〉의 관점에 따라 다음 글을 감상한 것은?

지금 눈 내리고
매화 향기 홀로 아득하니
내 여기 가난한 노래의 씨를 뿌려라

다시 천고의 뒤에
백마 타고 오는 초인이 있어
이 광야에서 목 놓아 부르게 하리라

– 이육사, 〈광야〉

보기

문학 작품은 현실을 모방하고 반영하기 때문에 독자는 작품 속 현실과 실제 현실 사이의 관련성에 초점을 두고 작품을 감상해야 한다.

① 과거와 현재의 대비적인 표현이 드러나 있어.
② 시행을 규칙적으로 배열하여 형태적 안정감을 얻고 있어.
③ 조금만 힘들어도 쉽게 좌절하는 나의 모습을 반성하게 해.
④ 시어의 상징적 의미를 통해 어려운 시대 상황을 암시하고 있어.
⑤ 작품의 어조를 보아 시인은 강인한 의지를 지닌 사람인 것 같아.

감상 포인트

● 화자의 상황과 태도
- 상황 – 화자는 '눈' 내리는 광야에서 '백마 타고 오는 ❶ '을 기다리고 있음.
- 태도 – 화자는 '가난한 노래의 씨'를 뿌림으로써 조국 광복을 위한 ❷ 의 의지를 드러냄.

● 표현상의 특징
- 상징적 시어와 속죄양 모티프를 통해 주제를 형상화함.
- '과거 – 현재 – 미래'의 시간의 ❸ 에 따라 시상을 전개함.

답 ❶ 초인 ❷ 자기희생 ❸ 흐름

WEEK 1 DAY 2

필수 체크 전략 ①

다음 글을 읽고, 물음에 답하시오.

가야 할 때가 언제인가를
㉠분명히 알고 가는 이의
뒷모습은 얼마나 아름다운가.

봄 한철
㉡격정을 인내한
나의 사랑은 지고 있다.

분분한 낙화……
결별이 이룩하는 축복에 싸여
지금은 가야 할 때.

㉢무성한 녹음과 그리고
㉣머지않아 열매 맺는
가을을 향하여

나의 청춘은 꽃답게 죽는다.

헤어지자
섬세한 손길을 흔들며
하롱하롱 꽃잎이 지는 어느 날.

나의 사랑, 나의 결별
㉤샘터에 물 고이듯 성숙하는
내 영혼의 슬픈 눈.

- 이형기, 〈낙화〉

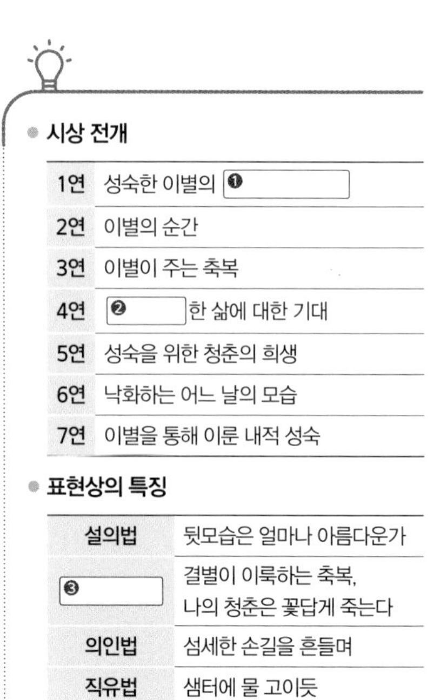

• 시상 전개

1연	성숙한 이별의 ❶
2연	이별의 순간
3연	이별이 주는 축복
4연	❷ 한 삶에 대한 기대
5연	성숙을 위한 청춘의 희생
6연	낙화하는 어느 날의 모습
7연	이별을 통해 이룬 내적 성숙

• 표현상의 특징

설의법	뒷모습은 얼마나 아름다운가
❸	결별이 이룩하는 축복, 나의 청춘은 꽃답게 죽는다
의인법	섬세한 손길을 흔들며
직유법	샘터에 물 고이듯

답 ❶ 아름다움 ❷ 성숙 ❸ 역설법

• **격정** 강렬하고 갑작스러워 누르기 어려운 감정.
• **분분한** 여럿이 한데 뒤섞여 어수선한.
• **녹음** 푸른 잎이 우거진 나무나 수풀. 또는 그 나무의 그늘.
• **하롱하롱** 작고 가벼운 물체가 떨어지면서 잇따라 흔들리는 모양.

대표 유형 1 화자의 정서 및 태도 파악

1 ㉠~㉤에 대한 이해로 가장 적절한 것은?

① ㉠은 이별에 직면한 화자가 겪고 있는 내적인 방황을 드러내고 있다.
② ㉡은 이별을 감내하면서도 지나간 사랑에 연연해하고 있는 화자의 회한을 드러내고 있다.
③ ㉢은 이별의 고통으로 인하여 삶의 목표를 상실하고 번민에 가득 차 있는 화자의 상황을 표현하고 있다.
④ ㉣은 이별의 경험이 내적 충만으로 이어지리라는 화자의 기대감을 계절의 의미에 빗대어 표현하고 있다.
⑤ ㉤은 이별로 인한 상실감을 잊고 과거의 삶으로 회귀하는 화자의 태도를 표현하고 있다.

유형 해결 전략 시적 화자의 ❶ [ ]와 태도를 파악하는 유형으로, 먼저 시적 상황을 파악하고 시적 상황에 대한 ❷ [ ]의 태도와 정서를 파악할 수 있도록 해야 한다.

답 ❶ 정서 ❷ 시적 화자

1-1 윗글에 대한 설명으로 적절하지 않은 것은?

① 자연 현상을 통해 화자의 정서를 드러내고 있다.
② 시적 대상에 대한 화자의 애상적 정서가 드러나 있다.
③ 자연의 섭리에 대한 화자의 예찬적 태도가 드러나 있다.
④ 현재 상황에 대한 화자의 긍정적인 수용 태도가 드러나 있다.
⑤ 자연에서 얻은 화자의 깨달음을 역설적 표현을 통해 드러내고 있다.

도움말

시어나 시구에는 화자의 태도와 정서가 드러나 있습니다. 먼저 화자의 ❶ [ ]가 드러나는 부분을 찾고, 시어나 시구를 통해 드러내고자 하는 화자의 ❷ [ ]를 파악해 봅시다.

답 ❶ 태도 ❷ 정서

1-2 시적 화자에 주목하여 윗글을 감상한 내용으로 적절하지 않은 것은?

①

1연과 3연에서 화자는 '가야 할 때'를 인식하고 있다는 점에서, 이전과는 달라진 상황을 인식하고 있음을 알 수 있군.

②

2연의 '봄'과 4연의 '가을'은 자연에 대한 화자의 태도를 나타낸다는 점에서, 시간이 흐를수록 화자의 절망감이 심화되고 있음을 알 수 있네.

③

3연에서 화자는 이별과 동일시되는 낙화를 '결별이 이룩하는 축복'이라고 인식하고 있다는 점에서, 이별을 긍정적으로 받아들이고 있음을 알 수 있군.

④

5연에서 화자는 '나의 청춘은 꽃답게 죽는다'라고 하며 성숙한 삶을 위해서는 청춘의 희생이 필요하다는 인식을 역설적으로 드러내고 있어.

⑤

7연에서 화자는 '내 영혼의 슬픈 눈'이라고 하며 슬픈 이별로 인해 내적으로 성숙해지는 자신을 성찰하는 태도를 보이고 있네.

필수 체크 전략 ①

다음 글을 읽고, 물음에 답하시오.

차례를 지내고 돌아온
구두 밑바닥에
㉠고향의 저문 강물 소리가 묻어 있다
겨울 보리 파랗게 꽂힌 강둑에서
살얼음만 몇 발자국 밟고 왔는데
쑥골 상엿집* 흰 눈 속을 넘을 때도
골목 앞 보세점 흐린 불빛 아래서도
찰랑찰랑 강물 소리가 들린다
내 귀는 얼어
한 소절도 듣지 못한 강물 소리를
구두 혼자 어떻게 듣고 왔을까
구두는 지금 황혼*
뒤축의 꿈이 몇 번 수습되고
지난 가을 터진 가슴의 어둠 새로
누군가의 살아 있는 오늘의 부끄러운 촉수가
싸리 유채 꽃잎처럼 꿈틀댄다
고향 텃밭의 허름한 꽃과 어둠과
구두는 초면 나는 구면
건성으로 겨울을 보내고 돌아온 내게
고향은 꽃잎 하나 바람 한 점 꾸려 주지 않고
영하 속을 흔들리며 떠나는 내 낡은 구두가
저문 고향의 강물 소리를 들려준다.
출렁출렁 아니 덜그럭덜그럭.

– 곽재구, 〈구두 한 켤레의 시〉

- 시상 전개

1~8행	차례를 지내고 돌아온 뒤에 깨닫는 고향의 ❶
9~23행	낡은 구두에 묻혀 온 강물 소리

- 표현상의 특징
  ① 현재형 어미를 사용하여 시적 정황을 눈앞에서 보는 듯하게 표현함.
  ② 감각적 ❷ 를 통해 시적 인상을 부각함.
  예 고향의 저문 강물 소리(공감각), 겨울 보리 파랗게(시각) 등
  ③ ❸ 를 사용하여 화자의 심리를 형상화함.
  예 찰랑찰랑 강물 소리가 들린다, 출렁출렁 아니 덜그럭덜그럭

답 ❶ 강물 소리 ❷ 이미지 ❸ 음성 상징어

- **상엿집** 상여와 그에 딸린 여러 도구를 넣어 두는 초막.
- **황혼** 사람의 생애나 나라의 운명 따위가 한창인 고비를 지나 쇠퇴하여 종말에 이른 상태를 비유적으로 이르는 말.

대표 유형 2 표현상의 특징 파악

2 윗글의 표현상 특징으로 가장 적절한 것은?

① 과거형 시제를 활용하여 화자의 정서를 부각하고 있다.
② 색채 이미지를 활용하여 대상의 특성을 드러내고 있다.
③ 청자를 명시적으로 설정하여 화자의 의도를 강조하고 있다.
④ 반어적 표현을 활용하여 대상의 이중적 태도를 드러내고 있다.
⑤ 하강적 이미지를 활용하여 시적 공간의 변화를 보여 주고 있다.

유형 해결 전략 시에 나타나는 표현상의 특징을 파악하는 유형으로, 시구나 시행 등에서 나타나는 다양한 ❶ [ ] 를 살펴보고, 그 효과가 작품의 ❷ [ ] 을 어떻게 드러내는지 파악하도록 한다.

답 ❶ 표현 효과 ❷ 주제 의식

2-1 ㉠과 동일한 표현법이 사용된 것은?

① 미나리 파릇한 새순 돋고 - 정지용, 〈춘설〉
② 겨울은 강철로 된 무지갠가 보다. - 이육사, 〈절정〉
③ 분수처럼 흩어지는 푸른 종소리 - 김광균, 〈외인촌〉
④ 둥치도 가지도 꺾이고 구부러지고 휘어졌다. - 유안진, 〈상처가 더 꽃이다〉
⑤ 집집마다 누룩을 디디는 소리, 누룩이 뜨는 내음새…… - 오장환, 〈고향 앞에서〉

도움말
감각적 이미지란 시를 읽을 때 마음속에 그려지는 감각적인 모습이나 느낌으로, 대상을 생생하게 표현하는 효과가 있습니다. 시각, 청각, ❶ [ ], 후각, 미각적 심상이나 둘 이상의 감각이 결합되어 나타나는 ❷ [ ] 적 심상이 나타나는지 확인해 봅시다.

답 ❶ 촉각 ❷ 공감각

2-2 윗글의 표현상 특징으로 적절하지 않은 것은?

① 
의성어의 변화로 화자의 심리를 표현하고 있어.

② 
연을 구분하지 않고 성찰적 어조를 드러내고 있네.

③ 
그리고 새로운 소재가 추가될 때마다 어조에 변화를 주고 있어.

④ 
감각적 이미지를 빈번히 사용하여 시상을 전개하고 있어.

⑤ 
시적 대상을 의인화하여 화자의 정서를 효과적으로 드러내고 있네.

필수 체크 전략 ②

01~03 다음 글을 읽고, 물음에 답하시오.

썩고 썩어도 썩지 않는 것 / 썩고 썩어도 맛이 생기는 것
그것은 ㉠전라도 젓갈의 맛이다
전라도 갯땅의 깊은 맛이다.

괴고* 괴어서 삭고 곰삭아서*
맛 중의 맛이 된 맛 / 온갖 비린내 땀내 눈물 내
갖가지 맛 소금으로 절이고 절이어
세월이 가도 변하지 않는 맛 / 소금기 짭조름한 눈물의 맛

장광에 햇살은 쏟아져 내리고
미닥질 소금밭에 소금발은 서는데
짠맛 쓴맛 매운맛 한데 어울려
설움도 달디달게 익어 가는 맛
어머니 눈물 같은 진한 맛이다
할머니 한숨 같은 깊은 맛이다

자갈밭에 뙤약볕은 지글지글 타오르고
꾸꾸기 뻐꾸기 왼종일 수상히 울어 예고
눈물은 말라서 소금기 저린 뻘밭이 됐나
한숨은 쉬어서 육자배기* 뽑아 올린 삐비꽃이 됐나

썩고 썩어서 남은 맛 오호 남은 빛깔
닳고 닳아서 타고 타서 남은 고춧가루
오장에 아리히는 삶의 매운맛이다
복사꽃 물든 누님의 손끝에 스미는 눈물
오호 전라도 여인의 애간장 다 녹은
아랫목 고이고이 감춰 놓은 사랑 맛이다.

– 문병란, 〈전라도 젓갈〉

- **괴고** 술, 간장, 식초 따위가 발효하여 거품이 일고.
- **곰삭아서** 젓갈 따위가 오래되어 푹 삭아서.
- **육자배기** 남도 지방에서 부르는 잡가의 하나. 가락의 굴곡이 많고 활발하며 진양조 장단임.

화자의 정서 및 태도 파악

01 윗글에 나타난 화자의 태도로 가장 적절한 것은?

① 자신의 삶을 전라도 젓갈과 비교하며 성찰하고 있다.
② 전라도 젓갈의 다양한 맛에 대한 궁금증을 드러내고 있다.
③ 현실에 순응하는 전라도 젓갈의 태도를 본받으려 하고 있다.
④ 전라도 젓갈의 가치를 인식하지 못하는 현실을 비판하고 있다.
⑤ 고난과 역경을 이겨 낸 전라도 젓갈의 의미를 발견하고 있다.

시어의 의미 파악

02 ㉠에 대한 화자의 인식으로 적절하지 않은 것은?

① 아랫목에 감추어 놓고 싶은 존재이다.
② 삶의 애환이 어우러져 있는 존재이다.
③ 역경과 인내를 통해 성숙해진 존재이다.
④ 삶의 고통과 슬픔이 배어 있는 존재이다.
⑤ 고난을 겪고 더 큰 생명력을 얻은 존재이다.

표현상의 특징 파악

03 윗글의 표현상 특징으로 적절하지 않은 것은?

① 역설적 발상으로 대상의 속성을 부각하고 있다.
② 감탄사를 사용하여 화자의 깨달음을 강조하고 있다.
③ 수미상관의 방식을 통해 구조적 안정감을 주고 있다.
④ 유사한 통사 구조의 반복을 통해 리듬감을 형성하고 있다.
⑤ 토속적인 소재를 사용하여 지역적 정서를 드러내고 있다.

도움말

수미상관의 방식이란, 시의 ❶ [　　] 과 마지막에 같은 내용의 구절이나 동일한 연을 반복해서 배치하는 방식입니다. 운율감을 형성하거나, 같은 내용을 반복함으로써 의미를 ❷ [　　] 할 수 있으며 구조적 안정감도 획득할 수 있습니다.

답 ❶ 처음 ❷ 강조

04~06 다음 글을 읽고, 물음에 답하시오.

가 문(門)을암만잡아당겨도안열리는것은안에생활(生活)이모자라는까닭이다. 밤이사나운꾸지람으로나를조른다. 나는우리집내문패(門牌)앞에서여간성가신게아니다. 나는밤속에들어서서제웅처럼자꾸만감(減)해간다. 식구(食口)야봉(封)한창호(窓戶)어데라도한구석터놓아다고내가수입(收入)되어들어가야하지않나. 지붕에서리가내리고뾰족한데는침(鍼)처럼월광(月光)이묻었다. 우리집이앓나보다그러고누가힘에겨운도장을찍나보다. 수명(壽命)을헐어서전당(典當)잡히나보다. 나는그냥문고리에쇠사슬늘어지듯매어달렸다. ㉠문을열려고안열리는문을열려고.

- 이상, 〈가정〉

나 시(詩)를 믿고 어떻게 살아가나
서른 먹은 사내가 하나 잠을 못 잔다.
먼 기적 소리 처마를 스쳐 가고
잠들은 아내와 어린것의 베개맡에
밤눈이 내려 쌓이나 보다.
무수한 손에 뺨을 얻어맞으며
항시 곤두박질해 온 생활의 노래
지나는 돌팔매에도 이제는 피곤하다.
먹고 산다는 것 / ㉡너는 언제까지 나를 쫓아오느냐.
등불을 켜고 일어나 앉는다. / 담배를 피워 문다.
쓸쓸한 것이 오장을 씻어 내린다.
노신(魯迅)이여 / 이런 밤이면 그대가 생각난다.
온 세계가 눈물에 젖어 있는 밤.
상해(上海) 호마로(胡馬路) 어느 뒷골목에서
쓸쓸히 앉아 지키던 등불 / 등불이 나에게 속삭거린다.
여기 하나의 상심한 사람이 있다.
여기 하나의 굳세게 살아온 인생이 있다.

- 김광균, 〈노신〉

화자의 정서 및 태도 파악

04 (가)의 화자와 (나)의 화자에 대한 이해로 가장 적절한 것은?

① (가)의 화자는 (나)의 화자와 달리 자신과 동일한 처지의 대상을 떠올리고 있다.
② (가)의 화자는 (나)의 화자와 달리 자신이 처한 상황을 극복하려는 의지를 드러내고 있다.
③ (나)의 화자는 (가)의 화자와 달리 자신이 느끼는 책임감을 비유적으로 표현하고 있다.
④ (나)의 화자는 (가)의 화자와 달리 소외감을 유발한 가족에 대한 원망을 드러내고 있다.
⑤ (가)의 화자와 (나)의 화자는 모두 현실적 삶에 대한 고뇌를 드러내고 있다.

화자의 정서 및 태도 파악

05 ㉠과 ㉡에 대한 이해로 가장 적절한 것은?

① ㉠에는 화자의 절실함이, ㉡에는 화자의 절망감이 담겨 있다.
② ㉠에는 화자의 무기력한 태도가, ㉡에는 화자의 담담한 태도가 드러난다.
③ ㉠에는 화자의 절망적인 상황이, ㉡에는 화자의 희망적인 상황이 드러난다.
④ ㉠과 ㉡에는 모두 앞날에 대한 화자의 기대감이 드러난다.
⑤ ㉠과 ㉡에는 모두 상황을 개선하려는 화자의 의지가 드러난다.

표현상의 특징 파악

06 (가)와 (나)의 공통점으로 가장 적절한 것은?

① 독백적인 어조로 화자의 내면을 솔직하게 드러내고 있다.
② 영탄적 표현을 통해 대상에 대한 경외감을 표출하고 있다.
③ 어둠과 밝음의 대조를 통해 긍정적 미래를 형상화하고 있다.
④ 문법적 표현을 무시하여 화자의 자의식을 자유롭게 드러내고 있다.
⑤ 현실의 공간과 상상의 공간을 연결하여 화자가 지향하는 공간을 형상화하고 있다.

필수 체크 전략 ①

✎ 다음 글을 읽고, 물음에 답하시오.

거미 새끼 하나 방바닥에 나린 것을 나는 아무 생각 없이 문밖으로 쓸어 버린다
차디찬 밤이다

어니젠가 새끼 거미 쓸려 나간 곳에 큰 거미가 왔다
나는 가슴이 짜릿한다
나는 또 **큰 거미를 쓸어 문밖으로 버리며**
찬 밖이라도 새끼 있는 데로 가라고 하며 서러워한다

이렇게 해서 아린 가슴이 싹기도* 전이다
어데서 좁쌀 알만 한 알에서 가제* 깨인 듯한 발이 채 서지도 못한 무척 작은 새끼 거미가 이번엔 큰 거미 없어진 곳으로 와서 아물거린다
나는 가슴이 메이는 듯하다
내 손에 오르기라도 하라고 나는 손을 내어 미나 분명히 **울고불고할 이 작은 것**은 나를 무서우이 달아나 버리며 나를 서럽게 한다
나는 이 작은 것을 고이 ㉠보드라운 종이에 받아 또 문밖으로 버리며
이것의 엄마와 누나나 형이 가까이 이것의 걱정을 하며 있다가 **쉬이 만나기나 했으면 좋으련만** 하고 슬퍼한다

– 백석, 〈수라〉

● 시상 전개

1연	거미 새끼 하나를 아무 생각 없이 문밖으로 쓸어 버림.
2연	자식이나 만나라고 ❶ [ ]를 문밖으로 쓸어 버리며 서러워함.
3연	무척 작은 새끼 거미를 문밖으로 쓸어 버리며 슬퍼함.

● 표현상의 특징

① 거미를 문밖으로 쓸어 버리는 ❷ [ ]의 반복을 통해 시상이 전개됨.
② 거미를 대하는 화자의 정서가 ❸ [ ]으로 고조됨.
③ 촉각적 심상을 활용하여 대상이 처한 상황의 비극성을 부각함.

답 ❶ 큰 거미 ❷ 행위 ❸ 점층적

● **싹기도** 삭기도. 긴장이나 화가 풀려 마음이 가라앉기도.
● **가제** '갓', '방금'의 평안도 방언.

대표 유형 3 시어 및 시구의 의미 파악

3 공간을 중심으로 윗글을 이해한 내용으로 가장 적절한 것은?

① '방바닥'은 '나'가 거미 새끼를 감지함으로써 자신의 외로운 처지를 깨닫는 공간이다.
② '쓸려 나간 곳'은 큰 거미의 출현으로 인해 '나'가 심적 고통을 느끼게 되는 공간이다.
③ '새끼 있는 데'는 큰 거미가 도달하기를 바라는 지점으로서 '나'의 상실감이 해소되는 공간이다.
④ '큰 거미 없어진 곳'은 거미에게 도움을 주려는 '나'의 행위로 인해 거미들의 고통이 해소되는 공간이다.
⑤ '문밖'은 '방바닥'에 대비됨으로써 '나'가 거미들의 만남이 실현된다고 확신하는 공간이다.

유형 해결 전략 시어 및 시구의 의미를 파악하는 유형으로, 시어 및 시구의 ❶ [　　] 의미를 파악하고 시적 ❷ [　　]과 연결 지어 시어 및 시구의 의미를 이해할 수 있어야 한다.

답 ❶ 상징적 ❷ 맥락

3-1 ㉠에 대한 이해로 가장 적절한 것은?

① 수고에 대한 보상을 나타낸다.
② 이상에 대한 동경을 나타낸다.
③ 미물에 대한 용서를 나타낸다.
④ 인간과 자연의 합일을 나타낸다.
⑤ 다른 대상에 대한 배려를 나타낸다.

3-2 다음을 바탕으로 윗글을 이해한 내용으로 적절하지 <u>않은</u> 것은?

> '수라'는 '눈을 뜨고 볼 수 없을 만큼 끔찍하게 흩어져 있는 세계'를 뜻하는 불교 용어로 거미 가족들이 뿔뿔이 흩어져 있는 비극적인 시적 상황을 상징한다. 시인은 일제 강점기에 가족 공동체가 붕괴된 우리 민족의 아픔을 거미 가족을 통해 표현하고, 공동체적인 삶의 회복을 염원하고 있다.

① '차디찬 밤'은 가족 공동체가 붕괴된 일제 강점기의 비극적인 상황을 표현한다고 볼 수 있군.
② '큰 거미를 쓸어 문밖으로 버리며'는 공동체적인 삶을 회복하는 거미 가족의 모습을 보여 주고 있군.
③ '나는 가슴이 메이는 듯하다'는 가족 공동체가 붕괴된 상황에 대한 화자의 안타까움을 표현하고 있군.
④ '울고불고할 이 작은 것'은 일제 강점기에 가족 공동체가 붕괴된 우리 민족을 의미한다고 볼 수 있군.
⑤ '쉬이 만나기나 했으면 좋으련만'은 공동체적인 삶의 회복을 염원하는 시인의 바람이 드러난 것으로 볼 수 있군.

도움말
시어나 시구의 의미는 화자의 정서와 태도를 바탕으로 시적 ❶ [　　]을 살펴보며 파악할 수 있습니다. ㉠의 앞뒤로 나타나는 화자의 ❷ [　　]를 파악해 보도록 합시다.

답 ❶ 맥락 ❷ 정서

도움말
자료가 제시된 문제에서는 자료의 내용을 바탕으로 시어와 시구의 의미를 살펴보아야 합니다. 시어와 시구가 ❶ [　　]하고 있는 ❷ [　　]적 의미를 파악해 봅시다.

답 ❶ 함축 ❷ 상징

다음 글을 읽고, 물음에 답하시오.

가을 연기 자욱한 저녁 들판으로
상행* 열차를 타고 평택을 지나갈 때
흔들리는 차창에서 너는
문득 낯선 얼굴을 발견할지도 모른다
그것이 너의 모습이라고 생각지 말아 다오
오징어를 씹으며 ㉠화투판을 벌이는
낯익은 얼굴들이 네 곁에 있지 않느냐
㉡황혼 속에 고함치는 원색의 지붕들과
잠자리처럼 파들거리는 TV 안테나들
흥미 있는 주간지를 보며
고개를 끄덕여 다오
㉢농약으로 질식한 풀벌레의 울음 같은
심야 방송이 잠든 뒤의 전파 소리 같은
듣기 힘든 소리에 귀 기울이지 말아 다오
확성기마다 울려 나오는 힘찬 노래와
고속 도로를 달려가는 자동차 소리는 얼마나 경쾌하냐
예부터 인생은 여행에 비유되었으니
㉣맥주나 콜라를 마시며
즐거운 여행을 해 다오
되도록 생각을 하지 말아 다오
놀라울 때는 다만
"아!"라고 말해 다오
보다 긴 말을 하고 싶으면 침묵해 다오
침묵이 어색할 때는
오랫동안 가문 날씨에 관하여
아르헨티나의 축구 경기에 관하여
성장하는 ㉤GNP*와 증권 시세에 관하여
이야기해 다오
너를 위하여
그리고 나를 위하여

– 김광규, 〈상행〉

● 시상 전개

1~5행	성찰적 자아에 대한 발견
6~11행	❶ [ ] 삶에 대한 비판
12~19행	부정적 현실을 외면하는 삶에 대한 비판
20~30행	부정적 현실에 침묵하는 삶에 대한 비판

● 표현상의 특징

① 종결 표현인 '❷ [ ]'를 반복하여 특정 인식과 행동을 공유함.
② 반어적 ❸ [ ]을 사용하여 현실 비판적 태도를 드러냄.
③ 시대적 상황을 반영한 다양한 소재를 활용하여 주제를 형상화함.
예 원색의 지붕, TV 안테나들, 확성기마다 울려 나오는 힘찬 노래 등
④ 청자에게 말을 건네는 방식을 통해 당부의 의미를 드러냄.

답 ❶ 소시민적 ❷ ~다오 ❸ 표현

● **상행** 지방에서 서울로 올라감. 또는 그런 교통수단.
● **GNP** 국민 총생산. 일정 기간 동안 한 나라의 국민이 생산한 재화와 용역의 부가 가치를 시장 가격으로 평가한 총액. 보통 1년간을 단위로 하며, 그 나라의 경제 규모를 재는 척도가 됨.

대표 유형 4 외적 준거에 따른 작품 감상

4 〈보기〉를 바탕으로 시적 화자와 대상과의 관계를 분석했을 때, 적절하지 않은 것은?

보기

이 시는, 급속하게 진행되는 산업화의 과정에서 파생된 현실의 부정적 상황을 도외시한 채 쾌락과 이익만을 추구하는 인간 군상에 대한 비판 의식을 드러내고 있다. 시인은 삶에 대한 진지한 고뇌와 자각이 인간의 삶을 좀 더 바람직한 방향으로 전환하게 하는 계기가 됨을 시적 화자의 목소리를 통해 말하고 있다. 이 작품에서의 '너'를 시적 대상이자 청자라고 할 때, 다음과 같이 나타낼 수 있다.

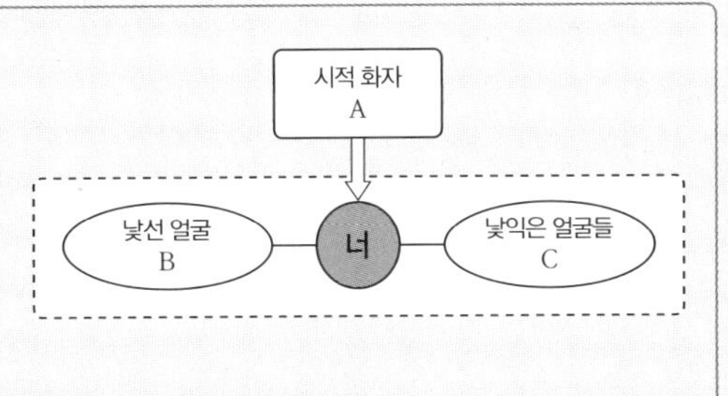

① A는 개인주의적 태도에 대한 자기 성찰의 필요성을 '너'에게 일깨워 주고 있다.
② B는 사회 이면에 존재하는 근본 문제에 대해 고민하는 인물의 모습을 형상화하고 있다.
③ C는 사회 현실을 외면한 채 자신의 욕망에만 집착하는 현대인의 모습을 나타내고 있다.
④ A는 B의 인식 변화를 통해 '너'가 직면하고 있는 현실이 개선될 것으로 기대하고 있다.
⑤ A는 '너'가, C로 대표되는 삶의 유형으로부터 벗어나 냉철한 인식을 지니도록 요청하고 있다.

유형 해결 전략 외적 준거를 바탕으로 시를 종합적으로 감상하는 유형이다. 〈보기〉의 내용에 주목하여 작품을 ❶ [ ] 적으로 감상해야 한다. 특히 〈보기〉로 제시되는 자료의 작품을 감상하는 ❷ [ ] 이 무엇인지 파악할 수 있어야 한다.

답 ❶ 종합 ❷ 관점

4-1 다음을 참고하여 ㉠~㉤을 감상한 내용으로 적절하지 않은 것은?

〈상행〉의 배경인 1970년대는 경제 성장을 추구하면서 동시에 많은 문제점을 내포한 시기였다. 농촌은 무분별한 성장 추구로 인해 환경 오염이 심각해졌다. 전시 행정에만 급급했던 '지붕 개량화 사업'과 같은 정책들은 실질적인 서민들의 삶과 유리되어 있었다. 사람들은 진지한 성찰의 자세를 잃어버렸으며, 소시민적 삶에 매몰되어 갔다.

① ㉠은 삶에 대한 진지한 성찰을 잃어버린 모습이겠군.
② ㉡은 서민들의 실질적인 삶과 유리된 전시 행정의 결과물이겠군.
③ ㉢은 무분별한 성장 추구로 인해 심각한 환경 오염에 물든 상황을 보여 주는 것이겠군.
④ ㉣은 당시 사회가 내포하고 있던 많은 문제점들을 집약적으로 보여 주는 것이겠군.
⑤ ㉤은 자신의 안위만을 걱정하는 소시민적 삶의 한 단면을 보여 주는 것이겠군.

4-2 ⓐ의 관점으로 작품을 감상한 내용으로 가장 적절한 것은?

문학 작품의 종합적인 감상을 위해서는 작품 자체뿐만 아니라 ⓐ작가에 초점을 두는 표현론적 관점과 현실에 초점을 둔 반영론적 관점, 독자에 초점을 둔 효용론적 관점을 모두 고려해야 한다.

① 이 작품을 읽은 독자들은 근대화의 문제점을 인식함으로써 부정적인 현실을 직시하게 된다.
② 이 작품은 평범한 일상 속에서 자신의 소시민성을 비판하는 시인 김광규의 특성이 잘 드러나 있다.
③ 이 작품의 화자는 서울로 올라오는 열차 안에서 시적 대상에게 근대화의 모순을 알려 주고 있다.
④ 이 작품은 반어적 표현을 통해 자신의 삶에 대한 성찰 없이 일상에 안주하려는 소시민의 삶을 비판하고 있다.
⑤ 이 작품은 창작된 당시 독재 정권하에서 개인의 사고와 표현의 자유가 제한되어 있던 상황을 비판하고 있다.

필수 체크 전략 ②

01~03 다음 글을 읽고, 물음에 답하시오.

흥안령(興安嶺) 가까운 북변(北邊)의
이 ⓐ광막한 벌판 끝에 와서
죽어도 뉘우치지 않으려는 마음 위에
오늘은 이레째 ⓑ암수(暗愁)의 비 내리고
내 망나니에 본받아
화톳장을 뒤치고 / 담배를 눌러 꺼도
마음은 속으로 끝없이 울리노니
아아 이는 다시 ⓒ나를 과실(過失)함이러뇨
이미 온갖을 저버리고
사람도 나도 접어주지 않으려는 이 자학의 길에
내 열 번 패망의 인생을 버려도 좋으련만
아아 이 ⓓ회오(悔悟)의 앓음을 어디메 호읍(號泣)할 곳 없어
말없이 자리를 일어나와 문을 열고 서면
나의 **탈주할 사념의 하늘도 보이지 않고**
정차장도 이백 리 밖
암담한 진창에 갇힌 ⓔ철벽 같은 절망의 광야!

– 유치환, 〈광야에 와서〉

- **뒤치고** 엎어진 것을 젖혀 놓거나 자빠진 것을 엎어 놓고.
- **회오** 잘못을 뉘우치고 깨달음.
- **호읍** 목 놓아 큰 소리로 욺. 또는 그런 울음.

표현상의 특징 파악

01 윗글에 대한 설명으로 가장 적절한 것은?

① 색채 이미지를 활용하여 시적 대상의 역동적 이미지를 강조하고 있다.
② 영탄적 표현을 통해 시적 대상에 대한 화자의 정서를 효과적으로 드러내고 있다.
③ 관념어를 활용하여 화자의 심경이 변화되는 과정을 구체적으로 표현하고 있다.
④ 화자의 구체적인 행동을 나열하여 시적 대상에 대한 화자의 인식을 드러내고 있다.
⑤ 거리를 나타내는 시어를 활용하여 시적 대상에 대한 화자의 기대감을 드러내고 있다.

시어 및 시구의 의미 파악

02 ⓐ~ⓔ에 대한 이해로 적절하지 않은 것은?

① ⓐ: 고향을 떠난 새로운 삶의 공간을 표현한 것이다.
② ⓑ: 고향을 떠나올 때와 다른, 현재의 시름에 대한 화자의 인식을 표현한 것이다.
③ ⓒ: 고향을 일찍 떠나오지 못했던 자신의 과거를 후회하는 모습을 표현한 것이다.
④ ⓓ: 자신의 행동을 후회하는 정서를 표현한 것이다.
⑤ ⓔ: 화자의 절망감을 비유적으로 표현한 것이다.

외적 준거에 따른 작품 감상

03 〈보기〉를 바탕으로 윗글을 감상한 내용으로 적절하지 않은 것은?

보기

이 시는 시인이 일제의 탄압을 피해 만주로 탈출해서 생활할 때의 경험을 담은 작품이다. 시인은 새로운 삶을 꿈꾸며 떠났으나, 떠난 곳이 암울한 땅임을 깨닫고 절망한다. 이 시기 시인은 여러 작품을 통해 일제와 맞서지 못하고 나라를 버리고 떠났다는 자책감을 드러내기도 하지만 허무와 고독을 극복하려는 의지를 보여 주기도 하였다.

① 
'흥안령 가까운 북변'은 일제의 탄압을 피해 탈출해서 생활한 곳이겠군.

② 
'죽어도 뉘우치지 않으려는 마음'은 만주로 올 때 가졌던 마음가짐이라 볼 수 있어.

③ 
'마음은 속으로 끝없이 울리노니'는 나라를 버리고 온 자책감이라고 볼 수 있군.

④ 
'내 열 번 패망의 인생을 버려도 좋으련만'은 나라를 버리고 떠나온 행동을 패망의 인생이라 인식하는 것이군.

⑤ 
'탈주할 사념의 하늘도 보이지 않고'는 허무와 고독을 극복하려는 시인의 의지라 볼 수 있어.

04~05 **다음 글을 읽고, 물음에 답하시오.**

가 차운 물보라가 / 이마를 적실 때마다
나는 소년처럼 울음을 참았다.

길길이 부서지는 파도 사이로
㉠걷잡을 수 없이 나의 해로(海路)가 일렁일지라도

나는 홀로이니라,
㉡나는 바다와 더불어 홀로이니라.

일었다간 스러지는 감상(感傷)의 물거품으로
자폭(自暴)의 잔(盞)을 채우던 옛날은
이제 아득히 띄워보내고,

왼몸을 내어맡긴 천인(千仞)의 깊이 위에
㉢나는 꽃처럼 황홀한 순간을 마련했으니

슬픔이 설사 또한 바다만 하기로
나는 뉘우치지 않을
나의 하늘을 꿈꾸노라.

– 김종길, 〈바다에서〉

나 머리가 마늘쪽같이 생긴 고향의 소녀와
한여름을 알몸으로 사는 고향의 소년과
같이 낯이 설어도 사랑스러운 들길이 있다

㉣그 길에 아지랑이가 피듯 태양이 타듯
제비가 날듯 길을 따라 물이 흐르듯 그렇게
그렇게

㉤천연(天然)히

울타리 밖에도 화초를 심는 마을이 있다
오래오래 잔광이 부신 마을이 있다
밤이면 더 많이 별이 뜨는 마을이 있다

– 박용래, 〈울타리 밖〉

시어 및 시구의 의미 파악

04 **㉠~㉤에 대한 이해로 적절하지 않은 것은?**

① ㉠: 화자가 겪는 고난의 상황을 일렁이는 '해로'에 비유하여 제시하고 있다.
② ㉡: 반어적 표현을 통해 '바다'로 인해 '홀로'가 아닌 화자의 처지를 부각하고 있다.
③ ㉢: 꿈과 이상을 위한 노력을 '꽃처럼 황홀한 순간'으로 표현하여 미래에 대한 지향을 드러내고 있다.
④ ㉣: '아지랑이', '태양', '제비', '물'을 모두 '-듯'으로 연결하여 동질한 속성을 지닌 대상임을 드러내고 있다.
⑤ ㉤: 시어 하나로 한 연을 구성하여 대상의 속성을 강조하고 시상을 집약하고 있다.

외적 준거에 따른 작품 감상

05 **다음을 바탕으로 윗글을 감상한 내용으로 적절하지 않은 것은?**

> 시를 창작할 때는 공간의 대비를 통해 시적 의미를 효과적으로 드러내기도 한다. (가)는 부정적 속성을 지닌 바다와 긍정적 대상인 하늘을 대비하여 화자의 내면 상황을 선명하게 드러내고 있다. (나)는 울타리를 경계로 안과 밖의 공간 대비를 드러내고 있다. 울타리의 안과 밖은 자연과 인간이 조화를 이루는 공간의 의미를 지닌다.

① (가)에서 '차운 물보라'에 '울음을 참'을 수밖에 없었던 화자는 바다를 부정적으로 인식하고 있군.
② (가)에서 화자는 '뉘우치지 않을' '하늘'을 꿈꾸고 있으므로 하늘을 긍정적으로 인식하고 있군.
③ (나)에서 '고향의 소녀'와 '소년'을 통해 울타리 안의 자연스러운 인간의 모습을 살펴볼 수 있군.
④ (나)에서 '울타리 밖에도' '마을'이 있음을 표현함으로써 울타리를 경계로 안과 밖의 공간 대비를 드러내고 있군.
⑤ (가)의 '아득히 띄워보내'는 화자의 모습에서 바다를, (나)의 '화초를 심는 마을'을 인식한 화자의 모습에서 '울타리 밖'을 부정적으로 인식하고 있음을 알 수 있군.

01~03 다음 글을 읽고, 물음에 답하시오.

태양을 의논하는 거룩한 이야기는
항상 태양을 등진 곳에서만 비롯하였다.

달빛이 흡사 비 오듯 쏟아지는 밤에도
우리는 헐어진 성터를 헤매이면서
언제 참으로 그 언제 우리 하늘에
오롯한 태양을 모시겠느냐고
가슴을 쥐어뜯으며 이야기하며 이야기하며
가슴을 쥐어뜯지 않았느냐?

그러는 동안에 영영 잃어버린 벗도 있다.
그러는 동안에 멀리 떠나 버린 벗도 있다.
그러는 동안에 몸을 팔아 버린 벗도 있다.
그러는 동안에 맘을 팔아 버린 벗도 있다.

그러는 동안에 드디어 서른여섯 해가 지나갔다.

다시 우러러보는 이 하늘에
겨울밤 달이 아직도 차거니
오는 봄엔 분수처럼 쏟아지는 태양을 안고
그 어느 언덕 꽃덤불에 아늑히 안겨 보리라.

– 신석정, 〈꽃덤불〉

표현상의 특징 파악

01 윗글에 대한 설명으로 적절하지 않은 것은?

① 시간의 흐름에 따라 시상을 전개하고 있다.
② 설의적 표현을 통해 화자의 정서를 강조하고 있다.
③ 유사한 문장 구조의 반복을 통해 운율을 형성하고 있다.
④ 음성 상징어를 활용하여 시적 상황을 생생하게 드러내고 있다.
⑤ 어둠과 밝음의 대립적 이미지를 활용하여 주제를 형상화하고 있다.

화자의 정서 및 태도 파악

02 윗글의 시적 화자에 대한 이해로 가장 적절한 것은?

① 일제 강점기의 암담한 현실에 좌절하고 있다.
② 아직 끝나지 않은 일제 강점기가 끝나기를 소망하고 있다.
③ 일제 강점기 동안 몸과 마음을 팔아 버린 벗을 비난하고 있다.
④ 자신이 소망하는 진정한 광복은 오지 않으리라 생각하고 있다.
⑤ 민족의 화합이 이루어진 완전한 민족 국가의 수립을 염원하고 있다.

외적 준거에 따른 작품 감상

03 다음을 바탕으로 윗글을 감상한 내용으로 적절하지 않은 것은?

〈꽃덤불〉은 1946년 발표된 작품으로, 광복 직후에 쓰인 것으로 알려져 있다. 시인은 일제 강점기의 어둡고 고통스러웠던 과거를 돌아보고, 염원하던 광복이 이루어진 후에도 여전히 좌우익의 이념 갈등으로 인해 혼란한 상황을 안타까워하며, 조국의 완전한 독립과 화합을 바라는 소망을 드러내고 있다.

① '태양을 등진 곳'과 '밤'은 일제 강점기의 어둡고 고통스러웠던 상황을 표현한 것이다.
② '헐어진 성터'에서 갈망한 '오롯한 태양'은 광복 이후에도 아직 이루지 못한 조국의 완전한 독립과 화합을 의미한 것이다.
③ '가슴을 쥐어뜯으며 이야기'한 것은 조국의 광복을 실현하고 싶은 열망을 드러내는 대화를 의미한 것이다.
④ '다시 우러러보는 이 하늘'에 '달'이 아직 찬 것은 좌우익의 이념 갈등으로 인한 혼란한 상황이 이어지고 있음을 의미한 것이다.
⑤ '오는 봄'에 화자가 안기고 싶어 하는 '꽃덤불'은 화자가 궁극적으로 소망하는 이상적인 국가의 모습을 의미한 것이다.

04~06 다음 글을 읽고, 물음에 답하시오.

우리 집도 아니고
일갓집도 아닌 집
고향은 더욱 아닌 곳에서
㉠아버지의 침상(寢床) 없는 최후 최후의 밤은
풀벌레 소리 가득 차 있었다.

노령(露領)을 다니면서까지
애써 자래운 아들과 딸에게
한마디 남겨 두는 말도 없었고,
아무을만(灣)의 파선도
설룽한 니코리스크의 밤도 완전히 잊으셨다.
목침을 반듯이 벤 채.

다시 뜨시잖는 두 눈에
피지 못한 꿈의 꽃봉오리가 갈앉고
얼음장에 누우신 듯 손발은 식어 갈 뿐
입술은 심장의 영원한 정지(停止)를 가리켰다.
때늦은 의원이 아모 말없이 돌아간 뒤
이웃 늙은이의 손으로
눈빛 미명은 고요히 / 낯을 덮었다.

우리는 머리맡에 엎디어 / 있는 대로의 울음을 다아 울었고
아버지의 침상 없는 최후 최후의 밤은
풀벌레 소리 가득 차 있었다.

– 이용악, 〈풀벌레 소리 가득 차 있었다〉

- **노령** 러시아의 영토로 시베리아 일대를 이름.
- **자래운** 키운.
- **아무을만, 니코리스크** 오호츠크 해 근처의 러시아 지명.
- **설룽한** 춥고 차가운.

화자의 정서 및 태도 파악

04 ㉠에 나타난 화자의 정서로 가장 적절한 것은?

① 고향을 떠날 수밖에 없던 자신의 처지에 대한 안타까움을 드러내고 있다.
② 타국에서 비참하게 죽음을 맞이한 아버지에 대한 비통함을 드러내고 있다.
③ 끝내 이루지 못한 아버지의 꿈을 대신 이루겠다는 다짐을 드러내고 있다.
④ 고향에서 들은 풀벌레 소리를 떠올리며 고향에 대한 그리움을 드러내고 있다.
⑤ 타국을 떠돌아다니며 자신을 키워 준 아버지에 대한 고마움을 드러내고 있다.

표현상의 특징 파악

05 윗글의 표현상의 특징으로 적절하지 않은 것은?

① 수미상관식 구성을 통해 구조적 안정감을 획득하고 있다.
② 청각적 이미지를 활용하여 화자의 서글픈 정서를 강조하고 있다.
③ 구체적 지명을 제시하여 시적 상황에 대한 사실성을 획득하고 있다.
④ 자연물에 감정을 이입하여 화자의 정서를 객관적으로 드러내고 있다.
⑤ 절제된 어조에 화자의 슬픔을 담아내어 비극적인 분위기를 부각하고 있다.

시어 및 시구의 의미 파악

06 윗글에 대한 이해로 적절하지 않은 것은?

① 1연에는 '침상 없는' 궁핍한 현실 속에서 '최후의 밤'을 맞이했던 아버지의 죽음이 드러나 있다.
② 2연에는 '아들과 딸'들에게 '한마디 남겨 두는 말'도 없이 떠난 아버지에 대한 원망이 드러나 있다.
③ 2연에는 '아들과 딸'을 '애써' 키우기 위해 '노령'과 '아무을만'을 다니시던 아버지의 삶의 모습이 드러나 있다.
④ 3연에는 '다시 뜨시잖는 두 눈'과 식어 가는 '손발', 정지한 '심장'을 통해 아버지의 죽음이 드러나 있다.
⑤ 4연에는 아버지의 '머리맡'에서 '있는 대로의 울음을 다아' 우는 모습에 아버지의 죽음에 대한 비통한 심정이 드러나 있다.

07~10 다음 글을 읽고, 물음에 답하시오.

징이 울린다 막이 내렸다
오동나무에 전등이 매어 달린 가설무대
구경꾼이 돌아가고 난 텅 빈 운동장
우리는 분이 얼룩진 얼굴로
학교 앞 소줏집에 몰려 술을 마신다
답답하고 고달프게 사는 것이 원통하다
꽹과리를 앞장세워 장거리로 나서면
따라붙어 악을 쓰는 건 조무래기들뿐
처녀 애들은 기름집 담벽에 붙어 서서
철없이 킬킬대는구나
보름달은 밝아 어떤 녀석은
꺽정이처럼 울부짖고 또 어떤 녀석은
서림이처럼 해해대지만 이까짓
산 구석에 처박혀 발버둥 친들 무엇하랴
비룟값도 안 나오는 농사 따위야
아예 여편네에게나 맡겨 두고
쇠전을 거쳐 도수장 앞에 와 돌 때
ⓐ우리는 점점 신명이 난다
한 다리를 들고 날라리를 불거나
고갯짓을 하고 어깨를 흔들거나

－ 신경림, 〈농무〉

- **꺽정이** 임꺽정. 조선 명종 때의 의적.
- **서림이** 임꺽정의 책사. 임꺽정을 배신하는 인물.
- **농무** 풍물놀이에 맞추어 추는 춤. 꽹과리, 북, 태평소, 징 따위의 소리에 맞추어 벙거지에 매단 털이나 띠를 빙빙 돌리며 흥겹게 춤.

표현상의 특징 파악

07 윗글에 대한 설명으로 적절하지 않은 것은?

① '농무'라는 구체적인 상황을 설정하여 사실감을 더하고 있다.
② '운동장'에서 '도수장'까지의 공간의 이동에 따라 시상이 전개되고 있다.
③ '발버둥 친들 무엇하랴'와 같은 설의적 표현을 통해 시적 대상을 예찬하고 있다.
④ '고달프게 사는 것이 원통하다'와 같은 직설적인 표현으로 현실 인식을 드러내고 있다.
⑤ '꺽정이', '서림이'와 같은 역사적인 인물들을 통해 화자의 정서를 효과적으로 표현하고 있다.

화자의 정서 및 태도 파악

08 다음은 공간의 이동에 따른 화자의 정서 변화를 드러낸 것이다. ㉠~㉤에 들어갈 화자의 정서로 적절하지 않은 것은?

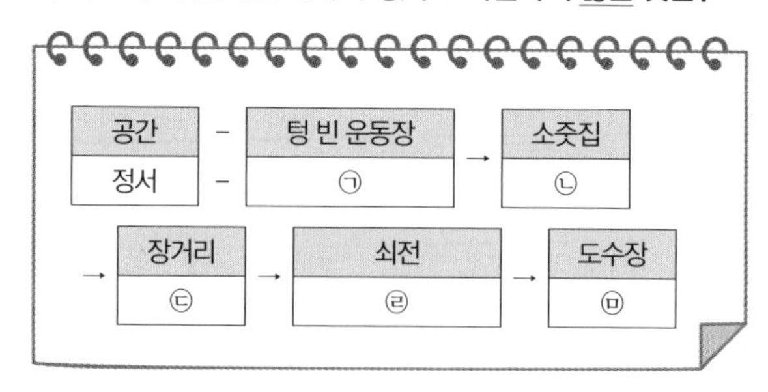

① ㉠에는 막이 내리고 구경꾼이 돌아가고 난 뒤의 허탈감의 정서가 드러난다.
② ㉡에는 술을 마시면서 답답하고 고달프게 사는 것에 대한 원통함의 정서가 드러난다.
③ ㉢에는 예전과는 다르게 조무래기들이나 따라붙는 농촌의 현실에 대한 분노와 울분의 정서가 드러난다.
④ ㉣에는 과거 소를 팔고 사던 추억을 떠올리면서 나아질 미래에 대한 기대감의 정서가 드러난다.
⑤ ㉤에는 분노가 최고조에 이르렀음을 신명으로 표현하며 농촌 현실에 대한 불만의 정서가 드러난다.

표현상의 특징 파악

09 **다음은 ⓐ에 사용된 표현 방식에 대한 설명이다. 이를 참고하여 ⓐ에 사용된 표현 방식과 유사한 표현 방식이 사용된 것은?**

> 시적 화자는 피폐해진 농촌 현실에 대한 분노와 한(恨)을 이와 반대되는 정서인 '신명'으로 표현하고 있다. 이렇듯 속마음과 반대되는 표현을 사용하여 화자의 정서를 강조하고 있다.

① 나 보기가 역겨워 / 가실 때에는 / 죽어도 아니 눈물 흘리우리다 - 김소월, 〈진달래꽃〉

② 모란이 피기까지는 / 나는 아직 기다리고 있을 테요 / 찬란한 슬픔의 봄을 - 김영랑, 〈모란이 피기까지는〉

③ 옛이야기 지줄대는 실개천이 회돌아 나가고, / 얼룩백이 황소가 / 해설피 금빛 게으른 울음을 우는 곳 - 정지용, 〈향수〉

④ 산 꿩도 섧게 울은 슬픈 날이 있었다 / 산 절의 마당귀에 여인의 머리오리가 눈물방울과 같이 떨어진 날이 있었다. - 백석, 〈여승〉

⑤ 별 하나에 추억과 / 별 하나에 사랑과 / 별 하나에 쓸쓸함과 / 별 하나에 동경과 / 별 하나에 시와 / 별 하나에 어머니, 어머니, - 윤동주, 〈별 헤는 밤〉

외적 준거에 따른 작품 감상

10 **〈보기〉를 참고하여 윗글을 감상한 내용으로 적절하지 않은 것은?**

> 보기
>
> 〈농무〉는 1970년 대의 농촌의 실상과 농민들의 정서를 잘 드러낸 작품이다. 1960년대부터 정부가 산업화와 도시화에 집중하면서 농촌은 점차 피폐해져 갔다. 저곡가 정책에 따라 농민들은 생산비에도 못 미치는 싼값에 농작물을 팔아야 했고, 이를 견디지 못한 농민들은 도시로 이주하여 빈민층이 되거나 싼값의 노동력을 제공하는 도시 노동자로 전락하게 되었다. 이에 작가는 농촌의 암담한 현실과 농민의 울분과 고뇌를 농무를 추는 화자를 통해 표출하고 있다.

① '막이 내'린 '텅 빈 운동장'은 산업화와 도시화에 집중하면서 피폐해진 농촌의 현실을 상징적으로 표현하고 있군.

② '학교 앞 소줏집에 몰려 술을 마'시는 것은 농촌의 암담한 현실에 대한 농민들의 고뇌를 잊기 위한 행동이라 볼 수 있군.

③ 농무를 구경하는 사람이 '조무래기'와 '처녀 애들'뿐이라는 것은 젊은이들이 암담한 농촌의 현실을 견디지 못하고 떠난 농촌의 현실을 보여 주는군.

④ '비룟값도 안 나오는 농사 따위'는 저곡가 정책에 따라 싼값에 농작물을 팔 수밖에 없던 농민들의 암담한 처지를 드러내는군.

⑤ '도수장 앞'에서 '신명'이 나는 것은 농무를 통해 농민의 울분과 고뇌를 승화시켜 새로운 농촌을 만들려는 의지를 드러내는군.

창의·융합·코딩 전략 ①

01~04 다음 글을 읽고, 물음에 답하시오.

가 고향에 고향에 돌아와도 / 그리던 고향은 아니러뇨. //
산꿩이 알을 품고 / 뻐꾸기 제철에 울건만, //
마음은 제 고향 지니지 않고
머언 항구로 떠도는 구름. //
오늘도 뫼 끝에 홀로 오르니
흰 점 꽃이 인정스레 웃고, //
어린 시절에 불던 풀피리 소리 아니 나고
메마른 입술에 쓰디쓰다. //
고향에 고향에 돌아와도
그리던 하늘만이 높푸르구나.

- 정지용, 〈고향〉

나 꽁치 토막일망정 좋은 반찬은 서로 양보들을 했다, 어두운 화찻간 속에서 막걸리 사발이나 받아다 마시면, 넷이 법석대곤 했다.

우리들 중 가장 어린 하원이는 늘 무언가 풀어헤치듯.

"야하, 부산은 눈두 안 온다. 잉. 어잉 야야. 벌써 자니 이 새끼, 벌써 자니? 진짜, 잉. **광석이 아저씨네 움물** 말이다. 눈 오문 말이다. 뒤에 상나무 있잖니? 하얀 양산처럼 되는, 잉. 한번은 이른 새벽이댔는데 장자골집 형수, 물을 막 첫 바가지 푸는데 푸뜩 눈 뭉치가 떨어졌다, 그 형수 뒷머리를 덮었다. 내가 막 웃으니까. 그 형수두 눈 떨 생각은 않구, 하하하 웃는단 말이다. 원래가 그 형수 잘 웃잖니?"

광석이는 히죽히죽 웃으면서,

"토백이 반원 새끼덜, 우릴 사촌끼리냐구 묻더구나. 그렇다니까, 그러냐아구, 어쩌구. 그 꼬락서니라구야. 이 새끼 벌써 취햇?"

조금 사이를 두어, / "야하, 언제나 고향 가지?"

두찬이는 혀 꼬부라진 소리로,

"이제 금방 가게 되잖으리."

"이것두 다아 좋은 경험이다." / "암, 그렇구말구."

"우리, 동네 갈 땐 꼭 같이 가야 된다, 알겐."

"아무렴, 여부 있니, 우리 넷이 여기서 떨어지다니, 그럴 수가. 벼락을 맞을 소리지. 허허허, 기분 좋다. 우리 더 마실까." 〈중략〉

중공군이 밀려온다는 바람에 무턱대고 배 위에 올라타긴 했으나 도시 막막하던 것이어서 바다 위에서 우리 넷이 만났을 땐 사실 미칠 것처럼 반가웠다.

야하 너두 탔구나, 너두, 너두.

배 칸에서 하루 저녁을 지나, 이튿날 아침에는 부산 거리에 부리어졌다. 넷이 다 타향 땅은 처음이라, **서로 마주 건너다보며 어리둥절했다.** 마을 안에 있을 땐 이십 촌 안팎으로나마 서로 아접 조카 집안끼리였다는 것이 이 부산 하늘 밑에선 새삼스러웠던 것이다.

"야하, 이제 우리 넷이 떨어지는 날은 죽는 날이다, 죽는 날이야."

광석이는 몇 번이고 되풀이하여 지껄이곤 했다.

- 이호철, 〈탈향〉

화자와 인물의 정서 및 태도 파악

01 다음은 (가)의 화자와 (나)의 '하원'의 대화이다. 윗글의 내용을 고려했을 때 적절하지 않은 것은?

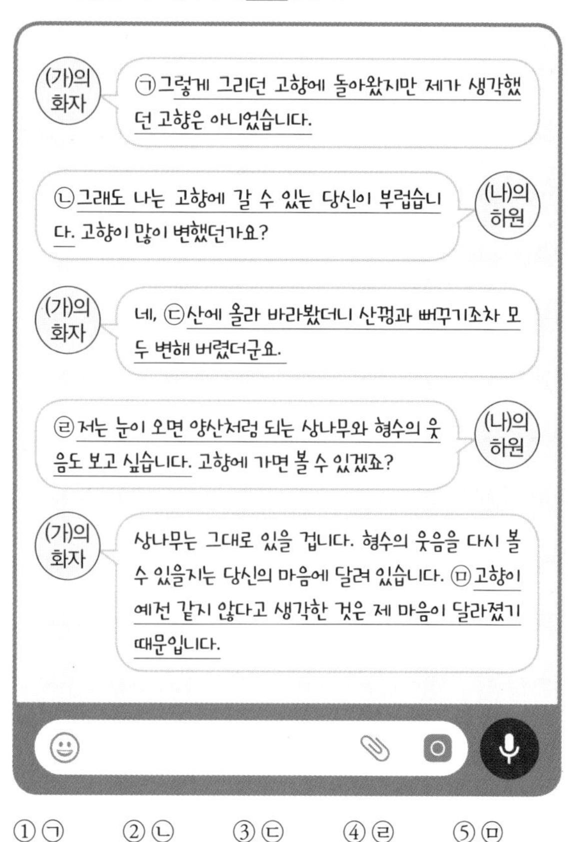

① ㉠ ② ㉡ ③ ㉢ ④ ㉣ ⑤ ㉤

표현상의 특징 파악

02 **다음은 (가)의 시상 전개 방식을 구조화한 것이다. ⓐ에 들어갈 내용으로 가장 적절한 것은?**

변함없는 고향의 자연		변해 버린 인간
산꿩, 뻐꾸기, 흰 점 꽃, 하늘	⟷ 대조	어린 시절 불던 풀피리 소리 아니 남.

⬇

작가의 의도	ⓐ

① 변함없는 고향의 자연을 의미하는 소재를 나열하여 고향에 대한 그리움을 부각한다.
② 어린 시절 불던 풀피리 소리를 통해 자연과 달리 변해 버린 인간에 대한 비판을 강화한다.
③ 변함없는 고향의 자연과 견주어 변해 버린 화자 자신의 모습에 대한 성찰적 태도를 드러낸다.
④ 고향의 자연과 인간의 마음을 대조하여 변함없는 자연을 바라보며 느끼는 경이로움을 강조한다.
⑤ 변함없는 고향의 자연과 변한 화자의 마음을 대조하여 고향에 대한 상실감과 허망함을 부각한다.

도움말
시적 화자나 시적 대상이 처한 ❶ [　　], 이때 나타나는 화자의 ❷ [　　] 등을 통해 작가가 작품을 통해 말하려는 의도를 파악해 봅시다.

답 ❶ 상황 ❷ 태도

외적 준거에 따른 작품 감상

03 **다음을 참고하여 (가)와 (나)를 감상한 내용으로 적절하지 않은 것은?**

> 고향은 다정함과 그리움, 안타까움이라는 정감을 담고 있는 말이다. 고향의 의미는 공간과 시간, 마음이라는 요소가 불가분의 관계로 굳어진 복합된 심성으로 특히 고향을 떠난 이에게는 세 요소에 의한 기억으로 인해 고향에 대한 관념이 더욱 강하게 나타난다. (가)는 고향을 떠났던 화자가 고향에 돌아와 느낀 정서를, (나)는 고향을 떠난 인물들이 타향에서 느끼는 감정을 드러내고 있다.

① (가)의 '마음은 제 고향 지니지 않고'는 동일한 공간에서 시간의 요소가 달라짐으로써 화자의 마음이 달라졌음을 드러내고 있군.
② (가)의 '메마른 입술에 쓰디쓰다'는 미각적 심상을 통해 고향 상실로 인한 안타까움의 정서를 드러내고 있군.
③ (나)의 '광석이 아저씨네 움물'은 과거의 시간과 공간 요소를 통해 고향에 대한 그리움을 드러내고 있군.
④ (나)의 '중공군이 밀려온다는 바람'은 인물들이 고향을 떠난 이유와 함께 고향에 대한 부정적 관념이 형성된 계기를 나타내고 있군.
⑤ (나)의 '서로 마주 건너다보며 어리둥절했다'는 고향을 떠난 인물들이 고향이 아닌 공간에서 느끼는 감정을 표현하고 있군.

도움말
(가)와 (나)에서 등장하는 ❶ [　　]을 대하는 시적 화자나 등장인물의 정서와 ❷ [　　]를 제시된 자료의 관점을 통해 찾아봅시다.

답 ❶ 대상 ❷ 태도

시어 및 시구의 의미 파악

04 **(가)의 하늘과 (나)의 눈에 대한 설명으로 가장 적절한 것은?**

	하늘	눈
①	지향하는 이상적인 세계	타향에서의 고난
②	변함없는 고향의 자연	고향으로 돌아갈 수 없는 이유
③	미래에 대한 기대	과거의 순수한 모습
④	변해 버린 고향	고향으로 돌아가려는 의지
⑤	타향에서 그리워하던 고향의 모습	고향을 떠올리게 하는 존재

도움말
갈래가 서로 다른 작품을 융합하여 소재의 상징적인 ❶ [　　]나 기능을 파악하는 문제에서는 각각의 작품에서 상징적인 ❷ [　　]가 어떤 의미나 역할을 하는지 파악하여 비교해 봅시다.

답 ❶ 의미 ❷ 소재

창의·융합·코딩 전략 ②

05~08 다음 글을 읽고, 물음에 답하시오.

가 잃어버렸습니다.
무얼 어디다 잃었는지 몰라
두 손이 주머니를 더듬어
길에 나아갑니다.

돌과 돌과 돌이 끝없이 연달아
길은 돌담을 끼고 갑니다.

담은 쇠문을 굳게 닫아
길 위에 긴 그림자를 드리우고

길은 아침에서 저녁으로
저녁에서 아침으로 통했습니다.

돌담을 더듬어 눈물짓다
쳐다보면 하늘은 부끄럽게 푸릅니다.

풀 한 포기 없는 이 길을 걷는 것은
담 저쪽에 내가 남아 있는 까닭이고,

내가 사는 것은, 다만,
잃은 것을 찾는 까닭입니다.

- 윤동주, 〈길〉

나 청계천 7가 골동품 가게에서
나는 어느 황소 목에 걸렸던 ㉠방울을 / 하나 샀다.

그 영롱한 소리의 방울을 딸랑거리던
소는 이미 이승의 짐승이 아니지만,
나는 ㉡소를 몰고 여름 해 질 녘 하산하던
그날의 소년이 되어, 배고픈 저녁 연기 피어오르는
마을로 터덜터덜 걸어 내려왔다.

장사치들의 흥정이 떠들썩한 문명의
골목에선 지금, 삼륜차가 울려 대는 ㉢경적이
저자바닥에 따가운데
내가 몰고 가는 소의 딸랑이는 ㉣방울 소리는
돌담 너머 옥분이네 안방에 / 들릴까 말까,
사립문 밖에 나와 날 기다리며 섰을
누나의 귀에는 들릴까 말까.

- 이수익, 〈방울 소리〉

화자의 정서 및 태도 파악

05 〈보기〉는 (가)에 대한 수업의 일부이다. 학생들의 대답으로 적절하지 않은 것은?

> 보기
>
> 1연에서 화자가 '길'로 나아가는 것은 잃어버린 자아를 찾기 위한 행위를 의미합니다. 화자는 본질적 자아를 회복하고 싶어 하는 것이지요. 그럼, 2연부터 어떻게 해석될 수 있는지 발표해 볼까요?

① 2연에서 '돌과 돌과 돌이 끝없이 연달아' 있다는 것은 잃어버린 자아를 찾고자 하는 화자의 의지가 확고하다는 것을 보여 줍니다.
② 3연에서 돌담에 '쇠문'이 굳게 닫혀 있다는 것은 화자가 본질적 자아를 찾는 과정이 쉽지 않다는 것을 뜻합니다.
③ 4연에서 길이 '아침에서 저녁으로 / 저녁에서 아침으로 통'한다는 것은 잃어버린 자아를 찾기 위한 화자의 노력이 지속적임을 의미합니다.
④ 5연에서 화자는 본질적 자아를 찾지 못해 '눈물'지으며 자신에게 부끄러움을 느낍니다.
⑤ 6연과 7연에서 화자는 '풀 한 포기 없는' 상황에서도 잃어버린 자아를 찾는 것이 살아가는 이유임을 분명히 하고 있습니다.

> 도움말
>
> 먼저 제시된 질문의 ❶ [ ]과 작품 해석의 접근 방식을 파악하고, 나머지 연의 세부 내용에 이를 ❷ [ ]하여 감상해 봅시다.
>
> 답 ❶ 내용 ❷ 적용

시어 및 시구의 의미 파악

06 ㉠~㉣을 중심으로 (나)를 이해한 내용으로 적절하지 않은 것은?

	시어	이해한 내용
①	㉠	화자를 유년 시절의 시간과 공간으로 유도하는 기능을 한다.
②	㉡	㉠에 의해 연상된 것으로 화자의 소박하고 평화롭던 시절을 환기한다.
③	㉢	㉣과 대비되어 현대 문명의 부정적 이미지를 부각한다.
④	㉣	화자가 소중한 이에 대한 그리움의 정서를 환기한다.
⑤	㉣	㉡을 통해 깨닫게 된 자연과 인간사의 부조화를 상징한다.

작품 간 공통점 파악

07 (가), (나)의 공통점에 대해 이야기한 내용으로 가장 적절한 것은?

①  화자의 시선 이동에 따라 시상을 전개하고 있어.

②  특정 소재에 주목하여 화자의 정서를 드러내고 있지.

③  자연물에 인격을 부여하여 정서적으로 교감하고 있어.

④  어조의 변화를 통해서 정적인 분위기를 강조하고 있어.

⑤  음성 상징어를 사용하여 대상을 생동감 있게 드러내고 있어.

도움말

두 작품을 감상해 보고, ❶ [ ] 의 전개 방식이나 ❷ [ ] 의 특징 등에서 어떤 공통점을 나타내는지 선지와 비교하여 살펴봅시다.

답 ❶ 시상 ❷ 표현상

작품의 종합적 감상

08 다음은 학생이 쓴 메모이다. 내용 중 적절하지 않은 것은?

선생님께서 다음 수업 시간에 영상 시를 제작하는 수업을 진행한다고 하셨다. (나)의 시를 바탕으로 영상 시를 만든다고 할 때, 어떤 내용으로 구성하면 좋을지 생각해 보았다.

우선 ⓐ청계천 상가에서 방울을 유심히 바라보는 '나'의 모습이 필요하겠어. 영상 시는 소리를 활용할 수 있으니까 ⓑ영롱한 소리를 내던 방울을 단 소의 모습이 나오는 장면이 있어야겠어. 그리고 ⓒ소의 방울 소리와 대조되도록 삼륜차의 경적이 시끄럽게 울리는 장면을 넣으면 좋을 것 같아. ⓓ저녁 무렵의 마을을 바라보며 소를 몰고 산에서 내려오던 어린 '나'의 모습도 표현해야겠어. 마지막으로 ⓔ방울 소리가 옥분이네 안방까지 들리도록 방울을 크게 울리며 지나가는 '나'의 모습을 담아야지.

① ⓐ ② ⓑ ③ ⓒ
④ ⓓ ⑤ ⓔ

도움말

시를 다른 형태로 바꾸어 본다고 할 때, 시의 ❶ [ ] 을 바탕으로 어떤 부분을 ❷ [ ] 하거나 효과적으로 드러낼지 살펴봅시다.

답 ❶ 내용 ❷ 강조

WEEK

2 현대 소설

오, 교내 소설 창작 대회가
열린다고?
나도 참여해 볼까?
제12회 교내 소설 창작 대회 시행 공고
1. 부문: 단편, 중편, 장편
2. 마감 일시: 20○○년 11월 12일 오후 5시
3. 분량: 200자 원고지 20매 내외 …
그럴까? 나도
도전해 볼래!

으, 소설을 써야 하는데
어떻게 시작해야 할지
모르겠어.
끙
나도 아직
한 장도 못 썼어.
윽

무작정 쓰기 전에 먼저 소설의
기본 개념들을 떠올려 봅시다.
앗, 선생님!
짠

소설의 기본 개념 중에서 소설의 인물,
사건과 갈등, 배경과 소재에 대해 함께
생각해 보는 거예요.

공부할 내용 1. 서술상의 특징 파악 2. 인물의 성격 및 태도 파악 3. 사건과 갈등의 전개 양상 파악
4. 외적 준거에 따른 작품 감상

WEEK 2 DAY 1 개념 돌파 전략 ①

개념 01 서술자의 시점과 서술 방법

서술자 소설에서 작가를 대신해 독자에게 이야기를 들려주는 사람. 작가가 의도를 가지고 꾸며 낸 인물로, 작가의 허구적 대리인임.

시점 인물이나 사건을 바라보는 서술자의 위치

① 작품 속 서술자(1인칭)

1인칭 주인공 시점	'나'가 작품 속 주인공으로 등장하여 이야기를 전개해 나가는 시점
1인칭 관찰자 시점	부수적 인물인 '나'가 자신의 이야기가 아닌 주인공의 이야기를 전달하는 시점

② 작품 밖 서술자(3인칭)

3인칭 관찰자 시점	사건이나 인물의 행동을 관찰자의 위치에서 서술하는 시점
전지적 작가 시점	작품 밖에서 인물과 사건에 대해 서술하는 시점

서술 방법 서술자가 독자에게 인물, 갈등, 배경 등을 전달하는 방식

서술	① 요약적 제시: 서술자가 인물의 내면이나 과거의 사건 등 핵심적인 내용을 ❶ ( )하여 전달하는 방식 ② 의식의 흐름 기법: 한 인물의 생각이나 기억, 느낌 등을 아무런 제한 없이 의식의 흐름대로 서술하는 방식 예 〈소설가 구보씨의 일일〉(박태원), 〈날개〉(이상)
묘사	배경, 인물, 사건 등을 그림 그리듯이 구체적으로 표현하는 방식
대화	소설 속 등장인물들이 주고받는 말 → 인물의 성격과 개성을 드러내고, 이야기의 ❷ ( )을 높임.

선지

- 서술자를 교체하여 새로운 사건을 도입하고 있다.
- 서술자의 시각을 통해 상황에 대한 비관적 인식이 드러나고 있다.
- 서술자가 주인공으로 등장하여 자신의 체험을 사실적으로 서술하고 있다.

답 ❶ 요약 ❷ 사실성

확인 01

다음 문장의 빈칸에 들어갈 적절한 말을 쓰시오.

작품 밖 서술자가 관찰자의 위치에서 서술하며, 독자의 적극적인 상상이 요구되는 것은 (   ) 시점이다.

개념 02 소설의 구성

구성 소설에서 이야기의 전개, 사건의 필연성, 주제의 표현 등을 고려하여 여러 요소를 짜임새 있게 맞추는 것

구성 단계 '발단 → ❶ (   ) → 위기 → 절정 → 결말'의 5단계 구성

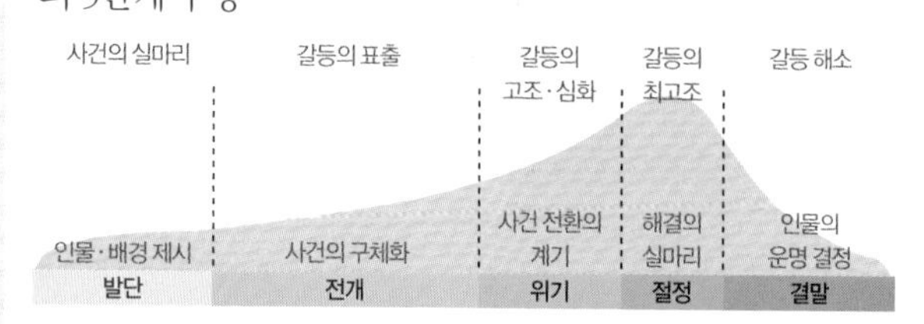

구성의 유형

① 사건의 진행 방식에 따라

평면적 구성	사건이 ❷ ( )인 시간의 흐름에 따라 진행되는 구성. 일대기적 구성의 고전 소설에서 흔히 볼 수 있음.
입체적 구성	시간의 흐름을 바꾸어 구성하는 방식. 역행적 구성이라고도 함.

② 이야기의 구성 방식에 따라

액자식 구성	하나의 이야기 속에 또 하나의 이야기가 들어 있는 구성 예 〈병신과 머저리〉(이청준)

선지

- 다른 사람의 체험을 듣고 독자에게 전해 주는 액자식 구성을 취하고 있다.
- 꿈과 현실을 교차하여 사건을 입체적으로 구성한다.

답 ❶ 전개 ❷ 순차적

확인 02

다음 문장에 들어갈 알맞은 말을 골라 ○표를 하시오.

(1) 소설의 구성 단계 가운데 인물과 배경이 제시되는 단계는 (발단 / 절정)이다.
(2) 사건이 진행되는 순서가 아닌 시간의 흐름을 바꾸어 구성하는 방식을 (평면적 구성 / 입체적 구성)이라고 한다.

개념 03 소설의 인물

인물 제시 방법

직접 제시	• 서술자가 인물의 성격을 직접적으로 설명하는 방법 • 인물의 성격이나 심리를 분석하여 전달할 수 있지만, 독자의 ❶ [ ] 을 제한함.
간접 제시	• 서술자가 인물의 성격을 간접적으로 설명하는 방법 • 독자의 상상적 참여가 가능하고 극적인 효과를 지니지만 표현상의 제약이 있음.

인물의 유형

① 성격 변화 여부에 따른 분류

평면적 인물	작품 속에서 처음부터 끝까지 성격의 변화를 보이지 않는 인물 예 〈흥부전〉의 '흥부'
입체적 인물	사건의 전개 과정에 따라 성격이 발전하고 ❷ [ ] 하는 인물 예 〈감자〉(김동인)의 '복녀'

② 대표성에 따른 분류

전형적 인물	어떤 사회의 계층이나 직업, 세대를 대표하는 성격을 지닌 인물 예 〈꺼삐딴 리〉(전광용)의 '이인국 박사'
개성적 인물	개인의 독자적 성격을 뚜렷이 지닌 인물 예 〈날개〉(이상)의 '나'

선지 ⊕

• 서술자가 인물의 분노를 직접적으로 제시함으로써, 상황에 대한 인물의 태도를 드러내고 있다.
• 시간적 배경을 묘사하여 인물의 성격 변화를 암시하고 있다.

답 ❶ 상상력 ❷ 변화

확인 03

다음 설명이 맞으면 ○표를, 틀리면 ×표를 하시오.

인물 제시 방법 중 간접 제시는 인물의 성격이나 심리를 분석하여 전달할 수 있으나, 한편으로는 독자의 상상력을 제한할 수 있다. ( )

개념 04 소설의 갈등

갈등의 유형

내적 갈등	한 인물의 ❶ [ ] 에서 일어나는 갈등. 사건에 대한 개인의 모순된 감정 상태에서 야기되는 경우가 많음. 예 인물이 겪는 고민, 근심, 불안, 방황, 망설임, 분노 등
외적 갈등	• 인물과 인물의 갈등: 주동 인물과 반동 인물 사이에 일어나는 갈등 예 〈동백꽃〉(김유정) • 인물과 운명의 갈등: 인물의 삶이 주어진 운명에 의해 결정되거나 파괴되는 데서 겪는 갈등 예 〈역마〉(김동리) • 인물과 사회의 갈등: 인물이 사회의 제도, 관습, 윤리 등과 충돌하여 발생하는 갈등 예 〈그 여자네 집〉(박완서) • 인물과 자연의 갈등: 인물이 자연환경과 부딪치며 겪게 되는 갈등 예 〈노인과 바다〉(헤밍웨이)

갈등의 기능

• 앞뒤 사건을 ❷ [ ] 으로 연관시켜 사건을 전개함.
• 흥미를 유발하며, 작품의 주제를 분명하게 전달함.

답 ❶ 마음속 ❷ 인과적

확인 04

인물 사이에 일어나는 대립과 충돌로 사건 전개에 인과를 부여하는 것은?

① 배경 ② 갈등 ③ 시점

개념 05 소설의 배경 ①

배경의 종류

자연적 배경	자연 상태 그대로의 환경과 병원, 교회 등의 인공적인 공간을 포함하는 배경. 주로 사건이 일어나는 구체적 시간과 공간이라고 볼 수 있음.
사회적 배경	사회 현실과 ❶ [ ] 상황 예 정치, 경제, 문화, 직업, 계층 등
심리적 배경	인물의 심리 상황이나 독특한 ❷ [ ]. 내면 심리와 그 변화에 초점을 맞추어 서술하는 소설에서 나타남.
상황적 배경	인간의 실존적인 상황을 배경으로 설정하는 것 예 전쟁, 죽음 등의 극한 상황

답 ❶ 역사적 ❷ 내면세계

확인 05

다음 설명과 관계있는 것을 찾아 ○표를 하시오.

사건이 벌어지거나 인물이 속한 구체적인 시간적, 공간적 배경
(자연적 배경 / 심리적 배경)

개념 06 소설의 배경 ②

배경의 기능

- 작품의 전반적인 분위기를 조성함.
- 인물의 심리와 ❶ [　　] 의 전개 방향을 암시함.
- 인물의 행동과 사건에 신빙성(사실성)을 높임.
- 상징적인 의미를 나타내기도 하며, ❷ [　　] 를 드러내는 역할을 함.

선지 ⊕

- 공간적 배경을 자세히 묘사하여 인물의 심리 변화를 암시하고 있다.
- 배경 묘사를 통해 인물의 내면 심리를 표출하고 있다.
- 시대적 배경을 드러내는 소재를 통해 시간의 역전을 보여 주고 있다.

답 ❶ 사건 ❷ 주제

확인 06

주제를 효과적으로 드러내기 위해 설정한 구체적인 시간과 공간으로, 작품의 전반적인 분위기를 조성하는 것은?

① 배경 ② 갈등 ③ 시점

개념 07 소설의 소재

소재의 기능

갈등의 유발과 해소	사물을 둘러싼 가치관의 ❶ [　　], 소재의 개입에 따른 갈등 해소 등
인물의 심리 표현과 성격 상징	인물의 처지나 가치관 등을 보여 줌으로써 등장인물의 성격을 드러냄.
사건의 연결	장면이나 사건, 액자 소설의 안 이야기와 바깥 이야기, 과거와 현재 등을 연결하는 매개 역할을 함.
장면의 전환	특정한 소재의 등장으로 인물의 ❷ [　　] 가 변화하거나 새로운 분위기가 조성됨.
사건 암시와 주제 상징	소재를 통해 다음에 이어질 사건을 미리 짐작해 볼 수 있음. 작가는 특정 소재를 통해 작품에서 궁극적으로 드러내고자 하는 바를 압축적으로 드러냄.

선지 ⊕

- 일상적 소재를 열거하여 인물의 복잡한 심리를 보여 준다.
- 상징적 소재를 통해 인물 간의 관계를 암시하고 있다.

답 ❶ 충돌 ❷ 심리

확인 07

다음 설명이 맞으면 ○표를, 틀리면 ×표를 하시오.

(1) 소재는 인물 사이에 발생하는 갈등과 관련이 있다. (　　)
(2) 소재는 주제를 형상화하는 데 기여한다. (　　)

개념 08 소설의 대표 주제

현실 비판과 고발	고난을 겪으며 살아온 민중들의 비참한 생활 모습이나 부조리한 ❶ [　　] 등을 보여 줌으로써 현실을 고발하고 비판 의식을 표출함. 예 〈고향〉(현진건), 〈탁류〉(채만식)
전쟁의 비극	전쟁의 상처를 안고 살아가던 인물의 삶을 통해 민족 분단의 비극적 상황, 가치관의 혼란 등을 형상화함. 예 〈수난 이대〉(하근찬), 〈장마〉(윤흥길)
성찰과 깨달음	시대적 문제보다는 개인적 일상과 내면에 집중하여 자아 정체성을 탐색하고 그로 인한 인물의 ❷ [　　] 모습을 보여 줌. 예 〈무진 기행〉(김승옥), 〈한계령〉(양귀자)
산업화와 도시화	산업화로 인해 발생한 여러 가지 사회 문제, 일자리를 찾아 도시로 떠나며 삶의 뿌리를 상실한 사람들의 처지와 저항 의식이 드러남. 예 〈난쟁이가 쏘아 올린 작은 공〉(조세희), 〈아홉 켤레의 구두로 남은 사내〉(윤흥길)

답 ❶ 상황 ❷ 성장

확인 08

다음 설명이 맞으면 ○표를, 틀리면 ×표를 하시오.

(1) 전쟁의 비극이나 산업화 및 도시화를 다루는 작품은 배경과 주제가 밀접한 관련이 있다. (　　)
(2) 소설은 개인의 내면보다는 사회적 문제를 중요시한다. (　　)

개념 09 관용적 표현과 현학적 표현

관용적 표현과 현학적 표현

관용적 표현	• 오랫동안 써서 그대로 굳어진 표현 • 전달하고자 하는 내용을 간단하면서도 ❶ [ ]으로 드러냄. • 속담, 관용어, 고사성어, 격언 등
현학적 표현	• 지나치게 어렵고 전문적인 어휘를 필요 이상으로 사용하는 표현 • 자신의 학식을 ❷ [ ]하며 아는 척하려는 인물이 등장하는 상황에 주로 사용됨.

선지 +

• 관용 표현을 이용하여 주인공의 생각을 효과적으로 전달한다.
• 현학적인 표현을 주로 사용하여 이상적인 삶의 모습을 형상화한다.

답 ❶ 인상적 ❷ 과시

확인 09

다음 문장에 들어갈 알맞은 말을 골라 ○표를 하시오.

어렵고 전문적인 어휘를 사용하여 학식이 있음을 자랑하여 뽐내려는 인물이 등장하는 상황에 주로 나타나는 표현을 (관용적 표현 / 현학적 표현)이라고 한다.

개념 10 수필

수필의 특징

• 다른 문학 갈래에 비해 특정한 ❶ [ ]의 제한을 받지 않음.
• 글쓴이의 체험, 생활 태도, 인생관 등이 솔직하게 드러남.
• 독자가 감동을 느끼고 자신의 삶을 성찰할 수 있게 함.
• 누구나 쓸 수 있는 비전문적인 문학임.

수필의 구성 요소

• '경험·성찰·깨달음', '대상·관조·의미 발견' 등의 원리에 따른 구성
• 글쓴이의 ❷ [ ]이 드러나는 독특한 표현, 문체가 사용됨.

답 ❶ 형식 ❷ 개성

확인 10

다음 설명이 맞으면 ○표를, 틀리면 ×표를 하시오.

'수필'은 정해진 형식에 맞춰 기술하는 정형적인 산문 갈래이다. ( )

개념 11 시나리오

시나리오의 구성단위 숏, 장면, 시퀀스

시나리오의 구성 요소

• S#(❶ [ ] 표시): 사건의 배경이 되는 장면의 설정이나 장면 번호
• 해설: 등장인물, 때와 장소, 배경 등의 설명
• 대사: 인물의 ❷ [ ]을 드러내고 사건을 진행시키며, 갈등 관계를 나타내고, 작품의 주제를 구현함.
• 지시문: 인물의 표정이나 동작, 카메라 위치, 편집 기술 등을 지시함.

답 ❶ 장면 ❷ 성격

확인 11

다음 문장에 들어갈 알맞은 말을 골라 ○표를 하시오.

시나리오에서 인물의 표정이나 동작, 카메라의 위치, 편집 기술 등은 (해설 / 대사 / 지시문)을/를 통해 구현된다.

개념 12 희곡

희곡의 특징

연극 상연을 전제로 하며, 사건이 ❶ [ ] 위에서 표현되므로 모든 이야기가 현재화되어 표현됨.

희곡의 구성단위 막과 장

희곡의 구성 요소

지시문 (지문)	등장인물의 행동, 표정, 말투, 음향 효과, 무대 장치 등을 설명하는 글
대사	등장인물의 말. 대화, ❷ [ ], 방백 등이 있음.
해설	막이 오르기 전에 등장인물, 배경, 무대 장치 등을 설명하는 글

희곡의 구성 단계

발단	전개	절정	하강	대단원
배경 및 인물, 갈등의 실마리 제시	인물 간 대립과 갈등 심화	갈등의 최고조, 사건의 전환점	갈등의 해결 국면 진입	갈등의 해소, 인물의 운명 결정

답 ❶ 무대 ❷ 독백

확인 12

다음 설명이 맞으면 ○표를, 틀리면 ×표를 하시오.

(1) 희곡은 연극 상연을 전제로 하며, 이야기를 현재화하여 표현한다. ( )

(2) 희곡은 기본적으로 '발단-전개-위기-절정-결말'로 구성된다. ( )

WEEK 2 DAY 1

개념 돌파 전략 ②

01 다음 중 〈보기〉에서 설명하는 개념에 해당하는 것은?

보기

소설의 등장인물 중에 어떤 사회 계층이나 직업, 세대를 대표하는 성격을 지닌 인물을 의미한다.

① 반동 인물 ② 전형적 인물 ③ 개성적 인물
④ 평면적 인물 ⑤ 입체적 인물

문제 해결 전략

등장인물을 유형화해서 이해하는 것은 작품을 쉽게 이해하는 좋은 방법이라 할 수 있다. 소설의 인물은 성격 변화 여부에 따라서 평면적 인물과 ❶ [ ]로, 대표성에 따라서 전형적 인물과 ❷ [ ]로 나눌 수 있다.

답 ❶ 입체적 인물 ❷ 개성적 인물

02 다음 글에 나타난 갈등에 대한 설명으로 가장 적절한 것은?

계연의 시뻘겋게 상기된 얼굴은, 옥화와 그녀의 아버지가 그녀들을 지켜보고 있다는 것도 잊은 듯이 성기의 얼굴만 뚫어지게 바라보고 있었으나, 버드나무에 몸을 기댄 성기의 두 눈엔 다만 불꽃이 활활 타오를 뿐, 아무런 새로운 명령도 기적도 나타나지 않았다.

"오빠, 편히 사시오."

하고, 거의 울음이 다 된, 마지막 목소리를 남기고 돌아선 계연의 저만치 가고 있는 항라 적삼을, 고운 햇빛과 늘어진 버들가지와 산울림처럼 울려오는 뻐꾸기 울음 속에, 성기는 우두커니 지켜보고 있을 뿐이었다.

성기가 다시 자리에서 일어나게 된 것은 이듬해 우수(雨水) 경칩(驚蟄)도 다 지나, 청명(淸明) 무렵의 비가 질금거릴 즈음이었다. 주막 앞에 늘어선 버들가지는 다시 실같이 푸르러지고 살구, 복숭아, 진달래 들이 골목 사이로 산기슭으로 울긋불긋 피고 지고 하는 날이었다.

아들의 미음상을 차려 들고 들어온 옥화는 성기가 미음 그릇을 비우는 것을 보자, 이렇게 물었다.

"아직도 너, 강원도 쪽으로 가 보고 싶냐?"

"……."

성기는 조용히 고개를 돌렸다.

- 김동리, 〈역마〉

① 성기는 자신과 가치관이 다른 인물과 갈등을 겪고 있다.
② 성기는 자신이 처해 있는 자연환경과 갈등을 겪고 있다.
③ 성기는 특별한 갈등 없이 현재의 상황에 만족하고 있다.
④ 성기는 자신이 어떤 선택을 해야 할지에 대해 갈등하고 있다.
⑤ 성기는 자신을 둘러싼 억압적인 시대 현실과 갈등을 겪고 있다.

감상 포인트

- 인물의 성격
성기는 옥화의 아들로 계연과의 사랑을 이루지 못하고 운명에 순응하여 떠돌이의 삶을 선택함.
- 서술상의 특징
• 시간적, 공간적 배경에 ❶ [ ]인 의미를 부여함.
• 개인과 ❷ [ ]의 갈등을 형상화함.

답 ❶ 상징적 ❷ 운명

개념 +

- 인물과 운명과의 갈등
인물이 자신에게 주어진 ❶ [ ]과 갈등을 겪는 것으로 ❷ [ ]에 속함.

예 … 작년 이맘때도 지나 그녀가 울음 섞인 하직을 남기고 체 장수 영감과 함께 넘어간 산모퉁이 고갯길은 퍼붓는 햇빛 속에 지금도 환히 장터 위를 굽이돌아 구례 쪽을 향했으나, 성기는 한참 뒤 몸을 돌렸다.

- 김동리, 〈역마〉

→ 역마살이라는 운명에서 벗어나려고 갈등하다 운명에 순응하는 장면

답 ❶ 운명 ❷ 외적 갈등

03 다음 글의 '나'에 대한 설명으로 가장 적절한 것은?

내 원, 그 소리를 듣고 하두 어처구니가 없어서!

대체 사람도 유만부동이지 그 아저씨가 날더러 사람 버렸느니 아무짝에도 못 쓰게 길이 들었느니 하더라니, 원, 입이 몇 개나 되면 그런 소리가 나오는 구멍도 있누?

죄선 벙어리가 다 말을 해도 나 같으면 할 말 없겠더구먼서도, 하면 다 말인 줄 아나 봐?

이를테면 그게 명색 훈계 비슷한 거렷다? 내게다가 맞대 놓고 그런 소리를 하다가는 되잡혀서 혼이 날 테니까 슬며시 아주머니더러 이르란 요량이던 게지?

기가 막혀서…… 하느님이 사람의 콧구멍 두 개로 마련하기 참 다행이야.

– 채만식, 〈치숙〉

① 작품 내부의 서술자이면서 주인공의 역할을 함께 하고 있다.
② 작품 내부의 서술자로 주인공의 정서를 간접적으로 드러내고 있다.
③ 작품 외부의 서술자로 작품 내부에 개입하여 인물을 평가하고 있다.
④ 작품 외부의 서술자로 등장인물의 외양과 감정을 직접 서술하고 있다.
⑤ 작품 외부의 서술자로 등장인물의 외양을 객관적으로 서술하고 있다.

문제 해결 전략

소설의 시점에는 크게 1인칭 시점과 3인칭 시점이 있다. 서술자가 작품 내부에 있는 경우는 ❶ [ ] 시점, 서술자가 작품 외부에 있는 경우는 ❷ [ ] 시점이다.

답 ❶ 1인칭 ❷ 3인칭

감상 포인트

● **인물의 성격**
'나'는 일제 식민 통치에 순응하며 살아가는 인물로, 사회주의 운동을 하다 전과자가 된 ❶ [ ]를 무능하다고 비판함.

● **서술상의 특징**
- ❷ [ ]한 서술자를 통해 인물을 관찰함.
- 대화적 문체를 통해 '나'와 아저씨의 가치관을 비교함.

답 ❶ 아저씨 ❷ 미성숙

04 다음 글의 서술 방식에 대한 설명으로 가장 적절한 것은?

황거칠 씨는 자못 흥분된 어조로 말했다. 평소 말을 잘 안 하는 그의 입에서 어떻게 그런 말들이 쏟아져 나올까 의심스러울 정도였다. 새삼스레 어떤 희망이라기보다는 묵은 분노라도 되살아나는 듯 눈마저 이상스럽게 이글거리는 것 같았다.

"댔심더! 내일부터 당장 시작합시더. 그까짓 새미 몇 개쯤, 여러 사람이 가문하리면 다 안 파겠능기요. 똥파리의 원수를 어서 갚아야 잠이 오지, 온……."

동팔이를 때렸다가 혼이 난 인호란 청년이 이렇게 말하자, 모두들 동조를 했다.

소주를 큰 걸로 두 병이나 사 온 황거칠 씨의 할멈도 못내 기쁜 표정을 지었다.

– 김정한, 〈산거족〉

① 인물의 외양을 섬세하게 묘사하여 인물을 희화화하고 있다.
② 과거와 현재를 교차 서술하여 사건의 인과 관계를 부각하고 있다.
③ 장면마다 서술의 초점을 달리하여 사건을 입체적으로 드러내고 있다.
④ 서술자가 인물과 사건의 정황을 직접 서술하여 독자의 이해를 돕고 있다.
⑤ 시간적 배경을 상징적으로 제시하여 앞으로 일어날 사건을 미리 보여 주고 있다.

감상 포인트

● **인물의 성격**
황거칠 씨는 마삿등 사람들을 위해 수도 시설을 만드는 인물로 지배 계층에 대한 저항 의지를 드러냄.

● **서술상의 특징**
- ❶ [ ]을 사용하여 사실성을 부여함.
- 비속어를 사용하여 인물의 ❷ [ ]과 정서를 드러냄.

답 ❶ 방언 ❷ 상황

WEEK 2 DAY 2

필수 체크 전략 ①

다음 글을 읽고, 물음에 답하시오.

"지식인일수록 불만이 많은 법입니다. 그러나, 그렇다고 제 몸을 없애 버리겠습니까? 종기가 났다고 말이지요. 당신 한 사람을 잃는 건, 무식한 사람 열을 잃는 것보다 더 큰 민족의 손실입니다. 당신은 아직 젊습니다. 우리 사회에는 할 일이 태산 같습니다. 나는 당신보다 나이를 약간 더 먹었다는 의미에서, 친구로서 충고하고 싶습니다. 조국의 품으로 돌아와서, 조국을 재건하는 일꾼이 돼 주십시오. 낯선 땅에 가서 고생하느니, 그쪽이 당신 개인으로서도 행복이라는 걸 믿어 의심치 않습니다. 나는 당신을 처음 보았을 때, 대단히 인상이 마음에 들었습니다. 뭐 어떻게 생각지 마십시오. 나는 동생처럼 여겨졌다는 말입니다. 만일 남한에 오는 경우에, 개인적인 조력을 제공할 용의가 있습니다. 어떻습니까?"

명준은 고개를 쳐들고, 반듯하게 된 천막 천장을 올려다본다. 한층 가락을 낮춘 목소리로 혼잣말 외듯 나직이 말할 것이다.

"중립국."

설득자는, 손에 들었던 연필 꼭지로, 테이블을 툭 치면서, 곁에 앉은 미군을 돌아볼 것이다. 미군은, 어깨를 추스르며, 눈을 찡긋하고 웃겠지.

나오는 문 앞에서, 서기의 책상 위에 놓인 명부에 이름을 적고 천막을 나서자, 그는 마치 재채기를 참았던 사람처럼 몸을 벌떡 뒤로 젖히면서, 마음껏 웃음을 터뜨렸다. 눈물이 찔끔찔끔 번지고, 침이 걸려서 캑캑거리면서도 그의 웃음은 멎지 않았다.

준다고 바다를 마실 수는 없는 일. 사람이 마시기는 한 사발의 물. 준다는 것도 허황하고 가지거니 함도 철없는 일. 바다와 한 잔의 물. 그 사이에 놓인 골짜기와 눈물과 땀과 피. 그것을 셈할 줄 모르는 데 잘못이 있었다. 세상에서 뒤진 가난한 땅에 자란 지식 노동자의 슬픈 환상. 과학을 믿은 게 아니라 마술을 믿었던 게지. 바다를 한 잔의 영생수로 바꿔 준다는 마술사의 말을. 그들은 뻔히 알면서 권력이라는 약을 팔려고 말로 속인 꼬임을. 어리석게 신비한 술잔을 찾아 나섰다가, 깜새를 차리고 항구를 돌아보자, 그들은 항구를 차지하고 움직이지 않고 있었다. 참을 알고 돌아온 바다의 난파자들을 그들은 감옥에 가둘 것이다. 못된 균을 옮기지 않기 위해서. 역사는 소걸음으로 움직인다. 사람의 커다란 모순과 업(業)에 비기면, 아무 자국도 못 낸 것이나 마찬가지다. 당대까지 사람이 만들어 낸 물질 생산의 수확을 고르게 나누는 것만이 모든 시대에 두루 맞는 가능한 일이다. 마찬가지 아닌가. 벌써 아득한 옛날부터 사람 동네가 알아낸 슬기. 사람이라는 조건에서 비롯하는 슬픔과 기쁨을 고루 나누는 것. 그래 봐야, 사람의 조건이 아직도 풀어 나가야 할 어려움의 크기에 대면, 아무것도 아니다. 사람이 이루어 놓은 것에 눈을 돌리지 않고, 이루어야 할 것에만 눈을 돌리면, 그 자리에서 그는 삶의 힘을 잃는다. 사람이 풀어야 할 일을 한눈에 보여 주는 것 — 그것이 '죽음'이다. 은혜의 죽음을 당했을 때, 이명준 배에서는 마지막 돛대가 부러진 셈이다. 이제 이루어 놓은 것에 눈을 돌리면서 살 수 있는 힘이 남아 있지 않다. 팔자소관으로 빨리 늙는 사람도 있는 법이었다. 사람마다 다르게 마련된 몸의 길, 마음의 길, 무리의 길. 대일 언덕 없는 난파꾼은 항구를 잊어버리기로 하고 물결 따라 나선다. 환상의 술에 취해 보지 못한 섬에 닿기를 바라며. 그리고 그 섬에서 환상 없는 삶을 살기 위해서. 무서운 것을 너무 빨리 본 탓으로 지쳐 빠진 몸이, 자연의 수명을 다하기를 기다리면서 쉬기 위해서. 그렇게 해서 결정한, 중립국행이었다.

– 최인훈, 〈광장〉

내용 전개

장면 1	남한 측이 조국애에 호소하며 명준에게 남한행을 권유함.
장면 2	명준이 남한 측의 회유를 ❶ ______ 함.
장면 3	명준이 ❷ ______ 의 허상을 깨닫고 중립국을 선택함.

서술상의 특징

① 상징적인 소재를 통해 인물의 정서와 주제 의식을 형상화함.
② ❸ ______ 이고 철학적인 용어가 많이 사용됨.

답 ❶ 거절(거부) ❷ 이데올로기 ❸ 관념적

정답과 해설 17쪽

대표 유형 1 서술상의 특징 파악

1 윗글의 서술상의 특징으로 가장 적절한 것은?

① 장면의 빈번한 전환을 통해 긴박한 분위기를 조성하고 있다.
② 인물의 의식에 초점을 맞추어 현실에 대한 관념적 인식을 드러내고 있다.
③ 실제 공간의 실감 있는 묘사를 통해 시대적 상황을 구체화하고 있다.
④ 회상을 통해 대조적 체험을 병렬적으로 제시함으로써 주제를 강화하고 있다.
⑤ 인물 간의 갈등을 다각적으로 조명하여 사건 전개의 양상을 다면화하고 있다.

유형 해결 전략 소설에 나타나는 다양한 ❶ [ ]의 특징을 파악하는 유형으로, ❷ [ ]가 어떠한 방식으로 사건을 전개하고 있는지를 파악할 수 있어야 한다.

답 ❶ 서술상 ❷ 서술자

1-1 윗글의 서술상 특징으로 가장 적절한 것은?

① 작품 외부의 서술자가 사건 내용을 객관적인 입장에서 관찰하고 있다.
② 서술자가 사건과 관련을 맺고 있으나, 일정한 거리를 두고 관찰하고 있다.
③ 작품의 주인공이 직접 체험한 사건을 고백하듯이 차분하게 서술하고 있다.
④ 장면이 전환됨에 따라 서술자가 변화되어 사건을 입체적으로 서술하고 있다.
⑤ 작품 외부의 서술자가 중심인물의 내면 심리를 드러내는 데 초점을 맞추고 있다.

도움말
서술자가 작품 ❶ [ ]에 있는지 ❷ [ ]에 있는지, 등장인물의 심리까지 직접 서술하는지의 여부를 파악해 봅시다.

답 ❶ 외부 ❷ 내부

대표 유형 2 인물의 성격 및 태도 파악

2 난파꾼에 대한 이해로 가장 적절한 것은?

① 과거에 집착하는 존재이다.
② 정주할 곳에 도달한 존재이다.
③ 환상이 허황됨을 알아차린 존재이다.
④ 속세를 떠난 구도자가 되려는 존재이다.
⑤ 현실 변화에 민첩하게 적응하는 존재이다.

유형 해결 전략 인물의 성격 및 ❶ [ ] 등 인물의 특성을 파악하는 유형으로, 인물의 특성을 ❷ [ ]하고 있는 대상의 문맥적 의미를 파악할 수 있도록 해야 한다.

답 ❶ 태도 ❷ 상징

2-1 윗글의 인물에 대한 이해로 적절하지 않은 것은?

①  설득자는 조국애를 근거로 명준을 설득하려 하고 있어.

② 설득자는 남한 사회를 위해서 명준과 같은 지식인이 필요하다는 점을 강조하고 있어. 

③  명준은 지금까지 자신이 경험해 보지 못한 공간에 가기로 결정하고 있어.

④ 명준은 은혜의 죽음으로 인해 절망감을 느꼈음을 알 수 있지. 

⑤ 명준은 자신에게 호의를 베푸는 사람들에게 미안한 감정을 느끼고 있지.

도움말
인물의 대화나 ❶ [ ] 등이 드러난 부분을 찾아 읽어 보고, 인물의 ❷ [ ], 태도, 상황 등을 파악해 봅시다.

답 ❶ 행동 ❷ 심리

WEEK 2 DAY 2

필수 체크 전략 ②

01~04 다음 글을 읽고, 물음에 답하시오.

1945년 8월 15일, 역사적인 날.

이날도 신기료장수 방삼복은 종로의 공원 건너편 응달에 앉아서, 구두 징을 박으면서, 해방의 날을 맞이하였다. 그러나 삼복은 감격한 줄도 기쁜 줄도 모르겠었다. 지나가는 행인이, 서로 모르던 사람끼리면서 덤쑥 서로 껴안고 기뻐하고 눈물을 흘리고 하는 것이, 삼복은 속을 모르겠고 차라리 쑥스러 보일 따름이었다. 몰려 닫는 군중이 오히려 성가시고, 만세 소리가 귀가 아파 이맛살이 지푸려질 지경이었다.

몰려다니고 만세를 부르고 하기에 미쳐 날뛰느라고 정신이 없어, 손님이 없어, 손님이 부쩍 줄었다.

"우랄질! 독립이 배부른가?"

이렇게 그는 두런거리면서 반감이 솟았다. / 이삼일 지나면서부터야 삼복에게도 삼복에게다운 해방의 혜택이 나누어졌다. / 십 전이나 십오 전에 박아 주던 징을, 오십 전을 받아도 눈을 부라리는 순사를 볼 수가 없었다. 순사가 없어졌다면야, 활개를 쳐 가면서 무슨 짓을 하여도 상관이 없고 무서울 것이 없던 것이었었다.

"옳아, 그렇다면 독립도 할 만한 건가 보다."

삼복은 징 열 개를 박아 주고 오 원을 받아 넣으면서 이렇게 속으로 중얼거리기까지 하였다. / 그러나 며칠이 못 가서 삼복은 다시금 해방을 저주하여야 하였다. 삼복이 저 혼자만 돈을 더 받으며, 더 받아 상관이 없는 것이 아니라, 첫째 도가(都家)들이 제 맘대로 재료 값을 올리던 것이었었다. 징, 가죽, 고무, 실 모두가 오 곱 십 곱 비싸졌다. 그러니 ⓐ<u>신기료장수</u>는 손님한테 아무리 비싸게 받는댔자 재료를 비싼 값으로 사야 하니, 결국 도가만 살찌울 뿐이지 소득은 전과 크게 다를 것이 없었다.

"이런 옘병헐! 그눔에 경제겐 다 어디루 가 뒈졌어. 독립은 우라진다구 독립을 헌담."

석양 때 신기료 궤짝 어깨에 멘 채 홧김에 막걸리청으로 들어가, 서너 사발 들이켜고는 그는 이렇게 게걸거렸다.

그럭저럭 구월도 열흘이 되고, 서울 거리에는 미국 병정이 꼬마차와 함께 그득히 퍼졌다.

그 미국 병정들이, 거리를 구경하면서 혹은 물건을 사려면서, 말이 서로 통하지를 못하여 답답해하는 양을 보고 삼복은 무릎을 탁 쳤다. / 그러나 슬플진저, 땟국과 땀에 찌든 이 누더기를 걸치고는 가망이 없을 말이었다.

'무슨 도리가 없을까?'

반일을 궁리를 하다가 정오 때에야 한 줄기 서광을 얻었다.

총총히 집으로 돌아가, 마누라를 시켜 구두 고치는 연장 일습과 재료 남은 것에다 이불이며 헌 옷가지 해서 한 짐을 동네 아는 가게에다 맡기고는 한 달 기한으로 돈 백 원을 서푼 변으로 취해 오게 하였다. 〈중략〉

삼복은 종로서 전차를 내려 동쪽으로 천천히 걸으면서 물색을 하였다. 생김새가 맘씨 좋아 보이고, 여느 병정이 아니라 장교쯤 가는 이라야 할 것이었다.

청년 회관 앞에서 담뱃대를 사고 있는 하나가, 몸집이 부대하고, 여느 병정은 아닌 듯하고, 얼굴이 사뭇 선량하여 보이는 게 선뜻 마음에 들었다. 구경하는 체하고 넌지시 그 옆으로 가 섰다.

미국 장교는 담뱃대를 집어 들고 기물스러하면서 연방 들여다보다가 값이 얼마냐고,

"하우 머치? 하우 머치?" / 하고 묻는다.

담뱃대 장수 영감은, 삼십 원이라고 소래기만 지른다.

알아들을 턱이 없어 고개를 깨웃거리면서 다시금 하우 머치만 찾는 것을, 기회 좋을씨고라고, 삼복이가 나직이,

"더티 원." / 하여 주었다.

홱 돌려다 보더니, / "오, 캔 유 스피크?"

하면서 사뭇 그러안을 듯이 반가워하는 양이라니. 아스러지도록 손을 잡고 흔드는 데는 질색할 뻔하였다.

직업이 있느냐고 물었다. 방금 실직하였노라고 대답하였다.

그럼, 내 ⓑ<u>통역</u>이 되어 주겠느냐고 물었다. 그러겠노라고 대답하였다.

이 자리에서 신기료장수 코삐뚤이 삼복이 미스터 방으로 승차를 하여, S라는 미국 주둔군 소위의 통역이 되었다.

– 채만식, 〈미스터 방〉

서술상의 특징 파악

01 윗글에 대한 설명으로 가장 적절한 것은?

① 역순행적 구성을 통해 갈등이 심화되고 있다.
② 등장인물의 행동을 묘사하며 희화화하고 있다.
③ 등장인물인 서술자가 자신의 내면을 서술하고 있다.
④ 요약적 제시를 통해 주인공의 회한을 드러내고 있다.
⑤ 비속어를 활용하여 현실에 대한 저항 의지를 드러내고 있다.

외적 준거에 따른 작품 감상

02 다음을 참고하여 윗글을 이해한 내용으로 적절하지 않은 것은?

〈미스터 방〉은 해방 직후의 사회상을 잘 드러내고 있는 세태 소설이다. 해방을 맞아 감격을 누리면서도 혼란스러운 사회 상황이 지속되고 경제적 빈곤은 해결되지 않는 상황이 작품에 잘 묘사되어 있다. 특히 미군정의 신탁 통치가 시작되면서 이러한 사회적 상황을 이용한 기회주의자가 난무한 상황이 잘 나타나 있다.

① '서로 모르던 사람끼리' 기쁨을 나누는 모습은 해방 직후 감격을 누렸던 당시 사회상을 보여 주는군.
② '활개를 쳐 가면서 무슨 짓을 하여도 상관이 없고 무서울 것이 없던 것'은 해방 이후 혼란스러운 사회 분위기를 보여 주는군.
③ 해방이 되어도 '도가(都家)들'만 이익을 취하게 된 것은 해방 이후에도 경제적 상황이 개선되지 않은 현실을 보여 주는군.
④ 담뱃대 장수 영감이 미군 장교에게 '삼십 원이라고 소래기'만 지르는 모습은 미군정을 반대했던 사회적 분위기를 보여 주는군.
⑤ 삼복이 '미스터 방'으로 변모하는 것은 미군정을 이용한 기회주의자의 모습을 보여 주는군.

인물의 성격 및 태도 파악

03 윗글에 나타난 삼복의 태도에 대한 설명으로 적절하지 않은 것은?

① 삼복은 독립 이후 일본 순사가 없어진 상황을 긍정적으로 인식하고 있다.
② 삼복은 자신의 경제적 이익을 근거로 독립에 대한 인식이 변화하고 있다.
③ 삼복은 종로에서 미군 장교를 만나 이루고자 하는 목표를 성취하고 있다.
④ 삼복은 서울 사람들과 미군 장교의 대화가 통하지 않는 상황을 안타까워하고 있다.
⑤ 삼복은 미국 병정들이 서울 거리에 가득 찬 상황 속에서 자신의 이익을 위해 고민하고 있다.

사건의 전개 양상 파악

04 ⓐ와 ⓑ에 대한 설명으로 가장 적절한 것은?

① ⓐ는 삼복에게 희망을 주는 역할이고, ⓑ는 삼복에게 좌절감을 주는 역할이다.
② ⓐ는 삼복이 외부 환경을 적극적으로 바꿀 수 있는 역할이고, ⓑ는 삼복이 부정적으로 인식하는 역할이다.
③ ⓐ는 삼복이 부정적 현실에 저항하도록 하는 역할이고, ⓑ는 삼복이 부정적 현실에 순응하도록 하는 역할이다.
④ ⓐ는 외부 세계의 변화에도 삼복에게 도움이 되지 않는 역할이고, ⓑ는 삼복이 자신의 노력으로 맡게 되는 역할이다.
⑤ ⓐ는 삼복이 민족적 위기를 극복할 수 있다는 의지를 가질 수 있도록 하는 역할이고, ⓑ는 삼복이 자신의 과거를 돌아보게 하는 역할이다.

도움말

사건의 전개 양상을 파악하며 인물이 처하게 되는 ❶ ____ 과 ❷ ____ 이 어떻게 변화하고 있는지를 확인해 봅시다.

답 ❶ 상황 ❷ 역할

05~08 다음 글을 읽고, 물음에 답하시오.

그들이 다시 목욕탕으로 들어가 일을 시작한 뒤 아내가 그를 마루 구석으로 끌고 갔다. 뭔가 인부들 귀에 닿지 않게 속닥거릴 이야기가 있는 모양이었다.

"그럼, 돈 계산은 어떻게 되는 거예요? 저 사람 처음에는 목욕탕을 다 뜯어 발길 듯이 말하잖았어요? 견적도 그렇게 뽑았을 거예요. **이십만 원이 다 되는 돈** 아녜요?"

아내의 말을 들으니 딴은 중요한 문제이긴 했다. 목욕탕 공사야말로 하자 없이 해야 한다는 말을 몇 번씩이나 들먹이며 ⓐ임 씨가 빼놓은 견적은 욕조와 세면대 사이의 파이프만 교체하는 수준의 것이 아님은 분명하다.

"당신이 지금 가서 따져 봐요. **저런 사람들** 돈이라면 무슨 거짓말을 못 하겠어요. 괜히 견적만 거창하게 뽑아 놓고 일은 그 반값도 못 미치게 하자는 속임수가 틀림없어요. 우리 같은 사람이 어떻게 공사판 내용을 다 알겠어요. 이렇다 하면 그런갑다 하고 믿는 게 예사지."

아내는 애가 달았다. 이럴 줄 알았으면 이곳저곳에 견적을 뽑아 보고 시킬 것을 그랬다는 둥, 괜히 주 씨 말만 믿고 덥석 일을 맡겼다가 돈만 속게 되었다는 둥, 저런 양심으로 일을 하니 연탄 배달 신세 못 면하는 것 아니냐는 둥, 종국에는 임 씨의 반지르르한 말솜씨마저 다 검은 속셈을 갖추기 위한 게 아니냐는 말까지 쏟아져 나왔다.

"그런 작자한테 일 잘한다고 추켜세우지를 않나, 원……."

아내는 눈까지 흘기면서 부엌으로 돌아갔다. 〈중략〉

"사모님, 내 뽑아 드린 견적서 좀 줘 보세요. 돈이 좀 틀려질 겁니다."

아내가 손에 쥐고 있던 견적서를 내밀었다. 인쇄된 **정식 견적 용지가 아닌**, 분홍 밑그림이 아른아른 내비치는 유치한 편지지를 사용한 그것을 임 씨가 한참씩이나 들여다보았다. 그와 그의 아내는 임 씨의 입에서 나올 말에 주목하여 잠깐 긴장하였다.

"술을 마셨더니 눈으로는 계산이 잘 안 되네요."

임 씨는 분홍 편지지 위에 엎드려 아라비아 숫자를 더하고 빼고, 또는 줄을 긋고 하였다.

그는 빈 술병을 흔들어 겨우 반 잔을 채우고는 서둘러 잔을 비웠다. 임 씨의 머릿속에서 굴러다니고 있을 숫자들에 잔뜩 애를 태우고 있는 스스로가 정말이지 역겨웠다.

"됐습니다, 사장님. 이게 말입니다. 처음엔 파이프가 어디서 새는지 모르니 전체를 뜯을 작정으로 견적을 뽑았지요. 아까도 말씀드렸지만 일이 썩 간단하게 되었다 이 말씀입니다. 그래서 노임에서 사만 원이 빠지고 시멘트도 이게 다 안 들었고, 모래도 그렇고, 에, 쓰레기 치울 용달차도 빠지게 되죠. 방수액도 타일도 반도 못 썼으니 여기서도 요게 빠지고 또……."

임 씨가 볼펜 심으로 쿡쿡 찔러 가며 조목조목 남는 것들을 설명해 갔지만 그의 귀에는 제대로 들리지 않았다. 뭔가 단단히 잘못되었다는 기분, 이게 아닌데, 하는 느낌이 어깨의 뻐근함과 함께 그를 짓누르고 있을 뿐이었다.

"그렇게 해서 모두 칠만 원이면 되겠습니다요."

선언하듯 임 씨가 ⓑ분홍 편지지를 아내에게 내밀었다. 놀란 것은 그보다 아내 쪽이 더 심했다. 그녀는 분명 칠만 원이란 소리가 믿기지 않는 모양이었다.

"칠만 원요? 그럼 옥상은……."

"옥상에 들어간 재료비도 여기에 다 들어 있습니다. 그거야 뭐 몇 푼 되나요."

"그럼 우리가 너무 미안해서……."

아내가 이번에는 호소하는 눈빛으로 그를 쳐다보았다. 할 수 없이 그가 끼어들었다.

"계산을 다시 해 봐요. 처음에는 십팔만 원이라고 했지 않소?"

"이거 돈을 더 내시겠다 이 말씀입니까? 에이, 사장님도. 제가 어디 공일 해 줬나요. 조목조목 다 계산에 넣었습니다요. **옥상 일한 품값**은 지가 써비스로다가……."

"써비스?" / 그는 아연해서 임 씨의 말을 되받았다.

"그럼요. 저도 **써비스할 때는 써비스도 하지요.**"

그는 입을 다물어 버렸다. 뭐라 대꾸할 말이 없었다.

– 양귀자, 〈비 오는 날이면 가리봉동에 가야 한다〉

서술상의 특징 파악

05 윗글의 서술상 특징으로 가장 적절한 것은?

① 서술자가 특정 인물의 시각을 통해 사건을 전개하고 있다.

② 등장인물인 서술자가 사건의 진행 상황을 주관적으로 묘사하고 있다.

③ 작품 내부의 서술자가 회상을 통해 갈등의 원인을 암시하고 있다.

④ 사건의 진행에 따라 서술자를 교체하여 사건을 입체적으로 전달하고 있다.

⑤ 어수룩한 서술자가 등장인물을 관찰하여 독자의 객관적 판단을 유도하고 있다.

소재의 기능 파악

06 ⓐ와 ⓑ에 대한 이해로 적절한 것은?

① ⓐ는 아내가 부정적으로 평가하는 소재이고, ⓑ는 임 씨에 대한 아내의 오해를 해소해 주는 소재이다.

② ⓐ는 '그'가 아내를 오해하게 하는 소재이고, ⓑ는 목욕탕 공사에 대한 아내의 기대를 유발하는 소재이다.

③ ⓐ는 임 씨에 대한 '그'의 기대감이 반영된 소재이고, ⓑ는 '그'에 대한 임 씨의 고마움이 반영된 소재이다.

④ ⓐ는 '그'가 아내를 설득하게 되는 계기가 되는 소재이고, ⓑ는 임 씨에 대한 아내의 미안함을 유발하는 소재이다.

⑤ ⓐ는 '그'에 대한 아내의 긍정적 평가를 유발하는 소재이고, ⓑ는 임 씨에 대한 아내의 부정적 평가를 유발하는 소재이다.

외적 준거에 따른 작품 감상

07 다음을 참고하여 윗글을 감상한 내용으로 적절하지 않은 것은?

〈비 오는 날이면 가리봉동에 가야 한다〉는 가난하지만 정직하고 순박하며 삶의 진정성을 지니고 살아가는 인물을 통해 소시민적 삶을 되돌아보는 내용을 담고 있는 연작 소설이다. 또한 세속적인 속물 의식과 편견을 갖고 살아가는 현대인들에게 반성을 촉구함과 동시에 소외된 인물에 대한 따뜻한 연민의 시선을 담고 있다.

① '이십만 원이 다 되는 돈'에 대해 걱정하는 모습을 볼 때 아내의 소시민적인 태도를 엿볼 수 있어.

② 임 씨를 '저런 사람들'이라고 지칭하는 것을 볼 때 임 씨와 같은 인부들에 대한 아내의 편견을 알 수 있어.

③ '정식 견적 용지가 아닌' 종이에 견적을 적어 주는 모습을 볼 때 임 씨의 순박함을 알 수 있어.

④ '옥상 일한 품값'을 따로 받지 않는 모습을 통해 임 씨가 정직하고 순박한 인물임을 알 수 있어.

⑤ '써비스할 때는 써비스도 하지요.'라는 임 씨의 말을 통해 아내의 속물 의식에 대한 임 씨의 비판적 태도를 알 수 있어.

인물의 성격 및 태도 파악

08 윗글에 나타난 임 씨의 말하기 태도에 대한 설명으로 가장 적절한 것은?

① 과거 행적을 나열하며 자신의 억울함을 항변하고 있다.

② 앞으로의 계획을 제시하며 상대방을 실득하려 하고 있다.

③ 예상과 달라진 내용을 제시하며 자신의 입장을 강조하고 있다.

④ 미래에 일어날 일을 예측하여 상대방의 감정에 호소하고 있다.

⑤ 구체적인 수치를 근거로 하여 상대방의 의견을 비판하고 있다.

도움말

인물의 ❶ [　　] 와 ❷ [　　] 을 분석하여 인물의 성격 및 태도를 파악해 봅시다.

답 ❶ 대화 ❷ 행동

필수 체크 전략 ①

✎ 다음 글을 읽고, 물음에 답하시오.

창섭은 샘말에 들어서자 동구에서 이내 아버지를 뵈일 수가 있었다. 아버지는, 가에는 살얼음이 잡힌 찬물에 무릎까지 걷고 들어서서 동네 사람들을 축추겨 ⓐ돌다리를 고치고 계시었다. 〈중략〉 / "웬일인데 어째 혼자만 오느냐?"

어머니는 손자 아이들부터 보이지 않음을 물으신다.

"오늘루 가야겠어서 아무두 안 데리구 왔습니다."

"오늘루 갈 걸 뭘 해 오누?"

"인전 어머니서껀 서울로 모셔 갈 채빌 허러 왔다우."

"서울루! 제발 아이들허구 한데서 살아 봤음 원이 없겠다."

하고 어머니는 땅보다 조상님들 산소나 사당보다 손자 아이들에게 더 마음이 끌리시는 눈치였다. 그러나 아버지만은 그처럼 단순히 들떠질 마음이 아니었다.

아버지는 아들의 뒤를 쫓아 이내 개울에서 들어왔다. 아들은, 의사인 아들은, 마치 환자에게 치료 방법을 이르듯이, 냉정히 차분차분히 이야기를 시작하였다. 외아들인 자기가 부모님을 진작 모시지 못한 것이 잘못인 것, 한집에 모이려면 자기가 병원을 버리기보다는 부모님이 농토를 버리시고 서울로 오시는 것이 순리인 것, 병원은 나날이 환자가 늘어 가나 입원실이 부족되어 오는 환자의 삼분지 일밖에 수용 못 하는 것, 지금 시국에 큰 건물을 새로 짓기란 거의 불가능의 일인 것, 마침 교통 편한 자리에 삼층 양옥이 하나 난 것, 인쇄소였던 집인데 전체가 콘크리트여서 방화 방공으로 가치가 충분한 것, 삼층은 살림집과 직공들의 합숙실로 꾸미었던 것이라 입원실로 변장하기에 용이한 것, 각 층에 수도·가스가 다 들어온 것, 그러면서도 가격은 염한 것, 염하기는 하나 삼만 이천 원이라, 지금의 병원을 팔면 일만 오천 원쯤은 받겠지만 그것은 새집을 고치는 데와, 수술실의 기계를 완비하는 데 다 들어갈 것이니 집값 삼만 이천 원은 따로 있어야 할 것, 시골에 땅을 둔대야 일 년에 고작 삼천 원의 실리가 떨어질지 말지 하지만 땅을 팔아다 병원만 확장해 놓으면 적어도 일 년에 만 원 하나씩은 이익을 뽑을 자신이 있는 것, 돈만 있으면 땅은 이담에라도, 서울 가까이라도 얼마든지 좋은 것으로 살 수 있는 것……. 아버지는 아들의 의견을 끝까지 잠잠히 들었다. 그리고,

"점심이나 먹어라. 나두 좀 생각해 봐야 대답허겠다."

하고는 다시 개울로 나갔고, 떨어졌던 다릿돌을 올려놓고야 들어와 그도 점심상을 받았다.

점심을 자시면서였다. / "원, 요즘 사람들은 힘두 줄었나 봐! 그 다리 첨 놀 제 내가 어려서 봤는데 불과 여나믄이서 꺼들던 돌인데, 장정 수십 명이 한나절을 씨름을 허다니!"

"ⓑ나무다리가 있는데 건 왜 고치시나요?"

"너두 그런 소릴 허는구나. 나무가 돌만 하다든? 넌 그 다리서 고기 잡던 생각두 안 나니? 서울로 공부 갈 때 그 다리 건너서 떠나던 생각 안 나니? 시쳇사람들은 모두 인정이란 게 사람헌테만 쓰는 건 줄 알드라! 내 할아버니 산소에 상돌을 그 다리로 건네다 모셨구, 내가 천잘 끼구 그 다리루 글 읽으러 댕겼다. 네 어미두 그 다리루 가말 타구 내 집에 왔어. 나 죽건 그 다리루 건네다 묻어라……. 난 서울 갈 생각 없다." / "네?"

"천금이 쏟아진대두 난 땅은 못 팔겠다. 내 아버님께서 손수 이룩허시는 걸 내 눈으루 본 밭이구, 내 할아버님께서 손수 피땀을 흘려 모신 돈으루 작만허신 논들이야. 돈 있다구 어디가 느르지논 같은 게 있구, 독시장밭 같은 걸 사? 느르지논 둑에 선 느티나문 할아버님께서 심으신 거구, 저 사랑 마당에 은행나무는 아버님께서 심으신 거다. 그 나무 밑에를 설 때마다 난 그 어른들 동상(銅像)이나 다름없이 경건한 마음이 솟아 우러러보군 헌다. 땅이란 걸 어떻게 일시 이해를 따져 사구팔구 허느냐? 땅 없어 봐라, 집이 어딨으며 나라가 어딨는 줄 아니? 땅이란 천지만물의 근거야."

– 이태준, 〈돌다리〉

내용 전개

장면 1	아버지를 ❶ ______ 하기 위해 고향에 온 창섭
장면 2	❷ ______ 을 팔자고 아버지를 설득하는 창섭
장면 3	땅에 대한 애착을 드러내는 아버지

서술상의 특징

① 상징적 소재를 통해 인물의 가치관을 드러냄.

② 인물 간의 ❸ ______ 와 서술자의 요약적 제시로 주제를 형상화함.

답 ❶ 설득 ❷ 땅 ❸ 대화

대표 유형 3 사건과 갈등의 전개 양상 파악

3 윗글의 사건을 일어난 순서대로 정리할 때, 다음 중 가장 뒤에 올 것은?

① 아버지가 점심상을 받다.
② 어머니가 창섭을 맞이하다.
③ 장정들이 다릿돌을 올려놓다.
④ 아버지가 다시 개울로 나가다.
⑤ 창섭이 아버지에게 계획을 말하다.

유형 해결 전략 소설에서 ❶ [　　] 이 전개되는 과정을 파악하는 유형으로 ❷ [　　] 순서에 따라 사건이 어떻게 전개되는지를 이해하도록 한다.

답 ❶ 사건 ❷ 시간적

3-1 윗글의 사건 전개 양상에 대한 설명으로 적절하지 않은 것은?

① 
창섭의 어머니는 서울에서 손자들과 함께 지내고 싶어 하고 있어.

② 창섭은 여러 가지 이유를 제시하며 아버지를 설득하고 있어.

③ 창섭은 땅을 팔고 병원을 확장하여 더 많은 이익을 남기려 하고 있네.

④ 창섭의 아버지는 병원을 돈벌이 수단으로 생각하는 창섭을 비판하고 있어.

⑤ 창섭의 아버지는 땅을 경제적 가치로만 생각하는 세태를 부정적으로 생각하고 있어.

도움말
인물 간의 ❶ [　　] 양상을 파악하고 ❷ [　　] 이 어떻게 전개되는지를 파악하며 작품을 감상해 봅시다.

답 ❶ 갈등 ❷ 사건

대표 유형 4 외적 준거에 따른 작품 감상

4 〈보기〉를 참고하여 윗글을 감상한 내용으로 가장 적절한 것은?

> 보기
> 소설 속의 모든 인물은 자아이면서 동시에 세계의 일부이다. 자아를 작품 속에서 행동하는 주체라고 하면, 그 주체를 둘러싸고 있는 모든 것은 세계가 된다. 이러한 자아와 세계의 대립과 갈등으로 전개되는 것이 서사의 본질이다.

① 창섭은 자아로서의 논리를 통해 세계와의 갈등을 해소하는 인물이다.
② 아버지는 자아로서의 완고한 성격을 세계에 대해서도 유지하고 있는 인물이다.
③ 자아로서의 창섭은 세계의 부정적 속성들을 들추어 고발하고 있다.
④ 자아로서의 아버지는 창섭과 어머니의 대립과 갈등을 중재하고 있다.
⑤ 자아로서의 어머니는 자신 속에 존재하는 또 다른 자아와 갈등하고 있다.

유형 해결 전략 소설의 주제 의식, 구성 요소, 작가, 창작된 ❶ [　　] 등이 드러난 자료를 바탕으로 감상할 수 있는지 묻는 유형으로, 자료를 읽고 작품을 ❷ [　　] 으로 이해하도록 한다.

답 ❶ 배경 ❷ 종합적

4-1 다음을 참고하여 ⓐ, ⓑ를 이해한 내용으로 적절하지 않은 것은?

> 소설 속의 소재는 등장인물의 가치관을 상징할 수도 있고, 과거 기억을 떠올리게 하는 매개체의 역할을 하기도 한다. 특히 소재의 의미에 대한 이해 정도에 따른 인물의 정서가 드러나기도 한다.

① 창섭은 과거에 ⓐ를 이용한 것을 기억하지 못하고 있다.
② 아버지는 ⓐ에 관한 집안의 내력을 떠올리고 있다.
③ 창섭은 ⓑ를 이용하는 것이 더 편리하다고 생각하고 있다.
④ 아버지는 ⓐ가 ⓑ보다 더 튼튼하다고 생각하고 있다.
⑤ 아버지는 ⓐ에 담긴 전통적 가치를 소중히 여기고 있다.

WEEK 2 DAY 3

필수 체크 전략 ②

01~04 다음 글을 읽고, 물음에 답하시오.

㉠비 오는 날인 데다가 창문까지 거적때기로 가리어서 방 안은 굴속같이 침침했다. 다다미 여덟 장 깔리는 방 안은, 다다미 위에다 시멘트 종이로 장판 바르듯 한 것이었다. 한켠 천장에서는 쉴 사이 없이 빗물이 떨어졌다. 빗물 떨어지는 자리에는 바께쓰가 놓여 있었다. 촐랑촐랑 쪼르륵 촐랑, 빗물은 이와 같은 연속적인 음향을 남기며 바께쓰 안에 가 떨어지는 것이었다.

무덤 속 같은 이 방 안의 어둠을 조금이라도 구해 주는 것은 그래도 빗물 소리뿐이었다. 그러나 그 빗물 소리마저, 바께쓰에 차츰 물이 늘어 갈수록 우울한 음향으로 변해 가는 것이었다. 동욱은 별로 원구와 동옥을 인사시키거나 소개하려 하지 않았다. 동욱은 젖은 옷을 벗어서 걸고, 런닝과 빤쓰 바람으로 식사 준비를 할 터이니 잠깐만 앉아 있으라고 하고 부엌으로 나가는 것이었다. 부엌이라야 따로 있는 것이 아니라, 비어 있는 옆방이었다. 다다미는 걷어서 벽 한구석에 기대어 놓아, 판장뿐인 실내에는 여기저기 빗물이 오줌발처럼 쏟아졌다. 거기에는 취사도구가 너저분하니 널려 있는 것이었다. 연기가 들어간다고 사잇문을 닫아 버리고 나서, 동욱은 풍로에 불을 피우느라고 부채질을 하며 야단이었다. 열 시가 조금 지난 회중시계를 사잇문 틈으로 꺼내 보이며, 도대체 조반이냐 점심이냐는 원구의 질문에, 동욱은 넝글넝글하며 ㉡자기들에게는 삼시의 구별이 없다고 했다. 언제든 배고프면 밥을 끓여 먹고 밥 생각이 없는 날은 종일이라도 굶고 지낸다는 것이었다.

동욱이가 부엌에서 혼자 바삐 돌아가는 동안 동옥은 역시 한자리에 앉아 꼼짝도 하지 않았다. 동옥은 가끔 하품을 하며 ⓐ외국에서 온 낡은 화보를 뒤적이고 있었다. 그러한 동옥이와 마주 앉아 자기는 도대체 무엇을 생각해야 하며, 또한 어떠한 포즈를 지속해야 하는가? 원구는 이런 무의미한 대좌(對坐)를 감당할 수 없어 차라리 부엌에 나가 풍로에 부채질이나마 거들어 줄까도 생각해 보는 것이었다. 그러나 그만한 행동도 이 상태로는 일종의 비약이라 적지 아니한 용기가 필요했다. 그러는 동안 원구는 별안간 엉덩이가 척척해 들어옴을 의식했다.

바께쓰의 빗물이 넘어서 옆에 앉아 있는 원구의 자리로 흘러내린 것이었다. 원구는 젖은 양복바지의 엉덩이를 만지며 일어섰다. 그제서야 동옥도 바께쓰의 물이 넘는 줄을 안 모양이다. 그러나 동옥은 직접 일어나서 제 손으로 치우려고 하지도 않았다. 앉은 채 부엌 쪽을 향해, 오빠 물 넘어, 했을 뿐이었다. 동욱은 사잇문을 반쯤 열고 들여다보며, 이년아, 네가 좀 치지 못해? 하고 목에 핏대를 세웠다. 그러자 자기가 나서기에 절호한 기회라고 생각한 원구는, 내가 내다 버리지 하고 한 손으로 바께쓰를 들어 올렸다. 그러나 한 걸음도 미처 발을 옮겨 놓을 사이도 없이 바께쓰는 철그렁 하는 소리와 함께 한 옆이 떨어지며 물이 좌르르 쏟아졌다. 손잡이의 한쪽 끝 갈고리가 고리 구멍에서 벗겨진 것이었다. 순식간에 방바닥은 ⓑ물바다가 되고 말았다. ㉢여지껏 꼼짝 않고 앉아 있던 동옥도 그제만은 냉큼 일어나 한 걸음 비켜서는 것이었다. 그 순간의 동옥의 동작이 예사롭지가 않았다. 원구에게 또 하나 우울의 씨를 뿌려 주는 것이었다. 원피스 밑으로 드러난 동옥의 왼쪽 다리가 어린애의 손목같이 가늘고 짧았기 때문이다. 그러한 다리를 옮겨 디디는 순간, 동옥의 전신은 한쪽으로 쓰러질 듯이 기울어지는 것이었다. 동옥은 다시 한번 그 가늘고 짧은 다리를 옮겨 놓는 일 없이, 젖지 않은 구석 자리에 재빨리 주저앉아 버리고 말았다. 그리고 희다 못해 파랗게 질린 얼굴에 독이 오른 눈초리로 원구를 잡아먹을 듯이 노려보는 것이었다. 동옥의 시선을 피하여, 탁류의 대하 가운데 떠 있는 것 같은 공포에 몸을 떨며, ㉣원구는 마지막 기력을 다하여 허우적거리듯, 두 발로 물 고인 방바닥을 절벅거려 보는 것이었다.

그 뒤로는 비가 와서 가게를 벌일 수 없는 날이면 원구는 자주 동욱이네 집을 찾아가는 것이었다. 불구인 그 신체와 같이, 불구적인 성격으로 대해 주는 동옥의 태도가 결코 대견할 리 없으면서도, ㉤어느 얄궂은 힘에 조종당하듯이, 원구는 또다시 찾아가지 아니할 수 없는 것이었다. 침침한 방 안에 빗물 떨어지는 소리가 듣고 싶어서일까? 동옥의 가늘고 짧은 한쪽

다리가 지니고 있는 슬픔에 중독된 탓일까? 이도 저도 아니면, 찾아갈 적마다 차츰 정상적인 데로 돌아오는 동옥의 태도에 색다른 매력을 발견한 탓일까?

– 손창섭, 〈비 오는 날〉

서술상의 특징 파악

01 윗글에 대한 설명으로 적절하지 않은 것은?

① 시간의 흐름에 따라 사건이 진행되고 있다.
② 배경 묘사를 통해 인물의 상황을 부각하고 있다.
③ 작품 밖 서술자가 등장인물의 심리를 서술하고 있다.
④ 주인공인 '나'의 회상을 통해 갈등의 원인이 드러나고 있다.
⑤ 종결 표현을 반복하여 사건을 간접적으로 전달하는 느낌을 주고 있다.

소재의 기능 파악

02 ⓐ와 ⓑ에 대한 설명으로 가장 적절한 것은?

① ⓐ는 인물 간의 갈등을 심화시키는 소재이고, ⓑ는 인물의 우울한 분위기를 부각하는 소재이다.
② ⓐ는 인물의 정신적 고통을 심화하는 소재이고, ⓑ는 인물 간의 갈등을 해소하게 하는 소재이다.
③ ⓐ는 인물의 내적 갈등을 부각하는 소재이고, ⓑ는 다른 인물에 대한 연민을 불러일으키는 소재이다.
④ ⓐ는 인물의 무기력함과 관련 있는 소재이고, ⓑ는 인물의 신체적 특징이 드러나도록 하는 소재이다.
⑤ ⓐ는 인물이 처한 부정적 현실을 상징하는 소재이고, ⓑ는 인물이 가진 정신적 상처를 해소하게 하는 소재이다.

사건과 갈등의 전개 양상 파악

03 ㉠~㉤에 대한 설명으로 적절하지 않은 것은?

① ㉠: 인물이 처한 우울한 상황을 상징적으로 드러내고 있다.
② ㉡: 동욱 남매의 가난하고 비참한 처지를 보여 주고 있다.
③ ㉢: 원구를 대하는 동옥의 심리가 변화하고 있다.
④ ㉣: 원구는 갑작스러운 상황에 당황하고 있다.
⑤ ㉤: 원구는 동옥에 대해 연민을 느끼고 있다.

외적 준거에 따른 작품 감상

04 다음을 참고하여 윗글을 감상한 내용으로 가장 적절한 것은?

> 서사 문학은 기본적으로 자아와 세계와의 갈등을 드러내는 갈래이다. 소설 속의 모든 인물은 자아이면서 동시에 세계의 일부이다. 자아와 갈등을 겪는 세계는 다른 인물, 사회, 자연, 운명 등 자아를 둘러싸고 있는 모든 것이 해당한다. 예를 들어 〈춘향전〉에서 자아로서의 춘향을 둘러싸고 있는 당시 사회와 이몽룡, 변 사또 등은 모두 세계에 해당한다. 또한 춘향은 몽룡에 대한 절개를 지키려는 자아로서의 논리를 바탕으로 세계와 갈등을 겪는다고 할 수 있는 것이다.

① 자아로서의 동옥은 동욱과 원구의 대립을 중재하고 있다.
② 동욱은 자아로서의 논리를 통해 세계와의 갈등을 해소하고 있다.
③ 동옥은 자아로서의 소극적 성격을 세계에 대해서도 유지하고 있다.
④ 자아로서의 원구는 세계의 부정적 속성을 직접적으로 비판하고 있다.
⑤ 자아로서의 동옥은 자신 속에 존재하는 또 다른 자아와 갈등하고 있다.

도움말
외적 준거에 제시된 ❶ [ ]을 파악하고, 이 내용을 작품에 ❷ [ ]하며 작품을 감상해 봅시다.
답 ❶ 배경지식 ❷ 적용

05~08 다음 글을 읽고, 물음에 답하시오.

하루는 어디로 어디로 해서 어디로 좀 와 보라고 하기에 물어물어 찾아갔더니, 귀꿈맞게도 붕어니 메기니 하고 민물고기로만 술상을 보는 후미진 대폿집이었다.

나는 한내를 떠난 이래 처음 대하는 ⓐ민물고기 요리여서 새삼스럽게도 해감내가 역하고 싫었으나, 그는 흙탕 내도 아니고 시궁 내도 아닌 그 해감내가 문득 그리워져서 부득이 그 집으로 불러냈다는 것이었다.

"허울 좋은 하늘타리지, 수챗구녕 내가 나서 워디 먹겄나, 이까짓 냄새가 뭣이 그리워서 이걸 다 돈 주고 사 먹어. 나 원 참, 취미두 별 움둑가지 같은 취미가 다 있구먼."

내가 사뭇 마뜩잖아했더니,

"그래두 좀 구적구적헌 디서 사는 고기가 하꾸라이버덤은 맛이 낫어."

하면서 그날사 말고 수그러들 기미를 보이지 않는 것이었다. 그가 자기주장에 완강할 때는 반드시 경험론적인 설득 논리로써 무장이 되어 있는 경우였다.

"무슨 얘기가 있는 모양이구먼."

"있다면 있구 읎다면 읎는디, 들어 볼라남?"

그는 이야기를 펼쳐 놓았다.

총수의 자택에 연못이 생긴 것은 그 며칠 전의 일이었다. 뜰 안에다 벽이고 바닥이고 시멘트를 들어부어 만들었으니 연못이라기보다는 수족관이라고 하는 편이 알맞은 시설이었다. 시멘트가 굳어지자 물을 채우고 울긋불긋한 ⓑ비단잉어들을 풀어 놓았다.

비단잉어들은 화려하고 귀티 나는 맵시로 보는 사람마다 탄성을 자아내게 하였으나, 그는 처음부터 흘기눈을 떴다. 비행기를 타고 온 수입 고기라서가 아니었다. 그 회사 직원의 몇 사람 치 월급을 합쳐도 못 미치는 상식 밖의 몸값 때문이었다.

"대관절 월매짜리 고기간디 그려?"

내가 물어보았다.

"마리당 팔십만 원쓱 주구 가져왔댜."

그 회사 직원들의 봉급 수준을 모르기에 내 월급으로 계산을 해 보니, 자그마치 3년 4개월 동안이나 봉투째로 쌓아야 겨우 한 마리 만져 볼까 말까 한 값이었다.

"웬 늠으 잉어가 사람버덤 비싸다나?"

내가 기가 막혀 두런거렸더니,

"보통 것은 아닐러먼그려. 뻘어낸메네또(베토벤)라나 뭬라나를 틀어 주면 그 가락대루 따러서 허구, 차에코풀구싶어(차이콥스키)라나 뭬라나를 틀어 주면 또 그 가락대루 따러서 허구, 좌우간 곡을 틀어 주는 대루 못 추는 춤이 읎는 순전 딴따라 고기닝께. 물고기두 꼬랑지 흔들어서 먹구 사는 물고기가 있다는 건 이번에 그 집에서 즘 봤구먼."

그런데 이 비단잉어들이 어제 새벽에 떼죽음을 한 거였다. 자고 일어나 보니 죄다 허옇게 뒤집어진 채로 떠 있는 것이었다. / 총수가 실내화를 꿴 발로 뛰어나왔지만 아무 소용 없는 일이었다.

"어떻게 된 거야?"

한동안 넋 나간 듯이 서 있던 총수가 하고많은 사람 중에 하필이면 유자를 겨냥하며 물은 말이었다.

"글쎄유, 아마 밤새에 고뿔이 들었던 개비네유."

유자는 부러 딴청을 하였다.

"뭐야? 물고기가 물에서 감기 들어 죽는 물고기두 봤어?"

총수는 그가 마치 혐의자나 되는 것처럼 화풀이를 하려 드는 것이었다.

그는 비위가 상해서

"그야 팔자가 사나서 이런 후진국에 시집와 살라니께 여라 가지루다 객고(客苦)가 쌯여서 조시두 안 좋았을 테구…… 그런디다가 부룻쓰구 지루박이구 가락을 트는 대루 디립다 춰 댔으니께 과로해서 몸살끼두 다소 있었을 테구…… 본래 받들어서 키우는 새끼덜일수록이 다다 탈이 많은 법이니께……."

그는 시멘트의 독성을 충분히 우려내지 않고 고기를 넣은 것이 탈이었으려니 하면서도 부러 배참으로 의뭉을 떨었다.

"하는 말마다 저 말 같잖은 소리…… 시끄러 이 사람아."

총수는 말 가운데 어디가 어떻게 듣기 싫었는지 자기 성질을 못 이기며 돌아섰다.

– 이문구, 〈유자소전〉

서술상의 특징 파악

05 윗글에 대한 설명으로 가장 적절한 것은?

① 등장인물의 말과 행동을 통해 해학적 분위기를 조성하고 있다.
② 현재형 서술을 활용하여 사건의 진행 상황을 생생하게 드러내고 있다.
③ 인물 간의 갈등의 원인을 요약적으로 제시하여 독자의 이해를 돕고 있다.
④ 공간적 배경을 세밀하게 묘사하여 인물의 심리를 간접적으로 드러내고 있다.
⑤ 다른 장소에서 동시에 일어나는 장면을 병렬적으로 제시하여 사건을 입체적으로 서술하고 있다.

사건과 갈등의 전개 양상 파악

06 〈보기〉와 같이 윗글의 서사 구조를 정리할 때 적절하지 않은 것은?

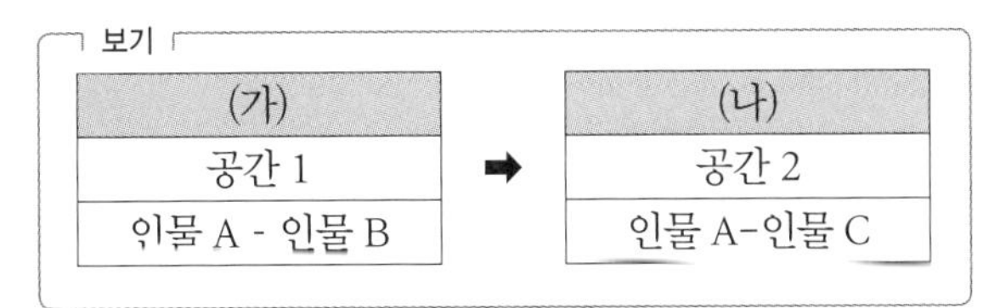

보기

(가)	➡	(나)
공간 1		공간 2
인물 A - 인물 B		인물 A-인물 C

① (가)에서는 서술자의 생각이 직접적으로 드러나 있다.
② (나)에서는 인물 간의 갈등이 구체적으로 드러나 있다.
③ (나)는 (가)보다 시간적으로 앞선 상황이라 할 수 있다.
④ (가)에서 인물 A는 (나)에 관한 이야기를 인물 B에게 하려 하고 있다.
⑤ (가)와 (나) 모두에 등장하는 인물 A는 인물 B와 인물 C 사이의 갈등을 중재하고 있다.

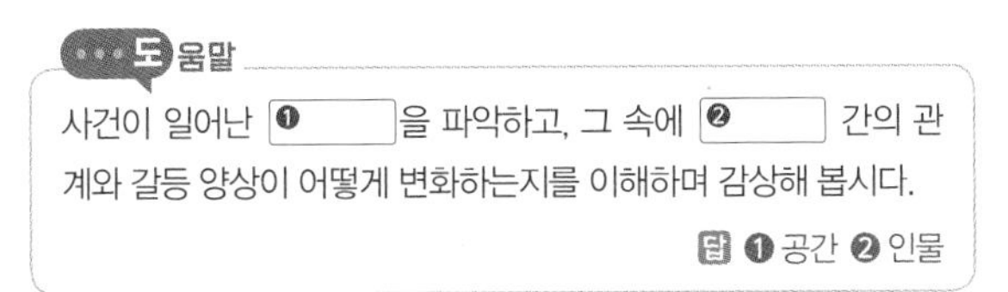

도움말

사건이 일어난 ❶ ______ 을 파악하고, 그 속에 ❷ ______ 간의 관계와 갈등 양상이 어떻게 변화하는지를 이해하며 감상해 봅시다.

답 ❶ 공간 ❷ 인물

외적 준거에 따른 작품 감상

07 다음을 참고하여 윗글을 감상한 내용으로 적절하지 않은 것은?

전(傳)은 전통적 한문 문체의 하나로, 어떤 사람의 행적을 서술하면서 교훈적인 내용이나 비판을 덧붙여 평가하는 것을 목적으로 한다. 〈유자소전〉은 전(傳)의 양식을 차용하고 있는 작품으로, 권위에 굴복하지 않고 천연덕스러운 성격을 지닌 인물을 통해 이기주의가 팽배한 현대인들의 세태와 허영심 가득한 상류층의 위선적이고 물질 만능주의적인 모습을 풍자한다.

① 비단잉어의 떼죽음에 대해 다그치는 총수에게 능청스럽게 얘기하는 '그'는 권위에 굴복하지 않는 인물이라 할 수 있어.
② 비단잉어가 감기에 걸려 떼죽음을 당했다고 말하는 모습을 볼 때, '그'는 천연덕스러운 성격을 지닌 인물이라 할 수 있어.
③ 비단잉어가 갑작스럽게 죽은 원인을 짐작하면서도 일부러 의뭉을 떠는 모습은 현대인들의 이기주의적인 면모라고 할 수 있어.
④ '그'가 비단잉어를 '딴따라 고기'라고 부르는 것은 상류층의 위선적인 모습에 대한 작가의 부정적인 인식이 드러난 것이라 할 수 있어.
⑤ 총수가 회사 직원 몇 사람 치의 월급을 합친 것보다 더 비싼 잉어를 키우는 것은 현대 사회의 물질 만능주의적인 모습이라 할 수 있어.

소재의 기능 파악

08 ⓐ와 ⓑ에 대한 설명으로 가장 적절한 것은?

① ⓐ는 인물의 기억과 관련 있는 소재이고, ⓑ는 인물의 상황과 대비되는 소재이다.
② ⓐ는 인물의 가치관을 상징하는 소재이고, ⓑ는 인물의 의지를 불러일으키는 소재이다.
③ ⓐ는 인물의 고뇌를 심화하는 소재이고, ⓑ는 인물 간의 관계를 개선하는 소재이다.
④ ⓐ는 인물 간의 갈등의 원인이 되는 소재이고, ⓑ는 인물의 좌절감을 유발하는 소재이다.
⑤ ⓐ는 인물 간의 갈등을 심화하는 소재이고, ⓑ는 인물의 심리를 상징적으로 드러내는 소재이다.

01~04 다음 글을 읽고, 물음에 답하시오.

"경희도 이리로 나오기로 했는데 어쩐 일일까?"

희숙이 하품을 하며 시계를 보았다. / "경희?"

"왜, 경희 몰라? 얼굴이 예쁘고 송곳니가 하나 덧니고, 너처럼 부끄럼을 유별나게 타던 애 말야. 웃을 땐 덧니가 **부끄러워 손으로 가리는 버릇**이 있었지. 총각 선생이 뭘 물으면 얼굴이 홍당무가 돼서 엉뚱한 대답을 해서 별별 소문을 다 뿌리던 애 말야."

"걘 여전하단다. 여전히 젊고 예쁘고 부끄럼 잘 타고, 시집을 잘 가서 고생을 몰라서 그런지 무슨 애가 고대로야."

나는 느닷없이 경희에게 강렬한 적개심을 느꼈다. 오랜만에 느껴 보는 격하고 싱싱한 느낌이었다. 빨리 보고 싶었다. 경희를, **부끄럼 타는 경희**를 보고 싶었다. 나는 마치 경희가 이 세상의 부끄럼 타는 마지막 인간이라도 되는 듯이, 지금이 바로 그 사라져 가는 표정을 봐 둘 마지막 기회라도 되는 듯이 초조했다. / "왜 이렇게 안 올까? 집으로 전화 연락 좀 안 될까?"

전화를 걸고 돌아온 영미가 약간 아니꼬운 듯이 입을 비죽대며 / "저희 집으로 다들 오란다. 뭐 귀한 손님이 오셔서 못 나왔다나. 귀한 손님이라야 뻔하지. 와이로 가져온 손님일 거야. 가자, 가서 점심이나 얻어먹자. 걔 속셈 뻔하지 뭐. 아마 저 잘사는 거 자랑시키려고 그러는 걸 거야."

누구라면 알 만한 고위층에 속하는 남편을 가졌다는 경희는 그 나름으로 선망과 질투의 대상인 성싶었다. 그러나 한남동 경희네가 가까워지자 희숙과 영미의 태도는 묘하게 나를 적대시하는 방향으로 변하고 있었다. 경희가 얼마나 으리으리하게 잘사는가를 입에 거품을 물고 세세히 열거하면서 내 반응을 빤히 관찰하는 걸 알 수 있었다. 〈중략〉 이 친구들은 내가 어느 만큼 사나 그게 궁금할 텐데 아마 아직 그걸 추리해 내지 못한 모양이다. 하긴 이 친구들이 그걸 알 리 없다. 나도 모르는 일이니까. 나는 아직 내 남편이 부잔지, 빈털터린지, 빚덩어리인지 그걸 도무지 모르겠다. 사람들은 만나면 친구끼리건 친척끼리건 우선 상대방의 그것부터 알고 싶어 하는데 나는 내 남편의 그것도 모르니 하긴 좀 답답하다.

경희넨 집도 컸고 정원도 넓었지만 난 별로 눈부셔하지 않았다. 내 집보다 규모가 크고, 좀 더 희번드르르한데도 어딘지 내 집과 비슷했다. 편리한 양옥 구조가 다 그렇듯이 그저 그렇고 그랬다. 세간살이도 그랬다. 하긴 경희네 안방 자개 문갑과 내 집 자개 문갑이 같은 값일 리 없고, 그 문갑 위에 놓인 청자가 우리 집 것과 같은 육백 원짜리 가짜일 리는 만무하다 하겠다. 그러나 경희나 나나 이런 가장 집기들에게 약간의 용도와 금전적 가치와 전시 효과 외엔 특별한 심미안이나 애정을 두지 않긴 마찬가지일 테니, 그것들이 무의미하기도 마찬가지일 게 아닌가. 나는 조금도 위축되거나 비실비실하지 않았다. 경희는 품위도 우정도 잃지 않을 한도 내에서 절도 있게 나를 반가워했다. 그러고 나서 남편은 뭐 하는 사람이냐고 물었다. 영미가 약간 입을 비죽대며 "뭐 일본과 기술 제휴한 전자 회사 사장이라나 봐." 했다. 곧이어 희숙이 "글쎄 그 사람이 얘 세 번째 남편이래지 뭐니." 하고 덧붙였다.

경희는 정숙한 여자가 못 들을 망측한 소리를 들었다는 듯이 얼굴을 곱게 붉히더니 "계집애두." 하며 손을 입에 대고 웃었다. 덧니가 부끄러워 비롯된, 그녀의 손으로 입 가리고 웃는 버릇은 이제 덧니의 매력까지를 계산하고 있어 **세련된 포즈**일 뿐이다. 뱅어처럼 가늘고 거의 골격을 느낄 수 없는 **유연한 손가락**에 커트가 정교한 에메랄드의 침착하고 심오한 녹색이 그녀의 **귀부인다운 품위**를 한층 더해 주고 있다. 아름다운 포즈였다. 그러나 부끄러움은 아니었다. 노련한 연기자처럼 미적 효과를 미리 충분히 계산한 아름다운 포즈일 뿐이었다. 부끄러움의 알맹이는 퇴화하고 **겉껍질**만이 포즈로 잔존하고 있을 뿐이었다. 나는 실망과 안도를 동시에 느꼈다.

경희는 내 남편이 한다는 일에 각별한 관심을 보이며 자기가 요새 나가는 일본어 학원에 같이 다니지 않겠느냐고 했다.

[A] "너희 남편이 일본 사람과 교제하려면 네 도움이 많이 필요할걸. 요샌 남편이 출세하려면 뒤에서 여자가 뒷받침을 잘해 줘야 해. 그러니 두말 말고 일본 말 좀 배워 둬라. 내

가 배우는 거야 그냥 교양 삼아 배우는 거지만 말야."

"너야 어디 일본 말만 배웠니. 각 나라 말 다 조금씩 배워 봤잖아." / 희숙이가 비굴하게 웃으며 끼어들었다.

"그야 해외여행할 때마다 그때그때 그 나라 인사말 정도 배워 갖고 간 거지 뭐."

나는 집에 와서 남편에게 비교적 소상히 그날의 얘기를 했다. 만나 본 동창 중 경희 같은 소위 고위층의 부인이 있다는 소리에 남편은 점괘를 맞힌 박수무당처럼 징그럽게 좋아했다.

[B] "거 보라구, 내가 뭐랬나. 당신 친구 중에라고 고관의 부인 없으란 법 있겠느냐고 내가 안 그랬어. 잘됐어. 잘됐어. 뭐? 일본어 학원? 다녀야지. 암 다녀야구말구. 그런 여자하고 같이 다닐 기회 놓치면 안 되지. 그게 다 처세술이라구. 교제술이란 게 다 그렇구 그런 거지 별건가."

그리고 나선 개화기의 우국지사처럼 자못 엄숙하고 침통해지면서

"아는 것이 힘이라구. 배워야 산다구. 배워서 남 주나."

하고 악을 썼다.

– 박완서, 〈부끄러움을 가르칩니다〉

서술상의 특징 파악

01 윗글의 서술상의 특징으로 적절하지 않은 것은?

① 서술자가 개입해 인물 간의 갈등을 중재하고 있다.
② '나'의 독백을 통해 심리를 생생하게 드러내고 있다.
③ 등장인물인 서술자가 작중 상황을 직접 서술하고 있다.
④ 다양한 공간에서 벌어진 상황이 시간적 순서로 나타나 있다.
⑤ 대화와 행동을 통해 등장인물의 정서를 간접적으로 보여 주고 있다.

인물의 성격 및 태도 파악

02 윗글의 내용에 대한 설명으로 적절하지 않은 것은?

① '나'는 집기들에 특별한 애정을 두지 않았다.
② 영미는 부유하게 생활하는 경희를 부러워한다.
③ '나'는 남편의 경제적 수준을 제대로 알지 못한다.
④ 경희는 '나'의 남편 얘기를 듣고 부끄러워 얼굴을 붉히고 있다.
⑤ 희숙은 경희가 부유하게 산다는 것을 '나'보다 먼저 알고 있었다.

인물의 성격 및 태도 파악

03 [A], [B]에 드러난 인물의 태도에 대한 설명으로 적절하지 않은 것은?

①  [A]에는 자신의 우월감을 드러내려는 의도가 담겨 있어.

②  [A]에서는 처세술의 일환으로 일본어 학원에 다니라고 권유하고 있어.

③  [A]에서는 자신의 오랜 경험을 바탕으로 일본어 공부를 권유하고 있어.

④  [B]에서는 자신이 과거부터 했던 말이 적중했음을 상대에게 강조하고 있어.

⑤  [B]에서는 일본어 학습을 통해 '고관의 부인'과 친분을 쌓는 것을 중요하게 여기고 있어.

외적 준거에 따른 작품 감상

04 〈보기〉를 참고하여 윗글을 감상한 내용으로 적절하지 않은 것은?

보기

〈부끄러움을 가르칩니다〉는 1970년대 물질 만능주의가 팽배하고 외형적인 성장에만 몰두하는 세태를 배경으로 하고 있다. 과거 순수했던 속성들이 외형적인 성장 속에서 가식적이고 위선적인 속물근성으로 변질되어 가는 현실과 순수했던 시절로 회복하고 싶은 소망을 그린 것이다. 특히 마음에서 순수하게 일어나는 '부끄러움'이 아니라 가식적이고 위선적인 '부끄러움'으로 훼손된 상황이 작품에 나타난다.

① '부끄러워 손으로 가리는 버릇'은 물질 만능주의에 의해 변질되기 전의 순수한 모습을 상징하고 있어.
② '부끄럼 타는 경희'는 순수함을 회복하고 싶은 작가의 심정과 관련이 있어.
③ '세련된 포즈'는 가식적이고 위선적인 '부끄러움'이라 할 수 있어.
④ '유연한 손가락'과 '귀부인다운 품위'는 속물근성과 대비되는 순수함을 상징하고 있어.
⑤ '겉껍질'은 외형만 중요시하는 시대적 상황과 관련이 있어.

05~08 다음 글을 읽고, 물음에 답하시오.

형우는 우리들 사이에서 일약 영웅이 돼 버렸다. 예상 안 한 건 아니지만 그 여세는 보통이 아니었다. 3학년에서도, 1학년 하급생들도 2학년 13반 임형우가 입에 올랐다. **전치 2주**의 상해를 입고도 끝내 그 상대를 입에 올리지 않음으로 해서 형우의 존재는 풍선처럼 부풀었다.

기표가 그 사건 다음 날부터 내리 사흘이나 학교에 나오지 않았어도 재수파들은 학생부에 불려 가지 않았다. 아무도 그것을 문제 삼지 않았다.

담임이 학교에 나오지 않는 기표를 찾기 위해 뚝방 동네를 연 이틀이나 헤맨 사실도 학교에 널리 알려졌다. 기표가 학교에 나온 날 담임은 조회 시간에 간단히 말했다.

"최기표 군은 그동안 피치 못할 가정 사정으로 결석했다. 앞으로 다시 결석이 없을 것으로 안다."

항상 빳빳하게 쳐들고 앉았던 기표의 고개가 잠깐 숙여지는가 싶게 느껴졌다. 그것은 **이상한 조짐**이었다.

형우가 병원에서 퇴원을 해 2주일 만에 학교에 나왔다. 악수 세례가 쏟아지고, 등을 두드리고, 체육 시간에는 헹가래까지 시키려고 했지만 형우가 도망을 쳤다. 그렇게 하면서 우리들은 숨죽여 기표의 동정을 살폈다. 그러나 그의 차가운 시선에 부딪힌 아이들은 **섬뜩한 느낌**으로 고개를 돌리곤 했다. 나는 후우— 가슴을 쓸어내렸다.

"형, 우리 미술 시간에 라면 먹으러 갈까?"

내가 말을 건넸다. 우리들은 가끔 후동 교사 뒷담을 넘어 구멍가게에서 라면을 사 먹은 다음 감쪽같이 들어오곤 했다. 재수파들이 그 전문이었던 것이다.

"필요 없어."

기표가 쳐다보지도 않은 채 퉁명스럽게 뱉었다. 그는 국어책을 읽고 있었다. 안톤 슈나크의 '우리를 슬프게 하는 것들' — 울음 우는 아이는 우리를 슬프게 한다.

다른 반 애들이 말했다. 선생들이 교실에 들어올 때마다 임형우의 일화가 예로 들어지면서, 학우를 아끼고 의리로써 지켜 준 참다운 우정과 반의 결속을 위해 담임 선생과 함께 남모르게 애써 온 그 숨은 이야기가 술술 펼쳐지더란 것이다. 교정에 모여 선 아이들도 입에 입에 형우의 얘기로 만발했다.

"우리들이 **커닝**을 도와준 것이 기표의 비위를 상하게 한 모양이지?"

병원에 있을 때는 남의 눈을 생각해 못 물어본 걸 하굣길 둘만의 자리가 됐을 때 내가 넌지시 물어보았다.

"글쎄 그런 것 같았다."

형우가 짐짓 좌우를 둘러보면서 대답했다.

"그때 그 일, 담임 선생님이 시켜서 한 거지?"

내가 넘겨짚자 형우가 한순간 당황하는 것 같았다. 언제고 밝히고 싶었던 것이라 나는 다시 다그쳤다.

"그렇지?"

"꼭 그런 건 아니지만 그 문제를 담임 선생님과 **의논**한 건 사실이다."

"합법적으로 만들기 위해서냐?"

"아니다. 담임 선생님이 기표를 나한테 **일임**하겠다고 말했기 때문이다. 선생님은 기표를 구원해 주고 싶었던 것이다."

"그랬겠지. 형우야, 넌 지금 네가 기표를 구원했다고 보니?"

"아직 완전히는…… 그러나 멀지 않았다."

나는 웃어 주었다.

"기표가 그렇게 생각하지 않을걸. 형우, 네가 구원해 주고 있다고 말이야."

"그것은 기표가 생각할 일이 아니다."

"무슨 뜻이냐?"

"우리가 무서워했던 건 기표가 아니라 기표를 둘러싸고 있는 재수파들이었다."

"그런데?"

"이제 그 조직은 없어졌다."

"무슨 근거로 그렇게 말하는 거냐?"

"내가 병원에 있을 때 그 애들이 모두 나한테 사과하러 왔었다. 하나하나 서로가 모르게 다녀갔다."

"기표두 왔었니?"

내가 헐떡이면서 물었다.

"오지 않았다. 그러나 난 그런 놈한테 사과도 받고 싶지 않다."

그럴 테지. 나는 후우 가슴을 쓸어내렸다.

- 전상국, 〈우상의 눈물〉

서술상의 특징 파악

05 윗글의 서술상의 특징으로 가장 적절한 것은?

① 과거와 현재를 교차하여 사건을 입체적으로 전개하고 있다.
② 등장인물인 서술자가 다른 인물과 사건을 관찰하고 있다.
③ 주인공의 내면 심리를 의식의 흐름 기법으로 표현하고 있다.
④ 공간의 이동에 따라 등장인물들의 성격이 점차 변화하고 있다.
⑤ 배경을 자세하게 묘사하여 사건의 전개 방향을 암시하고 있다.

인물의 성격 및 태도 파악

06 윗글에 나타난 '나'의 말하기 태도에 대한 설명으로 적절하지 않은 것은?

① 상대방을 은근히 조롱하면서 자기를 과시하고 있다.
② 상대의 반응을 고려하여 유사한 질문을 반복하고 있다.
③ 자신이 추측한 내용의 진위를 상대방에게 확인하고 있다.
④ 이해가 되지 않는 내용에 대해 추가 정보를 요구하고 있다.
⑤ 상대방의 말에 동의의 의사를 표한 다음 자신의 생각을 말하고 있다.

외적 준거에 따른 작품 감상

07 다음을 참고하여 윗글을 감상한 내용으로 적절하지 않은 것은?

> 억압적인 사회에서는 물리적인 폭력도 존재하지만, 그러한 폭력을 통제하려는 합법적 권력도 문제가 되는 경우가 많다. 〈우상의 눈물〉은 물리적인 폭력을 일삼던 인물이 합법적 권력에 의해 몰락하는 모습을 통해 합법적 권력도 그러한 권력을 어떻게 행사하느냐에 따라 또 하나의 폭력과 억압이 될 수 있음을 보여 준다.

① '전치 2주'는 물리적인 폭력과 대결한 결과이군.
② '이상한 조짐'은 물리적인 폭력의 몰락과 관련이 있군.
③ '섬뜩한 느낌'은 합법적 권력에 대한 두려움을 의미하는군.
④ '커닝'에 관해 '의논'을 한 것은 합법적 권력의 부정적인 모습이군.
⑤ '일임'은 합법적 권력이 유지되는 기능을 하고 있군.

사건과 갈등의 전개 양상 파악

08 윗글에 대해 이해한 내용으로 적절하지 않은 것은?

① 형우의 영향력은 '나'의 예상보다 더 커졌다.
② 기표를 제외한 재수파 모두 형우의 문병을 왔다.
③ 아이들은 형우를 반기면서도 기표의 눈치를 봤다.
④ 형우는 기표의 커닝을 도와준 '나'의 진의를 의심하고 있다.
⑤ 형우에 관한 이야기는 다른 반 친구들에게까지 퍼져나갔다.

창의·융합·코딩 전략 ①

01~03 다음 글을 읽고, 물음에 답하시오.

응오는 진실한 농군이었다. 나이 서른하나로 무던히 철났다 하고 동리에서 쳐주는 모범 청년이었다. 그런데 벼를 베지 않는다. 남은 다들 걷어들이고 털기까지 하련만 그는 벨 생각조차 않는 것이다.

지주든 혹은 그에게 장리를 놓은 김 참판이든 뻔질 찾아와 벼를 베라 독촉하였다.

"얼른 털어서 낼 건 내야지." / 하면 그 대답은,

"계집이 죽게 됐는데 벼는 다 뭐지유."

하고 한결같이 내뱉는 소리뿐이었다.

하기는 응오의 아내가 지금 기지사경(幾至死境)이매 틈은 없었다 하더라도 돈이 놀아서 약을 못 쓰는 이 판이니 진시(趁時) 벼라도 털어야 할 것이다.

그러면 왜 안 털었던가…….

그것은 작년 응오와 같이 지주 문전에서 타작을 하던 친구라면 묻지는 않으리라. 한 해 동안 애를 졸이며 홑자식 모양으로 알뜰히 가꾸던 그 벼를 거둬들임은 기쁨에 틀림없었다. 꼭두새벽부터 엣, 엣 하며 괴로움을 모른다. 그러나 캄캄하도록 털고 나서 지주에게 도지(賭地)를 제하고, 장리쌀을 제하고, 색초를 제하고 보니, 남는 것은 등줄기를 흐르는 식은땀이 있을 따름. 그것은 슬프다 하기보다 끝없이 부끄러웠다. 같이 털어 주던 동무들이 뻔히 보고 섰는데 빈 지게로 덜렁거리며 집으로 돌아오는 건 진정 열없기 짝이 없는 노릇이었다. 참다 참다 못해 응오는 눈에 눈물이 흘렀던 것이다.

가뜩한데 엎치고 덮치더라고 올해는 그나마 흉작이었다. 샛바람과 비에 벼는 깨깨 비틀렸다. 이놈을 가을하다간 먹을 게 남지 않음은 물론이요 빚도 다 못 가릴 모양. 에라, 배라먹을 거. 너들끼리 캐다 먹든 말든 멋대로 하여라, 하고 내던져 두지 않을 수 없다. 벼를 걷었다고 말만 나면 빚쟁이들은 우우 몰려들 거니깐…….

| 중략 부분의 줄거리 | 응오가 벼를 거두지 않고 있는 상황에서 응오의 벼를 도둑맞는 일이 발생한다. 응칠은 자신이 이 일에 대해 의심을 받을까 두려워하여 벼 도둑을 직접 잡기로 결심하고 밤에 응오의 논 근처에 잠복한다.

한 식경쯤 지났을까, 도적은 다시 나타난다. 논둑에 머리만 내놓고 사면을 두리번거리더니 그제야 기어 나온다. 얼굴에는 눈만 내놓고 수건인지 뭔지 헝겊이 가리었다. 봇짐을 등에 짊어 메고는 허리를 구붓이 뺑소니를 놓는다. 그러자 응칠이가 날쌔게 달려들며

"이 자식, 남우 벼를 훔쳐 가니!"

하고 대포처럼 고함을 지르니 논둑으로 고대로 데굴데굴 굴러서 떨어진다. 얼결에 호되게 놀란 모양이다.

응칠이는 덤벼들어 우선 허리께를 내려조겼다. 어이쿠쿠, 쿠 하고 처참한 비명이다. 이 소리에 귀가 번쩍 띄어 그 고개를 들고 필(疋)부터 벗겨 보았다. 그러나 너무나 어이가 없었음인지 시선을 치걷으며 그 자리에 우두망찰한다.

그것은 무서운 침묵이었다. 살뚱맞은 바람만 공중에서 북새를 논다.

한참을 신음하다 도적은 일어나더니

"성님까지 이렇게 못살게 굴기유?"

제법 눈을 부라리며 몸을 홱 돌린다.

그리고 느끼며 울음이 복받친다.

봇짐도 내버린 채 / "내 것 내가 먹는데 누가 뭐래?"

하고 데퉁스러이 내뱉고는 비틀비틀 논 저쪽으로 없어진다.

형은 너무 꿈속 같아서 멍하니 섰을 뿐이다.

그러다 얼마 지나서 한 손으로 그 봇짐을 들어 본다. 가뿐하니 끽 말가웃이나 될는지. 이까짓 걸 요렇게까지 해 가려는 그 심정은 실로 알 수 없다. 벼를 논에다 도로 털어 버렸다. 그리고 아내의 치마이겠지, 검은 보자기를 척척 개서 들었다. 내 걸 내가 먹는다. 그야 이를 말이랴. 허나 내 걸 내가 훔쳐야 할 그 운명도 얄궂거니와 형을 배반하고 이 짓을 벌인 아우도 아우이렷다. 에이 고얀 놈, 할 제 볼을 적시는 것은 눈물이다. 그는 주먹으로 눈을 쓱 비비고 머리에 번쩍 떠오르는 것이 있으니 두리두리한 황소의 눈깔. 시오 리를 남쪽 산속으로 들어가면 어느 집 바깥뜰에 밤마다 늘 매여 있는 투실투실한 그 황소. 아무렇게 따지든 칠십 원은 갈데없으리라. 그는 부리나케 아우의 뒤를 밟았다.

공동묘지까지 거반 왔을 때에야 가까스로 만났다. 아우의 등을 탁 치며

"얘, 좋은 수 있다. 네 원대로 돈을 해 줄게 나하구 잠깐 다녀오자."

씩씩한 어조로 기쁘도록 달랬다. 그러나 아우는 입 하나 열려 하지 않고 그대로 실쭉하였다. 뿐만 아니라 어깨 위에 올려놓은 형의 손을 부질없단 듯이 몸으로 털어 버린다. 그리고 삐익 달아난다. 이걸 보니 하 엄청이 나고 기가 콱 막히었다.

"이놈아!" / 하고 악에 받치어 / "명색이 성이라며?"

대뜸 몽둥이는 들어가 그 볼기짝을 후려갈겼다. 아우는 모로 몸을 꺾더니 시나브로 찌그러진다. 뒤미처 앞정강이를 때렸다, 등을 팼다. 일어나지 못할 만치 매는 내리었다. 체면을 불고하고 땅에 엎드려 엉엉 울도록 매는 내렸다.

– 김유정, 〈만무방〉

사건과 갈등의 전개 양상 파악

01 윗글을 읽고 〈보기〉와 같이 정리할 때 적절하지 않은 것은?

보기

응오가 벼를 수확하지 않음.	…	㉠
⬇		
응오가 자신의 벼를 훔치다 들킴.	…	㉡

① ㉠: 응오는 다른 사람의 땅에 소작을 얻어 농사를 지었군.

② ㉠: 응오는 일 년 동안 흘린 땀의 대가를 얻지 못하는 상황이군.

③ ㉡: 응칠은 벼 도둑의 실체를 확인하고 당황하고 있군.

④ ㉡: 응칠은 아우의 가난한 형편을 도와줄 다른 방법을 모색하고 있군.

⑤ ㉡: 응칠은 우연히 논 근처를 지나다가 벼를 훔치는 장면을 목격하였군.

도움말

사건이 전개되는 과정에서 ❶ ______의 상황과 ❷ ______이 어떻게 드러나는지 각 구절을 통해 살펴봅시다.

답 ❶ 인물 ❷ 행동

인물의 성격 및 태도 파악

02 응오가 응칠에게 다음과 같이 편지를 썼다고 할 때 적절하지 않은 것은?

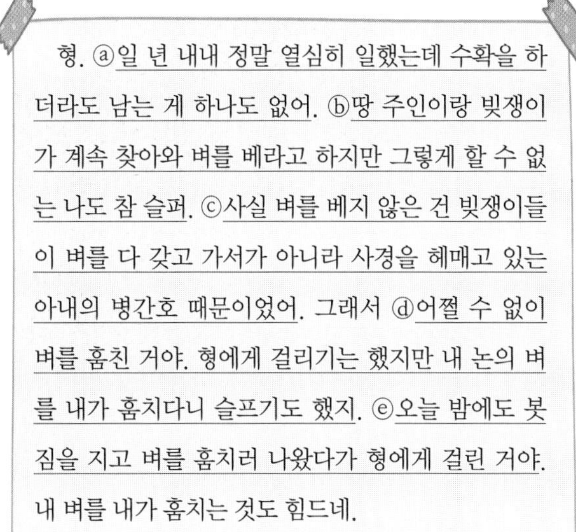
형. ⓐ일 년 내내 정말 열심히 일했는데 수확을 하더라도 남는 게 하나도 없어. ⓑ땅 주인이랑 빚쟁이가 계속 찾아와 벼를 베라고 하지만 그렇게 할 수 없는 나도 참 슬퍼. ⓒ사실 벼를 베지 않은 건 빚쟁이들이 벼를 다 갖고 가서가 아니라 사경을 헤매고 있는 아내의 병간호 때문이었어. 그래서 ⓓ어쩔 수 없이 벼를 훔친 거야. 형에게 걸리기는 했지만 내 논의 벼를 내가 훔치다니 슬프기도 했지. ⓔ오늘 밤에도 볏짐을 지고 벼를 훔치러 나왔다가 형에게 걸린 거야. 내 벼를 내가 훔치는 것도 힘드네.

① ⓐ ② ⓑ ③ ⓒ ④ ⓓ ⑤ ⓔ

작품의 종합적 감상

03 〈보기〉의 화자가 윗글의 응오에게 해 줄 수 있는 말로 가장 적절한 것은?

보기

일년지계 재춘하니 범사(凡事)를 미리 하라.
봄에 만일 실시(失時)하면 종년(終年) 일이 낭패되네.
농기를 다스리고 농우(農牛)를 살펴 먹여
재거름 재워 놓고 한편으로 실어 내니

– 정학유, 〈농가월령가〉

① 농사를 지으면서 땅의 신성함에 감사한 마음을 가져야 해.

② 구름이 지나가면 해가 떠오르듯이 이 어려움도 곧 지나갈 거야.

③ 즐거운 마음으로 농사일을 하다 보면 더 능률이 오를 수 있을 거야.

④ 아무리 속상해도 농사일은 다 때가 있으니 수확을 하는 것이 좋을 듯해.

⑤ 수확에 욕심을 갖는 것보다 노동의 신성함을 아는 것이 더 중요한 것 같아.

창의·융합·코딩 전략 ②

04~06 다음 글을 읽고, 물음에 답하시오.

| **앞부분의 줄거리** | 신문 기자인 '나'는 어떤 줄광대에 관한 기사를 취재하기 위해 C읍으로 간다. 그곳에서 만난, 트럼펫을 불던 사내는 나에게 '허 노인'과 '운'에 대한 이야기를 들려준다.

흘러가듯 조용히 줄을 건너가는 노인의 모습은 유령 같기도 하고 어떤 때는 그냥 땅 위에서 하품을 하고 있는 것 같기도 했다. 이상한 것은 그렇게 줄을 타는 허 노인이었지만 줄에서 내려오면 그의 온몸은 언제나 땀에 흠뻑 젖어 있곤 했던 것이다. 그리고 단장은 그런 허 노인의 줄타기를 몹시도 싫어했다.

— 구경꾼 놈들의 간덩이를 덜컹덜컹 놀라게 해 주란 말야. 재주를 좀 부려, 재주를.

단장은 허 노인을 매번 나무랐다. 허 노인은 얼굴이 파랗게 질려서 대꾸도 못 하고 땀만 뻘뻘 흘리다간 단장 앞을 물러나오곤 했었다. 그러나 [그 다음날]도 허 노인은 여전히 전처럼 줄을 타는 것이었다. 운은 누가 뭐래도 허 노인이 그렇게 줄을 타는 것이 좋았고, 자기도 그렇게 줄을 탈 수 있기를 바랐다. 그러던 [어느 날 밤], 줄 위에서 그렇게 유연하던 노인의 발길이 한 번 변을 일으켰다. 딱 한 번 노인의 발길이 가볍게 허공을 차는 듯한 동작을 하더니 줄이 잠시 상하 반동을 했다. 허 노인은 가만히 몸을 지탱하고 있다가 곧 다시 줄을 건너갔다. 누구도 그것을 실수로 생각한 사람은 없었다. 객석에 눈을 두고 있던 단장은 거기서 일어나는 무의식적인 함성에 놀라 하늘을 쳐다보았으나 줄이 상하로 조금씩 움직이는 것밖에 무슨 일이 일어났는지조차 알 수 없었던 것이다.

"허 노인이 줄을 잘 탔다고 하는 것은 운의 생각입니까, 혹은 노인의 생각입니까?"

나는 트럼펫의 사내가 숨을 좀 돌리게 하기 위하여 이야기로 뛰어들었다. 사내는 한마디 말을 하기 위해서 거의 한 번씩 숨을 들이쉬었다.

"그건 물론 운의 생각이었습니다."

"그럼 이상하지 않습니까, 노인께서 운의 생각을 말씀하신다는 것은?"

"그렇지요. 하지만 이렇게 누워서 많이 생각을 했지요. 그리고 운은 나와 나이가 가장 가까웠으니까 제가 그의 심중을 비교적 많이 이해하는 편이었고, 그도 제게만은 조금씩 얘기를 할 때가 있었습니다. 그리고 저는 그때 벌써 나팔장이가 다 되었으니까 웬만큼 나팔을 불어 주고 남은 시간을 대개 그 부자가 지내는 뒷마당에서 보냈었지요. 그런데 말입니다. 그러니까 허 노인이 한 번 발을 헛디뎠던 [다음날]이었지요. 마침 그날도 나는 운이 줄타기 연습을 하는 것을 보고 있었는데 이상하게도, 그날은 허 노인이 아들의 줄타기를 보면서 땀을 뻘뻘 흘리고 있었습니다. 나는 줄 위에 있는 운이 아니라 무섭도록 줄을 쏘아보고 있는 노인의 눈과 땀이 송송 솟고 있는 이마를 보고 있었습니다. 그런데 노인은 갑자기 '이놈아!' 하고 벽력같은 소리를 지르면서 줄 밑으로 내닫는 것이 아니겠습니까. 그때야 나는 줄 위를 쳐다보았지요. 그런데 운은 그 소리를 듣지 못한 채 그냥 줄을 건너가고 있었습니다.

— 이놈…… 너는 이 아비의 말도 듣지 않느냐?

운이 줄을 내려왔을 때 노인이 호령을 했으나, 그는 역시 어리둥절해 있기만 했어요. 내가 놀란 것은 그때 허 노인이 빙그레 웃었다는 것입니다. 〈중략〉

그날 주막에서 허 노인은 운에게 술잔을 따라 주고, 그날 밤으로 운을 줄로 오르라고 했다.

— 줄 끝이 멀리 보여서는 더욱 안 되지만, 가깝고 넓어 보여서도 안 되는 법이다. 그 줄이라는 것이 눈에서 아주 사라져 버리고, 줄에만 올라서면 거기만의 자유로운 세상이 있어야 하는 게야. 제일 위험한 것은 눈과 귀가 열리는 것이다. 줄에서는 눈이 없어야 하고 귀가 열리지 않아야 하고 생각이 땅에 머무르지 않아야 한단 말이다.

노인은 조용조용 당부를 했다. 그 한마디 한마디는 마치 노인의 일생을 몇 개로 잘라서 압축해 놓은 듯한 무게와 힘과, 그리고 알 수 없는 깊이를 지니고 있었다. 자기의 전 생애를 운에게 떠넘겨 주려는 듯한 안간힘이 거기에는 있는 것 같았다. 운은 비로소 허 노인이 끝끝내 줄타기 자세를 바꾸지 못하는 내력을 알 것 같았다.

— 아버지, 이젠 줄을 그만두시고 좀 쉬십시오.

운이 말했으나 노인은 조용히 머리를 가로저었다.

— 줄에서 내 발바닥의 기력이 다했다고 다른 곳을 밟고 살겠느냐? 같이 타자.

그날 밤, 줄에는 두 사람이 함께 올라섰다. 운이 앞을 서고 허 노인이 뒤를 따랐다. 운이 줄을 다 건넜을 때는 객석이 뒤숭숭하니 난장판이 되어 있었다. 뒤를 따르던 허 노인이 줄에서 떨어져 이미 운명을 하고 만 뒤였다.

– 이청준, 〈줄〉

서술상의 특징 파악

04 윗글을 〈보기〉와 같이 구조화할 때, 이와 관련한 설명으로 적절하지 않은 것은?

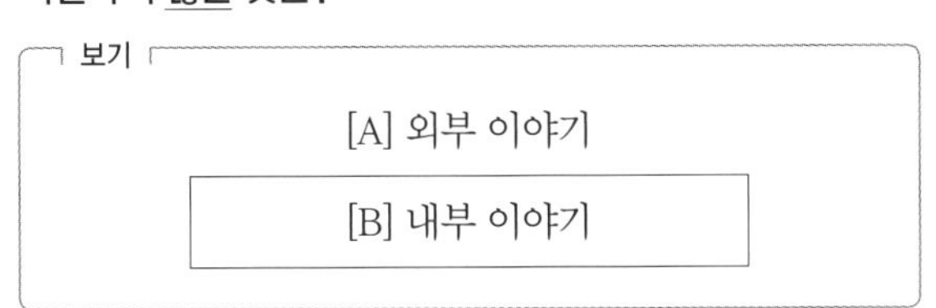

① 신문 기자인 '나'는 [A]의 서술자이다.
② 신문 기자인 '나'는 [B]에 등장하지 않는다.
③ '사내'는 [B]를 신문 기자인 '나'에게 전해 준다.
④ [B]에서 '사내'는 '허 노인'과 갈등 관계에 놓여 있다.
⑤ [B]의 사건들은 [A]의 사건들보다 시간상 앞서서 발생했다.

사건과 갈등의 전개 양상 파악

05 윗글의 사건을 시간의 흐름에 따라 정리한 내용으로 적절하지 않은 것은?

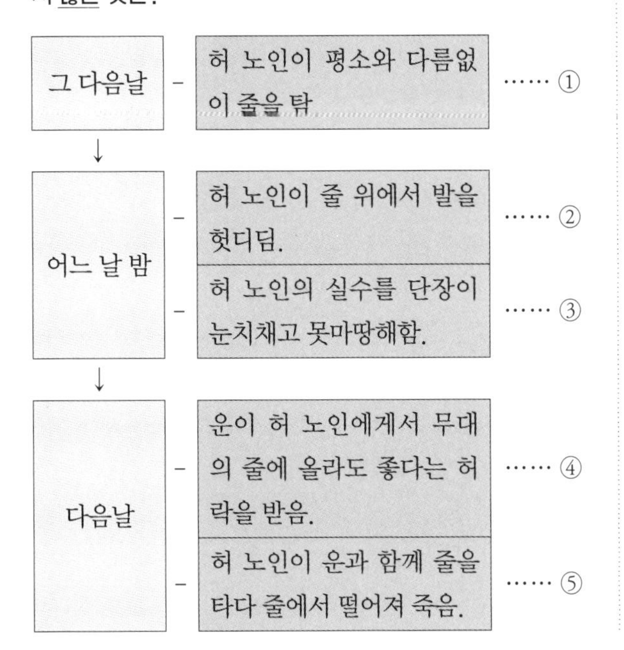

외적 준거에 따른 작품 감상

06 다음을 참고하여 윗글을 감상한 내용으로 적절하지 않은 것은?

이청준은 예술가나 장인들의 세계를 다룬 작품을 많이 썼다. 이들은 세속적 가치를 강요하는 외부의 압력에 굴하지 않고 자신들의 엄격성을 지키려는 인간들이다. 또한 현실과 이상의 괴리를 극복하고 예술혼을 고양해 근원적인 삶의 의미를 발견하려 애쓰는 인물들이다.

①  재주를 부리라는 단장의 요구는 '허 노인'이 지키려는 장인으로서의 엄격성에 대한 침해로 해석할 수 있어.

② 마지막까지 '줄'이라는 공간을 벗어나지 않으려 하는 '허 노인'은 전형적인 장인의 모습을 보여 준다고 할 수 있어. 

③  '허 노인'이 단장의 질책에, 줄타기를 할 때처럼 땀을 흘리는 것은 현실과 이상의 괴리를 극복하려는 모습이라 할 수 있지.

④ 줄 위에는 '자유로운 세상이 있어야' 한다는 '허 노인'의 말에는 일생을 통해 깨달은 근원적인 삶의 의미가 담겨 있다고 할 수 있어. 

⑤  '허 노인'이 줄타기 자세를 바꾸지 못하는 것은 세속적 가치에 영합하지 않고 자신의 예술 세계를 지키려는 태도가 나타나는 거야.

도움말
제시된 ❶ ____ 를 통해 작품을 감상해 보고, 작품의 ❷ ____ 를 깊이 있게 이해해 봅시다.

답 ❶ 자료 ❷ 주제

전편 마무리 전략 현대 문학

핵심 한눈에 보기

시적 화자의 정서, 태도, 어조

시적 화자의 정서	시적 화자가 시적 대상이나 시적 상황에 대해 느끼는 감정이나 심리 예 기쁨, 희망, 그리움, 슬픔, 절망, 고독 등
시적 화자의 태도	시적 대상이나 제시된 상황에 대해 보이는 화자의 심리적 자세 또는 대응 방식 예 의지적 태도, 반성적 태도, 비판적 태도, 예찬적 태도 등
시적 화자의 어조	시적 화자가 사용하는 특징적인 말의 느낌과 말투. 시인은 어조를 통해 시적 화자의 정서와 태도를 드러내고 시의 분위기를 형성하며, 주제를 효과적으로 형상화함. 예 성찰적 어조, 애상적 어조, 영탄적 어조 등

시의 운율과 심상

운율의 형성 방법

- 음운, 음절의 반복 — 일정한 모음이나 자음, 음절을 반복
- 시어의 반복 — 특정 시어를 반복
- 음보의 반복 — 음보를 규칙적으로 반복
- 음절 수의 반복 — 일정한 수의 음절을 반복적으로 배치
- 문장 구조의 반복 — 동일하거나 비슷한 문장 구조를 반복
- 음성 상징어의 사용 — 의성어나 의태어를 사용

심상의 종류

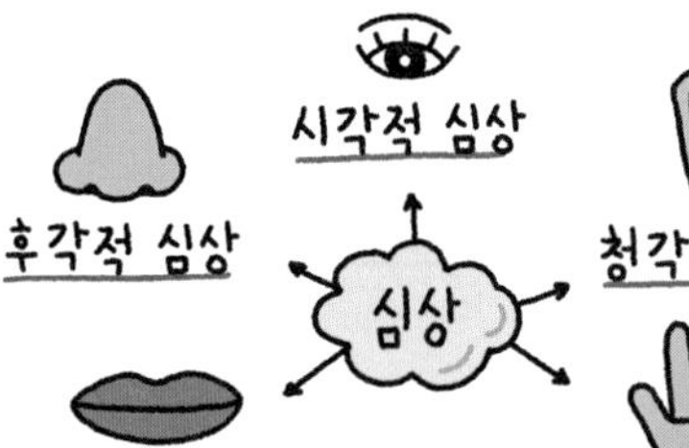

시의 표현 방법

비유
- 어떤 대상을 직접 설명하지 않고 그와 유사한 다른 대상에 빗대어 표현하는 방법
- 직유법, 은유법, 의인법, 활유법, 대유법

상징
- 표현하고자 하는 대상을 숨기고 다른 사물로 대신하여 표현하는 방법
- 개인적 상징, 관습적 상징, 원형적 상징

강조하기
- 특정 부분을 강조하여 자신의 생각이나 감정을 인상적으로 표현하는 방법
- 과장법, 점층법, 열거법, 반복법, 연쇄법, 영탄법, 대조법

변화 주기
- 문장에 변화를 주어 더욱 생동감 있게 표현하는 방법
- 역설법, 반어법, 도치법, 설의법, 대구법, 인용법

객관적 상관물
- 화자의 정서를 간접적으로 표현하는 데 사용된 구체적인 사물
- 화자가 어떤 정서를 느끼게 되는 계기를 제공하는 대상물을 지칭하기도 함.

감정 이입
- 시적 화자의 감정을 대상에 이입하여 마치 대상이 그렇게 느끼고 생각하는 것처럼 표현하는 방법
- 감정 이입된 객관적 상관물은 화자가 느끼는 것과 동일한 감정을 가짐.

소설의 서술자와 시점

서술자

작가가 의도를 가지고 꾸며 낸 인물로, 소설에서 독자에게 이야기를 들려줌.

시점

- 소설 속 인물 및 사건을 바라보는 관점을 말함.
- 서술자의 위치와, 서술자가 누구에 대해, 어디까지 서술하느냐에 따라 1인칭 주인공 시점, 1인칭 관찰자 시점, 3인칭 관찰자 시점, 전지적 작가 시점으로 나뉨.

인물의 유형과 제시 방법

인물의 유형

성격 변화의 여부	• 평면적 인물: 처음부터 끝까지 성격이 변하지 않는 인물 • 입체적 인물: 환경이나 상황에 따라 성격이 변하는 인물
대표성	• 전형적 인물: 특정 사회·계층 등을 대표하는 성격의 인물 • 개성적 인물: 특정 집단과 상관 없이 독자적인 개성을 지닌 인물
역할	• 주동 인물: 작품의 주인공으로, 사건과 행동의 중심이 되는 인물 • 반동 인물: 주동 인물과 대립하며 갈등하는 인물

인물 제시 방법

- 직접 제시
- 간접 제시

소설의 갈등 유형

내적 갈등

- 한 인물의 마음속에서 두 가지 이상의 욕구나 감정이 동시에 일어나서 생기는 갈등
- 인물이 겪는 고민, 근심, 불안, 분노 등이 해당됨.

외적 갈등

- 한 인물과 그를 둘러싼 외부 인물이나 환경 사이에서 일어나는 갈등
- 인물과 인물의 갈등, 인물과 사회의 갈등, 인물과 운명의 갈등, 인물과 자연의 갈등 등으로 구분함.

소설의 소재와 배경

소재의 기능

- 갈등의 유발과 해소
- 인물의 심리 표현과 성격 상징
- 여러 장면이나 사건의 연결
- 사건 암시와 주제 상징

나는 〈운수 좋은 날〉에서 아내에 대한 김 첨지의 사랑을 드러내는 동시에 비극적 상황을 심화시키는 매개체지.

배경의 종류

자연적 배경	행위, 사건이 발생하는 구체적 시간과 공간. 자연적·인공적인 환경 등을 모두 포함함.
사회적 배경	인물이 처한 정치·경제·문화 등의 현실, 계층·직업 등의 사회적 조건 등을 포함함.
심리적 배경	인물이 처한 특정한 상황과 그것에 대해 인물이 취하는 심리적 태도를 가리킴.

배경의 기능

- 사건의 사실성, 개연성 부여
- 작품의 주제 부각
- 사건 전개 방향, 인물의 심리 암시
- 작품의 분위기 조성

신유형·신경향 전략

문학 영역에서는 다양한 갈래들의 작품들이 엮여 복합적으로 출제되고 있으며, 문학 이론을 다루는 지문이 함께 출제되기도 합니다. 문학 비평의 내용을 바탕으로 갈래별 특성을 이해하고, 작가의 창작 배경, 독자의 수용 양상 등에 대한 심층적 이해가 필요합니다.

01~04 다음 글을 읽고, 물음에 답하시오.

가 우리는 시를 통해 삶 속의 다양한 인물들을 만날 수 있다. 그중에는 특정 시대나 사회, 혹은 특정 계층을 대표할 만한 인물들이 있는데, 이런 인물을 '전형적 인물'이라고 한다. 시 속 전형적 인물은 두 가지 양상으로 드러난다. 어떤 시에서는 화자 자신이 전형적 인물이 되기도 하고, 또 어떤 시에서는 화자가 관찰한 대상이 전형적 인물이 되기도 한다. 전자는 화자가 체험한 현실을 자신의 생생한 목소리로 직접 전달할 수 있고, 후자는 시적 대상이 처한 현실과 그의 정서를 관찰자적 입장에서 객관적으로 담아낼 수 있다.

또한 시는 전형적 인물이 처해 있는 상황을 통해 현실을 보다 구체적으로 보여 줄 수 있다. 일제 강점기의 상황을 보여 줄 수도 있고, 산업화와 도시화로 인해 피폐해진 농촌의 상황을 보여 줄 수도 있다. 따라서 독자는 전형적 인물이 어떤 상황에 놓여 있으며, 그 상황을 어떻게 인식하고 그에 어떻게 대응하는지를 면밀히 살펴야 한다.

나 흐르는 것이 물뿐이랴
우리가 저와 같아서
강변에 나가 삽을 씻으며
거기 슬픔도 퍼다 버린다
일이 끝나 저물어
스스로 깊어 가는 강을 보며
쭈그려 앉아 담배나 피우고
나는 돌아갈 뿐이다
삽자루에 맡긴 한 생애가
이렇게 저물고, 저물어서
샛강 바닥 썩은 물에
ⓐ달이 뜨는구나
우리가 저와 같아서
흐르는 물에 삽을 씻고
먹을 것 없는 사람들의 마을로
다시 어두워 돌아가야 한다

- 정희성, 〈저문 강에 삽을 씻고〉

다 저 지붕 아래 제비 집 너무도 작아
갓 태어난 새끼들만으로 가득 차고
어미는 둥지를 날개로 덮은 채 ㉠간신히 잠들었습니다
바로 그 옆에 누가 박아 놓았을까요, 못 하나
그 못이 아니었다면
아비는 어디서 밤을 지냈을까요
못 위에 앉아 ㉡밤새 꾸벅거리는 제비를
눈이 뜨겁도록 올려다봅니다
종암동 버스 정류장, 흙바람은 불어오고
한 사내가 아이 셋을 데리고 마중 나온 모습
수많은 버스를 보내고 나서야
피곤에 지친 한 여자가 내리고, 그 창백함 때문에
반쪽 난 달빛은 또 ㉢얼마나 창백했던가요
아이들은 달려가 엄마의 옷자락을 잡고
제자리에 선 채 ⓑ달빛을 좀 더 바라보던
사내의, 그 마음을 오늘 밤은 알 것도 같습니다
실업의 호주머니에서 만져지던
때 묻은 호두알은 쉽게 깨어지지 않고
그럴듯한 집 한 채 짓는 대신
못 하나 위에서 견디는 것으로 살아온 아비,
거리에선 ㉣아직도 흙바람이 몰려오나 봐요
돌아오는 길 희미한 달빛은 그런대로
식구들의 손잡은 그림자를 만들어 주기도 했지만
그러기엔 골목이 너무 좁았고
늘 ㉤한 걸음 늦게 따라오던 아버지의 그림자
그 꾸벅거림을 기억나게 하는
못 하나, 그 위의 잠

- 나희덕, 〈못 위의 잠〉

01 (가)를 바탕으로 (나)와 (다)를 이해한 내용으로 적절하지 않은 것은?

① (나)는 가난한 노동자 계층을 대표하는 인물을 화자로 내세워 암담한 현실을 드러내고 있다.
② (나)는 힘겨운 삶을 사는 전형적 인물을 관찰하는 화자가 노동자가 처한 현실을 객관적으로 드러내고 있다.
③ (나)는 암담한 현실을 살아가는 전형적 인물이 화자가 되어 화자가 체험한 현실을 생생한 목소리로 전달하고 있다.
④ (다)는 못 하나 위에서 꾸벅거리는 제비를 관찰하는 화자가 자신의 정서를 객관적으로 표현하고 있다.
⑤ (다)는 전형적인 인물인 실직한 아버지를 관찰하는 화자가 아버지가 놓여 있는 상황에 대한 인식을 보여 주고 있다.

도움말
(가)에서 ❶ [ ] 인물에 대한 개념을 이해하고, 인물의 유형에 따른 기능과 효과를 파악해 봅시다. 그리고 이 내용을 바탕으로 (나)와 (다)의 ❷ [ ]의 유형이 무엇인지 생각해 봅시다.
답 ❶ 전형적 ❷ 화자

02 〈보기〉를 참고하여, (나)를 감상한 내용으로 적절하지 않은 것은?

보기
1970년대는 급격한 산업화로 인해 농촌 인구의 도시 집중 현상이 두드러지게 나타나면서, 도시에는 저임금 노동자가 급증하게 되었다. 〈저문 강에 삽을 씻고〉는 소외된 도시 노동자의 비애를 노래한 작품으로, 노동자인 화자가 하루 일을 끝내고 흐르는 강물에 삽을 씻으며, 인생의 의미를 성찰하고 삶의 슬픔을 관조하고 있다.

① '쭈그려 앉아 담배나 피우고'는 노동을 한 후 허탈감과 절망감이 가득한 화자의 비애감이 드러나 있다.
② '이렇게 저물고, 저물어서'는 도시에서 발전이나 희망 없는 현실이 반복되어 삶에 찌들어 가는 화자의 모습이 드러나 있다.
③ '샛강 바닥 썩은 물'은 급격한 산업화로 인한 도시의 문제점과 더불어 생명력 없는 노동자의 삶의 모습이 드러나 있다.
④ '우리가 저와 같아서'는 힘겨운 노동자의 삶도 흐르는 강물처럼 지나갈 것이라는 화자의 기대가 드러나 있다.
⑤ '다시 어두워 돌아가야 한다'는 저임금 노동자인 화자가 궁핍한 상황을 체념하는 모습이 드러나 있다.

03 ㉠~㉤에 대한 이해로 적절하지 않은 것은?

① ㉠: '너무도 작'은 집에서 새끼를 보호하려는 어미 제비의 모성애를 보여 주고 있다.
② ㉡: '못' 하나에 의지해 밤새 불편한 잠을 자는 '아비'에 대한 안쓰러움이 담겨 있다.
③ ㉢: 일을 마치고 돌아오는 '피곤에 지친 한 여자'의 고단함을 강조하고 있다.
④ ㉣: 가족에게 닥친 고난과 시련인 '흙바람'이 여전히 이어지고 있음을 보여 주고 있다.
⑤ ㉤: 변해 가는 세상에 적응하지 못하던 '아버지'를 원망하는 화자의 정서가 담겨 있다.

04 ⓐ와 ⓑ에 대한 이해로 가장 적절한 것은?

① ⓐ는 화자의 삶이 반복됨을 의미하고, ⓑ에는 아내에 대한 미안함과 안쓰러움의 의미가 담겨 있다.
② ⓐ는 화자의 희망을 의미하고, ⓑ에는 화자의 평화로운 내면을 부각하는 의미가 담겨 있다.
③ ⓐ는 화자를 위로하는 대상을 의미하고, ⓑ에는 아내에 대한 변함없는 애정의 의미가 담겨 있다.
④ ⓐ는 과거에 대한 그리움을 의미하고, ⓑ에는 자신의 처지에 대한 화자의 깨달음의 의미가 담겨 있다.
⑤ ⓐ는 화자에게 닥친 고난과 시련을 의미하고, ⓑ에는 아내에 대한 화자의 경외감의 의미가 담겨 있다.

05~08 다음 글을 읽고, 물음에 답하시오.

가 박씨가 주렴을 드리우고 부채를 쥐어 불을 부치니, 불길이 오랑캐 진을 덮쳐 오랑캐 장졸이 타 죽고 밟혀 죽으며 남은 군사는 살기를 도모하여 다 도망하는지라. 용골대가 할 길 없어, "이미 화친을 받았으니 대공을 세웠거늘, 부질없이 조그만 계집을 시험하다가 공연히 장졸만 다 죽였으니, 어찌 분한(憤恨)치 않으리오." 하고 회군하여 발행할 제, 왕대비와 세자 대군이며 장안 미색을 데리고 가는지라.

박씨가 시비 계화로 하여금 외쳐 왈, "㉠무지한 오랑캐야, 너희 왕 놈이 무식하여 은혜지국(恩惠之國)을 침범하였거니와, 우리 왕대비는 데려가지 못하리라. 만일 그런 뜻을 두면 너희들은 본국에 돌아가지 못하리라." 하니 오랑캐 장수들이 가소롭게 여겨, "우리 이미 화친 언약을 받고 또한 인물이 나의 장중(掌中)에 매였으니 그런 말은 생심(生心)도 말라." 하며, 혹 욕을 하며 듣지 아니하거늘, 박씨가 또 계화로 하여금 다시 외쳐 왈, "너희가 일양 그리하려거든 내 재주를 구경하라." 하더니, ㉡이윽고 공중으로 두 줄기 무지개 일어나며, 모진 비가 천지를 뒤덮게 오며, 음풍이 일어나며 백설이 날리고, 얼음이 얼어 군마의 발굽이 땅에 붙어 한 걸음도 옮기지 못하는지라. 그제야 오랑캐 장수들이 황겁하여 아무리 생각하여도 모두 함몰할지라. 마지못하여 장수들이 투구를 벗고 창을 버려, 피화당 앞에 나아가 꿇어 애걸하기를, "오늘날 이미 화친을 받았으나 왕대비는 아니 뫼셔 갈 것이니, 박 부인 덕택에 살려 주옵소서."

박씨가 주렴 안에서 꾸짖어 왈, "너희들을 모두 죽일 것이로되, 천시(天時)를 생각하고 용서하거니와, 너희 놈이 본디 간사하여 외람된 죄를 지었으나 이번에는 아는 일이 있어 살려 보내나니, 조심하여 들어가며, 우리 세자 대군을 부디 태평히 모셔 가라. 만일 그렇지 아니하면 내 오랑캐를 씨도 없이 멸하리라."

이에 오랑캐 장수들이 백배 사례하더라.

– 작자 미상, 〈박씨전〉

나 "피란 안 갔다고 야단맞지 않을까요?"

윤씨가 걱정스럽게 묻는다. 김씨 댁 아주머니의 얼굴도 잠시 흐려진다. 그러나 이내 쾌활한 목소리로,

"쌀 배급을 주는데 야단을 치려구요? 세상에 불쌍한 백성을 더 이상 어쩌겠어요?"

"그래도 댁은…… 우린 애아범이 그래 놔서…… 전에도 배급을 못 타 먹었는데."

"이 마당에서 그걸 누가 알겠어요? 어지간히 시달려 놔서 이젠 그렇게들 안 할 거예요."

둑길을 건너서 인도교 가까이 갔을 때 노량진 쪽에서 사람들이 몰려온다. 어느 구석에 끼여 있었던지 용케 죽지도 않고, 스무 명가량의 사람들이 떼 지어 간다. 김씨 댁 아주머니는,

"여보시오! 어디서 배급을 줍니까?"

하고 물었으나 ㉢그들은 미친 듯 뛰어갈 뿐이다.

"여보, 여보시오! 어디서 배급을 줍니까?"

다시 물었으나 여전히 그들은 뛰어간다. 윤씨와 김씨 댁 아주머니도 이제 더 이상 묻지 않고 그들을 따라 뛰어간다. 그들이 간 곳은 한강 모래밭이었다. 강의 얼음은 아직 풀리지 않았다. 그곳에는 여남은 명가량의 사람들이 몰려 있었다. 사실은 배급이 아니었다. 밤사이에 중공군과 인민군이 후퇴하면서 미처 날라가지 못했던 식량이 여기저기 흩어져 있었던 것이다. ㉣사람들은 갈가마귀떼처럼 몰려들어 가마니를 열었다. 그리고 악을 쓰면서 자루에다 쌀과 수수를 집어넣는다. 쌀과 수수가 강변에 흩어진다. 사람들은 굶주린 이리떼처럼 눈에 핏발이 서서 자루에 곡식을 넣어 짊어지고 일어섰다. 쌀자루를 짊어지고 강변을 따라 급히 도망쳐 가는 사나이들, 쌀자루에 쌀을 옮겨 넣는 아낙들, 필사적이다. 그야말로 전쟁이다. 김씨 댁 아주머니와 윤씨도 허겁지겁 달려들어 쌀을 퍼낸다. 그리고 떨리는 손으로 자루 끝을 여민 뒤 머리에 이고 일어섰다. 그 순간 하늘이 진동하고 땅이 꺼지는 듯 고함 소리, 총성과 함께 윤씨가 푹 쓰러진다. 윤씨는 외마디 소리를 지르며 쌀자루 위에 얼굴을 처박는다. ㉤거무죽죽한 피가 모래밭에 스며든다.

– 박경리, 〈시장과 전장〉

05 (가)와 (나)에 대한 설명으로 가장 적절한 것은?

① (가)는 (나)와 달리 적대자와의 대결에서 주인공의 초월적인 능력을 보여 주고 있다.
② (가)는 (나)와 달리 공간적 배경을 자세히 묘사하여 인물의 심리 변화를 보여 주고 있다.
③ (나)는 (가)와 달리 인물들의 대립 구도를 통해 서사적인 흥미를 높이고 있다.
④ (나)는 (가)와 달리 대화 내용을 통해 이전에 일어난 사건의 정황을 나타내고 있다.
⑤ (가)와 (나)는 모두 주인공의 죽음을 제시하여 작품의 비극성을 고조하고 있다.

06 (가)와 (나)에 대한 이해로 가장 적절한 것은?

① (가)에서 용골대는 화친을 하기 위해 박씨를 공격했다.
② (가)에서 오랑캐 장수는 왕대비를 모셔 가기 위해 박씨에게 애걸했다.
③ (가)에서 박씨는 하늘의 뜻을 고려하여 오랑캐를 살려 보냈다.
④ (나)에서 윤씨는 배급을 주는 곳을 알고 김씨 댁 아주머니를 데리고 갔다.
⑤ (나)에서 윤씨는 인도교에서 쌀자루를 이고 일어서려다 총에 맞았다.

07 ㉠~㉤에 대한 설명으로 적절하지 않은 것은?

① ㉠: 우리나라를 '은혜지국'으로 표현하여 상대보다 우월한 위치에 있음을 드러내고 있다.
② ㉡: 전기적인 요소를 활용하여 박씨의 뛰어난 능력을 보여 주고 있다.
③ ㉢: 행동을 통해 작품 속 인물들이 처한 사회적 상황을 드러내고 있다.
④ ㉣: 비유적 표현을 활용하여 배급을 받고 있는 사람들의 모습을 표현하고 있다.
⑤ ㉤: 색채를 나타내는 표현을 통해 비극적인 상황을 강조하고 있다.

08 다음을 바탕으로, (가)와 (나)를 감상한 내용으로 적절하지 않은 것은?

(가)와 (나)는 모두 실재했던 전쟁을 제재로 한 작품으로, 외적의 침략이나 이념 갈등과 같은 공동체 사이의 갈등이 드러난다. 전쟁은 아군과 적군 모두 민간인의 죽음을 외면하거나, 자신의 명분에 따라 이를 이용한다는 점에서 폭력성을 띤다. (가)와 (나) 두 작품 모두 사람들이 죽는 장소가 군사들이 대치하는 전선만이 아니라는 점도 주목할 수 있다. 전쟁터란 전장과 후방, 가해자와 피해자가 구분되지 않는 혼돈의 현장이다. 이 혼돈 속에서 사람들은 고통받으면서도 생의 의지를 추구해야 한다는 점에서 전쟁의 비극성을 다시 발견할 수 있다.

① (가)에는 외적의 침략으로 인한 실재했던 전쟁에서 '은혜지국'을 침범했다는 명분에 따라 적군의 죽음을 외면하는 폭력성이 드러나 있군.
② (가)에는 전쟁의 가해자였던 '오랑캐 장졸'이 타 죽고 밟혀 죽게 되는 피해를 당하면서 가해자와 피해자가 구분되지 않는 혼돈의 현장이 나타나 있군.
③ (가)에는 박씨가 거처하는 '피화당'이 전쟁의 현장이 되면서 박씨는 생의 의지를 추구하기 힘들 정도의 고통을 받는다는 점에서 비극성이 드러나 있군.
④ (나)에는 '굶주린 이리떼'처럼 곡식을 챙기는 모습에서 전쟁으로 인한 고통 속에서 생의 의지를 추구하는 비극성이 드러나 있군.
⑤ (나)에는 '총성과 함께 윤씨가' 쓰러지는 모습에서 사람들이 죽는 장소가 전선만이 아니라는 비극성이 드러나는군.

도움말

외적 준거를 통해 작품을 감상하는 문제에서는 먼저 ❶ [　　] 의 내용을 정확하게 파악해야 합니다. 그 다음으로는 자료의 내용과 작품을 연관 지어 자료의 ❷ [　　] 으로 작품을 감상해 봅시다.

답 ❶ 자료 ❷ 관점

09~11 다음 글을 읽고, 물음에 답하시오.

가 ㉠만약에 나라는 사람을 유심히 들여다본다고 하자
그러면 나는 내가 시와는 반역된 생활을 하고 있다는 것을 알 것이다 //
먼 산정에 서 있는 마음으로 나의 자식과 나의 아내와
그 주위에 놓인 잡스러운 물건들을 본다 //
그리고
나는 이미 정해진 물체만을 보기로 결심하고 있는데
㉡만약에 또 어느 나의 친구가 와서 나의 꿈을 깨워 주고
나의 그릇됨을 꾸짖어 주어도 좋다 //
함부로 흘리는 피가 싫어서
이다지 낡아빠진 생활을 하는 것은 아니리라
먼지 낀 잡초 우에
잠자는 구름이여
고생도 마음대로 할 수 없는 세상에서는
철 늦은 거미같이 존재 없이 살기도 어려운 일 //
㉢방 두 칸과 마루 한 칸과 말쑥한 부엌과 애처로운 처를 거느리고
외양만이라도 남과 같이 살아간다는 것이 이다지도 쑥스러울 수가 있을까 //
시를 배반하고 사는 마음이여
㉣자기의 나체를 더듬어 보고 살펴볼 수 없는 시인처럼 비참한 사람이 또 어디 있을까
거리에 나와서 집을 보고 집에 앉아서 거리를 그리던 어리석음도 이제는 모두 사라졌나 보다
날아간 제비와 같이 //
날아간 제비와 같이 자국도 꿈도 없이
어디로인지 알 수 없으나
어디로이든 가야 할 반역의 정신 //
나는 지금 산정에 있다 —
시를 반역한 죄로
이 메마른 산정에서 오랫동안 꿈도 없이 바라보아야 할 구름
㉤그리고 그 구름의 파수병인 나.

– 김수영, 〈구름의 파수병〉

나 **함이정** 그땐 좋았다. 두 분 다 우리 집에서 가족처럼 살면서, 우리 아버님한테 불상 제작을 배우는 제자였지. 그런데 어느 날, 스승인 아버님이 불상 제작장에 가 보니까 두 제자들이 자릴 비우고 없었어. 몹시 화가 난 아버님은 집 안으로 들어와 제자들의 이름을 부르셨지. "동연아! 서연아!" 아버님 목소리가 어찌나 쩌렁쩌렁 울렸는지, 천 리 밖까지 들릴 것 같더라.

(조명, 밝게 변화한다. 한가운데 펼쳐 있던 천막이 접혀지면서 무대 천장 위로 올라간다. 함묘진의 집. 함묘진이 성난 모습으로 등장한다. 함이정과 조승인은 서연의 관, 촛대, 향로 등을 무대 밖으로 갖고 나간다.)

함묘진 동연아! 서연아! 어디 있느냐?
함이정 (무대 밖에서) 여긴 없어요, 아버지.
함묘진 여기 집 안에도 없다……?
함이정 (무대 밖에서) 내가 나가서 찾아올까요?
함묘진 넌 가만 있거라. (다시 외쳐 부른다.) 동연아! 서연아!

(상복을 벗고 밝은 색 옷을 입은 함이정과 조승인, 무대 안으로 나온다.)

조승인 할아버지 목청은 왜 저렇게 커요?
함이정 귀머거리도 들을 정도야. 그치?
함묘진 동연아! 서연아!

(동연과 서연, 등장한다. 그들은 당황한 모습으로 함묘진 앞에 선다.)

동연, 서연 부르셨습니까?
함묘진 작업장엔 너희들이 없더구나!
동연 죄송합니다. 잠깐 밖에 나가 있었습니다.
함묘진 밖에는 왜?
동연 말다툼 때문에…… 서로 의견이 달라서요.
함묘진 말다툼? / **동연** 네.
함묘진 서연아, 네가 다툰 이유를 말해 봐라.
서연 송구스럽습니다…….
함묘진 너흰 생각도 행동도 똑같았다. 그런 너희들이 말다툼을 하다니, 도대체 다르다면 뭐가 달랐더냐?
서연 동연은 부처의 모습을 만들면, 그 모습 속에 부처의 마음도 있다고 했습니다.
함묘진 그런데, 너는?

서연 그런데 저는…… 부처의 모습을 만들어도, 부처의 마음이 그 안에 없다면 무슨 소용이 있겠는가 했습니다.

동연 사부님, 서연을 꾸짖어 주십시오. 서연은 쓸데없는 주장으로 저를 괴롭힙니다. 〈중략〉

(서연과 함이정, 일어선다. 돌부처를 만들면서 길을 따라간다. 물 흐르는 소리가 점점 가깝게 들려온다. 조명, 개울물의 흐름을 나타낸다.)

함이정 개울물이에요, 서연 오빠. 여기서 길은 끊겼어요.

서연 (개울가로 다가가서 두 손으로 물을 떠서 마시며) 너도 마시렴. 목마를 텐데…….

함이정 (서연 곁으로 가서 개울물을 바라본다.) 물 위에 비쳐 보여요. 우리 얼굴이…… 얼굴 뒤엔 구름이…… 구름 뒤엔 하늘이……. (물을 떠서 마신다.) 물이 맑고 시원해요.

(서연, 장난스럽게 개울물을 마치 눈덩이처럼 뭉치는 동작을 한다.)

함이정 오빠…… 뭘 하는 거죠?

서연 물부처를 만든다.

함이정 물부처요?

서연 돌로도 부처님을 만드는데, 물이라고 안 될 건 없지.

- 이강백, 〈느낌, 극락 같은〉

09 ㉠~㉤에 대한 이해로 적절하지 않은 것은?

① ㉠: '만약에'라는 가정적 표현을 통해 자신을 객관화하여 내면적 성찰을 시도하고 있다.
② ㉡: '시와는 반역된 생활'을 하고 있는 화자를 깨우쳐 줄 수 있는 '친구'를 기대하고 있다.
③ ㉢: 현실적 삶을 나타내는 소재를 열거하여 화자가 '낡아빠진 생활'을 하게 된 이유를 제시하고 있다.
④ ㉣: 현실적 삶을 살기 위해 '시를 배반' 할 수밖에 없는 처지를 '비참한 사람'으로 표현하여 화자의 정서를 강조하고 있다.
⑤ ㉤: 화자는 '시를 반역한 죄'에서 벗어났다는 즐거움을 '구름의 파수병'으로 표현하고 있다.

10 (나)를 이해한 내용으로 가장 적절한 것은?

① '동연'과 '서연'은 '함이정'에게 불상 제작을 배우는 제자로, 서로 다른 예술관으로 갈등하고 있다.
② '조승인'은 '함묘진'의 손자로, '함이정'과 함께 과거의 장면을 현재의 시각에서 보고 있다.
③ '동연'과 '서연'은 작업장에 없었던 이유를 감추기 위해 말다툼을 했다는 핑계를 대고 있다.
④ '동연'은 '서연'과 달리 형태보다는 내용이 더 중요하다는 예술관을 보여 주고 있다.
⑤ '서연'은 형태가 중요하다고 생각하여 물로도 부처님을 만들 수 있다고 생각하고 있다.

도움말
극 갈래의 내용을 확인할 때는 ❶ [ ]의 관계와 행동을 중심으로 ❷ [ ]의 내용, 사건의 인과 관계, 사건의 순서 등을 파악하는 것이 중요합니다.

답 ❶ 인물 ❷ 사건

11 다음을 참고하여 (가)와 (나)를 감상한 내용으로 적절하지 않은 것은?

(가)의 공간이 화자의 내면이 투영된 상징적 공간이라면, (나)의 공간은 제한된 시간 내에 인생을 압축해서 보여 줘야 하는 극의 특성상 극 중 인물의 현실이 상징화된 공간이라고 할 수 있다. (가)와 (나)에서, 공간들은 때로 대비되면서 여러 가지 상징적인 의미를 지닌다.

① (가)의 '먼 산정'은 화자의 현실적 생활을 객관적인 위치에서 바라보기 위한 내면적 공간이다.
② (가)의 '방 두 칸과 마루 한 칸과 말쑥한 부엌'은 '먼지 낀 잡초'와 대비되어 '반역의 정신'을 상징하는 공간이다.
③ (가)의 '거리'와 '집'은 현실과 이상 사이에 갈등하는 화자에게 대비적으로 인식되는 공간이다.
④ (나)의 '작업장'은 불상을 제작하는 과정에서 '동연'과 '서연'의 예술관의 갈등이 발생한 공간이다.
⑤ (나)의 '개울가'는 '서연'이 '함이정'에 대한 배려와 함께 자신의 예술관을 상징적으로 드러내는 공간이다.

1·2등급 확보 전략

01~04 다음 글을 읽고, 물음에 답하시오.

가 지금 저기 보이는 시푸런 강과 또 산을 넘어야 진종일을 별일 없이 보낸 것이 된다. 서녘 하늘은 장밋빛 무늬로 타는 큰 눈의 창을 열어…… 지친 날개를 바라보며 서로 가슴 타는 그러한 거리에 숨이 흐르고.

모진 바람이 분다.

그런 속에서 피비린내 나게 싸우는 나비 한 마리의 생채기. 첫 고향의 꽃밭에 마즈막까지 의지하려는 강렬한 바라움의 향기였다.

앞으로도 저 강을 건너 ⓐ산을 넘으려면 몇 '마일'은 더 날아야 한다. 이미 날개는 피에 젖을 대로 젖고 시린 바람이 자꾸 불어 간다 목이 빠삭 말라 버리고 숨결이 가쁜 여기는 아직도 싸늘한 적지.

벽, 벽…… 처음으로 나비는 벽이 무엇인가를 알며 피로 적신 날개를 가지고도 날아야만 했다. 바람은 다시 분다 얼마쯤 날으면 아방(我方)의 따시하고 슬픈 철조망 속에 안길,

이런 마즈막 '꽃밭'을 그리며 숨은 아직 끝나지 않았다 어설픈 표시의 벽. 기(旗)여……

- 박봉우, 〈나비와 철조망〉

나 오호, 여기 줄지어 누웠는 넋들은
눈도 감지 못하였겠구나.

어제까지 너희의 목숨을 겨눠
방아쇠를 당기던 우리의 그 손으로
썩어 문드러진 살덩이와 뼈를 추려
그래도 양지바른 두메를 골라
고이 파묻어 떼마저 입혔거니

죽음은 이렇듯 미움보다도 사랑보다도
더 너그러운 것이로다.

이곳서 나와 너희의 넋들이
돌아가야 할 고향 땅은 삼십(三十) 리면
가로막히고 / ⓑ무인공산의 적막만이
천만 근 나의 가슴을 억누르는데

살아서는 너희가 나와 / 미움으로 맺혔건만
이제는 오히려 너희의 / 풀지 못한 원한이 나의
바램 속에 깃들여 있도다.

손에 닿을 듯한 봄 하늘에
구름은 무심히도 / 북(北)으로 흘러가고

어디서 울려오는 포성 몇 발
나는 그만 이 은원(恩怨)의 무덤 앞에
목 놓아 버린다.

- 구상, 〈초토의 시 8 - 적군 묘지 앞에서〉

01 (가)와 (나)에 대한 설명으로 적절한 것은?

① (가)는 청자를 구체적으로 지칭하여 화자의 내면을 드러내고 있다.
② (가)는 청각적 이미지를 통해 대상이 처한 상황을 드러내고 있다.
③ (나)는 대상의 상황을 대비하여 화자의 희생적 태도를 부각하고 있다.
④ (가)와 (나)는 감각의 전이를 통해 시적 분위기를 생생하게 드러내고 있다.
⑤ (가)와 (나)는 모두 금속성의 이미지를 활용하여 시대적 상황을 환기하고 있다.

02 〈보기〉를 활용하여 (가)를 감상한 내용으로 적절하지 않은 것은?

> 보기
> 〈나비와 철조망〉은 전쟁의 참상을 고발하고 그러한 현실을 극복하고자 하는 의지를 그린 작품이다. 이 작품은 우리 민족의 상황을 나비의 상황에 빗대어 전쟁으로 인해 상처받은 우리 민족의 모습과 분단 상황을 극복해 가는 민족 공동체의 모습을 노래하고 있다.

① '시푸런 강'과 '산'은 우리 민족이 앞으로 극복해야 할 시련과 고난을 의미하는군.
② '나비 한 마리의 생채기'는 시대적 상황으로 상처받은 우리 민족의 모습을 표현한 것이군.
③ '첫 고향의 꽃밭'은 민족 공동체의 모습이 회복된 평화로운 공간을 의미하는군.
④ '따시하고 슬픈 철조망'은 민족이 화합을 이룬 후의 숙명적 비애를 의미하는군.
⑤ '어설픈 표시의 벽'은 언젠가는 무너져야 할 분단 상황을 의미하는군.

〈보기〉에 제시된 ❶ ______ 을 참고하여 시어와 시구의 ❷ ______ 의미를 이해해 보도록 합시다.

답 ❶ 배경지식 ❷ 함축적

03 ⓐ와 ⓑ에 대한 설명으로 가장 적절한 것은?

① ⓐ는 화자가 과거에 머물렀던 공간이고, ⓑ는 화자가 지향하는 공간이다.
② ⓐ는 화자가 부정적으로 인식하는 대상이고, ⓑ는 화자가 성찰을 하는 공간이다.
③ ⓐ는 상황 극복을 위해 극복해야 할 대상이고, ⓑ는 화자가 위치해 있는 공간이다.
④ ⓐ는 화자의 고뇌를 해소할 수 있는 공간이고, ⓑ는 화자가 깨달음을 얻는 공간이다.
⑤ ⓐ는 화자의 반성을 유발하는 소재이고, ⓑ는 화자의 고뇌를 심화시키는 소재이다.

함정문제

04 〈보기〉와 같이 (나)의 시상 전개 과정을 설명하려고 할 때 적절하지 않은 것은?

> 보기

적군 묘지 앞에서 생각에 잠김.	…	㉠
적군이 묻히던 상황을 상상함.	…	㉡
분단 현실을 인식함.	…	㉢
화자의 소망을 드러냄.	…	㉣
분단 현실에 대한 화자의 반응	…	㉤

① ㉠에서는 적군의 넋을 생각하며 그들의 한을 떠올리고 있군.
② ㉡에는 분단의 원인이 되었던 대상에 대해 원망을 드러내고 있군.
③ ㉢에서는 고향에 가지 못하는 화자의 상황을 확인할 수 있군.
④ ㉣에는 분단을 극복하기 바라는 화자의 염원이 나타나 있군.
⑤ ㉤에는 분단으로 인한 안타까움이 구체적 행위로 나타나 있군.

05~09 다음 글을 읽고, 물음에 답하시오.

가 근고(勤苦)하여 심은 오곡(五穀) 날 가물어 근심터니
유연 작운(油然作雲) 오신 비에 패는 이삭 거룩하다
아마도 우순풍조(雨順風調)* 성화(聖化)*신가

〈제5수〉

백로(白露) 상강(霜降) 다닷거든 낫 갈아 손에 들고
지게 지고 가서 보니 백곡(百穀)이 다 익었다
지금의 실시(失時)한 ⓐ농부야 일어 무삼

〈제6수〉

일 년을 수고하여 백곡이 풍등(豐登)*하니
우순풍조 아니런들 함포고복(含哺鼓腹)* 어이하리
아마도 국태평(國太平) 민안락(民安樂)은 금세(今世) 신가

〈제7수〉

그대 추수(秋收) 얼마 한고 내 농사 지은 것은
토세(土稅) 신역(身役) 밧친 후의 몃 섬이나 남을는지
아마도 다하고 나면 겨울나기 어려

〈제8수〉

ⓑ그대 농사 적을 적에 내 추수인들 변변할까
저 건너 박 부자 집의 빗이나 다 갚을는지
아마도 가난한 사람은 가을도 봄인가

〈제9수〉

- 이세보, 〈농부가〉

- **우순풍조** 비가 때맞추어 알맞게 내리고 바람이 고르게 붊.
- **성화** 성인이나 임금이 덕행으로써 교화함.
- **풍등** 농사를 지은 것이 아주 잘됨.
- **함포고복** 잔뜩 먹고 배를 두드림.

나 골동집 출입을 경원한 내가 근간에는 학교에 다니는 길 옆에 꽤 진실성 있는 상인 하나가 가게를 차리고 있기로 가다 오다 심심하면 들러서 한참씩 한담을 하고 오는 버릇이 생겼다.

하루는 집으로 돌아오는 길에 또 이 가게에 들렀더니 주인이 누릇한 두꺼비 한 놈을 내놓으면서 "꽤 재미나게 보이지요." 한다.

황갈색으로 검누른 유약을 내려 씌운 두꺼비 연적인데 연적으로서는 희한한 놈이다.

4, 50년래로 만든 사기로 흔히 부엌에서 고추장, 간장, 기름 항아리로 쓰는 그릇 중에 이따위 검누른 약을 바른 사기를 보았을 뿐 연적으로 만든 이 종류의 사기는 초대면이다.

두꺼비로 치고 만든 모양이나 완전한 두꺼비도 아니요 또 개구리는 물론 아니다.

툭 튀어나온 눈깔과 떡 버티고 앉은 사지며 아무런 굴곡이 없는 몸뚱어리 — 그리고 그 입은 바보처럼 '헤—' 하는 표정으로 벌린 데다가 입속에는 파리도 아니요 벌레도 아닌 무언지 알지 못할 구멍 뚫린 물건이 물렸다.

콧구멍은 금방이라도 벌름벌름할 것처럼 못나게 뚫어졌고 등허리는 꽁무니에 이르기까지 석 줄로 두드러기가 솟은 듯 쭉 내려 얽게 만들었다.

그리고 유약을 갖은 재주를 다 부려 가면서 얼룩얼룩하게 내려부었는데 그것도 가슴 편에는 다소 희멀끔한 효과를 내게 해서 구석구석이 교(巧)하다느니보다 못난 놈이 재주를 부릴 대로 부린 것이 한층 더 사랑스럽다.

요즈음 골동가들이 본다면 거저 준대도 안 가져갈 민속품이다. 그러나 나는 값을 물을 것도 없이 덮어놓고 사기로 하고 가지고 왔다. 이날 밤에 우리 내외간에는 한바탕 싸움이 벌어졌다.

쌀 한 되 살 돈이 없는 판에 그놈의 두꺼비가 우리를 먹여 살리느냐는 아내의 바가지다.

이런 종류의 말다툼이 우리 집에는 한두 번이 아닌지라 종래는 내가 또 화를 벌컥 내면서 "두꺼비 산 돈은 이놈의 두꺼비가 갚아 줄 테니 걱정 말아."라고 소리를 쳤다. 그러한 연유로 나는 이 잡문을 또 쓰게 된 것이다.

잠꼬대 같은 이 한 편의 글 값이 행여 두꺼비 값이 될는지 모르겠으나 내 책상머리에 두꺼비 너를 두고 이 글을 쓸 때 네가 감정을 가진 물건이라면 필시 너도 슬퍼할 것이다.

너는 어째 그리도 못생겼느냐. 눈알은 왜 저렇게 튀어나오고 콧구멍은 왜 그리 넓으며 입은 무얼 하자고 그리도 컸느냐. 웃을 듯 울 듯한 네 표정! 곧 무슨 말이나 할 것 같아서 기다리고 있는 나에게 왜 아무런 말이 없느냐.

〈중략〉

너를 만들어서 무슨 인연으로 나에게 보내 주었는지 너의 주인이 보고 싶다.

나는 너를 만든 너의 주인이 조선 사람이란 것을 잘 안다.

네 눈과, 네 입과, 네 코와, 네 발과, 네 몸과, 이러한 모든 것이 그것을 증명한다. 너를 만든 솜씨를 보아 너의 주인은 필시 너와 같이 어리석고 못나고 속기 잘하는 호인일 것이리라.

그리고 너의 주인도 너처럼 웃어야 할지 울어야 할지 모르는 성격을 가진 사람일 것이리라.

- 김용준, 〈두꺼비 연적을 산 이야기〉

05 (가), (나)의 공통점으로 가장 적절한 것은?

① 문장의 서술어를 생략하여 여운을 남기고 있다.
② 의문형 문장을 활용하여 의지를 강조하고 있다.
③ 계절의 순환 과정을 통해 주제 의식을 형상화하고 있다.
④ 말을 건네는 듯한 어투를 통해 생각을 드러내고 있다.
⑤ 대상의 외양을 세밀하게 묘사하여 대상과의 친밀감을 드러내고 있다.

답 ❶ 표현상 ❷ 효과

함정문제

06 〈보기〉를 참고하여 윗글을 감상한 내용으로 적절하지 않은 것은?

보기

〈농부가〉는 왕실의 종친인 이세보가 계절에 따른 농가의 일상과 농부의 소임을 노래한 작품이다. 작가는 농민들의 노동과 생활에 관심을 가지면서도, 농사의 성공과 나라의 태평이 임금의 선정 덕분이라는 유교적 가치관을 드러내고 있다.

① 〈제5수〉에서 화자는 '패는 이삭'을 보며 임금의 은혜를 연상하고 있어.
② 〈제6수〉에서는 '백곡'이 익을 때까지 고생한 '농부'의 노동을 예찬하고 있어.
③ 〈제7수〉에서 '국태평 민안락'을 통해 임금의 선정을 부각하고 있어.
④ 〈제8수〉에서 '토세 신역'은 '겨울나기'가 어려워진 것의 원인이라 할 수 있어.
⑤ 〈제9수〉에서 '박 부자'와 '가난한 사람'을 볼 때 당시 사회에 빈부 격차가 있었음을 알 수 있어.

07 (나)에 대한 설명으로 적절한 것은?

① '나'는 처음 들른 골동집에서 우연히 두꺼비 연적을 구입하였다.
② '나'는 두꺼비 연적의 외양을 통해 연적의 주인을 연상하고 있다.
③ '나'는 두꺼비 연적에 대해 골동가들과 동일한 평가를 내리고 있다.
④ '나'는 자신의 글이 두꺼비 연적의 가치와 동일하다고 생각하고 있다.
⑤ '나'는 친근한 외양뿐만 아니라 저렴한 가격 때문에 두꺼비 연적을 구입하였다.

08 ⓐ와 ⓑ를 이해한 내용으로 가장 적절한 것은?

① ⓐ는 화자와 갈등을 겪는 대상이고, ⓑ는 화자의 고민을 해결해 주는 대상이다.
② ⓐ는 화자가 충고를 하는 대상이고, ⓑ는 화자와 유사한 상황에 놓인 대상이다.
③ ⓐ는 화자에게 깨달음을 주는 대상이고, ⓑ는 화자에게 시련을 주는 대상이다.
④ ⓐ는 화자의 상황과 대비되는 대상이고, ⓑ는 화자가 비판하고자 하는 대상이다.
⑤ ⓐ는 화자의 궁금증을 해결할 수 있는 대상이고, ⓑ는 화자가 동질감을 느끼는 대상이다.

09 (나)를 통해 알 수 있는 글쓴이에 대한 설명으로 적절하지 않은 것은?

① 사물을 세심하게 관찰하는 사람이다.
② 가난으로 인해 아내와 다툰 적이 있는 사람이다.
③ 조선 사람들에 대해 긍정적으로 인식한 사람이다.
④ 골동품의 경제적 가치를 정확히 판단하는 사람이다.
⑤ 자신이 쓴 글에 대해 겸손한 평가를 내리는 사람이다.

10~14 다음 글을 읽고, 물음에 답하시오.

몇 해 전, 해방되던 날만도 아버지는 읍내 사람들과 함께 장터 마당에서 독립 만세를 불렀다. 여름 한낮, 태극기 흔들며 기세껏 독립 만세를 불렀다. 재작년 겨울에 무슨 법이 만들어지고부터 아버지는 갑자기 집에서는 물론, 읍내에서 사라졌다. 사람을 피해 숨어 다니기 시작했다. 밤중에 살짝 나타났고, 얼굴을 보였다간 들킬세라 금방 사라졌다. 아버지가 무슨 일을 맡아 그러고 다니는지 어머니도 잘 모른다. 장터 마당 주위 사람들이 아버지를 두고 좌익질 한다며 쑤군거렸고, 순경이 자주 우리 집을 들랑거렸지만, 재작년 겨울부터 누구도 아버지를 봤다는 사람이 없었다. 누가 시켜서 하는 일인지, 스스로 무슨 일을 꾸미는지 아버지에 관해서 그 사연을 들려주는 사람이 없었다. 쌀 한 톨 생기지 않는 일에 목숨을 걸고 숨어 다니는 아버지의 요술을 두고 사람들은 쉬쉬하며 귀엣말을 했다. 아버지가 하는 일은 읍내 유식꾼 이모부님조차 알면서 모른 체하는지 입을 봉했다. 봄철이 되면 꽃이 피는 이유를, 꽃이 향기를 어떻게 만드는지 내가 모르듯, 이 세상에는 아직 내가 알 수 없는 일이 너무 많았다.

[A] 초등학교 2학년 때였다. 나는 아버지와 들로 산책을 나간 적이 있었다. 안개도 자우룩한 초여름 새벽이었다. 이슬에 바짓가랑이를 적시며 아버지와 나는 들길을 걸었다. 종달새가 새벽부터 하늘을 날며 맑은 소리로 울었다. 아버지는 풀잎에서 뛰어오르는 청개구리 한 마리를 잡더니, 손바닥에 올려놓았다. 청개구리의 빛 고운 ⓐ연두색 등판이 반들거렸고, 얇고 흰 뱃가죽이 팔딱거렸다. 아버지가 말했다. 요 꼬마 놈은 날마다 높이뛰기 연습을 한단 말이야. 첫날은 반 뼘 정도 뛰지만 이튿날은 쬐금 더 높이 뛰거든. 한 달쯤 뒤면 한 뼘쯤 뛰고, 두 달쯤 뒤면 두 뼘을 뛰고, 그 다음다음 달은……. 그럼 나중엔 하늘에 닿겠네요? 아니지, 하늘에 닿아 보려 뛰지만 하늘에 닿지는 못해. 왜냐하면 하늘은 끝이 없으니깐. 그럼 청개구리는 죽을 때까지 뛰겠네요? 그렇지, 죽는 날까지 날마다 높이뛰기를 하지. 왜 그런 연습을 해요? 그건 아버지도 몰라, 청개구리만 알겠지. 아버지는 청개구리를 풀잎에 다시 놓아주었다. 〈중략〉

……아흔아홉, 백. 나는 벌써 백까지 세었다. 어머니는 나타나지 않는다. 나는 장터 마당으로 가는 다리 쪽에 눈을 준다. 나무다리는 바닥에 구멍이 숭숭 뚫렸다. 사람이 지나갈 땐 삐거덕 소리를 낸다. 달구지가 지나갈 땐 찌거덕거린다. 다리 건너에서 만수 동생이 볼록한 배로 혼자 제기차기를 한다. 녀석 집도 우리 집만큼 가난한데 오늘 저녁밥은 오지게 먹은 모양이다. 볼록한 배가 출랑거린다. 우리 집은 왜 가난할까, 하고 생각해 본다. 어머니 말처럼 모두 아버지 탓이다. 아버지는 농사꾼이 아니요, 장사를 하지 않고, 그렇다고 월급쟁이도 아니다.

울음소리가 들린다. 누나가 운다. 누나와 분선이가 쪽마루에 걸터앉아 있다. 누나는 집이 떠나가란 듯 큰 소리로 운다. 나는 엉거주춤 일어선다. 허리 굽혀 마당을 질러갈 때 다리가 떨린다. 장독대엔 벌써 어둠이 내렸다. 뒤쪽 대추나무는 귀신 꼴이다. 곱슬한 머리카락을 풀어 흩뜨린 게 무섬기를 들게 한다. 어두워진 뒤에 대추나무를 보자, 열흘쯤 전날이 떠오른다. 밤이 깊어 잠이 들었을 때였다. 담을 타 넘고 들어왔는지, 순경 둘이 방 안으로 들이닥쳤다. 그들은 신을 신은 채였다. 순경은 소스라쳐 일어난 어머니 가슴팍에 장총 부리를 들이대며 소리쳤다. 조민세 어디로 갔어? 이 방에 있는 걸 봤는데 금세 어디 갔냐 말이다. 이년아, 네 서방 어디 숨겼어? 순경은 어머니 멱살을 틀어쥐며 소리쳤다. 다른 순경이 어머니 허리를 걷어찼다. 호각 소리가 집 주위 여기저기에서 들렸다. 여러 순경이 집 안을 샅샅이 뒤졌으나, 끝내 아버지를 잡지 못했다. 그날 밤, 아버지는 집에 오지 않았다. 순경들은 애꿎은 어머니만 데리고 지서로 갔다. 어머니 머리채를 잡아끌며 순경들이 떠나자, 우리 오누이는 갑자기 밀어닥친 두려움으로, 서로 껴안았다. 그날 밤, 누나는 내내 큰 소리로 울었다. 누나의 울음이 무섬기를 덜어 주었다. 누나는 울다 지쳐 잠이 들었다. 분선이와 나는 서로 껴안은 채 밤새 소리 죽여 흐느꼈다. 울기조차 못했다면 분선이와 나는 기절했을 거였다. 봉창이 환해질 때까지 콧물 눈물이 범벅이 된 채 울며 새운 그 밤의 두려움은 지독했다. 죽어 뿌리라, 어데서든 콱 죽고 말아 뿌리라. 나는 아버지를 두고 속말을 되씹었다. 순경들이 뜬금없이 한밤중에 밀어닥쳐 집 안을 뒤졌다. 그런 날 밤, 나는 아버지가 밉다 못해 원수로 여겨졌다. 이튿날, 학교 갈 생각도 않고 늘어져 누웠을 때, 어머니가 지서에서 풀려났다. 이모님이 어머니를 부축해서 집으로 데려왔다. 어머니 얼굴은 피멍이 들어 있었다. 어머니는 꺼져 가는 소리로 아버지와 순경을 두고 욕설을 퍼부었다. 그러나 이제는 순경들이 집 안으로 밀어닥치지 않을 거였다. 숨어 다니던 아버지가 수산리 장터에서 순경에게 잡혔다. 사람들은 아버지가 곧 총살당할 거라고 말한다. 아버지가 돌아가시고 나면, 사람들은 우리 집을 빨갱이 집이라 말하지 않을 것이다.

대추나무 뒤쪽 하늘은 짙은 ⓑ보라색이다. 나는 보라색을 싫어한다. 손톱에 들이는 봉숭아 꽃물도, 닭볏 같은 맨드라미도, 코스모스의 보라색 꽃도 싫다. 어머니 젖꼭지 색깔까지도 싫다. 보라색은 어쩐지 아버지가 바깥에서 숨어 다니며 하는 그 일과, 어머니의 피멍 든 모습을 떠올려 준다. 말라붙은 피와 깜깜해질 징조를 보이는 색깔이 보라색이다. 옅은 보라에서 짙은 보라로, 세상의 모든 형체를 어둠으로 지우다, 끝내 아무것도 볼 수 없는 밤이 온다는 게 두렵다. 이 세상에 밤이 있음이 참으로 무섭다. 밤이 없는 곳이 있다면 나는 늘 그 땅에서 살고 싶다. 나는 환한 밝음 아래 놀다 그 밝은 세상에서 잠자고 싶다. 아버지는 어둠 속에서 총살당할 것이다. 작년에 지서로 잡혀간 젊은이들도 밤에 총살당했다.

– 김원일, 〈어둠의 혼〉

10 윗글의 서술상 특징으로 가장 적절한 것은?

① 과거와 현재를 교차하여 등장인물의 상황을 드러내고 있다.
② 다른 공간에서 벌어지는 장면을 병렬적으로 제시하고 있다.
③ 전지적인 서술자가 특정 인물의 시각에서 사건을 전개하고 있다.
④ 작품 외부의 서술자가 주인공의 삶을 객관적으로 관찰하고 있다.
⑤ 장면에 따라 서술자를 달리하여 사건을 입체적으로 드러내고 있다.

11 윗글에 대한 이해로 적절하지 않은 것은?

① 어머니가 지서로 끌려간 이후에도 아버지는 집에 돌아오지 않았다.
② 아버지는 누가 시켜서가 아니라 본인의 의지대로 좌익 활동을 하였다.
③ '나'는 가족들을 갖은 고초를 겪게 만든 아버지에 대해 원망을 드러내고 있다.
④ 어머니는 가난의 원인이 생계를 책임지지 않는 아버지 때문이라고 생각하였다.
⑤ 마을 사람들은 아버지가 하고 다니던 일에 대해 이야기하는 것을 조심스러워했다.

12 윗글에 대한 반응으로 적절하지 않은 것은?

① '요술'에는 아버지의 일에 대해 마을 사람과 상반된 입장을 가진 '나'의 인식이 담겨 있어.

② '아흔아홉, 백'은 어머니를 간절하게 기다리는 '나'의 초조함을 보여 주는 것 같아.

③ '삐거덕 소리'를 내는 나무다리는 '나'의 불안한 심리 상태를 연상하게 해.

④ '대추나무'의 외양은 순경이 집에 들어와 어머니를 잡아갔던 날의 기억을 떠올리게 해.

⑤ '보라색'은 아버지의 죽음과 어머니의 고난을 연상하게 해.

작품에서 찾을 수 있는 중요한 ❶ ( ) 의 기능과 ❷ ( ) 의미를 파악하며 작품을 감상하도록 합시다.

답 ❶ 소재 ❷ 상징적

13 〈보기〉를 바탕으로 [A]를 이해한 것으로 적절하지 않은 것은?

보기

우리가 꿈꾸는 사회적 이상에 반드시 오를 수 있습니다. 그것이 불가능해 보일 만큼 힘들더라도, 하루하루 힘을 합쳐 노력해 나간다면 언젠가는 성취할 수 있을 것입니다. 설사 그러한 이상에 이르지 못하더라도, 우리의 숙명을 받아들이고 이 길을 묵묵히 걸어갈 것입니다.

– 일제 강점기 어느 지식인의 가상 일기

① '높이뛰기'는 사회적 이상을 실현하기 위한 노력을 의미하는 것 같아.

② '죽는 날까지' 날마다 높이뛰기를 하는 것은 지식인들의 숙명적인 노력을 의미하는 것 같아.

③ '하늘에 닿지' 못하는 청개구리는 이상에 이르지 못하는 지식인들의 상황을 의미하는 것 같아.

④ '얇고 흰 뱃가죽'이 팔딱거리는 것은 이상 실현을 위해 노력하는 지식인들의 활동성을 의미하는 것 같아.

⑤ '끝'은 지식인들이 이상에 이르지 못하고 실패를 숙명으로 받아들인 상황을 의미하는 것 같아.

함정문제

14 ⓐ와 ⓑ를 이해한 내용으로 가장 적절한 것은?

① ⓐ는 순수한 이상을 상징하고, ⓑ는 불합리한 사회 현실을 상징한다.

② ⓐ는 아버지와의 화해를 의미하고, ⓑ는 아버지와의 갈등을 의미한다.

③ ⓐ는 대상의 생명력을 연상하게 하고, ⓑ는 불길한 이미지를 연상하게 한다.

④ ⓐ는 대상의 연약한 이미지를 연상하게 하고, ⓑ는 대상의 죽음을 연상하게 한다.

⑤ ⓐ는 고된 현실에 대한 '나'의 의지를 상징하고, ⓑ는 아버지에 대한 '나'의 분노를 상징한다.

book.chunjae.co.kr

교재 내용 문의	교재 홈페이지 ▸ 고등 ▸ 교재상담
교재 내용 외 문의	교재 홈페이지 ▸ 고객센터 ▸ 1:1문의
발간 후 발견되는 오류	교재 홈페이지 ▸ 고등 ▸ 학습지원 ▸ 학습자료실

수능공략 필승학습!
단기간에 끝장내자!

BOOK 2

실전에 강한
수능전략

국어영역 문학

실전에 강한

수능전략

수능전략

국·어·영·역

문학

BOOK 2

이 책의 **차례**

BOOK 2

WEEK 1

고전 시가

WEEK 2

고전 소설

BOOK 1

WEEK 1

현대시

WEEK 2

현대 소설

WEEK

1 고전 시가

으윽
고전 시가는 재미없고 어렵기만 한 것 같아.
그럼 우리 같이 공부해 볼까? 먼저 고전 시가를 갈래별로 나누어 중요한 내용을 하나씩 얘기해 보자.

그럼 나부터 할게. 향가는 향찰로 기록한 신라 때의 노래야.
불교적 신앙심을 다룬 작품이 많고, 4구체, 8구체, 10구체의 형식이 있어.
아아, 미타찰에서 만날 나 도 닦아 기다리겠노라.

가시리 가시리잇고

다음으로 고려 가요는 고려 시대에 평민들이 부르던 노래야.
소박한 생활 감정이 드러난다는 점이 특징이야. 여음구와 후렴구가 있다는 특징도 기억해 두어야 해.
훌쩍

공부할 내용 1. 시상의 전개 방식 파악 2. 표현상의 특징 파악 3. 시어 및 시구의 의미 파악
4. 외적 준거에 따른 작품 감상

WEEK 1 DAY 1

개념 돌파 전략 ①

개념 01 시조 ①

개념 고려 시대에 발생한 우리 고유의 정형시

특징

내용상 특징	• 주된 향유층: 사대부 • 충의 사상과 자연관을 노래한 작품이 많음. • 작자층이 ❶ ☐ 으로 확대되면서 현실적인 삶을 다룬 작품들이 등장함.
형식상 특징	• 3(4)·4조의 음수율과 4음보의 운율, 3장 6구 45자 내외의 정형시의 성격을 나타냄. • 종장의 첫 음보는 ❷ ☐ 로 고정됨. • 조선 후기에는 4음보의 정형성이 파괴되어 장형화가 이루어졌고, 사설시조가 등장함.

답 ❶ 평민 ❷ 3음절

확인 01

다음 문장에 들어갈 알맞은 말을 골라 ○표를 하시오.

시조는 3(4)·4조의 음수율과 4음보의 운율, 3장 6구 45자 내외의 (정형시 / 산문시)의 성격을 나타낸다.

개념 02 시조 ②

유형

평시조	3장 6구 45자 내외의 정형화된 형식을 지닌 시조로, 단아하고 간결한 형식으로 주로 사대부 계층에서 향유됨. 예 〈오백 년 도읍지를〉(길재), 〈눈 마즈 휘여진 디를〉(원천석)
연시조	2수 이상의 평시조가 잇달아서 한 편을 이룬 시조로, 주로 자연 속에서 ❶ ☐ 하는 삶과 교화를 목적으로 한 작품들이 나타남. 예 〈한거십팔곡〉(권호문), 〈도산십이곡〉(이황)
사설시조	평시조의 형식에서 초장이나 중장이 두 구 이상 길어진 시조로, 대개 ❷ ☐ 이 길어진 것이 많으며 종장을 제외하고는 형식상 제약을 받지 않음. 예 〈댁들에 동난지이 사오〉, 〈개를 여라문이나 기르되〉

답 ❶ 안분지족 ❷ 중장

확인 02

2수 이상의 평시조가 한 편을 이룬 형태의 시조를 가리키는 말은?

① 평시조 ② 연시조 ③ 사설시조

개념 03 가사 ①

개념 조선 시대에 발생한 시가와 산문의 중간 형태의 갈래

특징

내용상 특징	• 안빈낙도: 벼슬길에서 물러나 ❶ ☐ 속에 묻혀 살아가는 군자의 미덕을 노래함. • 충신연주지사: 임금의 은혜에 대한 감사를 남녀 간의 연정에 빗대어 노래함. • 조선 후기 이후 작자층이 여성과 서민들로 확대되며 내용이 다양해지고 당대의 현실을 반영한 작품들이 나타남.
형식상 특징	• 3(4)·4조의 음수율, 4음보 율격을 갖춘 ❷ ☐ 시가 • '서사 – 본사 – 결사'의 짜임을 갖춤. • 마지막 행이 시조 종장의 음수율과 유사하게 끝나는 것은 '정격 가사', 그렇지 않은 것은 '변격 가사'라고 함.

답 ❶ 자연 ❷ 연속체

확인 03

다음 설명이 맞으면 ○표, 틀리면 ×표를 하시오.

가사는 3(4)·4조, 4음보의 연속체 시가이다. ( )

개념 04 가사 ②

유형

은일 가사	관직을 떠나 자연에 묻혀 사는 선비의 생활을 다룸. 예 〈상춘곡〉(정극인), 〈면앙정가〉(송순), 〈누항사〉(박인로)
유배 가사	유배지에서 짓거나 ❶ ☐ 를 소재로 함. 예 〈만분가〉(조위), 〈사미인곡〉(정철), 〈만언사〉(안조환)
기행 가사	국내나 해외를 여행한 뒤의 여정과 견문을 기록함. 예 〈관동별곡〉(정철), 〈연행가〉(홍순학), 〈일동장유가〉(김인겸)
규방 가사	부녀자들이 느끼는 삶의 애환을 담음. 예 〈규원가〉(허난설헌), 〈덴동 어미 화전가〉
전쟁 가사	전쟁 상황에서 적에 대한 ❷ ☐ 과 우국충정을 다룸. 예 〈선상탄〉(박인로)

답 ❶ 귀양살이 ❷ 적개심

확인 04

다음 설명과 관계있는 것을 찾아 ○표를 하시오.

벼슬을 떠나 자연 속에서 사는 선비들의 모습이 나타난 가사로, 자연 예찬, 자연 속 편안한 삶에의 만족 등의 내용을 다룬다.
(은일 가사 / 유배 가사)

개념 05 향가

개념 신라 시대부터 고려 초기까지 창작·향유된 우리 고유의 정형화된 서정시로, ❶ [　　　] 로 기록됨.

특징

내용상 특징	• 승려나 귀족이 많이 지었으며, 부처님을 찬양하며 신앙심을 표현한 ❷ [　　　] 노래가 가장 많음. • 민요, 동요, 토속 신앙에 관련된 노래, 유교적인 내용을 담은 노래도 있음.
형식상 특징	• 4구체: 향가의 초기 형태로 민요나 동요가 구전되어 정착된 형식 • 8구체: 4구체 향가와 10구체 향가의 과도기적 형태로, 4구체 향가에서 발전된 형식 • 10구체: 8구체 향가에서 낙구(마지막 2행)가 추가된 가장 완성된 향가의 형식. '기(4구) – 서(4구) – 결(2구)'의 세 부분으로 구성되며 낙구는 감탄사로 시작함.

답 ❶ 향찰 ❷ 불교적

확인 05

향가에 대한 설명으로 맞으면 ○표를, 틀리면 ×표를 하시오.

(1) 우리 고유의 서정시로 향찰로 쓰였다. (　　)
(2) 각 연마다 음률을 맞추기 위한 여음구가 나타난다. (　　)

개념 06 고려 가요

개념 고려 시대 귀족층에서 한문학이 융성하던 시기에 평민층에서 나타난 ❶ [　　　] 시가로 속요(俗謠), 여요(麗謠)라고도 함.

특징

내용상 특징	• 남녀 간의 사랑, 자연에 대한 예찬, 이별의 안타까움, 삶의 애환 등을 다룸. • 평민들의 소박하고 자연스러운 감정을 진솔하게 표현함.
형식상 특징	• 주로 3음보 율격, 3·3·2조의 음수율이 많이 나타남. • 보통 각 연마다 음률을 맞추기 위한 ❷ [　　　] (여음)가 나타남. • 대체로 여러 개의 연으로 나뉘어 구성되는 분연체임.

답 ❶ 민요적 ❷ 후렴구

확인 06

고려 가요에 대한 설명으로 적절하지 않은 것은?

① 고려 시대에 많이 불린 민요적 시가이다.
② 주로 3·4조, 4·4조의 음수율과 4음보가 나타난다.
③ 후렴구를 사용하여 운율을 형성하고 연과 연을 구분하였다.

개념 07 한시

개념 우리 민족의 사상과 감정을 표현하기 위해 지은 ❶ [　　　] 로 된 정형시

특징

내용상 특징	유교적 도리, 임금에 대한 충절, 부조리한 현실에 대한 비판 등 다양한 주제를 다룸.
형식상 특징	• 한 구가 5글자로 된 5언과 7글자로 된 7언이 있음. • 4개의 구로 이루어진 절구(絶句), 8개의 구로 된 율시(律詩), 12개의 구 이상으로 이루어진 배율(排律)이 있음. • ❷ [　　　] 이나 대구법, 기승전결 등에 따라 시상을 전개하는 경우가 많음.

답 ❶ 한자 ❷ 선경후정

확인 07

다음 설명이 맞으면 ○표를, 틀리면 ×표를 하시오.

한시는 한문으로 쓰인 것으로 보아 우리 문학이 아닌 중국의 문학이라고 할 수 있다. (　　)

개념 08 민요

개념 민중 속에서 자연 발생하여 민중들의 생활 감정이나 세계관 등을 솔직하게 표현한, 오랫동안 구전되어 전해 오는 노래

특징

내용상 특징	❶ [　　　] 의 고달픔이나 보람, 삶의 애환, 남녀의 애틋한 사랑, 요리 외시, 놀이의 표현 등 다양한 내용을 다룸.
형식상 특징	• 연속체의 긴 노래로 ❷ [　　　] 이 붙어 있는 경우가 많음. • 주로 3음보나 4음보의 율격을 지님.

선지 +

• 4음보를 바탕으로 산간에서 나무꾼들이 나무를 하면서 부르던 민요이다.

답 ❶ 노동 ❷ 후렴

확인 08

다음 문장의 빈칸에 들어갈 적절한 말을 쓰시오.

민요는 민중 속에서 자연스럽게 형성되어 오랫동안 입에서 입으로 (　　　)된 노래로, 창작자를 알 수 없는 경우가 많다.

개념 09 고전 시가의 대표 주제 ① 유교적 가치

유교적 가치

- 조선 시대의 통치 이념인 유교에서 중요시하는 가치를 반영함.
- 자기 수양, 충의, 효도, 애민(愛民) 등의 가치

대표적인 내용

자기 수양	• 학문을 수양하고, 이를 생활에서 실천해 자신의 지식과 도덕성을 높은 수준까지 끌어올려야 한다고 강조함. • 자신의 수준을 높여, 임금에게 충성하고 ❶ [　　] 가치에 따라 나라를 다스림. • 다기망양, 망양지탄 등의 성어(학문의 길이 여러 갈래여서 한 갈래의 진리도 얻기 어려움을 이르는 말)와 관련됨.
충효	• 신하가 임금에게 충성을 다한다는 '충(忠)'과 자식이 부모를 정성껏 공경하는 '효(孝)'를 의미함. • ❷ [　　]을 나라의 부모로 생각했기 때문에 '충'과 '효'를 같은 것으로 보았음. • '충'이라는 주제는 연군지정, 충신연주지사, 회고가, 절의가, 사군자 등의 개념과 관련됨.
애민 정신	• 임금과 신하가 백성을 자식처럼 사랑해야 한다는 의미임. • 덕으로써 나라를 다스려야 하고, 지배층이 백성에게 모범을 보여야 한다고 강조함.

선지 ⊕

- 윗글과 〈보기〉는 모두 유교적 가치를 존중하면서 한 개인으로서의 소망을 이루려는 모습을 드러내고 있다.
- 〈제2수〉의 '계교'는 〈제1수〉의 '충효'와 관련되어 있다.

답 ❶ 유교적 ❷ 임금

확인 09

다음 작품에 드러난 주제로 적절한 것은?

> 생평(生平)에 원ᄒᆞᄂᆞ니 다만 충효(忠孝)뿐이로다
> 이 두 일 말면 금수(禽獸) ㅣ 나 다르리야
> 마음에 ᄒᆞ고져 ᄒᆞ야 십재황황(十載遑遑) ᄒᆞ노라
> – 권호문, 〈한거십팔곡〉(제1수)

① 자기 수양　② 충효　③ 애민 정신

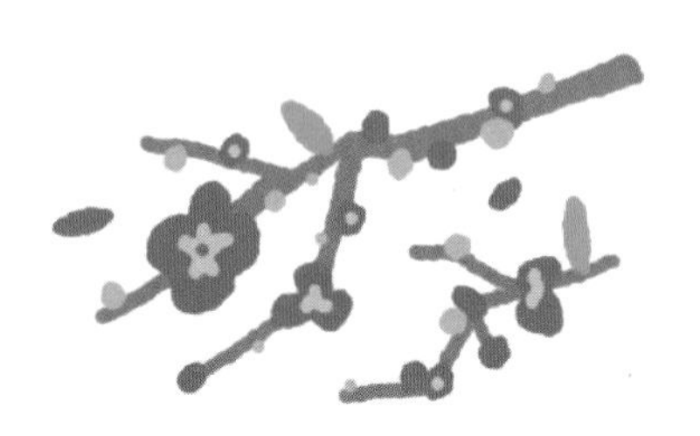

개념 10 고전 시가의 대표 주제 ② 자연과 함께하는 삶

자연과 함께하는 삶

- 사대부는 도학의 영향으로 자연을 자기 수양의 본보기로 삼아 자연이 지닌 아름다움을 ❶ [　　]하고 즐김.
- 몇몇 사대부는 당시 정치 상황과 자신이 맞지 않는다고 느끼면 자연으로 돌아가 욕심 없는 삶을 살아감. 이때의 자연은 혼란한 세상과 대조되는 공간으로 그려짐.

대표적인 내용: 강호가도/강호 한정

- 강호가도: '자연에서 도를 노래하다.'라는 뜻
- 강호 한정: '자연에서 즐기는 한가로운 정서'라는 뜻
- 강호가도의 경향을 띠는 작품들에는 강호 한정의 정서가 중심을 이룸.

특징

예찬	• 자연을 예찬하는 내용을 다룸. • 자연 속의 소박한 삶을 긍정하거나 자연을 매개로 자기 수양을 다짐하는 내용이 담김. 예 〈십 년을 경영ᄒᆞ여〉(송순), 〈만흥〉(윤선도) 등
갈등	• 현실 정치와 자연 사이에서의 갈등 • 자연에서 자기 수양을 하는 선비로서의 '사(士)'와 현실 정치에 참여해 백성을 다스리는 ❷ [　　]로서의 '대부(大夫)'의 두 가지 정체성 사이의 갈등이 나타남.

선지 ⊕

- 각 수 중장에는 주변의 자연 풍광을 묘사하여 내가 즐기고 있는 삶의 모습을 제시해야겠군.
- ⓜ은 안빈낙도하며 살아가겠다는 화자의 의지를 담고 있는 것으로 볼 수 있겠군.

답 ❶ 예찬 ❷ 관리

확인 10

다음 작품에 나타난 주제를 찾아 ○표를 하시오.

> 십 년을 경영ᄒᆞ여 초려 삼간 지여 내니
> 나 ᄒᆞᆫ 간 달 ᄒᆞᆫ 간에 청풍 ᄒᆞᆫ 간 맛져 두고
> 강산은 들일 듸 업스니 둘러 두고 보리라
> – 송순

(강호 한정 / 연군지정)

개념 11 고전 시가의 대표 주제 ③ 부정적인 현실

부정적인 현실

- 신분제 사회에서 사대부인 양반과 일반 백성의 다른 역할과 의무로 인한 갈등을 배경으로 함.
- 사대부는 학문 수양을 바탕으로 나라를 다스리고, 백성들은 열심히 농사를 짓거나 물건을 만들어 세금을 내고 나라에서 시키는 일을 감당해야 했음.
- 권력자들의 백성 ❶ (   )이나 부정부패로 인해 불만의 목소리를 담은 작품들이 많이 창작됨.

대표적인 내용

탐관오리에 대한 비판	• 백성의 재물을 탐내어 빼앗는, 행실이 깨끗하지 못한 관리를 뜻하는 탐관오리에 대한 비판을 담은 시가가 많이 등장함. • 가렴주구(가혹하게 세금을 거두거나 백성들의 재물을 억지로 빼앗음.), 가정맹어호(가혹한 정치는 호랑이보다 무서움.) 등의 개념과 관련됨. 예 〈탐진촌요〉(정약용), 〈두터비 파리를 물고〉
여성들의 고통	• 남성 중심의 가부장제가 강화되면서 억압받고 고통스러운 삶을 살아간 여인들의 삶을 노래한 작품 • 여성들의 시름과 고달픔이 ❷ ( )와 민요 등에 나타남. 예 〈규원가〉(허난설헌), 〈덴동 어미 화전가〉

선지 ⊕

- 부역과 세금을 감당할 마땅한 방법이 없다는 것으로, 백성으로서의 의무를 모면하고자 하는 의도가 반영되어 있다.
- [C]: 묻고 답하는 방식을 빌려 여성의 고단한 삶을 표현하고 있어.
- ㉣은 권력욕에 빠진 위정자들에 대한 비판을 보여 주는군.

답 ❶ 수탈 ❷ 규방 가사

확인 11

다음 작품에서 부정적인 현실을 나타내는 대상을 찾아 ○표를 하시오.

> 제비 한 마리 처음 날아와
> 지지배배 그 소리 그치지 않네
> 말하는 뜻 분명히 알 수 없지만
> 집 없는 서러움을 호소하는 듯
> 느릅나무 홰나무 묵어 구멍 많은데
> 어찌하여 그곳에 깃들지 않니
> 제비 다시 지저귀며
> 사람에게 말하는 듯
> 느릅나무 구멍은 황새가 쪼고
> 홰나무 구멍은 뱀이 와서 뒤진다오
>
> – 정약용, 〈고시 8〉

개념 12 고전 시가의 대표 주제 ④ 사랑과 이별

사랑과 이별

- 고대 가요인 〈황조가〉부터, 고려 가요의 〈가시리〉, 〈서경별곡〉을 비롯하여 ❶ (   )들의 시조와 평민들의 사설시조 등에 다양하게 나타남.

대표적인 내용

- 이별의 슬픔과 그리움: 주로 기녀들의 작품에 나타나며, 우리말의 아름다움을 잘 살린 작품이 많음.
  예 〈이화우 흩뿌릴 제〉(계랑), 〈어져 내 일이야〉(황진이)
- 기다리는 마음: 행동이나 상황을 ❷ (   )하여 웃음을 유발하는 해학적 분위기가 두드러지는 남녀 간의 사랑을 노래한 사설시조가 많이 창작됨.
  예 〈임이 오마 하거늘〉, 〈어이 못 오던가〉

선지 ⊕

- [A]에서는 자연과 인간 간의 조화로움이, (나)의 〈정월령〉에서는 남녀 간의 사랑으로 인한 외로움이 드러나 있군.
- 자연물에 빗대어 이별의 정한을 드러내고 있다.

답 ❶ 기녀 ❷ 과장

확인 12

다음 설명이 맞으면 ○표를, 틀리면 ×표를 하시오.

> 고전 시가 문학사를 살펴볼 때, '사랑과 이별'은 조선 시대 기녀들이 시조를 창작하게 되면서 새롭게 등장한 주제이다. (   )

개념 13 고전 시가의 상징적 소재

강산, 청산, 풍월, 연하	속세와 ❶ ( )된 자연 세계
눈, 서리, 비바람, 밤, 겨울	화자에게 시련을 주는 부정적 대상
매화, 국화, 대나무, 소나무, 바위	시련에 굴하지 않는 지조와 절개
북궐, 백옥경	임금이 계신 곳
자규, 두견, 외기러기	임과의 ❷ ( )과 그리움의 정서를 나타내는 소재
구름, 까마귀	변절한 신하나 간신배

답 ❶ 단절 ❷ 이별

확인 13

밑줄 친 시어가 상징하는 의미를 찾아 ○표를 하시오.

> 더우면 꽃 피고 추우면 잎 지거늘
> 솔아 너는 어찌 <u>눈서리</u>를 모르느냐.
> 구천(九泉)의 뿌리 곧은 줄을 글로 하여 아노라.
>
> – 윤선도, 〈오우가〉(제4수)
>
> (지조와 절개 / 시련을 주는 대상)

WEEK 1 DAY 1

개념 돌파 전략 ②

01 다음 중 〈보기〉에서 설명하는 갈래에 해당하는 것은?

> 보기
>
> 신라 시대부터 고려 초기까지 향유된 우리 고유의 정형화된 서정시로 향찰로 쓰였다. 승려, 화랑 등 귀족 계층이 주된 작가층이며 토속 신앙, 주술적 내용, 불교적 기원과 신앙심 등 다양한 내용을 다루었다. 4구체, 8구체, 10구체 형식의 작품이 전해지며 이 중에서 10구체가 완성형이라 할 수 있다.

① 시조 ② 가사 ③ 향가
④ 한시 ⑤ 고려 가요

문제 해결 전략

한자의 음과 뜻을 빌려 우리말을 표기한 향찰로 쓰인 시가인 ❶ [ ]는 신라 시대부터 고려 초기까지 창작되었다. 주된 작가층은 승려, ❷ [ ], 귀족 계층이며 대표작으로는 〈서동요〉, 〈찬기파랑가〉, 〈제망매가〉 등이 전해지고 있다.

답 ❶ 향가 ❷ 화랑

02 다음 글에 대한 설명으로 적절하지 않은 것은?

> 서경(西京)이 아즐가 서경(西京)이 셔울히마르는
> 위 두어렁셩 두어렁셩 다링디리
> 닷곤 ᄃᆡ 아즐가 닷곤 ᄃᆡ 쇼셩경 고외마른
> 위 두어렁셩 두어렁셩 다링디리
> 여ᄒᆡ므론 아즐가 여ᄒᆡ므론 질삼 뵈 ᄇᆞ리시고
> 위 두어렁셩 두어렁셩 다링디리
> 괴시란ᄃᆡ 아즐가 괴시란ᄃᆡ 우러곰 좃니노이다
> 위 두어렁셩 두어렁셩 다링디리
>
> – 작자 미상, 〈서경별곡〉(제1연)

① 3음보의 율격을 바탕으로 한다.
② 남녀 간의 사랑을 표현하고 있다.
③ 음률을 맞추기 위한 후렴구가 있다.
④ 유교적 이념을 강하게 표현하고 있다.
⑤ 화자가 원하는 바를 진솔하게 서술하고 있다.

감상 포인트

- 화자의 상황과 태도
  - 상황 – 임과 ❶ [ ]하는 상황에 처해 있음.
  - 태도 – 자신의 삶의 터전을 사랑하지만, 자신의 모든 것을 버리고서라도 임을 따라가겠다고 하는 ❷ [ ] 태도를 보임.
- 표현상의 특징
  - ❸ [ ]의 율격을 바탕으로 함.
  - 음률을 맞추기 위한 북소리를 후렴구로 반복함.

답 ❶ 이별 ❷ 적극적 ❸ 3음보

개념 +

- 고려 가요의 형식적 특징

고려 시대 ❶ [ ]층이 주로 향유했으며, 3음보, 3·3·2조의 음수율이 많음. 또한 음률을 맞추기 위한 ❷ [ ](여음)가 나타남.

답 ❶ 평민 ❷ 후렴구

03 다음 글에 대한 설명으로 적절하지 않은 것은?

> 산촌(山村)에 눈이 오니 돌길이 뭇쳐셰라
>
> 시비(柴扉)ᄅᆞᆯ 여지 마라 날 ᄎᆞ즈리 뉘 이스리
>
> 밤듕만 일편명월(一片明月)이 긔 벗인가 ᄒᆞ노라 〈제1수〉
>
> 섯ᄀᆞ래 기나 ᄌᆞ르나 기동이 기우나 트나
>
> 수간모옥(數間茅屋)을 ᄌᆞᆨ은 줄 웃지 마라
>
> 어즈버 만산 나월(滿山蘿月)이 다 ᄂᆡ 거신가 ᄒᆞ노라 〈제8수〉
>
> – 신흠, 〈방옹시여〉

① 4음보의 율격을 바탕으로 한다.
② 각 수 종장의 첫 음보는 3음절로 이루어져 있다.
③ 평시조에서 초장이나 중장이 두 구 이상 길어진 사설시조이다.
④ '산촌'에서의 삶에 만족하며 자긍심을 보이는 내용을 담고 있다.
⑤ 대유법, 설의법, 영탄법 등의 다양한 표현 방법을 사용하고 있다.

문제 해결 전략

시조는 고려 시대부터 오늘날까지 향유되는 문학 갈래로 3·4조나 4·4조의 ❶ ☐ 과 4음보로 이루어지며, 3장 6구 45자 내외의 ❷ ☐ 와 2수 이상의 평시조가 이어지는 연시조, 초장이나 중장이 두 구 이상 길어진 사설시조가 있다.

답 ❶ 음수율 ❷ 평시조

감상 포인트

- 화자의 상황과 태도
  - 상황 – ❶ ☐ 에 은거하고 있음.
  - 태도 – 자연에 묻혀 살아가는 자신의 삶에 ❷ ☐ 하고 있음.
- 표현상의 특징
  - ❸ ☐, 설의법, 영탄법 등 다양한 표현법을 사용함.

답 ❶ 자연 ❷ 만족 ❸ 대유법

04 다음 글에 대한 설명으로 적절하지 않은 것은?

> 두터비 파리를 물고 두엄 우희 치다라 안자
>
> 것넌 산 바라보니 백송골(白松鶻)이 떠 잇거늘 가슴이 금즉하여 풀덕 뛰여 내닷다가 두엄 아래 잣바지거고
>
> 모쳐라 날낸 낼싀만졍 에헐질 번하괘라
>
> – 작자 미상

① 중장이 두 구 이상 길어진 사설시조이다.
② 대상에 인격을 부여하여 내용을 전개하고 있다.
③ '두터비'는 '파리'를 괴롭히는 탐관오리라고 볼 수 있다.
④ '백송골'은 두꺼비가 두려워하는 중앙 관리라고 볼 수 있다.
⑤ '파리'는 헛된 욕심으로 위기를 자초한 백성이라고 볼 수 있다.

감상 포인트

- 화자의 상황과 태도
  - 상황 – '두터비'가 '❶ ☐'를 물고 두엄 위에 올랐다가 '백송골'이 뜨자 뛰어 내닫다 자빠진 상황을 서술하고 있음.
  - 태도 – 탐관오리의 횡포와 허장성세를 ❷ ☐ 함.
- 표현상의 특징
  - '두터비'를 ❸ ☐ 하여 그 행태를 풍자하고 있음.
  - 초·중장과 종장의 ❹ ☐ 가 바뀌고 있음.

답 ❶ 파리 ❷ 풍자 ❸ 의인화 ❹ 화자

WEEK 1 DAY 2

필수 체크 전략 ①

다음 글을 읽고, 물음에 답하시오.

형님 온다 형님 온다 분고개로 형님 온다.
형님 마중 누가 갈까 형님 동생 내가 가지.
형님 형님 사촌 형님 시집살이 어떱뎁까.
이애 이애 그 말 마라 시집살이 개집살이.
앞밭에는 당추 심고 뒷밭에는 고추 심어,
고추 당추 맵다 해도 시집살이 더 맵더라.
둥글둥글 수박 식기(食器)* 밥 담기도 어렵더라.
도리도리 도리소반(小盤)* 수저 놓기 더 어렵더라.
오 리(五里) 물을 길어다가 십 리(十里) 방아 찧어다가,
아홉 솥에 불을 때고 열두 방에 자리 걷고,
외나무 다리 어렵대야 시아버니같이 어려우랴.
나뭇잎이 푸르대야 시어머니보다 더 푸르랴
시아버니 호랑새요 시어머니 꾸중새요
동세 하나 할림새요 시누 하나 뾰족새요
시아지비 뾰중새요 남편 하나 미련새요,
자식 하난 우는 새요 나 하나만 썩는 샐세.
귀 먹어서 삼 년이요 눈 어두워 삼 년이요
말 못해서 삼 년이요 석 삼 년을 살고 나니,
배꽃 같던 요내 얼굴 호박꽃이 다 되었네.
삼단 같던 요내 머리 비사리춤*이 다 되었네.
백옥 같던 요내 손길 오리발이 다 되었네.
열새 무명 반물치마 눈물 씻기 다 젖었네.
두 폭 붙이 행주치마 콧물 받기 다 젖었네.
울었던가 말았던가 베갯머리 소(沼) 이뤘네.
그것도 소(沼)이라고 거위 한 쌍 오리 한 쌍
쌍쌍이 때 들어오네.

– 작자 미상, 〈시집살이 노래〉

- 시상 전개

기	근친 오는 ❶ [　　] 마중과 시집살이에 대한 호기심 ⇨ 화자: 사촌 동생
서	고된 ❷ [　　]의 괴로움 ⇨ 화자: 사촌 형님
결	시집살이에 대한 해학적 체념 ⇨ 화자: 사촌 형님

- 표현상의 특징

시집 식구들과 자신을 새에 비유함.

호랑새	시아버지
꾸중새	시어머니
할림새	동서
뾰족새	시누
뾰중새	시아주버니
미련새	남편
우는 새	자식
썩는 새	'나'

↓

시집살이의 괴로움을 ❸ [　　]으로 표현

답 ❶ 사촌 형님 ❷ 시집살이 ❸ 해학적

- **수박 식기** 수박처럼 둥글게 생긴 그릇.
- **도리소반** 둥글게 생긴 조그마한 상.
- **비사리춤** 오래 사용한 댑싸리비처럼 성기고 거친 물건.

대표 유형 1 시상의 전개 방식 파악

1 윗글에 대한 설명으로 가장 적절한 것은?

① 감탄과 반성의 어조를 교차하여 복잡한 감정을 나타내고 있다.
② 상황을 부정적으로 규정하고 나서 다양한 예들을 나열하고 있다.
③ 근경에서 원경으로 시선을 확대해 가면서 심리의 변화를 보여 주고 있다.
④ 외부 세계와 내면을 대비해 가며 이상적 세계에 대한 동경을 드러내고 있다.
⑤ 처음과 끝을 동일한 내용으로 상응시켜 시상 전개에 안정감을 부여하고 있다.

유형 해결 전략 시에 담긴 사상이나 감정, 즉 시상이 어떻게 전개되고 있는지 파악하는 문제 유형이다. 이런 유형을 해결하려면 평상시에 '과거부터 현재까지'와 같은 시간의 흐름, '원경에서 근경으로'와 같은 공간의 흐름, 수미상관, 선경후정 등 여러 가지 ❶ [ ] 전개 방식을 익힌 뒤, 제시된 작품의 ❷ [ ]이 무엇인지 파악하여 이것을 독자에게 전달하기 위해 어떤 전개 방식을 사용하고 있는지 분석해야 한다.

답 ❶ 시상 ❷ 중심 내용

1-1 윗글의 학습 내용을 다음과 같이 정리할 때 적절하지 <u>않은</u> 것은?

> 오늘 수업 시간에 〈시집살이 노래〉라는 민요가 시집살이의 한과 체념을 잘 표현한 작품임을 배웠다. 이 작품은 ⓐ<u>앞부분에서 특정 상황을 설정하여 전달하고자 하는 내용이 자연스럽게 전개될 수 있게 설정한 뒤</u> ⓑ<u>화자를 바꿔 가면서 시상을 전개하고 있다.</u> ⓒ<u>화자는 비유적 표현을 활용하여 설명하고자 하는 대상의 특성을 잘 드러내고 있고</u> ⓓ<u>동일한 시어나 시구를 단순 반복하기보다 유사한 표현을 사용하여 지루하지 않게 작품을 전개한다.</u> ⓔ<u>작품의 마지막 부분에서 화자가 직면한 현실의 어려움을 직설적으로 하소연하며 작품을 마무리하고 있다.</u>

① ⓐ ② ⓑ ③ ⓒ ④ ⓓ ⑤ ⓔ

도움말
작품의 시상 전개 과정을 파악하기 위해서 ❶ [ ]의 반응이나 태도, 전달 내용, 표현법, 작품의 ❷ [ ]과 마무리 등에 초점을 맞추어 살펴봅시다.

답 ❶ 화자 ❷ 시작

1-2 〈보기〉와 윗글의 시상 전개 방식을 비교한 내용으로 가장 적절한 것은?

> 보기
>
> 제비 한 마리 처음 날아와
> 지지배배 그 소리 그치지 않네
> 말하는 뜻 분명히 알 수 없지만
> 집 없는 서러움을 호소하는 듯
> 느릅나무 홰나무 묵어 구멍 많은데
> 어찌하여 그곳에 깃들지 않니
> 제비 다시 지저귀며
> 사람에게 말하는 듯
> 느릅나무 구멍은 황새가 쪼고
> 홰나무 구멍은 뱀이 와서 뒤진다오
>
> – 정약용, 〈고시 8〉

① 윗글과 〈보기〉는 수미상관의 방식으로 시상을 전개하고 있다.
② 윗글과 〈보기〉는 시간의 흐름에 따라 시상을 전개하고 있다.
③ 윗글과 〈보기〉는 대화 형식을 활용하여 시상을 전개하고 있다.
④ 윗글은 공간의 이동에 따라, 〈보기〉는 시간의 흐름에 따라 시상을 전개한다.
⑤ 윗글은 선경후정의 방식으로, 〈보기〉는 원경에서 근경으로 시상을 전개한다.

다음 글을 읽고, 물음에 답하시오.

매영(梅影)이 부딪힌 창에 옥인금차(玉人金釵)* 비겼구나
이삼(二三) 백발옹(白髮翁)은 거문고와 노래로다
이윽고 잔 들어 권할 적에 달이 또한 오르더라 〈제1수〉

어리고 성긴 가지 너를 믿지 아녓더니
눈 기약 능히 지켜 두세 송이 피었구나
촉(燭) 잡고 가까이 사랑할 제 암향(暗香)조차 부동(浮動)터라 〈제2수〉

빙자옥질(氷姿玉質)*이여 눈 속에 네로구나
가만히 향기 놓아 황혼월(黃昏月)을 기약하니
아마도 아치고절(雅致高節)*은 너뿐인가 하노라 〈제3수〉

바람이 눈을 몰아 산창(山窓)에 부딪히니
찬 기운 새어 들어 자는 매화를 침노(侵擄)하니
아무리 얼우려 한들 봄뜻이야 앗을쏘냐 〈제6수〉

동각(東閣)에 숨은 꽃이 철쭉인가 두견화(杜鵑花)인가
건곤(乾坤)이 눈이어늘 제 어찌 감히 피리
알괘라 백설양춘(白雪陽春)*은 매화밖에 뉘 있으리 〈제8수〉

– 안민영, 〈매화사〉

시상 전개

〈제1수〉	❶ ______ 그림자와 풍류
〈제2수〉	매화의 고결한 성품
〈제3수〉	매화의 아름다움과 지조
〈제6수〉	매화의 강인한 지조와 ❷ ______의 섭리
〈제8수〉	매화의 높은 절개에 대한 예찬

표현상의 특징

① 대상을 의인화하여 내용을 전개함.
② 다양한 감각적 심상으로 대상을 예찬함.

시각	작품 전반에 걸쳐 매화와 관련된 여러 장면을 떠올리게 함.
청각	거문고와 노래 〈제1수〉
후각	가만히 향기 놓아 〈제3수〉
촉각	찬 기운 새어 들어 〈제6수〉
공감각	암향조차 부동터라 〈제2수〉 → 후각의 시각화

↓

❸ ______인 표현으로 매화를 예찬함.

답 ❶ 매화 ❷ 자연 ❸ 감각적

- **옥인금차** 미인의 금비녀.
- **빙자옥질** 얼음같이 맑고 깨끗한 살결과 옥같이 아름다운 성질.
- **아치고절** 우아한 풍치와 높은 절개.
- **백설양춘** 흰 눈이 날리는 이른 봄.

대표 유형 2 표현상의 특징 파악

2 윗글에 대한 설명으로 가장 적절한 것은?

① 반어적 표현을 통해 시적 긴장감을 조성하고 있다.
② 대화의 형식을 통해 대상과의 친밀감을 나타내고 있다.
③ 다양한 감각적 심상을 사용하여 대상을 예찬하고 있다.
④ 대상에 감정을 이입하여 화자의 애상감을 심화하고 있다.
⑤ 명령적 어조를 통해 현실에 대한 비판 의식을 드러내고 있다.

유형 해결 전략 시에 나타나는 표현상의 특징을 파악하는 유형이다. 이런 유형은 화자가 말하고자 하는 것, 즉 ❶ ______ 가 무엇인지 파악한 뒤 시구 및 시행에서 어떤 ❷ ______ 을 사용하여 주제를 전달하는지 분석해야 한다. 또한 선지에 표현법의 효과가 서술되어 있으면 효과의 적절성도 함께 살펴보아야 한다.

답 ❶ 주제 ❷ 표현법

2-1 다음을 참고하여 윗글의 표현상 특징을 파악한 내용으로 적절하지 않은 것은?

> 〈매화사〉의 화자는 자연물 자체의 속성을 바탕으로 시흥(詩興)을 표현하고 있다. 이와 더불어 창작 당시의 지배적 가치관에 따라 대상에 규범적 가치를 부여하고 있으며 심미적 관점으로 대상의 아름다움을 드러내고 대상을 감상하며 즐기는 풍류적 태도를 보여 준다.

① 대상에서 느낀 감흥의 깊이를 표현하기 위해 영탄법을 사용하였다.
② 대상의 규범적 가치를 부각하기 위해 대비적인 상황을 설정하였다.
③ 대상의 심미적 아름다움을 드러내기 위해 공감각적 심상을 활용하였다.
④ 대상을 감상하는 풍류적 자세를 독자에게 권하기 위해 청유법을 사용하고 있다.
⑤ 시흥을 표현하려고 객관적 존재인 대상물을 의인화하여 대상에 대한 화자의 주관적 감상을 제시하고 있다.

2-2 윗글의 표현상 특징으로 적절하지 않은 것은?

① 〈제1수〉는 대상과 대비되는 상황을 제시하여 시적 분위기를 형성하고 있다.
② 〈제2수〉와 〈제3수〉는 시적 대상을 의인화의 방법으로 제시하고 있다.
③ 〈제3수〉와 〈제8수〉는 한자어를 사용하여 대상이 지닌 가치를 함축적으로 표현하고 있다.
④ 〈제6수〉와 〈제8수〉는 설의적 표현을 사용하여 대상의 속성을 강조하고 있다.
⑤ 〈제6수〉와 〈제8수〉는 대상의 명칭을 명시적으로 제시하고 있다.

도움말

설의적 표현이란, 말하려는 내용을 ❶ ______ 의 형식으로 서술하여 의미를 ❷ ______ 하는 표현 방법을 말합니다.

답 ❶ 의문문 ❷ 강조

WEEK 1 DAY 2

필수 체크 전략 ②

01~03 다음 글을 읽고, 물음에 답하시오.

차라리 물가에 가서 뱃길이나 보려 하니
바람과 물결이 어수선하게 되었구나.
사공은 어디가고 빈 배만 걸렸는가.
강가에 혼자 서서 지는 해를 굽어보니
임 계신 곳의 소식이 더욱 아득하구나.
띠집 차가운 잠자리에 한밤중에 돌아오니
벽 가운데 걸려 있는 등불은 누구를 위하여 밝아 있는가.
산을 오르내리며 강가를 헤매며 방황을 했더니
그 사이에 힘이 지쳐서 풋잠을 잠깐 드니
그 정성이 지극하여 꿈속에서 임을 보니
옥과 같이 곱던 얼굴이 반이 넘게 늙으셨구나.
마음속에 품은 생각을 실컷 말하려고 하니
눈물이 쏟아지니 말을 어찌하겠으며
정회도 못 다 풀어 목마저 메이니
방정맞은 닭소리에 잠은 어찌하여 다 깨었던가.
아, 헛된 일이로다. 이 임은 어디 갔는가.
잠결에 일어나 앉아 창을 열고 바라보니
가엾은 그림자만이 나를 따르고 있을 뿐이로구나.
차라리 죽어서 지는 달이나 되어
임 계신 창 안을 환하게 비춰 드리리라.
각시님 달이야커니와 궂은비나 되소서.

- 정철, 〈속미인곡〉

시상의 전개 방식 파악

01 윗글의 시상 전개 방식에 대한 설명으로 가장 적절한 것은?

① 자문자답의 방식으로 시상을 전개하고 있다.
② 선경후정의 방식으로 시상을 전개하고 있다.
③ 여성 화자의 목소리로 시상을 전개하고 있다.
④ 계절의 변화를 바탕으로 시상을 전개하고 있다.
⑤ 불가능한 상황을 바탕으로 시상을 전개하고 있다.

표현상의 특징 파악

02 윗글의 표현상 특징으로 적절하지 않은 것은?

① 영탄법을 사용하여 화자의 정서를 부각하고 있다.
② 상징적 의미를 지닌 소재로 주제를 강조하고 있다.
③ 청각적 심상을 통해 화자의 현실을 나타내고 있다.
④ 객관적 상관물을 통해 화자의 처지를 드러내고 있다.
⑤ 반어적 표현으로 대상이 처한 현실을 비판하고 있다.

도움말

화자의 정서나 상태를 직접적으로 제시하지 않고 구체적인 ❶ [ ]을 통해 ❷ [ ]으로 나타낼 때 사용되는 사물을 객관적 상관물이라고 합니다.

답 ❶ 사물 ❷ 간접적

작품 간의 공통점과 차이점 파악

03 〈보기〉와 윗글을 비교한 내용으로 가장 적절한 것은?

보기

이 몸 생겨날 때 임을 따라 생겼으니
한평생 연분이며 하늘 모를 일이던가.
나 하나 젊어 있고 임 하나 날 사랑하시니
이 마음 이 사랑 견줄 데 전혀 없다
평생에 원하기를 함께 살자 하였더니
늙어서야 무슨 일로 외로이 그리는가
엊그제 임을 모셔 광한전(廣寒殿)에 올랐는데
그 사이 어찌하여 하계(下界)에 내려오니
올 적에 빗은 머리 흐트러진 지 삼 년 일세

- 정철, 〈사미인곡〉

① 〈보기〉와 윗글 모두 배경 묘사를 통해 시적 분위기를 조성하고 있다.
② 〈보기〉와 윗글 모두 직유법을 활용하여 화자의 정서를 제시하고 있다.
③ 〈보기〉와 달리 윗글은 대화 형식으로 시상을 전개하고 있다.
④ 〈보기〉와 달리 윗글은 대상이 있는 곳이 구체적으로 제시되고 있다.
⑤ 〈보기〉는 윗글과 달리 화자와 대상을 방해하는 존재가 명확하게 제시되어 있다.

04~05 다음 글을 읽고, 물음에 답하시오.

가 생사(生死) 길은
예 있으매 머뭇거리고,
나는 간다는 말도
못다 이르고 어찌 갑니까.
어느 가을 이른 바람에
이에 저에 떨어질 잎처럼,
한 가지에 나고
가는 곳 모르온저.
아아, 미타찰(彌陀刹)에서 만날 나
도(道) 닦아 기다리겠노라.

– 월명사, 〈제망매가〉

나 동지(冬至)ㅅ ᄃᆞᆯ 기나긴 밤을 한 허리를 버혀 내여
춘풍(春風) 니불 아ᄅᆡ 서리서리 너헛다가
어론 님 오신 날 밤이여든 구뷔구뷔 펴리라

– 황진이

작품 간의 공통점 파악

04 (가)와 (나)의 공통점으로 가장 적절한 것은?

① 시적 대상과 함께 있고 싶은 화자의 바람이 드러난다.
② 이상과 현실의 괴리에서 오는 화자의 허탈감이 드러난다.
③ 자연과 대비되는 인간의 삶에 대한 화자의 소회가 드러난다.
④ 화자가 추구하는 도덕적 가치를 지키려는 의지가 드러난다.
⑤ 사회적으로 문제가 되는 상황에 대한 화자의 비판적 인식이 드러난다.

시상의 전개 방식 파악

05 다음을 바탕으로 (가)와 (나)를 분석한 내용으로 적절하지 않은 것은?

향가와 시조는 여러 측면에서 공통점을 찾을 수 있다. 가장 발달한 향가 형태인 10구체 향가는 세 개의 의미 단락으로 구성되며 낙구에 감탄사가 시상을 집약하거나 전환하며 마무리하는 형식을 취한다. 10구체 향가의 형식적 특징은 시조에서도 확인할 수 있다. 세 개의 의미 단락은 시조의 3단 구성으로 계승되고 향가 낙구의 감탄사는 시조 종장의 첫 3음절로 이어진다. 10구체 향가의 형식적 특징을 가장 잘 보여 주는 작품인 〈제망매가〉는 인간의 보편적 문제를 뛰어난 표현법으로 형상화하여 그 수준이 높은 작품으로 평가받고 있다. 황진이의 시조도 향가의 형식적 특징을 계승한 시조 작품 중 하나로 내용 면에서 〈제망매가〉와 마찬가지로 인간의 보편적 정서를 독특한 발상과 표현 방법을 통해 문학적으로 형상화하였다는 평가를 받는다.

① (가)에서 세 개의 의미 단락은 1~4구, 5~8구, 9~10구로 나눌 수 있겠군.
② (가)의 세 개의 의미 단락이라는 특징이 (나)에서는 초장, 중장, 종장으로 계승되고 있군.
③ (가)의 '아아'와 같은 표현이 (나)의 '어론 님'과 같은 형식으로 계승되고 있군.
④ (가)에서는 비유법을 사용하여 대상의 상황을 표현하고 있고, (나)에서는 추상적인 것을 구체적인 사물처럼 표현하고 있다.
⑤ (가)는 죽음이라는 인간 보편의 문제에 좌절하는 모습을 형상화하였고, (나)는 남녀 간의 애정과 관련된 보편적 정서를 형상화하였다.

도움말

주어진 ❶  를 바탕으로 작품을 감상해 보고, 자료와 선지의 내용을 하나씩 ❷ 하여 깊이 있게 이해해 봅시다.

답 ❶ 자료 ❷ 비교

WEEK 1 DAY 3 필수 체크 전략 ①

다음 글을 읽고, 물음에 답하시오.

슬프나 즐거오나 ㉠옳다 하나 외다 하나
㉡내 몸의 해올 일만 닦고 닦을 뿐이언정
그 밧긔 여남은 일이야 분별할 줄 이시랴 〈제1수〉

내 일 망령된 줄을 내라 하여 모를 쏜가
이 마음 어리기도 임 위한 탓이로세
㉢아무가 아무리 일러도 임이 혜여 보소서 〈제2수〉

㉣추성 진호루 밧긔 울어 예는 저 ⓐ시내야
므음 호리라 주야에 흐르는다
임 향한 내 뜻을 조차 **그칠 뉘를 모르나다** 〈제3수〉

뫼흔 길고 길고 물은 멀고 멀고
어버이 그린 뜻은 **많고 많고 하고 하고**
어디서 ⓑ외기러기는 울고 울고 가느니 〈제4수〉

어버이 그릴 줄을 처음부터 알안마는
㉤임금 향한 뜻도 **하늘이 삼겨시니**
진실로 임금을 잊으면 긔 불효인가 여기노라 〈제5수〉

- 윤선도, 〈견회요〉

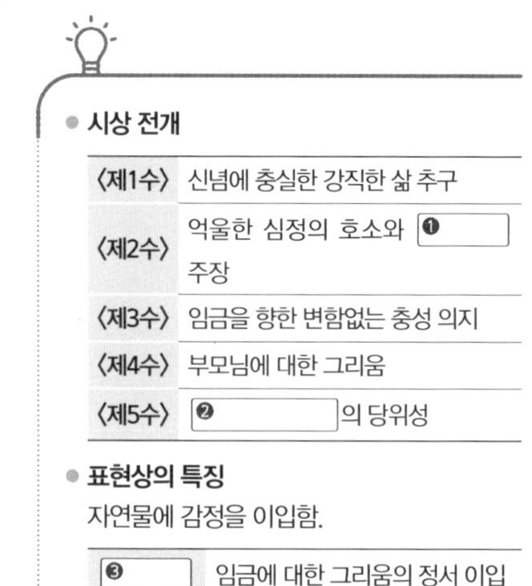

● 시상 전개

〈제1수〉	신념에 충실한 강직한 삶 추구
〈제2수〉	억울한 심정의 호소와 ❶ [ ] 주장
〈제3수〉	임금을 향한 변함없는 충성 의지
〈제4수〉	부모님에 대한 그리움
〈제5수〉	❷ [ ]의 당위성

● 표현상의 특징

자연물에 감정을 이입함.

❸ [ ]	임금에 대한 그리움의 정서 이입
외기러기	부모님에 대한 그리움의 정서 이입

답 ❶ 결백 ❷ 연군지정 ❸ 시내

● **외다 하나** 그르다 하나.
● **분별** 생각이나 근심.
● **망령된** 언행이 정상에서 벗어난.
● **추성 진호루** 함경북도 경원에 있는 누각.

정답과 해설 41쪽

대표 유형 3 시어 및 시구의 의미 파악

3 윗글을 이해한 내용으로 가장 적절한 것은?

① 〈제1수〉의 '그 밧긔 여남은 일'은 화자가 신념에 의거하여 추구하려는 일로 볼 수 있겠군.
② 〈제2수〉의 '이 마음 어리기도'는 순수한 본성의 회복을 바라는 화자의 마음이 드러나는 것이라고 볼 수 있겠군.
③ 〈제3수〉의 '그칠 뉘를 모르나다'는 곧은 지조를 변함없이 지키려는 화자의 태도가 드러나는 것이라고 볼 수 있겠군.
④ 〈제4수〉의 '많고 많고 하고 하고'는 자연에 귀의하려는 화자의 의지가 강조된 것이라고 볼 수 있겠군.
⑤ 〈제5수〉의 '하늘이 삼겨시니'는 화자가 자신의 운명을 거스르다가 좌절하는 이유로 볼 수 있겠군.

유형 해결 전략 시어나 시구의 의미를 파악하는 유형으로, 작품의 전체적인 ❶ (　　) 을 파악한 뒤 시어나 시구 앞뒤의 수식어나 서술어를 참고하여 시어나 시구가 지칭하는 ❷ (　　) 를 파악해야 한다.

답 ❶ 맥락 ❷ 의미

3-1 ⓐ와 ⓑ의 공통점끼리 바르게 묶은 것은?

> ㉮ ⓐ와 ⓑ는 모두 청각적 이미지를 지닌 시어이다.
> ㉯ ⓐ와 ⓑ는 모두 화자의 정서가 투영된 시어이다.
> ㉰ ⓐ와 ⓑ는 모두 동적 변화를 바탕으로 시적 의미를 형상화한 시어이다.
> ㉱ ⓐ와 ⓑ는 모두 화자가 원하는 상황을 구체적으로 묘사하고 있는 시어이다.
> ㉲ ⓐ와 ⓑ는 모두 동일한 대상에 대해 화자가 추구하는 바를 암시하는 시어이다.

① ㉮, ㉯, ㉰
② ㉮, ㉰, ㉱
③ ㉮, ㉱, ㉲
④ ㉯, ㉰, ㉱
⑤ ㉰, ㉱, ㉲

도움말
시어나 시구 앞뒤의 ❶ (　　) 나 ❷ (　　) 를 참고하여 해당 시어나 시구의 의미를 파악해 봅시다.

답 ❶ 수식어 ❷ 서술어

3-2 〈보기〉의 관점을 바탕으로 ㉠~㉤을 분석한 내용으로 적절하지 않은 것은?

> 보기
> 전 5수의 연시조인 〈견회요〉는 성균관 유생이었던 작가가 이이첨의 횡포에 대한 상소를 올리고 함경도 경원으로 유배를 떠나 쓴 작품이다. 작품의 제목인 '견회요'는 '마음을 달래는 노래'라는 뜻으로, 먼 곳에서 임금에 대한 그리움을 담은 충신연주의 노래이면서 부모에 대한 사친(思親)의 노래이다.

① ㉠은 자신의 행위가 유발한 결과에 대한 화자의 내적 갈등을 암시한다.
② ㉡은 화자가 추구하는 가치관에 부합하는 일이라고 할 수 있다.
③ ㉢에서 '아무'는 화자의 가치관에 부합하지 않는 존재이다.
④ ㉣은 화자가 현재 있는 장소이며 임과 거리가 있는 공간이다.
⑤ ㉤은 임금을 그리워하는 '충신연주'를 의미한다.

필수 체크 전략 ①

다음 글을 읽고, 물음에 답하시오.

집의 옷밥을 두고 빌어먹는 고공(雇工)아
우리 집 기별을 아느냐 모르느냐
비 오는 날 일 없을 때 새끼 꼬면서 이르리라
처음의 한어버이 살림살이하려 할 때
인심(仁心)을 많이 쓰니 사람이 절로 모여
풀 베고 터를 닦아 **큰 집**을 지어 내고
써레 보습 쟁기 소로 전답(田畓)을 경작하니
올벼논 텃밭이 여드레 갈 정도이다
자손(子孫)에게 계승하여 대대(代代)로 내려오니
논밭도 좋거니와 고공도 **근검(勤儉)**터라
저희마다 농사지어 부유하게 살던 것을
요사이 고공들은 생각이 아주 없어
밥사발 크나 작으나 동옷이 좋고 궂으나
마음을 다투는 듯 우두머리를 시기하는 듯
무슨 일 얽혀들어 흘깃흘깃하는가
너희들 일 아니하고 시절(時節)조차 사나워
가뜩이나 내 살림살이가 줄어지게 되었는데
엊그제 **화강도(火强盜)**에 가산이 탕진하니
집은 불타 버리고 먹을 것이 전혀 없다
㉠크나큰 살림살이를 어떻게 하여 일으키려는가
김가 이가 고공들아 새 마음 먹으려무나

– 허전, 〈고공가〉

- **시상 전개**

기	고공들에게 ❶ ＿＿(나라)의 내력을 이야기함.
승	고공들의 이기적이고 무능한 행태를 ❷ ＿＿함.

- **표현상의 특징**
소재에 함축적인 의미를 부여하여 주제를 효과적으로 전달함.

고공	벼슬아치
옷밥, 밥사발, 동옷	녹봉, 벼슬자리, 이권
우리 집	우리나라(조선)
한어버이	태조 이성계
화강도	왜적
살림살이	나라 살림

답 ❶ 집안 ❷ 비판

- **고공** 머슴.
- **근검** 부지런하고 검소함.
- **탕진** 재물 따위를 다 써서 없앰.

대표 유형 4 외적 준거에 따른 작품 감상

4 〈보기〉를 참고하여 윗글을 이해한 내용으로 적절하지 않은 것은?

> 보기
>
> 임진왜란 직후 허전이 쓴 〈고공가〉는 국사(國事)를 한 집안의 일에 비유하여, 왜적의 침입으로 백성들이 어려움에 빠졌음에도 당파 싸움만 일삼는 무능하고 부패한 당시 신하들의 각성을 촉구한 작품이다.

① '큰 집'은 한 집안의 살림살이를 처음 시작한 곳으로, 새로 건국한 조선을 의미하겠군.
② '근검(勤儉)'은 옛 고공들이 지녔던 덕목으로, 무능하고 부패한 신하들이 본받아야 할 태도라 할 수 있겠군.
③ '마음을 다투는 듯'은 요사이 고공들의 다툼을 보여 주는 것으로, 신하들의 당파 싸움을 의미하는 것이겠군.
④ '화강도(火强盜)'는 집안 살림이 더 어려워진 원인으로, 당시 조선을 침략한 왜적을 의미하겠군.
⑤ '김가 이가 고공들'은 집안의 살림살이를 일으켜야 할 존재로, 어려움에 빠진 백성들을 구할 새로운 인재를 의미하겠군.

유형 해결 전략 외적 준거에 의한 작품 감상 유형은 〈보기〉의 내용을 바탕으로 지문을 이해하는 유형으로, 먼저 ❶ ______ 의 내용을 정리한 후 지문과 비교하면서 문제에서 요구하는 정보를 찾고, ❷ ______ 의 적절성 여부를 판단할 수 있어야 한다.

답 ❶ 〈보기〉 ❷ 선지

4-1 〈보기〉를 참고하여 윗글을 분석한 내용으로 적절하지 않은 것은?

> 보기
>
> 〈고공가〉는 임진왜란 후에 나라의 일을 한 집안의 농사일에 비유하며 황폐해진 나라를 바로 세우자는 내용을 다룬 가사 문학으로 고공을 내세워 관료들의 행태를 우의적으로 비판하고 있다.

① '옷밥'을 두고도 빌어먹는 고공의 모습은 사익을 추구하는 관료의 모습이라 할 수 있군.
② '우두머리'를 시기하는 고공들을 통해 역모를 꾀하는 인물을 비판하고 있군.
③ '흘깃흘깃'하는 고공들의 모습은 자신의 일을 제대로 하지 않는 관리들의 행태를 암시하고 있군.
④ '시절조차' 사납다는 것은 임진왜란으로 황폐해진 현실을 뜻하겠군.
⑤ '살림살이를 어떻게 하여 일으키려는가'에 대해 걱정하는 화자는 나라를 바로 세우고자 하는 인물이군.

도움말
우의적 비판이란, ❶ ______ 으로 작가의 의도를 전달하는 것이 아니라 다른 상황이나 인물에 ❷ ______ 의도를 전달하는 표현 방법을 말합니다.

답 ❶ 직접적 ❷ 빗대어

4-2 윗글의 ㉠에 대해 〈보기〉를 바탕으로 답을 한다면 가장 적절한 것은?

> 보기
>
> 비가 새어 썩는 집을 그 누가 고쳐 이며 / 옷 벗어 무너진 담 누가 고쳐 쌓을까 / 불한당 도적들 멀리 안 다니거늘 / 화살 찬 경비병들 그 누가 힘써 할까 / 크게 기운 집에 마노라 혼자 앉아 / 분부를 뉘 들으며 논의를 뉘와 할까 / 낫시름 밤 근심 혼자 맡아 계시니 / 옥 같은 얼굴이 편하실 적 몇 날이리 / 이 집 이리 되기 뉘 탓이라 할 것인가 / 철없는 종의 일은 묻지도 아니하려니와 / 돌이켜 헤아리니 마노라 탓이로다 / 내 상전 그르다 하기에는 종의 죄가 많건마는 / 그렇지만 세상 보기에 민망하여 여쭙니다 / 새끼 꼬기 멈추시고 내 말씀 들으소서 / 집일을 고치려면 종들을 휘어잡고 / 종들을 휘어잡으려면 상벌을 밝히시고 / 상벌을 밝히려면 어른 종을 믿으소서 / 진실로 이리 하시면 집안 절로 일어나리다
>
> – 이원익, 〈고공답주인가〉

① 처음 한어버이의 마음으로 돌아가야 한다.
② 고공들이 스스로 마음을 새롭게 해야 한다.
③ 화살 찬 경비병들이 힘써 적을 막아야 한다.
④ 마노라의 탓이니 마노라가 직접 움직여야 한다.
⑤ 경험이 많은 신하들을 믿으면 체계가 잡힐 것이다.

WEEK 1 DAY 3

필수 체크 전략 ②

01~03 다음 글을 읽고, 물음에 답하시오.

고산구곡담(高山九曲潭)을 사름이 모로더니
주모복거(誅茅卜居)ᄒᆞ니 벗님ᄂᆡ 다 오신다
어즈버 ㉠무이를 상상ᄒᆞ고 학주자(學朱子)를 ᄒᆞ리라
〈제1수〉

일곡은 어ᄃᆡ미오 관암에 ᄒᆡ 비쵠다
평무(平蕪)에 ᄂᆡ 거드니 원근(遠近)이 그림이로다
송간(松間)에 녹준을 노코 벗 오ᄂᆞᆫ 양 보노라 〈제2수〉

이곡은 어ᄃᆡ미오 화암에 춘만(春晩)커다
벽파에 곳을 ᄯᅴ워 야외로 보ᄂᆡ노라
사름이 ㉡승지(勝地)를 모로니 알게 ᄒᆞᆫ들 엇더리 〈제3수〉

오곡은 어ᄃᆡ미오 은병(隱屛)이 보기 됴타
수변(水邊) 정사ᄂᆞᆫ 소쇄홈도 ᄀᆞ이 업다
이 중에 ㉢강학(講學)도 ᄒᆞ려니와 영월음풍ᄒᆞ리라〈제6수〉

칠곡은 어ᄃᆡ미오 ㉣풍암에 추색(秋色) 됴타
청상(淸霜)이 엷게 치니 절벽(絶壁)이 금수(錦繡)ㅣ로다
한암(寒巖)에 혼ᄌᆞ셔 안자 집을 잇고 잇노라 〈제8수〉

구곡은 어ᄃᆡ미오 문산에 세모(歲暮)커다
㉤기암괴석이 눈 속에 무쳐셰라
유인(遊人)은 오지 아니ᄒᆞ고 볼 것 업다 ᄒᆞ더라 〈제10수〉

- 이이, 〈고산구곡가〉

화자의 정서와 태도 파악

01 윗글에 나타난 화자의 태도로 가장 적절한 것은?

① 역사적 사건을 서술한 뒤 괴로워하고 있다.
② 세태를 비판하며 금욕적인 삶을 강조하고 있다.
③ 임과 이별한 슬픔을 종교를 통해 극복하고 있다.
④ 성리학의 이념인 충과 효의 실천을 다짐하고 있다.
⑤ 현실에 만족하여 이상 추구의 의지를 드러내고 있다.

시어 및 시구의 의미 파악

02 〈보기〉를 바탕으로 ㉠~㉤을 이해한 내용으로 적절하지 않은 것은?

보기

〈고산구곡가〉는 벼슬에서 물러나 황해도 해주 석담에 은거하던 작가가 무이 구곡의 은병에서 후학을 양성한 주자처럼 '은병 정사'를 짓고 학문에 힘쓸 때 창작한 작품이다. 각 수의 내용은 사계절의 변화에 따른 자연의 모습을 중심으로 전개되며 각 수에 제시된 지명들은 작가가 발견한 자연의 특성과 밀접한 관련이 있다. 화자의 태도 측면에서는 자연 친화적인 태도를 바탕으로 자연의 운치 있는 풍류를 즐기면서도 학문 정진의 의지를 드러내고 있어서 자연 친화적인 삶과 학문 추구의 두 가지 측면으로 작품 내용을 중의적으로 해석하기도 한다.

① ㉠에서 중국의 주자를 뛰어넘고자 하는 조선 선비의 자부심이 드러난다.
② ㉡의 '승지'는 '경치가 빼어난 곳'과 '학문의 경지가 높은 곳'이라는 두 가지 의미로 해석할 수 있다.
③ ㉢은 자연 속에서 학문을 추구하고자 하는 화자의 의지를 표현한다.
④ ㉣의 '풍암'은 '추색'과 연결되어 가을의 단풍을 떠올리게 하므로 자연의 특성을 반영한다.
⑤ ㉤의 '눈'에서 계절적 배경을 확인할 수 있으며 계절의 변화에 따른 자연의 모습을 살펴볼 수 있다.

외적 준거에 따른 작품 감상

03 다음을 참고하여 윗글을 이해할 때 적절하지 않은 것은?

시조의 종류는 평시조, 연시조, 사설시조 등으로 나눌 수 있는데 연시조는 단순히 초장, 중장, 종장의 3장 6구로 이루어진 평시조를 병렬적으로 늘어놓은 것이 아니라 각 수가 형식과 내용 면에서 통일성을 유지하면서 질서 정연한 구성을 갖추는 것이 일반적이다.

① 〈제1수〉를 제외한 각 수의 초장의 양식을 통일하여 형식적인 질서를 갖추고 있다.
② 각 수에서는 자연적 특성과 관련된 내용을 서술하여 작품의 통일성을 유지하고 있다.
③ 〈제1수〉는 작품 전체 내용에 대한 실마리를 제공하는 서사의 기능을 하면서 작품의 체계를 형성하고 있다.
④ 〈제6수〉의 '강학'은 〈제1수〉의 '학주자'와 관련을 맺으면서 작품 내용 면에서 통일성을 형성하고 있다.
⑤ 〈제3수〉의 '사름', 〈제10수〉의 '유인'은 화자가 추구하는 가치에 동의하는 인물로 작품의 통일성을 부여하고 있다.

도움말

평시조는 초장, 중장, 종장의 ❶ ______ 6구의 형식으로 이루어진 시조이며, ❷ ______는 2수 이상의 평시조가 한 편을 이룬 시조입니다.

답 ❶ 3장 ❷ 연시조

04~05 다음 글을 읽고, 물음에 답하시오.

가 ㉠창(窓) 내고쟈 창(窓)을 내고쟈 이내 가슴에 창(窓) 내고쟈

고모장지 셰살장지 들장지 열장지 암돌져귀 수돌져귀 빗목걸새 크나큰 쟝도리로 ㉡둑닥 바가 이내 가슴에 창(窓) 내고쟈

잇다감 하 답답홀 제면 여다져 볼가 ᄒᆞ노라

– 작자 미상

나 ㉢댁(宅)들에 동난지이 사오 ㉣져 장사야 네 황화 그 무엇이라 웨는다 사자

㉤외골내육(外骨內肉), 양목(兩目)이 상천(上天) 전행(前行) 후행(後行) 소(小)아리 팔족(八足) 대(大)아리 이족(二足) 청장(淸醬) 아스슥하는 동난지이 사오

장사야 하 거북이 웨지 말고 게젓이라 하렴은

– 작자 미상

시어 및 시구의 의미 파악

04 ㉠~㉤에 대한 설명으로 적절하지 않은 것은?

① ㉠: 구절을 반복하여 화자의 소망을 강조하고 있다.
② ㉡: 음성 상징어를 사용하여 화자의 심정을 강조하고 있다.
③ ㉢: 외치는 목소리를 통해 현장감을 형성하고 있다.
④ ㉣: 화자를 교체하여 작품의 통일감을 꾀하고 있다.
⑤ ㉤: 한자어를 활용하여 풍자의 효과를 높이고 있다.

외적 준거에 따른 작품 감상

05 〈보기〉를 바탕으로 윗글을 이해한 내용으로 적절하지 않은 것은?

보기

3장 6구의 평시조 형식에서 중장이 글자 수의 제한 없이 길어진 것을 사설시조라고 한다. 사설시조의 주된 창작층은 중인이나 평민들로 유교적 충효 사상이나 관념적 대상을 제시하는 기존의 평시조 관행에서 벗어나 일상생활을 바탕으로 한 사실적, 직설적 경향의 작품을 창작하였다. 애정, 수심, 풍류, 세태 풍자 등 다양한 주제를 생생하게 다루면서도 고통스러운 현실을 해학적으로 극복하는 양상을 보인다.

① (가)는 수심을 (나)는 세태 풍자의 내용을 다루고 있다.
② (가), (나)의 중장이 제한 없이 길어진 것에서 두 작품의 갈래를 확인할 수 있다.
③ (가), (나)에서 사용된 음성 상징어는 삶의 모습을 생생하게 표현하는 데 기여하고 있다.
④ (가), (나)는 화자의 심정을 관념적 대상을 통해 표출한 것에서 이 갈래의 경향을 확인할 수 있다.
⑤ (가)의 '창'이나 (나)의 '동난지이'가 작품의 주요 소재가 되는 것에서 일상생활과의 관련성이 드러난다.

01~03 다음 글을 읽고, 물음에 답하시오.

엊그제 젊었더니 벌써 어찌 다 늙거니
소년행락(少年行樂) 생각하니 말해도 속절없다
늙어서야 **서러운 말** 하자 하니 목이 멘다
부생모육(父生母育) 고생하여 이내 몸 길러 낼 제
공후배필(公候配匹)은 못 바라도 군자호구(君子好逑) 원하더니
삼생(三生)의 원업(怨業)이요 월하(月下)의 연분(緣分)으로
장안(長安) 유협(遊俠) 경박자(輕薄子)를 꿈같이 만나 있어
당시에 마음 쓰기 살얼음 디디는 듯
삼오이팔(三五二八) 겨우 지나
천연여질(天然麗質) 절로 이니
이 얼굴 이 태도로 백년기약(百年期約) 하였더니
연광(年光)이 훌쩍 지나 조물(造物)이 시샘하여
봄바람 가을 물이 **베올에 북 지나듯**
설빈화안(雪鬢花顔) 어디 가고 면목가증(面目可憎) 되었구나
내 얼굴 내 보거니 어느 님이 날 사랑할까
스스로 참괴(慚愧)하니 누구를 원망하랴
삼삼오오(三三五五) 야유원(冶遊園)에 새 사람이 나단 말가
꽃 피고 날 저물 제 **정처(定處) 없이 나가 있어**
백마금편(白馬金鞭)으로 어디어디 머무는고
원근(遠近)을 모르거니 소식(消息)이야 더욱 알랴
인연(因緣)을 긋쳐신들 **생각이야 업습소냐**
얼굴을 못 보거든 그립기나 마르려믄
열두 때 김도 길샤 서른 날 지리(支離)하다
옥창(玉窓)에 심은 매화(梅花) 몇 번이나 피여 진고
겨울밤 차고 찬 제 자최눈 섞어 치고
여름날 길고 길 제 궂은비는 무슨 일고
삼춘화류(三春花柳) 호시절(好時節)에 경물(景物)이 시름없다
가을 달 방에 들고 실솔(蟋蟀)이 상(床)에 울 제
긴 한숨 지는 눈물 속절없이 혬만 많다
아마도 모진 목숨 죽기도 어려울사 〈중략〉
차라리 잠을 들어 꿈에나 보려 하니
바람에 지는 잎과 풀 속에 우는 즘생
무슨 일 원수로서 잠조차 깨우는가
천상(天上)의 견우직녀(牽牛織女) 은하수(銀河水) 막혔어도
칠월칠석(七月七夕) 일년일도(一年一度) 실기(失期)치 아니거든
우리 님 가신 후는 무슨 약수(弱水) 가렸기에
오거나 가거나 소식(消息)조차 그쳤는가
난간(欄干)에 비겨 서서 님 가신 데 바라보니
초로(草露)는 맺혀 있고 모운(暮雲)이 지나갈 제
죽림(竹林) 푸른 곳에 새소리 더욱 설다
세상의 서룬 사람 수없다 하려니와
박명(薄命)한 홍안(紅顔)이야 나 같은 이 또 있을까
아마도 이 님의 탓으로 살동말동 하여라

– 허난설헌, 〈규원가〉

시상의 전개 방식 파악

01 윗글의 시상 전개 방식에 대한 설명으로 가장 적절한 것은?

① 대화의 형식으로 화자의 가치관을 드러내고 있다.
② 선경후정 방식으로 화자의 깨달음을 제시하고 있다.
③ 과거와 현재를 대비하며 화자의 처지를 드러내고 있다.
④ 공간의 이동에 따라 화자의 내적 갈등이 해소되고 있다.
⑤ 원경에서 근경으로 이동하며 자연 공간을 구체화하고 있다.

표현상의 특징 파악

02 윗글의 표현상의 특징으로 적절하지 않은 것은?

① 대구법을 활용하여 리듬감을 형성하고 있다.
② 영탄법을 사용하여 화자의 정서를 드러내고 있다.
③ 설의법을 사용하여 화자의 처지를 드러내고 있다.
④ 반어적 표현으로 주제를 효과적으로 드러내고 있다.
⑤ 상징적 소재를 통해 대상의 성격을 드러내고 있다.

외적 준거에 따른 작품 감상

03 〈보기〉를 바탕으로 윗글을 감상한 내용으로 적절하지 않은 것은?

> 보기
> 부녀자의 노래인 〈규원가〉의 화자는 남편의 원유로 인해 오랜 기간 동안 돌아오지 않는 남편을 기다리며 내적으로 힘겨운 삶을 살았던 여성임을 짐작할 수 있다. 이런 힘겨운 삶에 대한 원망과 한스러움이 작품에서 드러나고 있다.

① '서러운 말'에서 힘겨운 삶에 대한 화자의 인식이 드러나고 있다.
② '삼생의 원업'이라는 표현에서 남편과 인연을 맺어 준 존재에 대한 원망이 드러난다.
③ '베올에 북 지나듯'에서 베올은 부녀자의 삶과 밀접한 소재이므로 화자가 여성임을 짐작할 수 있다.
④ '정처 없이 나가 있어'에서 남편이 원유를 하고 있는 상황을 추론할 수 있다.
⑤ '생각이야 업슬소냐'에서 화자가 남편을 기다리고 있음이 드러난다.

04~06 다음 글을 읽고, 물음에 답하시오.

강호(江湖)에 봄이 드니 ㉠미친 흥(興)이 절로 난다.
탁료계변(濁醪溪邊)에 금린어(錦鱗魚)가 안주로다
이 몸이 한가(閑暇)하옴도 역군은(亦君恩)이샷다 〈제1수〉

강호에 여름이 드니 ㉡초당(草堂)에 일이 업다
유신(有信)한 강파(江波)는 보내나니 바람이로다
이 몸이 서늘하옴도 역군은이샷다 〈제2수〉

강호에 가을이 드니 고기마다 살쪄 있다
㉢소정(小艇)에 그물 실어 흘리띄워 던져두고,
이 몸이 소일(消日)하옴도 역군은이샷다 〈제3수〉

강호에 겨울이 드니 눈 깊이 한 자가 넘네
㉣삿갓 빗기 쓰고 누역으로 옷을 삼아
이 몸이 춥지 아니하옴도 ㉤역군은이샷다 〈제4수〉

- 맹사성, 〈강호사시가〉

시상의 전개 방식 파악

04 윗글에 대한 설명으로 가장 적절한 것은?

① 감탄과 반성의 어조를 교차하여 복잡한 감정을 드러내고 있다.
② 유사한 형식적 틀을 반복함으로써 시적 안정감을 부여하고 있다.
③ 상황을 부정적으로 규정하고 이를 뒷받침하는 예시를 제시하고 있다.
④ 근경에서 원경으로 시선을 확대해 가면서 심리의 변화를 보여 주고 있다.
⑤ 외부 세계와 내면의 차이점을 부각하여 이상과 현실의 괴리감을 드러내고 있다.

시어 및 시구의 의미 파악

05 〈보기〉를 바탕으로 ㉠~㉤의 의미를 이해한 내용으로 적절하지 않은 것은?

> 보기
> 성리학을 숭상한 조선의 선비들은 어지러운 정치판에서 물러난 뒤 자연 속에서 한가하게 유유자적하면서 풍류를 추구하지만 성리학에 기반한 안빈낙도와 임금에 대한 충의의 정신을 버리지 못하는 모습을 띤다.

① ㉠은 화자가 자연 속에서 추구하는 풍류를 의미하고 있군.
② ㉡은 자연 속에서 할 일이 없어 어지러운 정치판이지만 돌아가고 싶다는 미련을 드러내고 있군.
③ ㉢은 자연에서 화자가 누리는 유유자적한 삶을 형상화하고 있군.
④ ㉣의 '삿갓'과 '누역'은 안빈낙도의 가치관을 암시하고 있군.
⑤ ㉤으로 시상을 마무리함으로써 임금에 대한 충의의 정신을 드러내고 있군.

외적 준거에 따른 작품 감상

06 다음을 바탕으로 윗글을 분석한 내용으로 적절하지 않은 것은?

> 〈강호사시가〉의 제목에서 '강호'는 작품의 소재가 되는 '자연'을 뜻하므로 작품의 내용과 관련이 있고, '사시가'는 '사계절의 노래'라는 의미로 작품의 형식과 관련이 있다. '사시가' 형식의 노래는 대체로 계절의 흐름에 따른 자연의 변화를 서술하면서 시상을 전개하며 시상의 유기적 연결을 위해 동일한 어휘나 유사한 표현을 각 수에서 사용하거나 자연을 묘사하기 위한 시어 및 구절을 먼저 제시한 후 화자의 반응이나 상황을 덧붙이는 경우가 많다. 작품에 따라서는 자연에서의 소박한 삶의 모습이나 어김없이 순환하는 자연의 이치와 무상한 인간사를 대조적으로 서술하며 화자의 가치관을 드러내기도 한다.

① 사계절의 추이가 나타난다는 점에서 '사시가'의 요건을 갖추고 있다.
② '강호에 ~이 드니'를 각 수에 사용하여 시상을 유기적으로 연결하고 있다.
③ '탁료계변에 금린어가 안주로다'는 자연 속에서의 소박한 삶을 드러내는 사례라 할 수 있다.
④ 각 수의 앞부분에서 자연의 모습을 먼저 제시한 뒤 화자의 반응이나 상황 등을 덧붙이고 있다.
⑤ 고기를 잡지 않고 소일하는 화자의 모습에서 자연과 인간의 대비를 통해 무상한 인간사를 드러내고 있다.

07~09 다음 글을 읽고, 물음에 답하시오.

홍진(紅塵)에 뭇친 분네 이 내 생애 엇더ᄒᆞᆫ고
㉠녯사ᄅᆞᆷ 풍류ᄅᆞᆯ 미ᄎᆞᆯ가 뭇 미ᄎᆞᆯ가
천지간 남자 몸이 날만 ᄒᆞᆫ 이 하건마ᄂᆞᆫ
산림에 뭇쳐 이셔 지락(至樂)을 ᄆᆞᄅᆞᆯ 것가
수간모옥(數間茅屋)을 벽계수(碧溪水) 앏픠 두고
㉡송죽 울울리예 풍월주인 되여셔라
엇그제 겨을 지나 **새봄**이 도라오니
도화행화(桃花杏花)ᄂᆞᆫ 석양리(夕陽裏)예 퓌여 잇고
녹양방초(綠楊芳草)ᄂᆞᆫ 세우(細雨) 중에 프르도다
칼로 ᄆᆞᆯ아 낸가 붓으로 그려 낸가
조화신공(造化神功)이 물물마다 헌ᄉᆞᄅᆞᆸ다
수풀에 우ᄂᆞᆫ 새ᄂᆞᆫ 춘기(春氣)ᄅᆞᆯ 뭇내 계워 소ᄅᆡ마다 교태로다
㉢물아일체(物我一體)어니 흥이ᄋᆡ 다ᄅᆞᆯ소냐
시비예 거러 보고 정자애 안자 보니
소요음영ᄒᆞ야 산일(山日)이 적적ᄒᆞᆫᄃᆡ
한중진미(閒中眞味)ᄅᆞᆯ 알 니 업시 호재로다
이바 니웃드라 **산수** 구경 가쟈스라
답청(踏靑)으란 오ᄂᆞᆯ ᄒᆞ고 욕기(浴沂)란 내일 ᄒᆞ새
㉣**아ᄎᆞᆷ**에 채산(採山)ᄒᆞ고 나조ᄒᆡ 조수(釣水)ᄒᆞ새
ᄀᆞᆺ 괴여 닉은 술을 갈건(葛巾)으로 밧타 노코
곳나모 가지 것거 수 노코 먹으리라
화풍(和風)이 건ᄃᆞᆺ 부러 녹수(綠水)ᄅᆞᆯ 건너오니
㉤청향(淸香)은 잔에 지고 낙홍(落紅)은 옷새 진다
준중(樽中)이 뷔엿거ᄃᆞᆫ 날ᄃᆞ려 알외여라
소동 아ᄒᆡᄃᆞ려 주가에 술을 믈어
얼운은 막대 집고 아ᄒᆡᄂᆞᆫ 술을 메고
미음완보(微吟緩步)ᄒᆞ야 **시냇ᄀᆞ**의 호자 안자
명사(明沙) 조ᄒᆞᆫ 믈에 잔 시어 부어 들고
청류(淸流)ᄅᆞᆯ 굽어보니 써오ᄂᆞ니 도화(桃花)ㅣ로다
무릉이 갓갑도다 져 ᄆᆡ이 긘 거인고

– 정극인, 〈상춘곡〉

표현상의 특징 파악

07 윗글에 대한 설명으로 적절하지 않은 것은?

① 대비되는 공간을 설정하여 주제를 효과적으로 전달하고 있다.
② 대구법을 사용하여 시적 상황을 구체적으로 형상화하고 있다.
③ 감각적 이미지를 통해 시적 배경을 생동감 있게 제시하고 있다.
④ 의문의 표현을 사용하여 현실에 대한 화자의 정서를 드러내고 있다.
⑤ 공간 이동에 따라 화자의 내적 갈등이 고조되면서 시상이 반전되고 있다.

외적 준거에 따른 작품 감상

08 〈보기〉를 참고하여 ㉠~㉤을 감상한 내용으로 적절한 것은?

보기

자연에서의 삶을 노래한 은일 가사 계열의 최초의 작품인 〈상춘곡〉은 봄의 경치를 소재로 하여 자연의 풍경에 감탄하는 한편 산림에 묻혀 풍류를 즐기며 자연과의 일체감을 느끼는 모습을 형상화하고 있다.

① ㉠: 성인의 경지인 옛사람의 풍류에 미치지 못하는 자신의 현실을 한탄하고 있다.
② ㉡: '풍월주인'이라는 표현에서 자연을 자신의 소유물로 삼으려는 화자의 태도가 드러난다.
③ ㉢: 속세의 사람들이 '물아일체'의 흥겨움에 도달하지 못하는 현실을 안타까워한다.
④ ㉣: 아침과 저녁에 분주하게 일하는 것에서 피로에 지친 화자의 모습이 드러난다.
⑤ ㉤: '낙홍'이 옷에 진다는 표현에서 자연과 일체감을 느끼는 화자의 모습이 드러난다.

시어 및 시구의 의미 파악

09 다음을 바탕으로 윗글을 분석할 때 적절하지 않은 것은?

고전 시가의 시간과 공간은 화자의 정서에 따라 때로는 긍정적인 의미를 지닌 소재로 화자가 지향하는 대상이 되지만 때로는 부정적인 의미를 지닌 소재로 화자가 지양하는 대상이 되기도 한다.

① '수간모옥'은 화자의 현재 상황에 어울리는 만족스러운 공간이다.
② '새봄'은 화자가 즐기고자 하는 계절이므로 긍정적인 시간이다.
③ '산수'는 이웃들과 함께하고 싶어 하는 공간으로 화자가 지향하는 대상이다.
④ '아츰'은 화자가 원하는 바를 할 수 있는 긍정적인 시간이다.
⑤ '시냇ᄀᆞ'는 화자가 홀로 있는 곳이므로 고독함을 느끼는 부정적인 공간이다.

WEEK 1

창의·융합·코딩 전략 ①

01~03 다음 글을 읽고, 물음에 답하시오.

가 이십 리 실상사(實相寺)가 삼사상(三使相) 조복(朝服)할 때 / 나는 내리잖고, 왜성(倭城)으로 바로 가니,
"인민(人民)이 부려(富麗)하기 대판(大阪)만은 못하여도 서(西)에서 동(東)에 가기 삼십 리라." 하는구나.
관사(館舍)는 본룡사(本龍寺)요, 오층(五層) 문루(門樓) 위에 / 열 아문 구리 기둥 운소(雲宵)에 닿았구나.
수석(水石)도 기절(奇絶)하고, 죽수(竹樹)도 유취(幽趣) 있네.
왜황(倭皇)이 사는 데라 사치가 측량없다.
산형(山形)이 웅장하고, 수세(水勢)도 환포(環抱)하여
옥야천리(沃野千里) 생겼으니, 아깝고 애닯을손
이리 좋은 천부 금탕(天府金湯) 왜놈의 기물(器物) 되어
칭제 칭왕(稱帝稱王)하며, 전자 전손(傳子傳孫)하니,
개돝 같은 비린 유(類)를 다 모두 소탕하고,
사천 리 육십 주를 조선 땅 만들어서
왕화(王化)에 목욕 감겨 예의국 만들고자. 〈중략〉

[A]
그중에 전승산이 글 쓰는 양(樣) 바라보고
필담(筆談)으로 써서 뵈되 전문(傳聞)에 퇴석(退石) 선생
쉬 짓기가 유명(有名)터니 선생의 빠른 재주
일생 처음 보았으니 엎디어 묻잡나니
필연코 귀한 별호(別號) 퇴석인가 하나이다
내 웃고 써서 뵈되 늙고 병든 둔한 글을
포장(褒奬)을 과히 하니 수괴(羞愧)키 가이 없다
승산이 다시 하되 소국(小國)의 천한 선비
세상에 났삽다가 장(壯)한 구경 하였으니
저녁에 죽사와도 여한이 없다 하고
어디로 나가더니 또다시 들어와서
아롱보(褓)에 무엇 싸고 삼목궤(杉木櫃)에 무엇 넣어
이마에 손을 얹고 엎디어 들이거늘
받아 놓고 피봉(皮封) 보니 봉(封)한 위에 쓰였으되
각색 대단(大緞) 삼단이요 사십삼 냥 은자(銀子)로다
놀랍고 어이없어 종이에 써서 뵈되
그대 비록 외국이나 선비의 몸으로서
은화를 갖다 가서 글 값을 주려 하니
그 뜻은 감격하나 의(義)에 크게 가하지 않아
못 받고 도로 주니 허물하지 말지어다

– 김인겸, 〈일동장유가〉

나 연경의 아홉 개 성문 안팎으로 뻗은 수십 리 거리에는 관아와 아주 작은 골목을 빼놓고는 대체로 길을 끼고 양옆으로 상점이 늘어서 있다. 시골도 마찬가지로 그렇게 점포가 늘어서서 마치 옷에 가선을 두른 것 같다. 상점은 제각기 점포 이름과 파는 물건 이름을 가로세로로 간판을 세워 걸어 두었으므로 금빛 글자가 휘황찬란하게 빛난다. 큰길에는 따로 판잣집을 더 설치하여 붉게 칠해 놓았고, 골목 입구나 문 앞에는 제각기 아름답게 조각한 돌이나 나무로 만든 기둥을 세워 놓았다. 점포 안에는 늘 사람들이 빽빽하게 들어차서 마친 연극을 관람하는 인파와 같다. 또 동악묘와 융복사 등지에서는 특별한 날을 정해 시장을 여는데 진기한 보물과 괴상한 물건들이 매우 많다.

우리나라 사람들은 번화한 중국 시장을 처음 보고서는 "오로지 말단의 이익만을 숭상한다."라고 말한다. 이것은 하나만 알고 둘은 모르는 말이다. 무릇 상인은 사농공상(士農工商) 네 부류 백성의 하나이지만 그 하나가 나머지 세 부류의 백성을 소통시키므로 열에 셋의 비중을 차지하지 않으면 안 된다.

지금 쌀밥을 먹고 비단옷을 입고 있다면 그 나머지는 모조리 쓸모없는 물건으로 간주할 수 있다. 그러나 쓸모없는 물건을 활용하여 쓸모 있는 물건을 유통하고 거래하지 않는다면, 이른바 쓸모 있다는 물건은 대부분 한곳에 묶여서 유통되지 않거나 그것만이 홀로 쓰여서 고갈되기 쉽다. 〈중략〉

지금 종각이 있는 종로 네거리는 연달아 있는 시장 점포의 거리가 1리가 채 안 된다. 중국에서는 내가 거쳐 간 시골 마을의 점포가 대개 몇 리에 걸쳐 있었다. 또 거기에 운송되는 물건의 번성함과 품목의 다양함이 모두 온 나라의 물건으로도 미치지 못한다. 점포 한 개가 우리나라보다 더 부유한 것이 아니라 물자가 유통되느냐 유통되지 못하느냐에 따른 결과이다.

– 박제가, 〈시장과 우물〉

작품 간의 공통점과 차이점 파악

01 (가)와 (나)를 읽은 학생들의 대화 내용으로 적절하지 않은 것은?

① 
(가)와 (나)는 모두 여정과 견문을 다루었다는 공통점이 있어.

② 여행이라는 실제 체험이 바탕이 되었으니 교술 갈래라고 할 수 있어. 

③ 여정은 차이가 있어. (가)는 '왜성으로 바로 가니'에서 알 수 있듯이 일본 기행 가사야.

④ (나)는 '연경'이나 '중국'에서 알 수 있듯이 중국과 관련한 기행 수필인 것 같아. 

⑤ 다른 나라의 문화를 숭상하며 자국 상황을 비판한다는 점도 (가)와 (나)의 공통점이야.

세부 내용의 이해

02 <보기>와 같이 [A]를 분석한 내용으로 적절하지 않은 것은?

보기

1단계	대화가 시작되는 상황	전승산이 화자의 글 쓰는 모양을 바라보게 되면서 두 사람의 필담이 시작된다. ······ ①
2단계	문답의 주요 내용	전승산은 화자의 명성을 익히 알고 있었다. ······ ②
3단계	의사소통의 심층적 의미	전승산이 화자의 글을 보게 된 감격을 표현하고 있다. ······ ③
4단계	선비로서의 예법	겸양을 표현하는 형태로 상대방에 대한 예의를 갖추고 있다. ······ ④ 좋은 구경에는 값을 치르는 것이 일반적인 예법임이 드러난다. ······ ⑤

도움말
작품의 해당 부분에서 ❶ [ ]가 어떻게 진행되는지 살펴보고, 각 단계에서 ❷ [ ]한 내용으로 적절하지 않은 것을 골라 봅시다.

답 ❶ 대화 ❷ 분석

외적 준거에 따른 작품 감상

03 다음은 (나)의 서문이다. 다음 글을 바탕으로 (나)를 감상한 내용으로 적절하지 않은 것은?

> 올 여름에 나는 이덕무와 함께 진주사를 따라 청나라에 가게 되었다. 우리는 연주와 계주 지방을 두루 돌아보았으며 오, 촉의 선비들과도 사귈 수가 있었다. 또한 몇 달 동안 머물면서 평소에 듣지 못하던 것을 들었다. 그리고 그곳에는 아직도 옛 풍속이 남아 있어서 역시 옛사람들의 말이 맞는구나 하고 감탄하곤 했다. 그 나라의 풍습 중에서 우리나라에서도 시행할 만한 것과 편리한 일상 용품 몇 가지를 보고 그때그때 적었다. 이와 함께 시행함으로써 얻을 수 있는 이로움이 무엇인지, 그렇지 않을 때 생길 손해는 무엇인지에 대해 설명하였다. 책 제목은 맹자가 진량에게 했던 말을 따서 《북학의》라고 하였다.

① '연경'의 '상점'을 자세하게 서술한 것은 '그때그때' 적었기 때문에 가능했겠군.
② 연경의 '수십 리 거리'의 모습이 우리나라에도 시행할 만한 것이어서 글쓴이가 관심을 가졌겠군.
③ '쓸모없는'과 '쓸모 있는'에서 손해와 이로움의 관점으로 대상을 바라보았음을 알 수 있군.
④ '고갈되기 쉽다'에서 물건이 유통되지 못했을 때 손해가 있다고 생각하고 있음을 알 수 있군.
⑤ '말단의 이익만을 숭상한다'에서 백성의 이익을 생각하는 중국의 모습을 부러워하고 있음이 드러나는군.

도움말
작품의 ❶ [ ]을 고려하며 주어진 자료를 읽어 보고, 선지의 내용과 작품의 어떤 부분이 ❷ [ ]되는지 골라 봅시다.

답 ❶ 특징 ❷ 연결

WEEK 1

창의·융합·코딩 전략 ②

04~07 다음 글을 읽고, 물음에 답하시오.

가 삼월 삼짇날, 청명절 등에 부녀자들은 인근 산천을 찾아가 화전을 만들어 먹으면서 가사를 낭송하며 하루를 즐겼다. 화전가는 이때 지은 규방 가사로서 현장에서 창작되거나 집에 돌아간 후 지어지기도 했다. 때로는 남편이 지어 준 글을 가져오거나 미리 지어 오기도 했다. 화전가는 문중에 소통되면서 문답 형식의 화전가를 낳기도 했는데, 이를 통해 사람들은 흥취를 공유하거나 가문의 결속을 다지기도 했다. 화전가는 일반적으로 다음과 같은 구성을 보인다. 봄의 찬미, 화전놀이 공론과 택일, 통문, 허락, 경비 추렴, 화전놀이 출발, 도착 후 화전놀이, 재회의 기약, 이별, 귀가와 발문이 이어진다. 그중 화전놀이의 내용으로는 '내칙' 같은 교양물을 읊는 풍월 놀이, 부녀자의 신세 한탄, 놀이에 대한 감흥 등을 들 수 있다. [A]는 화전가의 특징을 잘 보여 주는 대목이다.

[A]
방춘삼월 좋은 가절 군생지물 자랑하다
생기로운 꽃다운 풀 푸릇푸릇 싹이 돋고
향기로운 두견화는 불긋불긋 송이 핀다
버들막에 꾀꼬리는 벗을 찾아 날아들고
수풀 사이 노래하고 꽃나비 춤을 춘다
때는 좋다 벗님네야 내 말씀 들어 보소
이와 같이 좋은 시절 엇지 그리 허송하랴
〈중략〉
일년일차 화전놀음 여자놀음 이뿐일세
하루이틀 물림 받고 하로 물림 여흐리라
무정풍우 밤사이에 앗가울사 꽃이 지면
꽃을 찾아 화전놀음 무슨 흥미 잇으리오
갑자을축 택일은 많으나 천기를 살펴보니
일구풍화 오늘같이 대동대길 합당하다

일반적으로 화전가에는 화전놀이를 통한 상춘(賞春)의 흥취와 함께, 고달픈 삶을 살았던 여인들의 한스러운 심정과 현실의 굴레에서 하루만이라도 벗어나고 싶어 했던 부녀자들의 염원이 잘 드러나 있다. 한편 화전가 중에서 독특한 구성으로 주목을 받는 〈덴동 어미 화전가〉는 '외부 이야기' 안에 덴동 어미의 일생담이 담긴 '내부 이야기'가 포함된 액자식 구성을 띤다. '외부 이야기'는 대체로 화전가의 일반적인 구성을 따르고, '내부 이야기'는 상부(喪夫)와 개가(改嫁)를 반복하는 비극적인 삶을 산 덴동 어미의 이야기를 담고 있다.

나 내 팔자가 사는 대로 내 고생이 닫는 대로
좋은 일도 그뿐이요 그른 일도 그뿐이라
춘삼월 호시절에 화전놀음 와서들랑
꽃빛일랑 곱게 보고 새소리는 좋게 듣고
밝은 달은 예사 보며 맑은 바람 시원하다
좋은 동무 좋은 놀음에 서로 웃고 놀아 보소
사람 눈이 이상하여 제대로 보면 관계찮고
고운 꽃도 새겨 보면 눈이 캄캄 안 보이고
귀도 또한 별일이지 그대로 들으면 괜찮은걸
새소리도 고쳐 듣고 슬픈 마음 절로 나네
마음 심 자가 제일이라 단단하게 맘 잡으면
꽃은 절로 피는 거요 새는 예사 우는 거요
달은 매양 밝은 거요 바람은 일상 부는 거라
마음만 예사 태평하면 예사로 보고 예사로 듣지
보고 듣고 예사하면 고생될 일 별로 없소
앉아 울던 청춘과부 황연대각* 깨달아서
덴동 어미 말 들으니 말씀마다 개개 옳아
이내 수심 풀어내어 이리저리 부쳐 보세

[B]
이팔청춘 이내 마음 봄 춘 자로 부쳐 보고
화용월태* 이내 얼굴 꽃 화 자로 부쳐 두고
술술 나는 긴 한숨은 세류 춘풍 부쳐 두고
밤이나 낮이나 숱한 수심 우는 새나 가져가게
일촌간장 쌓인 근심 도화유수로 씻어 볼가
천만 첩이나 쌓인 설움 웃음 끝에 하나 없네
구곡간장 깊은 설움 그 말끝에 슬슬 풀려
삼동설한 쌓인 눈이 봄 춘 자 만나 슬슬 녹네

– 작자 미상, 〈덴동 어미 화전가〉

- **황연대각** 환하게 모두 깨달음.
- **화용월태** 아름다운 여인의 얼굴과 맵시를 이르는 말.

세부 내용의 이해

04 (가)를 읽고 이해한 내용으로 적절하지 않은 것은?

① 화전가는 화전놀이의 현장에서 즉흥적으로 지어지기도 했군.
② 화전가는 문중에 소통되어 가문의 결속을 다지는 기능을 하기도 했군.
③ 화전가는 화전놀이를 하기 전이나 화전놀이가 끝난 후에도 창작이 가능했군.
④ 화전가에서는 특정한 계절의 풍속을 배경으로 화전놀이의 여러 과정이 제시되었군.
⑤ 화전가의 내용이 여성들의 생활과 밀착되어 있는 것으로 보아 남성들은 창작과 향유에서 배제되었군.

구성의 특징 파악

05 (가)의 [A]에서 확인할 수 있는 내용만을 있는 대로 고른 것은?

○ 봄을 맞이한 심회를 읊음. ………………… ⓐ
○ 화전놀이를 행할 날을 택함. ……………… ⓑ
○ 화전놀이를 위한 경비를 추렴함. ………… ⓒ
○ 화전놀이 후 다시 만나기로 약속함. ……… ⓓ

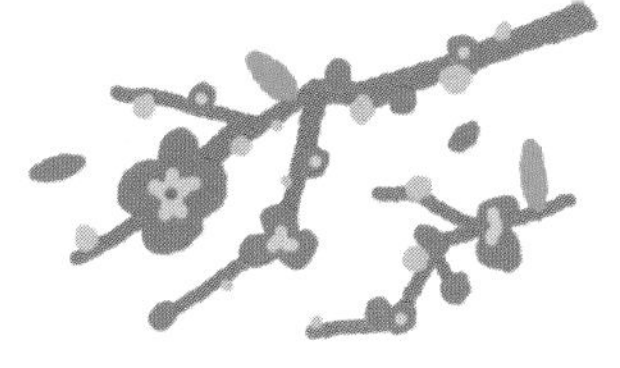

① ⓐ, ⓑ ② ⓐ, ⓒ ③ ⓑ, ⓒ
④ ⓑ, ⓓ ⑤ ⓒ, ⓓ

도움말
작품의 특성을 소개한 글을 읽어 보고, 해당 작품에서 그 서술상의 특징과 ❶ [　　] 이 어떻게 드러나고 있는지 ❷ [　　] 으로 살펴봅시다.

답 ❶ 구성 ❷ 구체적

세부 내용의 이해

06 (나)의 인물에 대한 이해로 가장 적절한 것은?

① 
덴동 어미는 계획적인 삶이 중요하다고 생각하고 있군.

② 
덴동 어미는 본격적으로 화전놀이를 떠날 채비를 하겠군.

③ 
덴동 어미는 청춘과부에게 생명력을 불어넣는 역할을 하는군.

④ 
청춘과부는 자연의 변화에 무감각한 사람이 되어 버렸군.

⑤ 
청춘과부는 가난이 사람을 성숙하게 만드는 것이라고 믿게 되었군.

표현상의 특징 파악

07 (나)의 [B]와 〈보기〉의 표현상 특징으로 가장 적절한 것은?

보기

청산은 어찌하여 만고에 푸르르며
유수는 어찌하여 주야에 그치지 아니한고
우리도 그치지 말아 만고상청(萬古常靑)하리라

– 이황, 〈도산십이곡〉

① [B]는 감정 이입을 통해 정적인 분위기를 만들어 내고 있다.
② [B]는 대화를 통하여 인물의 성격을 분명히 보여 주고 있다.
③ 〈보기〉는 자연물의 속성에 빗대어 화자의 의지를 드러내고 있다.
④ 〈보기〉는 의문형 어구를 반복하여 심리적 갈등을 드러내고 있다.
⑤ [B]와 〈보기〉 모두 반어적 표현으로 주제 의식을 강조하고 있다.

도움말
두 작품에서 나타나는 구체적인 ❶ [　　] 을 찾아보고, 그 ❷ [　　] 를 비교하며 감상해 봅시다.

답 ❶ 표현 방법 ❷ 효과

WEEK

2 고전 소설

이제 고전 소설 차례야.
마지막까지 힘내 보자!
오, 마지막!
근데 고전 소설은
지루하기만 한걸…….
쿵!
친구들, 나랑 같이
공부해 보겠어?
두둥
아니, 당신은!
헛

고전 소설을 공부할 때는
우선 소설의 유형별로
감상하면 좋아.
먼저 '애정 소설'을 살펴볼까?
춘향아!
서방님!
'애정 소설'은
남녀 간의 사랑을
주제로 한 소설이야.
주인공들이 시련을 극복하고
사랑의 결실을 맺는 구조로
구성되어 있어.

공부할 내용 1. 서술상의 특징 파악 2. 인물의 성격 및 태도 파악 3. 배경 및 소재의 기능 파악
4. 외적 준거에 따른 작품 감상

WEEK 2 DAY 1

개념 돌파 전략 ①

개념 01 고전 소설의 구성

평면적 구성	고전 소설에서는 대부분 ❶ (　　　) 의 흐름에 따라 사건이 전개됨.
일대기적 구성	전기(傳記)적 구성. 주인공이 태어나서 죽을 때까지의 사건이 시간이 흐르는 순서에 따라 전개됨. 평면적 구성의 하나임.
영웅의 일대기적 구성	영웅적인 주인공의 일대기를 다루는 작품에서는 다음과 같은 ❷ (　　　) 서사 구조에 따라 사건이 전개됨. 고귀한 혈통 ↓ 비정상적인 출생 ↓ 뛰어난 능력 ↓ 유년기에 죽을 고비, 가족과 이별 ↓ 조력자의 도움, 위기 극복 ↓ 성년이 되고 다시 위기 ↓ 위기 극복과 승리
이원적 구성	소설의 배경이 신선이 사는 '천상계'와 인간이 사는 '지상계'로 나누어진 구성을 말함. 고전 소설에는 천상계 인물인 주인공이 죄를 짓고 지상계로 내려왔다가 시련을 극복하고 영웅이 되어 다시 천상계로 돌아간다는 설정이 자주 등장함.

선지 ⊕

- 이원적 공간 구도는 최낭의 '환신'이 '이승'에 있음에도 '저승의 법'을 따라 '황천'으로 가야 한다는 데에서 나타나고 있다.
- 성의가 원래 하계 사람이 아니라는 존자의 말로 보아 천상계가 설정된 이 소설의 특징을 알 수 있군.

답 ❶ 시간 ❷ 일정한

확인 01

'영웅의 일대기적 구성'을 설명한 내용이다. ㉠, ㉡에 들어갈 적절한 말을 쓰시오.

> 고귀한 혈통 → (㉠) → 뛰어난 능력 → 유년기의 위기에 따른 가족과의 이별 → (㉡)과 위기 극복 → 성년의 위기 → 위기 극복

개념 02 고전 소설의 인물

재자가인(才子佳人)형 인물 '재주 있는 남자와 아름다운 여자'를 이르는 말로, 고전 소설의 주인공은 외모와 능력이 뛰어난 재자가인형 인물로 설정되는 경우가 많음.

평면적, 전형적 인물

평면적 인물	고전 소설에서는 대체로 인물의 성격이 소설의 처음부터 끝까지 ❶ (　　　) 않음.
전형적 인물	고전 소설에서는 특정 신분이나 집단을 대변하는 인물 유형인 전형적 인물이 많이 등장함. 예 조선 시대 여성의 유교적 윤리 의식을 대표하는 열녀, 고난과 시련을 극복하는 영웅 등

초월적 인물 인간의 세계를 뛰어넘는 ❷ (　　　) 을 지닌 초월적 인물이 드러남. → 이원적 구성에서 천상계의 인물이 초월적 인물이 됨.

예 하늘의 선녀, 용궁의 용왕 등과 같은 신이한 힘을 지닌 존재

선지 ⊕

- 과거와 현재를 대비하여 인물의 초월적 능력을 부각하고 있다.
- 초월적 인물을 통해 주인공의 운명이 예고되고 있다.

답 ❶ 변하지 ❷ 능력

확인 02

선녀, 용왕과 같이 인간의 세계를 뛰어넘는 능력을 지닌 인물 유형은?

① 평면적 인물　② 전형적 인물　③ 초월적 인물

개념 03 고전 소설의 사건 제시 방법

우연성	고전 소설에서는 현대 소설과 달리 사건이 필연적인 상황이나 원인 없이 ❶ (　　　) 발생하는 경우가 많음.
비현실성 (전기(傳奇)성)	고전 소설에서는 현실에서 일어나기 어려운 신기하고 이상한 사건을 다루는 경우가 많음. 등장인물이 비범하거나 ❷ (　　　) 인 능력을 발휘하기도 함.

답 ❶ 우연하게 ❷ 초월적

확인 03

다음 설명이 맞으면 ○표를, 틀리면 ×표를 하시오.

> 고전 소설에서는 사건이 우연하게 발생하는 경우가 많다. (　　　)

개념 04 고전 소설의 문체

문어체	일상적인 대화에서는 거의 쓰이지 않고 주로 ❶ [ ] 에서만 쓰이는 특징적인 버릇이 나타나는 문체. '(이)ㄴ지라, -더라, 가로되, 왈' 등의 표현이 자주 나타남. 예 여러 달 만에 금강산을 찾아가니, 풍경도 좋거니와 때도 마침 삼춘이라. … 경치를 구경하며 점점 들어가니 사람 발자취가 없는지라. – 작자 미상, 〈박씨전〉
운문체	운율이 느껴지는 문장이 연속된 ❷ [ ] 하기 좋은 문체. 주로 판소리의 영향을 받은 소설에서 나타남.

답 ❶ 글 ❷ 낭송

확인 04

다음 문장에 들어갈 알맞은 말을 골라 ○표를 하시오.

〈춘향전〉, 〈흥보전〉, 〈장끼전〉과 같은 (판소리계 소설 / 한문 소설)에는 낭송하기 좋은 (문어체 / 운문체)가 특징적으로 나타난다.

개념 05 서술자의 개입

○ 개념 작품 밖에 있는 서술자가 작품에 개입하여 인물과 사건에 대한 판단이나 생각, 느낌을 직접 서술하는 것으로 ❶ [ ] 논평이라고도 함.

○ 문장은 주로 설의적 ❷ [ ] 으로 나타남.

예 감사의 앞이라 감히 반가운 기색을 못 하니 그 곤경이 어떠할까. – 작자 미상, 〈채봉감별곡〉

선지 ⊕

- 서술자의 개입을 통해 사건에 대한 주관적인 평가를 드러내고 있다.
- 편집자적 논평을 통해 인물의 행위에 대한 서술자의 시각을 보여 주고 있다.

답 ❶ 편집자적 ❷ 의문문

확인 05

다음 문장의 빈칸에 들어갈 적절한 말을 쓰시오.

작품 밖의 서술자가 작품에 개입하여 인물과 사건에 대한 판단이나 생각, 느낌을 직접 서술하는 것을 ( ) 또는 편집자적 논평이라고 한다.

개념 06 고전 소설의 유형 ①

한문 소설	• 재자가인(才子佳人)형 인물이 등장함. • 일상적, 현실적인 내용을 벗어나 초현실적이고 기이한 내용을 주로 다룸. 예 김시습의 〈금오신화〉, 박지원의 작품
영웅·군담 소설	• 전쟁을 통해 주인공의 군사적 활약상을 다루고 있는 소설 • 대체로 영웅의 ❶ [ ] 구성에 따라 사건이 전개됨. • 영웅의 비범함을 드러내기 위해 전기성을 띠는 장면이 자주 등장함. 예 〈박씨전〉, 〈소대성전〉, 〈유충렬전〉, 〈임경업전〉, 〈조웅전〉
애정 소설	남녀 주인공들이 시련을 극복하고 사랑의 결실을 맺는 구조로 되어 있음. 예 〈춘향전〉, 〈채봉감별곡〉
가정 소설	• 가정을 배경으로 가족 구성원의 다툼과 극복 과정을 다룬 소설 • 계모가 전 부인의 자녀들을 학대하거나 처첩 간의 갈등이 주로 등장함. 예 〈사씨남정기〉, 〈장화홍련전〉
환몽 소설	• 주인공이 '현실 – 꿈 – 현실'을 오가며 사건이 전개되는 환몽 구조로 이루어진 소설 • 외화(현실)와 내화(꿈)로 이루어진 ❷ [ ] 구성을 취함. 예 〈구운몽〉, 〈금수회의록〉, 〈운영전〉, 〈조신의 꿈〉
전기(傳奇) 소설	• 실제로 일어나기 어려운, 신기하고 비현실적인 이야기를 다룬 소설 • 주로 천상이나 용궁 등의 비현실적인 세계가 배경인 이야기와 현실 속 인물이 신비한 존재와 애틋한 사랑을 나누는 이야기가 많음. 예 〈김현감호〉, 〈이생규장전〉, 〈만복사저포기〉

선지 ⊕

- 전기적(傳奇的) 요소를 활용하여 비현실적 장면을 부각하고 있다.
- '남적'을 소탕하고 금의환향하는 유충렬을 백성들이 환대하는 것에서, 유충렬이 영웅으로 귀환하고 있음을 알 수 있군.

답 ❶ 일대기적 ❷ 액자식

확인 06

다음 설명과 관계있는 것을 찾아 ○표를 하시오.

(1) 영웅의 일대기적 구성에 따라 사건이 전개된다. (영웅·군담 소설 / 한문 소설)
(2) 주인공이 '현실 – 꿈 – 현실'을 오가며 사건이 전개되는 구조로 이루어져 있다. (애정 소설 / 환몽 소설)
(3) 실제로 일어나기 어려운 비현실적인 이야기를 다루고 있다. (전기 소설 / 가정 소설)

개념 07 고전 소설의 유형 ②

풍자 소설	• 부정적 현실을 내세워 부정적 인물의 무능과 위선을 풍자하고 당대 사회의 부조리를 드러내는 소설 • 풍자의 효과를 높이기 위한 표현 기법으로 우화적 수법이나 ❶ [ ], 반어법, 부정적인 인물의 희화화 등이 사용됨. 예 〈호질〉, 〈양반전〉, 〈이춘풍전〉
판소리계 소설	• 판소리 사설이 독서 대상으로 전환되면서 형성된 소설 • 판소리에서 비롯된 문체와 수사적 특징, 세계관을 보여 줌. • 판소리의 해학과 풍자 등을 통해 ❷ [ ] 계층의 문화적 주체성을 담아냄. 예 〈춘향전〉, 〈심청전〉, 〈흥보전〉, 〈토끼전〉, 〈장끼전〉

답 ❶ 언어유희 ❷ 평민

확인 07

다음 설명이 맞으면 ○표를, 틀리면 ×표를 하시오.

판소리계 소설은 판소리의 해학과 풍자를 반영하여 양반 계층만의 문화적 주체성을 담은 소설이다. ( )

개념 08 고전 소설의 대표 주제

- 대체로 권선징악, 인과응보가 주류를 이룸.
- 주요 주제

영웅의 활약	초월적 ❶ [ ]을 지닌 주인공이 문제를 해결하는 모습을 통해 현실에서도 영웅이 등장해 혼란을 해결해 주기를 바라는 민중의 마음을 드러냄. 예 〈유충렬전〉, 〈박씨전〉, 〈임진록〉
가정 내 갈등	가정을 배경으로 처첩 간의 다툼이나 계모의 학대 등 가족 구성원 사이에서 일어나는 갈등과 그 해결 과정을 보여 줌. 예 〈사씨남정기〉, 〈창선감의록〉, 〈장화홍련전〉
사랑과 이별	사랑하는 남녀가 서로에게 닥친 어려움을 극복하며 진실한 사랑을 성취해 나가는 모습을 보여 줌. 예 〈운영전〉, 〈춘향전〉
비판과 풍자	무능력하고 위선적인 지배층이나 현실의 ❷ [ ]을 비판하고 풍자하며 교훈적인 내용을 전달함. 예 〈허생전〉, 〈호질〉, 〈양반전〉

답 ❶ 능력 ❷ 부조리함

확인 08

다음 설명이 맞으면 ○표를, 틀리면 ×표를 하시오.

(1) 고전 소설은 권선징악을 주제로 하는 경우가 많다. ( )
(2) 〈허생전〉, 〈호질〉 등은 초월적 능력을 지닌 영웅의 활약을 주제로 다룬다. ( )

개념 09 풍자와 해학

- 판소리 사설, 판소리계 소설에서 주로 등장하는 특징으로 등장인물이 위기에 처하거나 어렵고 힘든 일에 부딪혀도 ❶ [ ]을 유발하며 장면을 진행하는 방법

풍자	해학
부정적인 상황에서 웃음을 유발하여 골계미를 형성함.	
대상에 대한 ❷ [ ], 비판, 조롱을 이끌어 냄.	대상에 대한 친근감이나 연민, 동정을 이끌어 냄.

답 ❶ 웃음 ❷ 비웃음

확인 09

비극적인 상황에서도 웃음을 잃지 않는 미학적 개념으로, 풍자나 해학과 관련이 있는 것은?

① 비장미 ② 골계미 ③ 우아미

개념 10 언어유희와 고사 활용

- **언어유희** 말이나 글자를 소재로 하는 놀이를 뜻하는 것으로, ❶ [ ]의 유사성, 동음이의어, 같거나 비슷한 소리의 반복, 언어 도치 등을 활용하여 나타냄.
- **고사 활용** 고대 중국에서 전해져 온 이야기인 옛이야기(고사)를 활용하여 상층 계급의 취향을 반영함. 고사를 활용할 때는 ❷ [ ]가 나타나는 경우가 많음.

선지 +

- 언어유희를 통해 인물 간의 긴장을 고조시키고 있다.
- 고사(故事)를 활용하여 풍자의 효과를 높이고 있다.

답 ❶ 발음 ❷ 한문투

확인 10

다음 설명이 맞으면 ○표를, 틀리면 ×표를 하시오.

고사를 활용하는 것은 상층 계급의 취향을 반영한 것으로 한문투 문장을 사용하는 경우가 많다. ( )

개념 11 판소리

개념 이야기를 ❶ [   ]로 부르는 일종의 구비 서사시로 음악, 문학, 연극적 요소가 결합된 종합 예술 양식

창(소리)	소리꾼이 부르는 노래이자 소리(음악적 요소)
아니리(말)	창자가 노래를 하다가 대사처럼 사설을 엮어 나가는 것(문학적 요소)
발림(몸짓)	판소리 사설의 내용에 따라 손, 발, 몸짓을 이용해 표현하는 행위(연극적 요소)
추임새	고수나 청중이 가객의 소리에 ❷ [ ]를 발하여 흥을 돋우는 것

특징
- 주로 평민들의 현실적인 생활을 그림.
- 풍자와 해학 등 골계적인 내용이 풍부하게 구사됨.

예 〈흥보가〉, 〈적벽가〉, 〈춘향가〉, 〈심청가〉

답 ❶ 노래 ❷ 감탄사

확인 11

다음 문장에 들어갈 알맞은 말을 골라 ○표를 하시오.

판소리는 음악, 문학, 연극적 요소가 결합된 형태로, 판소리에서 음악적 요소를 담당하는 것은 (창 / 발림)이고, 문학적 요소를 담당하는 것은 (아니리 / 추임새)이다.

개념 12 민속극

개념 광대(배우)가 대사나 몸짓으로 사건을 표현하는 전통극

특징
- ❶ [   ]되어 배우나 상황에 따라 대사가 달라짐.
- 특히 양반이나 승려를 풍자하는 표현이 많음.
- 무대와 객석의 구분이 없음.

가면극(탈춤)	가면(탈)을 쓰고 공연하는 민속극으로, 평민들의 비판 의식이 반영된 ❷ [ ]와 해학이 두드러짐. 예 〈봉산 탈춤〉, 〈강령 탈춤〉, 〈양주 별산대놀이〉
인형극	배우 대신에 인형을 등장시켜 전개하는 연극으로, 광대(배우)가 무대 뒤에서 대사와 가창을 하며, 인형의 동작을 조종함. 익살과 해학, 풍자와 반어의 성격이 드러남. 예 〈꼭두각시놀음〉

답 ❶ 구비 전승 ❷ 풍자

확인 12

다음 문장의 빈칸에 들어갈 적절한 말을 쓰시오.

민속극은 풍자와 (   ), 언어유희가 폭넓게 활용된다.

개념 13 고전 수필

개념 고려 시대부터 갑오개혁 이전까지 창작된 수필

특징
- 임진왜란과 병자호란 이후 크게 발전함.
- 민간과 궁중에서 함께 창작됨.
- 궁정 수필은 ❶ [   ] 문장의 전형임.
- 한문으로 쓰이다가 나중에는 순 ❷ [   ]로 쓰였으며, 설화, 전기, 야담, 기행, 일기 등 다양한 유형으로 나타남.

설(說)	• 한문 문체의 하나로 현상에 대한 자신의 의견을 서술하는 글 • '경험이나 사실 – 깨달음'의 구성 예 〈주옹설〉, 〈이옥설〉, 〈차마설〉, 〈슬견설〉
기(記)	한문 문체의 하나로 어떤 사건이나 경험의 과정을 사실대로 기록하여 기념하고자 한 글 예 〈일야구도하기〉, 〈수오재기〉

답 ❶ 내간체 ❷ 한글

확인 13

다음 설명이 맞으면 ○표를, 틀리면 ×표를 하시오.

'설(說)'은 우아하고 섬세한 필치가 두드러진 내간체 문장이 사용된 갈래이다. (   )

개념 14 가전

개념 어떤 사물이나 동물을 ❶ [   ]해서 그 일대기를 기록하는 전기 형식의 글

특징
- 그릇된 행위를 지적하여 앞날의 경계로 삼도록 일깨워 준다는 '계세징인(戒世懲人)'을 목적으로 함.
- 강한 풍자성과 비판 의식을 수반함.
- 설화와 소설의 교량 역할을 함.
- 창의성이 가미된 허구적 작품이라는 점에서 ❷ [   ] 문학에 한 단계 접근한 문학 양식

예 〈공방전〉, 〈국순전〉, 〈국선생전〉, 〈청강사자현부전〉

답 ❶ 의인화 ❷ 소설

확인 14

다음 문장에 들어갈 알맞은 말을 골라 ○표를 하시오.

〈공방전〉은 돈을 (의인화 / 운문화)하여 재물에 대한 탐욕을 경계하는 교훈을 줄 목적으로 창작되었다.

WEEK 2 DAY 1

개념 돌파 전략 ②

01 다음 중 〈보기〉에서 설명하는 개념에 해당하는 것은?

보기

'재주 있는 남자와 아름다운 여자'를 이르는 말로, 고전 소설의 주인공은 외모와 능력이 뛰어난 인물로 설정되는 경우가 많아 이러한 유형의 인물을 많은 작품에서 살펴볼 수 있다.

① 개성적 인물 ② 입체적 인물 ③ 평면적 인물
④ 초월적 인물 ⑤ 재자가인형 인물

문제 해결 전략

고전 소설의 주인공은 외모나 능력이 뛰어난 인물로 설정되는 경우가 많으며, 주로 인물의 성격이 처음부터 끝까지 변하지 않는 ❶ [ ] 인물, 인간의 세계를 뛰어넘는 능력을 지닌 ❷ [ ] 인물이 등장한다는 특징이 있다.

답 ❶ 평면적 ❷ 초월적

02 다음 글의 서술상의 특징으로 가장 적절한 것은?

차설. 해룡이 변씨 집을 떠나 남쪽으로 가는데 한 곳에 다다르니 큰 산이 앞길을 막았거늘, 갈 길을 못 찾아 주저할 즈음에 금령(金鈴)이 굴러 길을 인도하였다. 금령을 따라 여러 고개를 넘어가니 절벽 사이에 푸른 잔디와 암석이 바라보이매, 해룡이 돌 위에 앉아 잠깐 쉬고 있었는데, 문득 벽력같은 소리가 진동하며 금털 돋친 짐승이 주홍 같은 입을 벌리고 달려들어 해룡을 물려고 하였다. 해룡이 급히 피하려 하였는데 금령이 내달아 막으니, 그것이 몸을 흔들어 변하여 아홉 머리 가진 것이 되어 금령을 집어삼키고 골짜기로 들어갔다.

해룡이 낙담하며 말하기를,

"분명코 금령이 죽었도다."

하고, 탄식하여 어찌할 줄 몰랐다.

갑자기 한바탕 미친 듯한 바람이 일어나며 구름 속에서 크게 불러 말하기를,

"그대는 어찌 금령을 구하지 아니하고 저다지 방황하느냐?"

하고, 간데없었다.

– 작자 미상, 〈금방울전〉

① 과거와 현재가 교차되며 서술되고 있다.
② 등장인물에 대한 서술자의 개입이 나타나 있다.
③ 사건 전개 과정에서 비현실적 요소가 나타나 있다.
④ 요약적 진술을 통해 그동안 사건에 대해 설명하고 있다.
⑤ 장면에 따라 서술자를 달리하여 사건을 입체적으로 조망하고 있다.

감상 포인트

- 인물의 태도
  - 해룡 – 스스로 위기를 헤쳐 나가지 못함.
  - 금령 – ❶ [ ]을 도와주며 괴물과 대적함.
- 사건의 갈등 양상

괴물이 ❷ [ ]을 삼켜 사라지고 이에 해룡은 어찌할 줄 몰라 함.

- 서술상의 특징
  - '해룡'과 '금령'의 상호 협력을 통해 영웅성이 발휘됨.
  - '여성 영웅'의 출현을 통해 당시 속박받던 여성 독자들에게 위안을 주려는 의도가 반영됨.
  - 공간적으로 현실계와 비현실계, 내용적으로 고난과 행복의 ❸ [ ]에 의해 사건이 전개됨.

답 ❶ 해룡 ❷ 금령 ❸ 순환

개념 +

- 서술자의 개입

인물과 사건에 대한 판단이나 생각, 느낌을 작품 밖의 ❶ [ ]가 직접 개입하여 서술하는 것. 인물에 대한 평가나 상황에 대한 가치 판단, 인물의 심리 묘사, 사건의 요약이나 앞으로의 ❷ [ ] 제시 등 다양한 방식으로 나타남.

답 ❶ 서술자 ❷ 사건

03 다음 글의 ㉠에 대한 설명으로 가장 적절한 것은?

여인이 이에 베갯머리에서 ㉠금척(金尺) 하나를 꺼내 주며 말했다.

"낭군께서는 이것을 가지고 가서 국도의 저잣거리 큰 절 앞에 있는 하마석(下馬石) 위에다 올려놓으십시오. 반드시 알아보는 자가 있을 것입니다. 비록 곤욕을 당하는 일이 있더라도 제 말씀을 잊지 마시기 바랍니다." 〈중략〉

하생은 무덤 속 여인의 부탁도 소중하고 사랑하는 마음도 깊은지라 고개를 숙이고 욕을 당하면서도 감히 입을 열지 아니했다. 보는 자들이 모두 침을 뱉으며 더럽게 여겼다.

그 집에 이르러 하생을 결박한 채 뜰 아래로 데려갔다. 시중이 오궤(烏几)에 기대어 대청(大廳)에 앉아 있고 자리 뒤에는 주렴이 드리워져 있었다. 그 아래에는 시녀들이 수십 명 둘러 모여 있는데, 서로 보려고 밀치면서 말하기를,

"생긴 것은 선비처럼 생겼는데 행실은 도적이구먼." / 하였다.

시중이 금척을 가져다가 알아보고는 눈물을 흘리며 말하기를,

"과연 내 딸의 무덤에 순장했던 금척이다." / 하였다.

– 신광한, 〈하생기우전〉

① 하생과 여인이 갈등하고 대립하는 원인이 된다.
② 하생의 내면 심리가 전환되는 계기를 마련해 준다.
③ 시중에게 자신의 잘못을 깨닫게 하는 계기가 된다.
④ 하생에게 여인과의 아름다운 사랑을 추억하게 한다.
⑤ 하생이 여인의 부모를 만날 수 있게 하는 계기가 된다.

문제 해결 전략

소설에서 ❶ [ ]의 기능과 역할을 파악하는 문제를 풀 때는, ❷ [ ] 전개 과정에서 해당 소재가 하는 역할이 무엇인지 먼저 파악해야 한다.

답 ❶ 소재 ❷ 서사

감상 포인트

- **인물의 상황**
하생은 무덤 속 여인에게서 받은 '금척'으로 인해 ❶ [ ]으로 몰림.
- **서술상의 특징**
  - 주인공이 ❷ [ ]과 출세라는 두 가지 욕망을 실현하는 과정이 드러남.
  - 유가적 세계관을 반영함.
  - 현실에 대한 비판적 인식이 드러남.

답 ❶ 도적 ❷ 혼인

04 다음 글에 대한 설명으로 가장 적절한 것은?

운봉 영장이 분부하여

"저 양반 듭시라고 하여라."

어사또 들어가 단정히 앉아 좌우를 살펴보니, 당 위의 모든 수령 다담(茶啖)상을 앞에 놓고 진양조가 높아 가는데 어사또의 상을 보니 어찌 아니 통분하랴. 모서리 떨어진 개상판에 닥나무 젓가락, 콩나물, 깍두기, 막걸리 한 사발 놓았구나. 상을 발길로 탁 차 던지며 운봉의 갈비를 가리키며,

"갈비 한 대 먹고지고."

– 작자 미상, 〈춘향전〉

① 대화를 통해 인물 간의 갈등이 고조되고 있다.
② 자연물을 이용하여 인물의 감정을 드러내고 있다.
③ 언어유희적 표현을 활용하여 해학성을 높이고 있다.
④ 율문투를 사용하여 비극적 분위기를 나타내고 있다.
⑤ 고사를 활용하여 인물이 처한 상황을 형상화하고 있다.

감상 포인트

- **인물의 상황과 태도**
몽룡은 자신을 무시하는 잔칫상을 받게 되자, ❶ [ ]를 사용하여 해학적으로 대처함.
- **서술상의 특징**
  - 해학과 ❷ [ ]에 의한 골계미가 나타남.
  - 서술자의 편집자적 논평이 드러남.
  - 판소리의 영향으로 ❸ [ ]와 산문체가 혼합되어 사용됨.

답 ❶ 언어유희 ❷ 풍자 ❸ 운문체

개념 +

- **율문투**
운율이 느껴지는 문장이 연속된 낭송하기 좋은 문체로, ❶ [ ]와 같은 의미로 쓰임. 주로 ❷ [ ] 소설에서 많이 나타남.

답 ❶ 운문체 ❷ 판소리계

필수 체크 전략 ①

다음 글을 읽고, 물음에 답하시오.

| 앞부분의 줄거리 | 권익중과 이 낭자는 조정의 세력가 옥낭목으로 인해 혼인이 좌절된다. 자결한 이 낭자는 천상에 올라가 선녀가 되고, 권익중은 권 승상의 권유로 위 낭자와 혼인하나 이 낭자를 잊지 못한다. 옥황상제는 익중의 자태와 얼굴이 같은 허수아비를 만들어 익중의 집으로 보낸다.

우인이 익중의 집을 찾아가니 승상과 부인이며 위 낭자가 익중인 줄 여겨 반겨하고 서촉 안부를 물으니, 우인이 대강 대답하고 진짜 익중이 오기를 기다렸다.

이때, 권생이 며칠을 돌아다니다가 집으로 돌아와 대문 안에 들어서니, 당상에 어떤 한 사람이 앉았다 일어났다 하며 화를 내는 것이었다. 익중이 이를 보고

"내가 서촉으로 갈 때에 저러한 귀신이 꿈에 현몽하여 '나는 금강산에 사는 헛개비라는 귀신이다. 비 오고 바람 부는 날이면 의탁할 곳이 없다. 내가 들으니 너의 집이 부자라 하니, 모월 모일에 너의 집을 찾아가서 너를 쫓아내고 내가 있으리라.' 하면서 오늘 대낮에 들어온다 하였거늘, 저놈이 그 놈이로다."

라고 짐작하고 중문에 서서 부모를 불렀다. 승상은 부인을 붙들고 기가 막혀 묵묵히 말없이 앉아 있을 따름이라. 익중이 들어오니 난형난제(難兄難弟)되어 어느 것이 참 익중이며 어느 것이 거짓 익중인지 알기 어려웠다. 승상이

"자식이 아비만 못하다 하였으니 아비도 몰라보는구나." 라 하니, 부인이

"먼저 온 것이 참 익중이 분명하고 나중 온 것이 귀신이 분명하다." / 하고는

"어젯밤에 여차여차한 꿈을 꾸었더니 과연 그대로이구나. 승상은 의심치 마소서."

하였다. 이어서 부인이 하인을 불러

"중문에 들어오는 귀신을 급히 둘러 내쫓아라."

라고 하였다.

이에 하인이 벙거지를 둘러쓰고 대문 밖에 쫓아 나가, 복숭아 나무의 굵은 가지를 쓱 꺾어 손에 쥐고는 아래 종아리를 두드리며, 개떡을 이마 위에 철썩 붙이고 물밥을 등에 얹은 후, 익중이 당장의 곤욕과 매를 견디지 못할 정도로 산골 물이 콸콸 소리 내며 흘러가듯 두들겨 때렸다. 익중이 하는 수 없어 뛰쳐나와 마을 앞 수풀 속에 기대어 앉아서 생각해 보니, 이것이 꿈인가 생시인가 싶었다. 〈중략〉

익중이 공중을 향하여 무수히 사례하고 돌아와 낭자와 함께 하룻밤 동침하니, 깊은 밤에 만단정회는 이루 말할 수 없더라. 익중이 사랑함을 이기지 못하여 낭자의 목을 훌쳐 안고 희희낙락하여

"바람아, 불어라. 비야, 오너라. 우리 둘이 만났으니 만고여한 풀어진다. 둘이 몸을 뭉치다 동정수에 떨어지거나 말거나 이런 사랑 또 있을까. 우리 둘이 만났으니 태산이 평지되고 하해가 육지가 되도록 살아 보세."

하며 즐거운 시간을 보냈다.

계명성이 들리자 낭자가 일어나 앉아 촛불을 밝히고 약 세 봉지를 주며 말하기를,

"상제의 명령이 계명성이 들리거든 올라오라 하셨습니다. 천상옥황께서 허수아비를 보내었으니 이 약을 가져다가 한 봉을 대문 안에 떼어 보소서. 푸른 빛 연기가 일어나며 허수아비가 없어질 것입니다. 또 오 년이 지나 이곳에 와서 오늘 밤 복중에 들어 때가 찬 아이를 데려가옵소서. 이것이 다 우리가 전생에 지은 죄악이라. 서로 만나 해로할 날이 멀었으니 어찌 하오리까?"

익중이 듣기를 다하고 크게 놀라

"오늘 낭자를 만나 죽어도 같이 죽고 살아도 같이 살자 하였더니 이것이 웬 말이오? 가지 마시오. 못 가오. 기약 없이 못 가나니, 만정의 회포 풀지 못하고 간다는 말이 웬 말이오?"

낭자가 다시 위로하여,

"낭군님은 지나치게 슬퍼하지 마시고 때를 기다리옵소서. 천명을 어이 거역하오리까?"

하며 이별주를 부어 들고 이별곡을 지었다.

– 작자 미상, 〈권익중전〉

● 내용 전개

장면 1	익중이 자신과 똑같이 생긴 ❶ ______ 때문에 집에서 쫓겨남.
장면 2	익중이 이 낭자와 만나 즐거움을 누리나 다시 헤어지게 됨.

● 서술상의 특징

① ❷ ______를 통해 인물의 정서를 드러냄.
② 도선적(道仙的) 신비주의를 바탕으로 함.
③ 초현실적인 요소가 두드러지게 나타남.

답 ❶ 허수아비(우인) ❷ 대화

대표 유형 1 서술상의 특징 파악

1 윗글의 서술 방식에 대한 설명으로 가장 적절한 것은?

① 인물 간의 대화를 통해 인물의 정서를 드러내고 있다.
② 다른 인물과의 대립을 통해 주인공의 업적을 드러내고 있다.
③ 구체적 시대 상황을 설정하여 내용의 사실성을 높이고 있다.
④ 동시에 일어난 두 사건을 교차하여 사건을 입체적으로 서술하고 있다.
⑤ 공간적 배경에 대한 묘사를 통해 앞으로 일어날 사건을 암시하고 있다.

유형 해결 전략 소설에서 나타나는 다양한 ❶ [ ]의 특징과 효과를 파악하는 문제를 해결하기 위해서는 이들을 서사 ❷ [ ] 방식과 관련지어 살펴봐야 한다.

답 ❶ 서술상 ❷ 전개

대표 유형 2 인물의 성격 및 태도 파악

2 윗글에 대한 이해로 적절하지 않은 것은?

① 승상은 익중과 우인을 구별하는 데 어려움을 겪었다.
② 승상 부인은 자신의 꿈을 근거로 우인을 익중으로 믿었다.
③ 익중이 집으로 돌아왔을 때 익중은 화를 내는 우인을 보았다.
④ 하인은 승상 부인의 명에 따라 익중을 집 밖으로 쫓아 내었다.
⑤ 위 낭자는 안부를 묻는 말에 대한 우인의 대답 때문에 우인을 반겼다.

유형 해결 전략 먼저 작품에 등장하는 인물의 ❶ [ ]을 파악하고, 인물의 행동에서 나타나는 다른 인물이나 상황에 대한 ❷ [ ]를 파악하며 감상해야 한다.

답 ❶ 성격 ❷ 태도

1-1 윗글의 서술 방식을 설명한 내용으로 적절하지 않은 것은?

①  언어유희적 표현을 사용하여 해학성을 높이고 있어.

②  천상계의 개입으로 인물 간의 갈등을 유발하고 있어.

③  대화를 통해 앞으로 벌어질 사건이 제시되고 있군.

④  비유적 표현을 활용하여 작중 상황을 생생하게 묘사하고 있네.

⑤  작품 밖 서술자가 작품 속 인물의 행동과 작중 상황을 서술하고 있어.

도움말
서술자가 누구인지, 어떻게 ❶ [ ]을 서술하고 있는지를 살펴보며 작품을 ❷ [ ]해 봅시다.

답 ❶ 사건 ❷ 감상

2-1 윗글에 대한 설명으로 가장 적절한 것은?

① 익중은 우인과 자신을 구분하지 못하는 위 부인에 실망하여 집을 떠났다.
② 이 낭자는 오 년이 지난 후에 익중이 가짜 익중과 만날 사건을 예고하였다.
③ 우인이 익중의 모습을 하고 익중의 집에 들어앉은 것은 옥황상제의 명에 의한 것이다.
④ 익중은 꿈속 계시에 따라 우인이 자신을 대신할 것을 알고 있었으므로 우인보다 먼저 집으로 향했다.
⑤ 이 낭자는 자신의 죽음 이후에 익중이 위 부인과 혼인하게 된 것에 대해 익중에게 서운한 감정을 드러냈다.

도움말
먼저 중심인물을 찾고, 중심인물과 다른 ❶ [ ] 간의 관계가 어떠한지, 각 인물 간의 ❷ [ ]는 어떤지를 살펴보며 작품을 감상해 봅시다.

답 ❶ 인물 ❷ 관계

WEEK 2 DAY 2

필수 체크 전략 ②

01~04 다음 글을 읽고, 물음에 답하시오.

| 앞부분의 줄거리 | 조웅은 강호를 돌며 무술을 연마하고, 조웅검과 용마를 얻는다. 어머니를 만나러 다시 강선암으로 가던 조웅은 장 소저를 만나 혼인을 약속한다.

일일은 웅이 부인께 여쭙되,

"소자가 처음 여기 ⓐ강선암으로 올 적에 선생께 기약을 정하고 왔사오니, 이제 슬하를 잠깐 떠나 선생께서 실망하시는 탄식이 없게 하겠나이다."

하니, 부인이 새로이 슬퍼하며 말하였다.

"여러 해 그리던 마음을 다 펴지 못하고 또 가려 하니, 네 말은 당연하나 정리(情理)에 절박하고, 또 사람의 일을 알지 못하나니, 네 회환(回換)이 더딜진대 네 거처를 어디 가서 찾으리오?"

월경 대사가 말하기를

"부인은 추호도 염려하지 마소서. 공자의 거처는 소승이 알고 있나이다."

부인이 이미 대사의 신기함을 아는지라. 부인 말하기를,

"만일 대사가 아니면 객지에서 어찌 우리 모자가 서로 의지하리오?" / 하고 웅에게 말하기를,

"부디 네 선생을 보고 속히 돌아오라."

당부하니, 웅이 하직하고 말을 달려 수일 만에 ⓑ관산에 이르니, 이전에 보던 산천이 모두 반기는 듯하더라.

석문에 다다르니 동자가 마중 나와 손을 잡아 예를 표하고 들어가 선생께 뵈오니 도사 못내 반겨 말하기를,

"신의 있는 선비로다. 기약을 잊지 아니하니 기특하도다."

하시며 왈, / "네 어머니는 평안하시더냐?"

웅이 일어나 절하고 못내 고마워하니, 도사가 또 웃고 말하기를, / "그대의 거동을 보니 전과 다른지라, 분명 배필을 정한가 싶으니 기쁘도다."

하니 웅이 부끄러워 엎드려 죄를 청해 말하기를,

"신명(神明)하신 선생님께 막대한 죄를 지었으니 어찌 사제지간의 정당한 도리를 안다고 하리이까."

하며 머리를 숙여 무수히 사죄하니, 도사가 웅의 손을 잡고 위로하여 말하기를,

"하늘이 지시하여 인도한 것이니 어찌 불효라 하리오. 나는 다 알고 있으니 조금도 부끄러워하지 말라." / 하시더라.

웅이 선생을 모시고 신통한 술법을 배우는지라. 도사가 말하기를, / "그대의 문필은 족하여 두루 쓰기에 넉넉하다. 또한 요긴한 책이 있으니 이 글을 공부하라."

하고, 육도삼략을 주고 장수로서의 지략을 가르치니, 한 번 보면 잊지 아니 하여 모르는 것이 없으니 대사가 더욱 사랑하여 밤낮으로 가르쳐 논하였다. 하루는 도사가 맑고 밝은 달밤에 웅을 데리고 큰 바위에 올라 천도를 강론하다가 웅에게 말하기를,

"네 저것을 아느냐? 천심(天心)은 이러이러하고 장성(將星)은 저러저러하고 아무 별은 이러하니, 대국이 네 손에 회복될 것이로다."

| 중략 부분의 줄거리 | 도사가 조웅에게 장 소저가 죽을 상황에 처했음을 알려 주고, 소저를 구할 환약을 준다.

이때 장 소저는 조 공자를 보내고 종적을 모르매 일로 병이 되어 눕고 일어나지 못하니, 위 부인이 놀라고 당황하여 의약으로 치료하되, 온갖 약을 써도 효험이 없는지라. 부인이 하늘에 축수하며 애걸하되, 선약(仙藥)이 없으니 누가 살려 내리오. 이날 웅이 필마(匹馬)로 ⓒ장 진사댁에 이르니 은은한 곡성이 안으로부터 나며 비복들이 분주하거늘, 웅이 더욱 놀라 시비를 불러 물으니, 시비는 낯이 익은 사람이라. 경황 중이라도 반기며 말하기를,

"지금 내당 소저의 병환이 극히 위중하여 사경을 해매고 있으니 박정하오나 머물 곳을 달리 정하소서."

웅이 말하기를, / "네가 들어가서 부인께 아뢰어라. 나는 지나가는 나그네로되 의약을 아나니 병세를 자세히 알아오면 살릴 방도가 있으니 그대로 아뢰어라."

시비가 들어가 부인에게 아뢰되,

"아무 때에 왔던 수재가 밖에 와서 이리이리 하나이다."

부인이 울기를 그치고 반겨 시비로 하여금 객실을 깨끗이 청소하고 대접하라 하고, 병세를 적어 보내니, 웅이 그것을 보

고 가져온 환약을 내어 주며 말하기를,

"이 약을 먹으면 차도가 있을 것이니, 즉시 음식을 자주 권하라."

시비가 약을 드리고 말씀을 아뢰니, 부인이 그 약을 갈아 소저를 흔들며 먹이니, 과연 소저가 소리하고 깨어나더라.

– 작자 미상, 〈조웅전〉

서술상의 특징 파악

01 윗글에 대한 설명으로 가장 적절한 것은?

① 꿈과 현실을 교차하여 사건을 입체적으로 드러내고 있다.

② 인물의 외양을 묘사하여 인물이 처한 상황을 드러내고 있다.

③ 시공간적 배경을 상세히 묘사하여 사건의 사실성을 높이고 있다.

④ 대화를 통해 인물들 사이의 갈등이 고조되는 양상을 제시하고 있다.

⑤ 작품 밖 서술자가 작중 상황에 대해 자신의 생각을 드러내고 있다.

도움말

고전 소설은 작품 ❶ [　　] 의 서술자의 개입이 일어나는 경우가 많으므로 어느 부분에서 서술자의 생각이나 ❷ [　　] 등이 드러나는지 파악해 봅시다.

답 ❶ 밖 ❷ 판단

인물의 성격 및 태도 파악

02 윗글의 인물을 이해한 내용으로 적절하지 않은 것은?

①  부인은 조웅이 자신의 곁을 떠나면 빨리 돌아오지 못할 것이라고 생각했어.

② 도사는 월경 대사의 부탁을 받고 조웅에게 무예와 병법을 가르쳤어. 

③ 도사는 조웅이 장 소저와 인연을 맺었다는 것을 이미 알고 있었어.

④ 장 소저는 조웅이 어디로 떠났는지를 몰라 마음을 애태웠어. 

⑤ 위 부인은 조웅을 위해 시비에게 명하여 객실을 깨끗이 청소하게 했어.

공간적 배경의 이해

03 윗글의 ⓐ~ⓒ를 바탕으로 이해한 내용으로 적절하지 않은 것은?

① 조웅은 ⓐ에 오기 전에 ⓑ와 ⓒ를 들린 적이 있었다.

② 월경 대사는 조웅이 ⓑ로 떠나는 것에 대한 부인의 걱정을 덜어 준다.

③ ⓑ의 도사는 ⓒ에서 벌어지는 일을 내다보고 이에 대한 해결책을 마련한다.

④ 조웅은 ⓑ에서 대국을 회복하는 활약을 펼치기 위한 능력을 기른다.

⑤ 조웅은 과거에 ⓒ에서 벌어진 일로 인해 ⓑ의 도사에게 죄책감을 느끼고 있다.

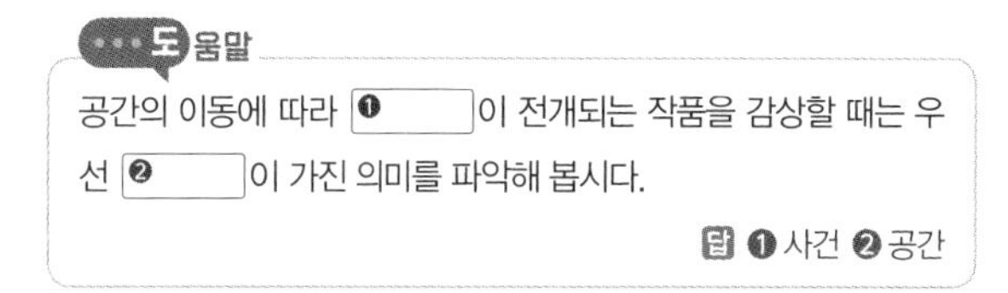
도움말

공간의 이동에 따라 ❶ [　　] 이 전개되는 작품을 감상할 때는 우선 ❷ [　　] 이 가진 의미를 파악해 봅시다.

답 ❶ 사건 ❷ 공간

외적 준거에 따른 작품 감상

04 다음을 참고하여 윗글을 감상한 내용으로 적절하지 않은 것은?

> 영웅 군담 소설은 인물의 고난과 그 고난을 극복하는 과정을 중심으로 서사가 전개된다. 보통은 초월적 힘을 지닌 주인공이 자신의 능력을 바탕으로 문제를 해결하는 것이 강조되는데, 〈조웅전〉은 영웅적 자질이 있는 주인공이 능력을 획득하는 과정에서 나타나는 조력자의 도움을 강조한다. 또한 관습적인 전통 혼례의 틀을 깨트린 설정을 통해 주인공의 연애담을 아름답게 표현하기도 한다.

① 대사가 아니면 객지에서 의지할 곳이 없을 것이라는 부인의 말에서 조웅과 부인이 겪었던 고난이 드러난다.

② 조웅이 도사의 가르침을 한 번 보면 잊지 않은 것에서 조웅이 영웅의 자질을 하고 있다는 것을 알 수 있다.

③ 조웅 모자를 도와주는 월경 대사와 조웅에게 무공을 가르치는 관산의 도사는 영웅을 도와주는 조력자의 역할을 한다.

④ 위기에 빠진 장 소저를 구할 힘을 조웅이 가지고 있지 않았다는 점에서 조웅은 애초부터 초월적 능력을 가진 인물은 아니라는 것을 알 수 있다.

⑤ 장 소저와 달리 관습적인 혼례의 틀을 깨뜨리는 것에 거부감을 가지지 않고 있는 조웅의 모습은 이들의 연애담을 아름답게 묘사하는 역할을 한다.

05~08 다음 글을 읽고, 물음에 답하시오.

| 앞부분의 줄거리 | 재상 윤현의 아들 지경은 경빈 박씨의 소생인 연성 옹주의 부마로 간택되지만, 최홍일의 딸 연화 낭자와의 정혼을 들어 이를 거부한다. 어쩔 수 없이 옹주와 혼인한 지경은 신방에 들지 않고 계속해서 연화 낭자 침소에 들다 잡힌다.

생이 가로되,

"빙부가 종시 허치 아니하시니, 아내 그리워 견디지 못하와 8월부터 월장(越牆)할 계교를 내어, 날마다 다녀 스스로 금치 못하다가 오늘 이 욕을 보오니 빙부의 고집 탓이오이다."

공이 애련하여 등을 쓰다듬어 가로되,

"네 어찌 그리 미혹(迷惑)한가. 옹주가 중대하여 자녀를 낳고 살며 옹주를 개유(開諭)하면, 네 부친과 내 주상께 이런 절박한 사연을 고할 것인즉, 주상은 인군(仁君)이시라 허하시리니, 그때 빛나게 해로하기는 생각지 아니하고, 갈수록 옹주를 박대하며 귀인의 험담을 이르고 복성군을 미워하며, 밤을 타 도망하여 날마다 내 집에 오니, 옹주가 알면 화가 적지 아니하리니, 끝을 어이할꼬."

부마가 가로되

"낸들 어찌 모르리이까마는 옹주는 천하 괴물 박색(薄色)이고, 귀인은 간악이 견줄 데가 없고, 복성군은 남 헐기 심한데 홍명화, 홍상이 박 귀인과 결탁하여 필연 그윽한 흉계를 지을지라, 옹주를 후대하고 그 당에 들었다가 멸문지환(滅門之患)을 면치 못하리니, 아내를 애중하고 옹주를 박대하면 불과 빙부와 부친의 죄가 큰즉 정배(定配)요, 적은즉 삭직(削職)이요, 소저는 귀양밖에 더 가리이까. ㉠싫은 것을 강인하고 그른 것을 어이 견디리이까."

공이 말이 없다가,

"어찌하든 밤이 깊었으니 들어가 자라."

생이 사례하고 이후로는 주야로 오니, 공과 소저가 민망하여 아무리 간하여도 듣지 아니하더니, 윤 공이 알고 불러 대책하고 옹주 궁을 떠나지 못하게 하나, 산 사람을 동여 두지 못하고, 날마다 최씨에게 가니 옹주 어찌 모르리오. 부마 내당에 들어간 때 옹주 가로되,

"내 비록 용렬하나 임금의 딸이요, 빙례로 부마의 아내가 되었거늘 업수이 여겨 천대하기 심하도다. 최씨를 얻어 고혹(蠱惑)하였으되 태부는 두 아내 두는 법이 없거늘 부마 어찌 두 아내 있으리오. 최홍일은 어떠한 사람이완대 ㉡부마에게 재취를 주어 주상과 첩을 업수이 여김이 심하뇨."

지경이 정색하여 가로되,

"내 할 말을 옹주 하시는도다. 일국에 도령이 가득하거늘, 이미 얻은 사람을 내 어찌 ㉢조강지처를 버리고 부귀를 탐하여 옹주와 화락(和樂)하리오. 옹주 만일 최씨를 청하여 한 집에서 화목하기를 황영을 본받을진대, 최씨와 같이 공경하고 화락하려니와, 투기하여 나를 원망한즉 평생 박명(薄命)을 면치 못하리로다."

옹주 웃으며 가로되,

"당초에 조강지처 있는지 없는지 내 심궁 처녀로 어찌 알리오. ㉣주상의 명으로 부마의 아내가 되어 나온 지 거년이나, 천대가 태심하여 행로(行路) 보듯 하니, 어찌 통한치 아니하리오."

지경이 웃으며 가로되,

"여염 사람이 부부간에 하사하되 옹주 너무 지극 공경하여 구실 삼아 하루에 두어 번 들어가 앉기로 편치 못하고 꿇어앉으니, 이 밖에 더 공경하리오. 주상이 현명하시니 나를 그르다 아니하실지라. 본대 간악한 후궁은 두려워 아니하나니, 아내 사랑하는 묘리를 배워다가 가르치소서."

하고 크게 웃고 소매를 떨치고 나오니, 옹주 종일토록 울더니, 그 후 입궐하여 박씨더러 일일이 고하며 설워하니 박씨 대로하여 상께 이대로 주하여,

"최씨를 없이하고 부마를 죄주어 주오이다."

청하니, 상이 윤지경을 불러 책망하여 가로되,

"네 아낸즉 옹주요. 정처란 것이 유의 중하고, 또 여염 필부 회매와 달라 금지옥엽이거늘, 네 최씨를 퇴채하였거늘, ㉤퇴혼 취하라 한 명을 거역하고 감히 교통하여 좇기를 위법하는가. 네 또 빙모를 간악한 유로 훼방한다 하니, 네 무슨 일로 보았는가. 네 또한 빙자지의 있고 처부모라 하였으니 어버이를 훼방하는 자식이 어디 있으리오."

– 작자 미상, 〈윤지경전〉

- **개유하면** 사리를 알아듣도록 잘 타이르면.
- **정배** 죄인을 지방이나 섬으로 보내 정해진 기간 동안 그 지역 내에서 감시를 받으며 생활하게 하던 일. 또는 그런 형벌.
- **황영** 중국 순제의 두 황비인 아황과 여영. 서로 사이가 좋았다고 함.

서술상의 특징 파악

05 윗글의 서술상 특징으로 적절하지 않은 것은?

① 고사를 인용하여 인물의 생각을 드러내고 있다.
② 등장인물 간의 대화를 통해 인물의 성격이 드러난다.
③ 서술자가 개입하여 작중 상황에 대해 논평하고 있다.
④ 인물과 인물 사이의 갈등이 작품 표면에 나타나고 있다.
⑤ 사건에 따라 변화하는 인물의 입체적 성격을 보여 주고 있다.

사건과 갈등의 전개 양상 파악

06 ⓐ~ⓕ에 대한 이해로 가장 적절한 것은?

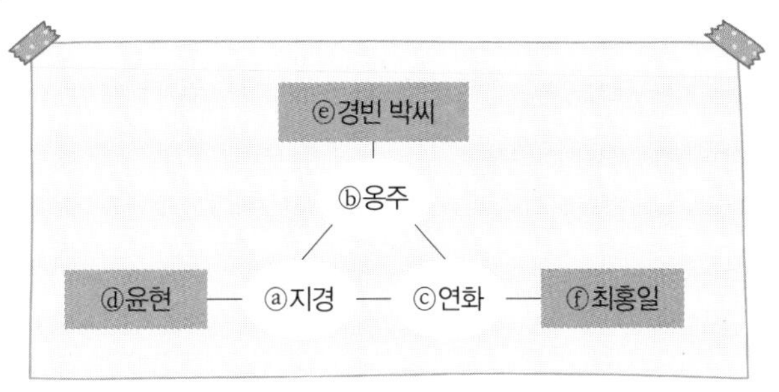

① ⓐ와 ⓑ의 갈등이 지속되자, ⓑ는 자신과 ⓐ를 억지로 결혼시킨 ⓔ를 원망한다.
② ⓐ와 ⓒ가 몰래 계속 만나고 있다는 사실을 알고 ⓓ와 ⓕ는 분노한다.
③ ⓑ는 ⓒ와 ⓕ가 공모하여 자신과 ⓐ를 속이고 있다고 생각한다.
④ ⓐ는 ⓔ에 대한 분노와 적개심을 ⓑ에 대한 태도로 연결시키고 있다.
⑤ ⓐ는 ⓑ의 의견을 수용하여 ⓒ와의 인연을 포기하겠다는 의사를 전달하고 있다.

도움말
작품을 ❶ [   ] 할 때는 먼저 각 인물의 성격과 태도를 파악하고, 등장인물 간의 ❷ [   ] 를 파악해 봅시다.

답 ❶ 감상 ❷ 관계

소재의 기능과 역할 파악

07 윗글의 서사 전개를 고려할 때 월장(越牆)에 대한 설명으로 적절한 것을 모두 골라 묶은 것은?

ㄱ. 지경이 부귀영화와 입신 영달에 큰 뜻이 있음을 보여 준다.
ㄴ. 지경이 연화에 대해 가지고 있는 애정과 사랑의 정도를 보여 준다.
ㄷ. 지경이 부마로서 제대로 된 대접을 받지 못하고 있음을 보여 준다.
ㄹ. 지경과 연화의 만남이 사회적으로 용인되지 못하고 있음을 보여 준다.

① ㄱ, ㄴ ② ㄱ, ㄷ ③ ㄴ, ㄷ
④ ㄴ, ㄹ ⑤ ㄷ, ㄹ

외적 준거에 따른 작품 감상

08 〈보기〉를 참고하여 윗글의 ㉠~㉤을 분석한 내용으로 적절하지 않은 것은?

보기

고전 소설에서 남녀의 정혼은 혼인의 전 단계로, 정혼이 있은 연후에 혼인이 이루어지고 그 혼인이 행복한 결말을 맞이하기까지는 상당히 많은 갈등과 장애가 나타난다. 이러한 혼사 장애를 유발하는 요인에는 혼인에 대한 당대의 풍속, 권력의 개입, 주인공의 장인이나 장모의 용렬함 등이 있다. 이러한 장애를 극복하려는 주인공의 의지가 부각될수록 그들의 사랑 역시 강조되는 효과가 있다.

① ㉠은 소신을 굽히지 않는 지경의 의지를 부각하고 있군.
② ㉡에는 당대의 일부다처제의 풍속에 대한 부정적 생각이 나타나 있군.
③ ㉢에는 옹주를 사랑하는 이와의 혼인을 가로막는 장애물로 여기는 지경의 인식이 나타나 있군.
④ ㉣에는 당사자의 의지로 혼인이 이루어지지 못했던 당대의 풍속이 드러나 있군.
⑤ ㉤에는 남녀의 정혼만으로는 혼인이 이루어진 것이 아니라는 생각이 반영되어 있다고 볼 수 있겠군.

WEEK 2 DAY 3

필수 체크 전략 ①

다음 글을 읽고, 물음에 답하시오.

중국 황제가 크게 화를 내어 신라를 침공하고자 하여 ⓐ계란을 솜으로 여러 번 싸서 돌함에 넣고 황초를 불에 녹여 그 안을 채워서 흔들리지 않게 하고 또 ⓑ구리쇠를 녹여 함에 부어 열어 보지 못하게 하여 봉서와 함께 신라에 보내었다. 봉서의 내용인즉,

㉠'너희 나라가 만약 이 함 속에 있는 물건을 알아내어 시를 바치지 못한다면, 너희 나라를 도살하여 없애 버리겠다.'

신라왕이 몸소 사신을 맞이하고 조서를 읽어 보시고는 즉시 나라의 선비들을 불러 모아 이르시기를,

㉡"너희 유생 중에 이 함 속에 있는 물건을 알아내어 시를 짓는 사람은 장차 관직을 높여 땅을 나누어 줄 것이다."

하시매 아무도 그 속 물건을 알아내지 못하여 온 조정이 들끓더라.

이때 아이도 왕이 내린 명령을 들었다. 또 나 승상의 딸아이가 아름답고 재예가 뛰어나며 게다가 절개가 있다는 소문을 들은 터인지라, 떨어진 옷으로 갈아입고 거울을 수선하는 장사로 사칭하고는 서울로 들어갔다. 그러고는 승상 댁 문 앞에 이르러 '거울 수선하라'는 말을 여러 차례 외쳤다. 이에 나 승상의 딸이 그 소리를 듣고 낡은 거울을 유모에게 주어 보내고, 인해 유모를 따라 외문 밖으로 나와 사립문 틈으로 엿보았다. 그 장사 역시 몰래 눈으로 바라보고 아름다운 아가씨라 여기고는 쥐고 있던 거울을 고의로 떨어뜨려 깨뜨렸다. 유모가 발을 구르며 다급하게 화를 내자 장사 아이가 말하기를,

"이미 거울이 깨졌으니 발은 굴러 무엇하겠습니까? 이 몸이 노복이 되어 거울 깨뜨린 보상을 하겠으니 청을 들어주소서."

하는지라. 유모가 돌아가 승상께 고하니 승상께서 허락하시고 묻기를,

"너의 이름은 무엇이며 어디에 살고 있느냐?"

아이가 대답하되, / "거울을 고치다 깨뜨렸으니 파경노라 불러 주시옵고, 일찍 부모를 여의고 갈 곳이 없나이다." 하는지라. 승상은 파경노에게 ⓒ말 먹이는 일을 하도록 하였다. 파경노가 말을 타고 나가면 말 무리들이 열을 지어 뒤따랐으며 조금도 싸우는 일이 없었다. 이후로 말들이 살찌고 여윈 말이 없었다. ㉢아침에 파경노가 말 무리들을 이끌고 나가 사방에 흩어 놓고 숲 속에서 온종일 시를 읊으면, 청의동자* 수 명이 어디서 왔는지 혹은 말을 먹이고 혹은 채찍으로 훈련시키더라. 〈중략〉

이윽고 쌍룡의 콧구멍에서 여러 가지 빛깔의 상서로운 기운이 나와 함 속을 환히 비추니 그 안에 붉은 옷을 입고 푸른 수건을 쓴 사람이 좌우로 늘어서서 어떤 자는 시를 지어 읊고 어떤 자는 붓을 잡아 글씨를 쓰는데, 승상이 빨리 시를 지으라고 재촉하는 소리에 놀라 깨어 보니 ⓓ꿈이더라. ㉣치원 역시 깨어나 시를 지어 벽에 붙은 종이에다 써 놓으니 용과 뱀이 놀라 꿈틀거리는 듯하더라. 시의 내용인즉,

둥글고 둥근 함 속의 물건은
반은 희고 반은 노란데,
밤마다 때를 알아 울려 하건만
뜻만 머금을 뿐 토하지 못하도다.

〈중략〉 왕이 보시고서 크게 놀라 물으시기를, / "경이 어떻게 알아 가지고 시를 지었느뇨?" / 하시니 대답하여 아뢰되,

㉤"신이 지은 것이 아니옵고 신의 사위가 지은 것이옵니다."

하니 왕은 사신으로 하여금 대국 황제께 바치었다. 황제가 그 시를 보시고 말씀하시기를,

"'둥글고 둥근 함 속의 물건은 반은 희고 반은 노란데'는 맞는 구절이나 '밤마다 때를 알아 울려 하건만 뜻만 머금을 뿐 토하지 못하도다'라 한 것은 잘못이로다."

하고 함을 열고 달걀을 보시니 여러 날 따뜻한 솜 속에서 ⓔ병아리로 되어 있으매 황제가 탄복하면서 말하기를,

"이는 천하의 기재로다."

– 작자 미상, 〈최고운전〉

* **청의동자** 신선의 시중을 든다는 푸른 옷을 입은 사내아이.

내용 전개

장면 1	중국 황제가 신라 침공의 구실을 만들고자 도저히 맞힐 수 없는 문제를 풀게 함.
장면 2	파경노는 일부러 ❶ ______ 을 깨고 승상의 집에 종으로 들어감.
장면 3	승상의 사위가 된 파경노가 시를 지어 황제가 낸 문제를 맞힘.

서술상의 특징

① 역사적 ❷ ______ 을 주인공으로 하여 민족의 자긍심을 고취함.
② 비현실적인 사건을 통해 인물의 ❸ ______ 을 부각함.

답 ❶ 거울 ❷ 실존 인물 ❸ 비범함

대표 유형 3 배경 및 소재의 기능 파악

3 윗글의 거울에 대한 설명으로 가장 적절한 것은?

① 아이가 승상에게 자신의 능력을 증명하는 데 사용된 소재이다.
② 승상 댁에 노복으로 들어간 아이가 겪게 될 고난을 암시하는 소재이다.
③ 아이가 승상의 사위가 되려는 내적 욕망을 실현하는 데 동원된 소재이다.
④ 혼인을 둘러싸고 아이와 승상 사이에 긴장감이 조성될 것을 예고하는 소재이다.
⑤ 아이가 승상 딸의 뛰어난 재예와 절개를 시험할 수 있는 기회를 제공하는 소재이다.

유형 해결 전략 소재와 관련한 문제에서는, 이 ❶ ( )가 작품 내에서 하는 서사적 ❷ ( )에 주목하여 작품을 감상한다.

답 ❶ 소재 ❷ 역할

3-1 ⓐ~ⓔ에 대한 설명으로 적절하지 않은 것은?

① ⓐ: 중국 황제가 신라를 침공할 구실을 만들기 위해 함 속에 넣은 것이다.
② ⓑ: 계란이 신라로 옮겨지는 동안 깨지지 않도록 보호하기 위해 필요한 물건이다.
③ ⓒ: 파경노가 비범한 존재임을 드러내는 서사적 역할을 한다.
④ ⓓ: 치원이 중국 황제가 낸 문제를 해결할 것임을 암시하는 역할을 한다.
⑤ ⓔ: 중국 황제가 예상하지 못한 일이 벌어졌음을 보여 주는 소재이다.

도움말
특정한 소재가 ❶ ( )에서 어떠한 기능을 하는지, 서사 전개에 어떠한 ❷ ( )을 하는지를 주목해서 살펴봅시다.

답 ❶ 사건 ❷ 역할

대표 유형 4 외적 준거에 따른 작품 감상

4 <보기>를 바탕으로 ㉠~㉤을 이해한 내용으로 적절하지 않은 것은?

보기
〈최고운전〉은 '시 짓기'를 통해 문제 상황이 해결되는 구조로 서사가 전개된다. 신분적 한계로 자신의 능력을 펼치기 어려웠던 실존 인물 최치원의 삶을 주인공에 투영하면서 '시 짓기'를 통해 인물의 비범함을 부각하여 보여 준다.

① ㉠에서 '시 짓기'는 중국 황제가 신라를 문제 상황에 빠뜨리기 위해 내세운 불합리한 요구로군.
② ㉡에서 '시 짓기'는 국가적 문제를 해결할 수 있는 인재가 없는 신라의 상황을 보여 주는군.
③ ㉢에서 '시 짓기'는 초월적 요소와 결합하여 인물의 비범함을 드러내는군.
④ ㉣에서 '시 짓기'는 신분적 한계로 인한 울분을 직접적으로 토로하는 수단이로군.
⑤ ㉤에서 '시 짓기'는 개인의 능력을 드러냄과 동시에 국가의 위기를 해결하는 방법이 되는군.

유형 해결 전략 작품과 관련한 ❶ ( )를 바탕으로 감상하는 문제에서는, 자료를 읽고 작품을 ❷ ( )으로 이해한다.

답 ❶ 자료 ❷ 종합적

4-1 다음을 참고하여 윗글을 감상한 내용으로 적절하지 않은 것은?

〈최고운전〉의 주인공은 초월적 존재의 도움과 더불어 자신의 신이한 능력을 통해 위기 상황을 해결한다. 중국의 선비보다 우월한 존재로 묘사된 인물을 제시하여 세계의 부당한 횡포를 비판하며 독자들이 원하는 새로운 영웅상을 제시한다고 평가된다.

① 청의동자는 주인공을 돕는 초월적 존재이군.
② 중국 황제의 침공 위협은 국가가 직면한 위기 상황이군.
③ 파경노의 시를 왕에게 바치는 승상은 세계의 부당한 횡포를 보여 주는 인물이군.
④ 중국 황제가 치원의 능력을 천하의 기재라고 하는 장면은 신라의 선비를 우월한 존재로 그린 것이군.
⑤ 중국 황제가 예상하지 못한 상황까지 파악하여 치원이 시를 지은 장면에서 주인공의 신이한 능력이 나타나는군.

WEEK 2 DAY 3

필수 체크 전략 ②

01~04 다음 글을 읽고, 물음에 답하시오.

| 앞부분의 줄거리 | 가달의 침범으로 이부 시랑 장회는 전장으로 떠나고 어린 풍운은 모친과도 헤어져 온갖 고생을 겪다가 이운경을 만나 구원받고, 그의 딸 경패와 혼인한다. 이운경이 죽은 후 그의 후처인 호씨의 박대가 심해지자 풍운은 이운경의 유언에 따라 경운을 데리고 집을 떠날 것임을 경패에게 말한다.

경패 소저 낙루(落淚)하며 ⓐ반지와 금비녀를 주어 왈,

"저자에 가서 주는 대로 팔아 오라."

하니 시비 저자에 가 은자 삼백 금을 받아 왔거늘, 소저 또 장생의 의복과 경운의 옷을 한데 싸서 생을 주어 왈,

"일로 행장을 보태소서."

장생이 받아 놓고 내당에 들어가 호씨를 보고 하직 왈,

"장생이 이제 슬하를 떠나 자취를 세상에 부치고자 하나이다."

호씨 왈, / "자네 장성함에 두루 구혼하되 장상의 근본 없음을 저마다 거절하니 심히 불안한지라. 장상이 이미 나가려 하니 몹시 서운하나 만류치 못하리로다."

하나 조금도 아쉬운 빛이 없거늘, 생이 침소에 돌아오니 소저가 호씨의 거동을 묻자 생이 그 사연을 전하고 말하길,

"우리 아무 생각지 말고 육칠 년만 기다리라."

소저 눈물을 흘리며 말하길,

"금일 상별하니 만나기 묘연하고 첩의 사생을 모르나니 첩은 죽어도 불관하거니와 경운의 일신이 고단하니 잘 보살피소서." / 하고 진주 투심 반쪽을 주어 왈,

"만일 첩이 보전하여 다시 만날진데 이것으로 징표로 삼으소서."

장생이 또한 헌 옷 하나를 소저께 전하여 왈,

"이것이 비록 헌 옷이나 모친의 수품이니 날 본 듯이 두라."

하며 보중함을 재삼 당부하고 경운이 소저께 하직할 새 서로 누수(淚水)가 만면하여 그 형상이 참담하더라.

| 중간 부분의 줄거리 | 풍운이 집을 떠난 뒤 호씨는 경패에게 아내와 사별한 인근 마을의 부자인 호현과 결혼하기를 종용한다. 이에 경패는 부친의 유서에 따라 시비와 함께 집을 나선다.

차시(此時), 소저 자란을 데리고 남으로 가더니 날이 샘에 몸이 곤한지라. 자란을 촌가에 보내어 밥을 얻어 둘이 요기하고 아무 데로 갈 줄 몰라 노주(奴主) 서로 붙들고 울다가 곤하여 졸더니 ⓑ비몽간에 부친이 이르되 '여남 승당(僧堂)이 멀지 아니하니 찾아가면 개복하고 들어가라.' 하더라. 모든 승이 맞아 방중(房中)에 들어가매 그 중 노승이 소저를 청하여 곁에 앉히고 문 왈,

"두 소저는 어디 있으며 무슨 일로 이곳에 왔나뇨?"

소저 왈,

"첩은 명이 박하기로 이곳에 왔사오니 슬하에 의탁함을 바라나이다."

하고 자란이 또 전후 곡절을 설파하니 모든 승이 호씨를 꾸짖더라.

계원이 노승더러 왈,

"소승이 가난하기로 상재를 못 정하였으니 상재를 삼고자 하나이다."

노승이 허락하여 소저의 승명은 청신이라 하여 상재를 삼고 자란은 범빈이라 하여 청신의 상재를 삼으니라.

이러구러 여러 해 되매, 소저 협실(夾室)로 들어가면 슬퍼하고 나오면 소담한 말로 계원을 위로하고 계원이 친녀같이 사랑하는지라. 일일은 소저가 협실로 들어가 실성 체읍(涕泣)할 새 계원이 문을 열고 들어가니 소저가 남자의 옷을 만지며 울다가 감추거늘 계원이 문 왈,

"그것이 무엇이관대 만지며 슬퍼하나뇨?"

소저 숨기지 못하고 장생의 사연을 이르니 계원이 자세히 보매 풍운의 옷 같거늘 문득 놀라 그 옷을 가지고 소저로 더불어 나와 제승을 대하여 왈,

"세상에 괴이한 일도 있도다. 이 옷이 내 아들 풍운을 칠 세에 지어 입힌 옷이라. 비록 낡았으나 나의 수품을 모르리오. 낭자의 가군(家君)이 어디에 있다 하더뇨?"

소저 왈,

"있는 곳은 모르되 그 부친은 장 시랑이라 하더이다."

계원이 대경(大驚) 왈,

"이는 명백 무의로다. 풍운이 칠 세에 장도사에게 상을 뵌즉 여차여차하기로 시랑이 친필로 생월 일시를 적어 금낭에 넣어 옷 속에 넣었더니 떼어 보라. 만일 있으면 낭자는 나의 며느리라."

하고 떼어 본즉 과연 그러하더라.

– 작자 미상, 〈장풍운전〉

세부 내용 파악

01 윗글에 대한 이해로 적절하지 않은 것은?

① 자란은 주인을 모시는 종으로서의 주인의 뜻에 따랐다.

② 경패는 자신을 혼인시키려 하는 호씨를 피해 달아났다.

③ 경패는 집을 떠나는 풍운에게 경운을 잘 보살펴 달라고 당부했다.

④ 계원은 어린 아들과 헤어진 후 아들의 행방을 알지 못하고 있었다.

⑤ 풍운은 경패에게 맡긴 옷이 어머니가 지은 옷이라는 것을 모르고 있었다.

도움말

고전 소설은 ❶ [ ]의 대립이 뚜렷한 작품이 많으므로 인물의 ❷ [ ]에 주의하며 작품을 감상해 봅시다.

답 ❶ 선악 ❷ 성격

소재의 기능과 역할 파악

02 ⓐ와 ⓑ에 대한 설명으로 가장 적절한 것은?

① ⓐ는 ⓑ와 달리 인물이 처한 상황의 긴박감을 부각한다.

② ⓑ는 ⓐ와 달리 인물과 인물 간의 갈등을 부각하는 역할을 한다.

③ ⓐ와 ⓑ는 모두 부부가 후일 재회하는 계기를 마련해 준다.

④ ⓐ와 ⓑ는 모두 상대방에 대한 태도가 바뀌게 되는 원인으로 작용한다.

⑤ ⓐ는 상대에 대한 사랑을 보여 주고, ⓑ는 상대에게 닥칠 위험에서 벗어날 방도를 알려 준다.

공간적 배경에 대한 이해

03 윗글의 공간적 배경을 '호씨 집㉮'과 '승당㉯'으로 볼 때, 이에 대한 이해로 적절하지 않은 것은?

① 
㉮는 풍운과 경패가 호씨에게 시련을 당하는 공간이야.

② 
㉯에서 경패는 풍운에 대한 그리움 때문에 괴로워하고 있어.

③ 
경패는 ㉮에서 풍운으로부터 전해 받은 옷을 ㉯로 가지고 왔어.

④ 
경패는 부친의 유서에 따라 자란과 함께 ㉮를 떠나 ㉯를 향하게 돼.

⑤ 
㉯의 승려들은 ㉮에서 경패가 당한 일로 호씨를 비난했어.

외적 준거에 따른 작품 감상

04 다음을 참고하여 윗글을 감상한 내용으로 적절하지 않은 것은?

〈장풍운전〉은 장풍운을 중심으로 한 수직적 가족 관계에서 부모와 자식 간의 분리와 회복이라는 영웅의 일생 구조와 이경패를 중심으로 한 수평적 가족 관계에서 부부(夫婦)의 분리와 회복이라는 혼사 장애 구조의 두 축으로 이루어진 작품으로 평가된다.

① 계원과 경패가 겪게 되는 시련은 모두 남편과 헤어지는 사건으로 인해 촉발되었다고 볼 수 있겠군.

② 계원이 지은 풍운의 옷은 외부적 요인에 의해 분리된 가족이 다시 결합하는 계기로 작용한다고 볼 수 있겠군.

③ 호씨를 피해 달아난 경패를 받아 주었다는 점에서 여남 승당의 노승은 가족의 결합에 있어서 조력자의 역할을 한다고 볼 수 있겠군.

④ 가달의 침범으로 인해 풍운이 어린 나이에 부모와 이별하는 것은 부모 자식 간의 분리를 유발하는 요인이라 할 수 있겠군.

⑤ 풍운과 혼인을 했음에도 불구하고 경패에게 다른 사람과 다시 결혼하기를 강요하는 호씨는 풍운과 경패에게 혼사 장애의 요인으로 작용한다고 볼 수 있겠군.

05~08 다음 글을 읽고, 물음에 답하시오.

이때에 호왕의 딸 숙모 공주(淑慕公主)가 있으니 천하절색이라. 부마를 구하더니, 호왕이 경업(慶業)을 유의하여 공주더러 이르니, 공주가 관상 보기를 잘하여 경업의 관상 보기를 청하거늘, 경업이 부마에 뽑힐까 두려워하여 신발 속에 ㉠솜을 넣어 키 세 치를 돋우고 들어갔더니, 공주가 엿보고 왈

"들어오는 걸음은 사자 모양이요, 나가는 걸음은 범의 형용이니 짐짓 영웅이로되, 다만 키가 세 치 더한 것이 애닯다."

하거늘, 호왕이 마음에 서운하나 그와 방불한 자가 없는지라. 이에 장군더러 왈,

"장군이 부마가 되어 부귀를 누림이 어떠하뇨."

장군이 사례하기를,

"어찌 이런 말씀을 하시느뇨. 지극히 황공하오며 하물며 조강지처가 있사오니, 존명을 받들지 못하리이다."

호왕이 재삼 권유하되 경업이 죽기로써 좇지 아니하니, 호왕이 안타까워하더라.

경업이 돌아감을 청하니, 호왕이 미루고 허락하지 아니하거늘 여러 신하들이 아뢰기를,

"절개 높고 충심이 깊은 사람을 두어 무익하고, 보내어도 해로움이 없사오니, 의로써 보내면 조선이 또한 의로써 섬길 것이니 보냄이 마땅하나이다."

호왕이 그 말을 따라 큰 잔치를 벌여 대접하고 예물을 갖추어 보낼 새, 의주까지 호송하니라.

이때 김자점의 위세가 조정에 진동하는지라. 경업이 돌아오는 패문이 왔거늘, 자점이 헤오되, '경업이 돌아오면 나의 계교를 이루지 못하리라.'하고 주상께 아뢰기를,

"경업은 반역 죄인이라. 황명을 거역하고 도망하여 남경에 들어가 우리 조선을 치고자 하다가, 하늘이 무심치 아니하사 북경에 잡힌 바 되어, 계교를 이루지 못하매, 하는 수 없어 세자와 대군을 청하여 보내고 뒤쫓아 나오니, 어찌 이런 대역 죄인을 그저 두겠나이까."

상이 크게 놀라 왈,

"무슨 연고로 만고 충신을 해하려 하는가. 경업이 비록 과인을 해롭게 하여도 아무도 그를 해치지 못하리라."

하시고 자점을 엄히 꾸중하사 / "나가라."

하시니, 자점이 나와 그 무리와 의논하여 왈,

"경업이 의주에 오거든 역적으로 잡아 오라."

하더라.

이때 경업이 데려갔던 격군과 호국 사신을 데리고 의주에 이르니, 사자(使者)가 와 이르되,

"장군이 반역했다 하여 역률(逆律)로 잡아 오라 합니다."

하고 칼을 씌우며 재촉하니, 의주 백성들이 울며,

"우리 장군이 만리타국에서 이제야 돌아오거늘, 무슨 연고로 잡혀가는고."

하거늘 경업 왈,

"모든 백성은 나의 형상을 보고 조금도 놀라지 말라. 나는 죄 없이 잡혀가노라."

하니 남녀노소 없이 무슨 연고인 줄 모르고 슬퍼하더라.

경업이 샛별령에 이르러 전일을 생각하고 격군을 불러 왈,

"너희들이 부모처자를 이별하고 만리타국에 갔다가 무사히 돌아오매, 너희 은혜를 만분의 일이나 갚고자 하더니, 시운이 불행하여 죽게 되매 다시 보기 어려우니, 너희들은 각각 돌아가 좋이 있으라."

격군 등이 울며 말하길,

"어떤 이유인지 모르겠지만 장군의 충성이 하늘에 사무쳤으니 설마 어떠하리오. 과히 슬퍼 마소서."

하며 차마 떠나지 못하더라. 경업이 삼각산(三角山)을 바라보고 슬퍼하며 말하길,

"대장부가 세상에 처하여 평생 뜻을 이루지 못하고 애매히 죽게 되니 뉘라서 신원을 하여 주리오."

하고 통곡하니, 산천초목이 슬퍼하더라.

경업이 온다는 소문이 나라에 이르니, 상이 기뻐하며 승지로 하여금 경업에게 전하길,

"경이 무사히 돌아오매 기쁘고 다행하여 즉시 보고 싶되, 먼 길을 고생하며 왔으니 잘 쉬고 명일로 입시하라."

하신대 승지 자점을 두려하여 하교를 전치 못한지라.

– 작자 미상, 〈임경업전〉

세부 내용 파악

05 윗글을 이해한 내용으로 적절하지 않은 것은?

① 주상은 임경업을 두고 김자점이 한 말을 믿지 않고 임경업을 두둔하였다.
② 임경업은 김자점의 계략으로 인해 자신이 하옥되었음을 알고 분개하였다.
③ 호국의 신하들은 임경업을 붙잡아 두는 것이 도움이 되지 않을 것이라 말했다.
④ 김자점은 임경업이 돌아온다는 소식을 듣고 임금에게 임경업을 모함하는 말을 했다.
⑤ 임경업은 자신이 이미 결혼하여 처를 두고 있음을 들어 호왕의 제안을 거절했다.

공간에 따른 서사 구조의 이해

06 〈보기〉는 윗글의 사건을 공간과 인물을 중심으로 나타낸 것이다. ⓐ~ⓖ에 대해 설명한 내용으로 적절하지 않은 것은?

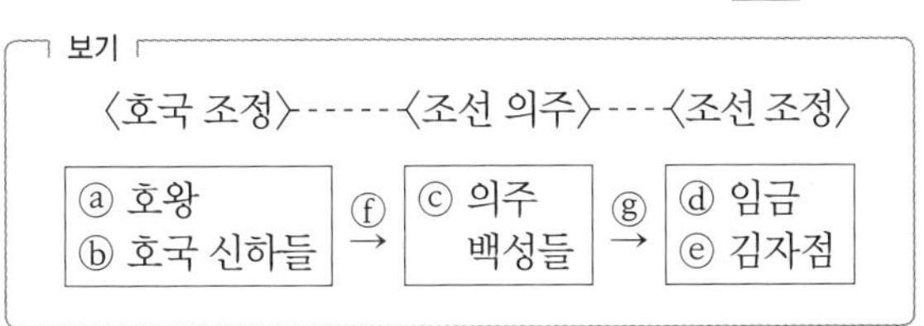
보기
〈호국 조정〉------〈조선 의주〉---〈조선 조정〉
ⓐ 호왕 ⓑ 호국 신하들 →ⓕ ⓒ 의주 백성들 →ⓖ ⓓ 임금 ⓔ 김자점

①  ⓐ, ⓑ, ⓓ는 임경업의 됨됨이를 평가하며 긍정적인 생각을 가지고 있어.

② ⓒ는 임경업이 역적으로 몰리자 울며 슬퍼하고 있지. 

③ ⓓ는 조선으로 돌아오는 임경업이 처한 상황을 제대로 인식하지 못하고 있어.

④ ⓔ는 임경업에 대한 ⓓ의 뜻과 상관없이 자신의 계획을 펼치고 있어. 

⑤ ⓕ와 ⓖ의 과정에서 임경업이 처한 상황은 ⓔ에 의해서 조성되었어.

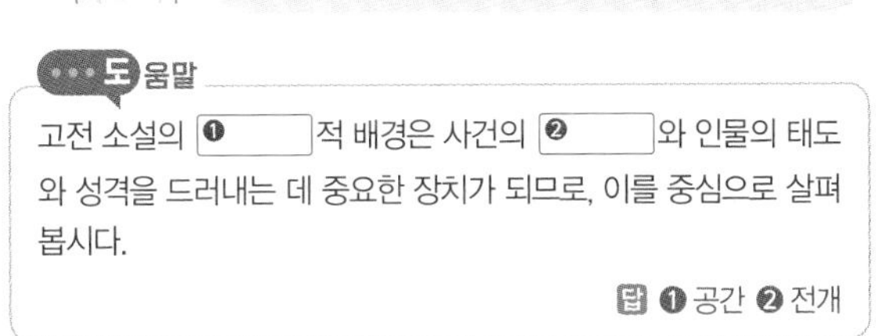
도움말
고전 소설의 ❶ [　　] 적 배경은 사건의 ❷ [　　] 와 인물의 태도와 성격을 드러내는 데 중요한 장치가 되므로, 이를 중심으로 살펴봅시다.
답 ❶ 공간 ❷ 전개

소재의 기능과 역할 파악

07 ㉠에 대한 설명으로 가장 적절한 것은?

① 임경업이 호왕에게 반감을 가지고 있음을 보여 준다.
② 자신이 원치 않는 상황에서 벗어나기 위한 임경업의 기지를 보여 준다.
③ 전쟁에 패한 후 적국의 포로로 잡혀 있는 임경업의 처지를 대변한다.
④ 자신의 능력을 인정해 주는 사람을 만나고자 하는 임경업의 뜻을 나타낸다.
⑤ 임경업이 반대파들에 의해 고국에서 환영받지 못하는 처지임을 드러낸다.

도움말
❶ [　　] 의 역할에 주목하여 인물의 ❷ [　　] 을 파악해 봅시다.
답 ❶ 소재 ❷ 성격

외적 준거에 따른 작품 감상

08 다음을 참고하여 윗글을 감상한 내용으로 적절하지 않은 것은?

〈임경업전〉은 병자호란을 배경으로 실존 인물 임경업의 일생을 영웅화한 작품으로, 병자호란의 치욕은 조정의 간신들 때문에 임경업 같은 영웅들이 활약을 할 수 없었기 때문이라는 작가의 의식이 드러난다. 국가적 위기 상황에서 개인의 사리사욕만 일삼던 집권층에 대한 분노를 민족적, 민중적 차원에서 소설로 승화한 작품이라 할 수 있다.

① 임경업을 모함한 김자점은 개인의 사리사욕만 일삼는 조정의 간신을 대변하는 인물이라 볼 수 있다.
② 호왕의 회유에도 불구하고 고국으로 돌아오는 임경업의 행동에서 국운을 걱정하는 충신으로서의 모습이 부각된다.
③ 임경업이 고국에 돌아왔지만 백성들의 신망을 받지 못하는 모습을 통해 무능한 조정에 대한 민중들의 반감을 보여 준다.
④ 적국인 호국의 왕과 신하까지 임경업의 절개와 의를 인정하는 것은 충신으로서의 임경업의 모습을 부각하기 위한 것이다.
⑤ 호왕이 임경업을 조선으로 귀환시킬 때 잔치를 열고 예물을 갖추었다고 한 것은 병자호란 이후 추락한 민족적 자긍심을 높이기 위한 것으로 볼 수 있다.

누구나 합격 전략

01~04 다음 글을 읽고, 물음에 답하시오.

| 앞부분의 줄거리 | 김 주부는 조정 간신의 위협을 피해 딸 매화를 남장시켜 길에 버리고 피신한다. 매화는 조 병사의 집에 살면서 병사의 아들 양유와 함께 공부하다가 서로 사랑에 빠지게 되고, 매화는 남장을 할 수밖에 없었던 사연을 말한다.

최씨 부인 양유의 계모라. 매화의 인물을 탐하여 매일 사랑하시더니, 제 상처한 남동생 있으매 혼사할 뜻이 있어 모계(謀計)를 꾸미더라. 하루는 병사 내당에 들어와 부인 최씨를 대하여 가로되,

"전일 관상쟁이가 이러이러하니 앞으로 닥칠 길흉을 어찌하리요. 매화는 내 집에 있을 뿐 아니라 양유와 동갑이요, 인물이 비범하니 혼사함이 어떠하리이까?"

부인이 변색하여 가로되,

"병사 어찌 그런 말씀을 하시나이까? 양유는 사부(士夫) 후계요, 매화는 유리걸식하는 아이라. 근본도 알지 못하고 어찌 인물만 탐하리까?"

병사 옳이 여겨 가로되,

"부인의 말씀이 옳도다. 일후에 ⓐ장단골 가서 매화 근본을 알아보리라."

하고 나아가거늘, 부인이 그 말을 듣고 제 동생을 불러 이르되,

"병사께서 장단골 가서 매화의 근본을 알고자 하니, 네 먼저 가서 재물을 많이 그 근처 사람을 주어라. 그러면 매화는 너의 짝이 될지라. 저런 인물을 그저 두리요."

〈중략〉

병사 들어가니 또 한 사람이 물어 가로되

"말 타고 온 손님은 어떠한 양반인고?"

주모가 가로되,

"저러한 양반이 김 주부 같은 놈을 찾아왔다."

하고 냉소하여 가로되,

"주부라 하는 놈은 이미 도망하였거니와 저희 딸 매화 비록 천인(賤人)의 자식이나 인물이 절색이라, 아무 데로 가더라도 남을 속이리라."

하거늘 병사 주모더러 물어 가로되,

"이곳에 김 주부라 하는 재인이 있는가?"

주모가 가로되,

"수년 전에 도망하였삽더니, 듣사오니 제 딸 매화는 남복을 입고 황해도 연안 지경에 있단 말을 들었나이다."

병사 이 말을 들으니 다시는 의혹이 없는지라, 그날 밤을 겨우 지내어 말을 몰아 집에 돌아와 부인에게 답하여 가로되,

"만일 부인의 말씀을 듣지 아니하고 혼사를 하였던들 사대부 집안에 대단 비웃음을 살 뻔하였도다. 매화는 천인 자식이니 내쫓으라."

부인이 가로되, / "매화 아무리 천인의 자식이라도 혼사 아니 하면 무슨 허물 있으리까."

병사 또 학당에 가 양유를 불러 가로되,

"매화로 더불어 공부하던 일이 분하도다. 앞으로는 매화를 대면치 말라."

하시거늘 양유 이 말을 듣고 정신이 아득하여 엎어지며 가로되,

"매화로 백년가약을 맺었더니 천인이란 말인가?"

주야로 애통하여 눈물로 세월 보내더라.

각설. 매화 이 말을 듣고 분함을 이기지 못하여 눈물을 흘리며 가로되,

"내 팔자 무슨 일로 부모를 이별하고 남의 집에 의탁하매 천인이라 구박 자심하니, 이내 몸이 여자라 어디 가서 의탁하리요."

눈물 금치 못하니, 옥란이도 비감하여 매화를 위로하여 가로되, / "마오 마오, 우지 마오. 낭자의 우는 거동 차마 못 보겠소. 아무리 자탄한들 낭자의 근본 뉘 알리오. 제발 덕분에 우지 마오."

이렇듯이 위로할 제, 매화 울음을 그치고 필연(筆硯)을 내어놓고 편지를 써서 옥란이를 주며 가로되,

"이 편지를 학당에 전하라."

옥란이 편지를 가지고 학당에 나가 도련님 전에 올리니, 양유 그 글을 받아 보니 하였으되,

[A] ‘백옥(白玉)이 진토(塵土) 중에 묻혀 있고 명월(明月)이 흑운(黑雲)에 가리었으니 안목이 어찌 알리오. 설리한매(雪裏寒梅)가 어찌 높은 양유(楊柳)를 더위잡아 인연을 맺으리요. 분하도다 분하도다. 거문고 칠 줄은 아지 못하고 도리어 오동 복판을 나무라는도다.’

하였다.

– 작자 미상, 〈매화전〉

- **설리한매** 눈 속의 차가운 매화.
- **양유** 버드나무.
- **더위잡아** 높은 곳에 오르려고 무엇을 끌어 잡아.

서술상의 특징 파악

01 윗글에 대한 설명으로 적절한 것은?

① 서술자가 사건을 요약적으로 제시하고 있다.
② 고사를 인용하여 인물의 생각을 드러내고 있다.
③ 환상적인 분위기를 배경으로 이야기가 전개된다.
④ 율문투를 사용하여 비극적 분위기를 고조시키고 있다.
⑤ 사건에 따라 변화하는 인물의 입체적 성격을 보여 주고 있다.

공간의 의미 파악

02 ⓐ가 등장인물에게 가진 의미를 설명한 내용으로 적절하지 않은 것은?

① 매화: 앞으로 있을 고난과 시련의 원인이 되는 공간이다.
② 양유: 매화와 혼인하고자 하는 소망이 좌절되게 만드는 공간이다.
③ 조 병사: 매화와 양유를 맺어 주고자 했던 마음이 바뀌게 되는 공간이다.
④ 최씨 부인: 매화를 모함하고자 하는 계략이 실현되는 공간이다.
⑤ 김 주부: 이웃 사람들과의 불화로 인해 돌아갈 수 없는 공간이다.

구절의 의미 파악

03 윗글의 내용을 고려할 때 [A]에 대한 이해로 적절하지 않은 것은?

① ‘백옥’과 ‘명월’은 ‘설리한매’와 동일한 대상을 지칭하는 어휘이다.
② ‘진토’와 ‘흑운’은 모두 자신이 처한 상황을 나타내는 어휘이다.
③ 자신의 가치를 알아보지 못하는 상대방의 어리석음을 비난하는 감정이 담겨 있다.
④ 상대방과 자신의 이름을 이용한 한자어를 사용하여 상황을 비유적으로 나타내고 있다.
⑤ 앞으로 벌어질 수 있는 부정적 상황을 들어 상대방의 행동 변화를 유도하고 있다.

외적 준거에 따른 작품 감상

04 다음을 참고하여 윗글을 감상한 내용으로 적절하지 않은 것은?

> 고전 소설에서 남녀 주인공의 결연 과정에 부모가 개입하는 경우가 있다. 이때 부모는 자식의 배우자감으로 상대를 바라볼 때 개인이 아니라 개인이 속한 가문을 중요하게 생각하는 경우가 많다. 이는 중세적 가치관에 따라 개인은 가문의 일원으로 존재한다는 가문 의식이 뿌리 깊게 박혀 있기 때문이다. 그런데 부모뿐만 아니라 결연의 당사자 역시 이러한 가치관에서 자유롭지 않은 경우가 있다.

① 양유가 매화를 천인으로 생각하여 애통해하는 것은 양유 역시 가문 의식에서 자유롭지 못한 인물임을 보여 주는군.
② 양유의 부모인 조 병사와 최씨 부인은 매화를 며느리감으로 흡족하게 생각하지 않아 양유와 매화의 혼인을 반대하는군.
③ 매화와 양유가 만나 서로 사랑을 하게 되기까지는 양유 부모의 개입이 없었으나, 정혼을 하려는 과정에서는 양유 부모의 개입이 드러나는군.
④ 병사가 매화의 근본을 알아보고자 하는 것은 가문 의식의 맥락에서 매화를 가문의 일원으로 받아들일 수 있는지 여부를 결정하기 위해서이군.
⑤ 매화를 며느리로 받아들이면 사대부 집안에 비웃음을 살 뻔하였다는 것은 혼인이 가문 의식에서 자유롭지 않았던 당대의 사회적 분위기를 보여 주는군.

05~08 다음 글을 읽고, 물음에 답하시오.

[A] 이때 유 한림의 친한 벗이 하나 있었는데 그 친구가 자기의 집사로 있던 남방 사람 동청(董淸)을 천거하여 문객으로 두라고 권하였다. 유 한림이 마침 집사를 구하던 중이라 집에 두고 집일을 보게 하였다. 동청은 영리하고 민첩하여 남의 마음을 잘 맞추어서 영합하기를 잘하였다. 친구도 그의 마음이 착하지는 못하여도 마음을 잘 맞추어서 좋게 여기다가 외임으로 떠나게 되자 동청의 허물은 말하지 않고 유 한림에게 천거하고 갔던 것이다. 유 한림이 동청을 불러서 사람됨을 보았을 때에 동청의 언사가 민첩하여 흐르는 물 같았다. 유 한림은 믿는 친구의 추천에다 그처럼 영리하였으므로 곧 집에 두고 서사(書士)의 일을 시켰다. 그런데 동청의 위인이 간사하고 교활하여 유 한림에게 아첨하고 하고자 하는 것을 미리 알아차리고 비위를 잘 맞추었으므로 순진한 유 한림이 기뻐하고 신임하게 되었다.

그런 동청의 태도를 본 사 부인이 한림에게 귀띔하였다.

"㉠들리는 말에도 동청의 위인이 정직하지 못하다 하니 큰 일을 저지르기 전에 내보내는 것이 좋을까 합니다. 전에 있던 곳에서도 요악한 일을 많이 하다가 일이 탄로되어 쫓겨났다 하니 곧 내보내십시오."

"남의 풍설의 진부를 알 수 없고 친구의 추천으로 받아들였으니 좋고 나쁜 것은 좀 두고 보아야 할 것 아니오."

"사람은 부정한 사람과 함께 지내면 주위 사람까지 부정에 물들게 되는 법이니 빨리 내보내서 가도를 어지럽히지 말도록 예방하는 것이 좋을까 합니다. 만일 그런 표리부동한 사람 때문에 지하로 돌아가신 부모님의 가법을 추락시키면 그때 후회하여도 소용이 없습니다."

"㉡당신의 말도 일리가 있으나 세상 사람들이 남을 중상하기 좋아해서 하는 풍설인지 모르니 좀 써 봐야 진부를 알 것이며 좋지 못한 것을 발견했을 때 처리하는 것이 우리의 길이 아니겠소."

〈중략〉

첩 교씨는 점점 노골적으로 사 부인을 참소하였으나 아직도 총명이 남은 유 한림은 그저 못 들은 척하면서 집안에 내분이 없게 되기를 바라는 태도였다. 마침내 질투에 불타게 된 교씨는 무당 십랑을 불러서 자기의 분한 사정을 말하고 사 부인을 모해할 계교를 물었다. 재물에 매수된 십랑은 묘한 계교를 오래 생각한 뒤에 교씨의 귀에 입을 대고 ⓐ이리이리하면 사씨를 절제할 수 있다고 속삭이고 조금도 근심할 것이 없다고 다짐하였다.

"그럼, 지체 말고 빨리 해서 내 속을 편히 해 주게."

"염려 마십시오."

십랑이 신이 나서 사씨를 음해하는 일을 착수하였다.

㉢이때 마침 사 부인 몸에 태기가 있어서 열 달이 차서 순산 생남하였으므로 유 한림이 인아(麟兒)라 이름 짓고 기뻐하고, 상하 비복들까지 단념하였던 본부인이 득남하였으므로 신기히 여기고 교씨가 생남하였던 때보다 몇 배로 경축하였다. 교씨가 이런 유 한림과 집안의 기색을 보고 질투가 더욱 심해져서 간장이 타오르는 듯 어쩔 줄을 몰랐다. 십랑을 또 불러서 이 사실을 전하고 빨리 사씨 음해의 비방을 행하라고 재촉하였다. 십랑은 곧 요물을 만들어서 서면에 묻고 교씨의 심복 시비인 납매를 시켜서 ⓑ이리이리하라고 가르쳐 주었다. 그런 간악한 음모가 비밀리에 진행되고 있는 것은 교씨, 십랑, 시비 납매의 세 사람 이외에는 아무도 알지 못하였다.

하루는 유 한림이 조정에 입번하였다가 여러 날만에 출번하여 집으로 돌아와 보니 집안의 상하가 황황하며 교씨 거처인 백자당으로 달려가니 교씨가 유 한림을 보고 울면서 호소하였다.

㉣"아이가 홀연히 발병하여 죽을 지경이니 심상치 않습니다. 병세가 체증이나 감기가 아니고 필경 집안의 누가 방예를 해서 일으킨 귀신의 발동인가 합니다."

"설마 그럴 리야 있을까?"

유 한림은 교씨를 위로하고 아들의 방으로 가서 보니 과연 헛소리를 지르고 가위 눌리는 증세로 위급해 보였다. ㉤유 한림이 우려하여 약을 지어다가 시비 납매에게 급히 달여서 먹이게 하고 동정을 자세히 보았으나 조금도 차도가 없었다. 유 한림은 낙망을 하고 교씨는 엉엉 울기만 하였다.

유 한림의 총명도 점점 감하여 갔는데 열 번 찍어서 안 넘어가는 나무가 없다는 속담과 같이 교씨의 말에 귀를 기울이게 되었다. 의심이 늘어서 모든 일에 줏대를 잃게 되었다. 사 부인의 부덕은 옛날 현부에도 손색이 없었으나 교씨 같은 요인이 첩으로 들어와서 집안을 어지럽히고 미천한 여자가 누명을 만들어서 가문을 욕되게 하니, 마땅히 그런 사악한 여자는 엄중히 경계하여야 할 것이다.

– 김만중, 〈사씨남정기〉

서술상의 특징 파악

05 [A]에 대한 설명으로 적절한 것끼리 골라 묶은 것은?

ㄱ. 요약적 서술을 통해 인물의 삶의 내력을 드러내고 있다.
ㄴ. 비유적 표현을 활용하여 인물의 성격을 구체화하고 있다.
ㄷ. 인물의 외양 묘사를 통해 인물 간의 갈등을 형상화하고 있다.
ㄹ. 서술자가 작중 인물에 대한 평가를 직접적으로 제시하고 있다.

① ㄱ, ㄴ ② ㄱ, ㄷ ③ ㄴ, ㄷ
④ ㄴ, ㄹ ⑤ ㄷ, ㄹ

구절의 의미와 역할 파악

06 ⓐ와 ⓑ에 대한 설명으로 가장 적절한 것은?

① ⓐ와 ⓑ는 모두 인물과 인물 사이의 갈등의 원인을 독자에게 알려 준다.
② ⓐ와 ⓑ는 모두 이후에 전개될 사건에 대한 독자의 궁금증을 고조시킨다.
③ ⓐ와 ⓑ는 서술자가 인물과 사건에 대해 모두 파악하고 있지는 않음을 보여 준다.
④ ⓐ는 ⓑ와 달리 특정 인물이 처한 곤경에 대해 독자의 안타까움을 유도한다.
⑤ ⓑ는 ⓐ와 달리 서술자가 작중 상황을 모두 파악하고 있지는 않음을 보여 준다.

작품의 세부 내용 파악

07 ㉠~㉤에 대한 설명으로 적절하지 않은 것은?

① ㉠: 주위 평판을 근거로 동청을 집에서 내보낼 것을 요청하고 있다.
② ㉡: 동청의 품성에 대한 판단을 직접 겪은 후 결정하겠다는 뜻을 밝히고 있다.
③ ㉢: 교씨가 조바심을 내며 사 부인을 음해하는 이유가 된다.
④ ㉣: 자신의 아들이 갑작스럽게 아픈 것에 당황하며 어찌할 줄 몰라 하고 있다.
⑤ ㉤: 유 한림이 집안에서 벌어지는 흉계의 실체를 파악하지 못하고 있음을 드러낸다.

외적 준거에 따른 작품 감상

08 〈보기〉를 참고하여 윗글을 감상한 내용으로 적절하지 않은 것은?

보기

문학 작품은 시대적 이념이나 당대 사회상과 관련하여 이해할 수 있다. 〈사씨남정기〉는 유교적 덕목을 중시하던 조선 시대의 가치관, 일부다처제를 용인했던 남성 중심의 가부장제에 의한 남녀 간의 위계와 역할에 대한 사회적 관념, 장자 상속으로 인한 적서 차별의 문제뿐만 아니라 입신양명과 사회적 지위라는 욕망을 추구하는 인간 본성에 대한 탐구까지 담고 있는 작품으로 평가받고 있다.

① 유 한림의 친구가 동청을 소개한 사건에서 입신양명을 추구하는 당시의 세태를 확인할 수 있군.
② 교씨가 사씨의 임신으로 불안을 느낀 것은 적서 차별이 있던 당대의 사회상 때문이라고 할 수 있군.
③ 교씨가 요물을 묻어 음해의 비방을 하는 것은 욕망을 추구하는 인간 본성이 발현된 것으로 볼 수 있군.
④ 동청에 대한 결정권이 유 한림에게 있는 것에서 남녀의 역할과 위계에 대한 사회적 관념을 확인할 수 있군.
⑤ 사씨가 동청을 탐탁지 않게 여기는 것에서 도덕성과 평판을 중시하는 당대의 유교적 가치관을 짐작할 수 있군.

창의·융합·코딩 전략 ①

01~03 다음 글을 읽고, 물음에 답하시오.

중모리 점고하야 보니 불과 백여 명이라 그 중에 갑옷 벗고 투구 벗고 창 잃고 앉은 놈 누운 놈 엎진 놈 패(沛)진 놈 배가 고파 기진한 놈 고향을 바라보고 앙천통곡 호천망극 길 갈 수 전혀 없네. 조조 마상에서 채를 들어 호령하며 행군 길을 재촉하더니만,

아니리 "히히히히히 해해해해." 대소허니 정욱이 기가 막혀

㉮"야들아 승상님이 또 웃으셨다 적벽에서 한 번 웃어 백만 군사 몰사하고 오림에 두 번 웃어 죽을 봉변 당하고 이 병 속 같은 데서 또 웃으셨으니 이젠 씨도 없이 다 죽는구나."

조조 듣고 대답하되,

"야 이 놈들아! 느그는 내 곧 웃으면 트집 잡지 말고 느그 놈들도 생각을 좀 해 봐라, 주유 공명이가 이곳에다가 복병은 말고 병든 군사 여나무 명 두었더라면 조조는 말고 비조(飛鳥)라도 살어갈 수가 있겠느냐. 히히해해."

대소허니,

[A]
자진모리 웃음이 지듯마듯 화용도 산상에서 방포성(放砲聲)이 쿵 이 너머에서도 쿵 저 너머에서도 쿵 궁그르 궁그르 궁그르. 산악이 무너지고 천지가 뒤바뀐 듯 뇌고 나팔 우퉁쾡처르르르 화용 산곡이 뒤끓으니 위국장졸들이 혼불부신(魂不附身)하야 면면상고(面面相顧) 서 있을 제 오백 도부수가 양편으로 갈라서서 대장기를 들었난디 대원수 관공 삼군 사명기라 뚱두렷이 새겼는데 늠름허다. 주안봉모(朱顏鳳眸) 와잠미(臥蠶眉) 삼각수(三角鬚)에 봉의 눈을 부릅떠 청룡도 비껴들고 적토마 달려오며 우레 같은 소리를 벽력같이 뒤지르며

㉯"어따 이놈 조조야. 날다 길다 길다 날다 긴 목을 길게 빼어 칼 받으라."

조조가 황겁하야,

"여봐라 정욱아, 오는 장수 누구냐."

정욱이도 혼을 잃고

"호통 소리 장비 같고 날랜 모양 자룡 같소."

"자세히 살펴보아라."

㉰"기색은 홍색이요 위풍이 인후(仁厚)하니 관공일시 분명하오."

"더욱 관공이라면 욕도무처(欲逃無處)요 욕탈무계(欲脫無計)라. 사세도차(事勢到此)하니 아무렇게나 한번 싸워 볼 밖에는 수가 없다. 너희들 조조의 웅명(雄名)이 삼국에 으뜸이라. 사즉사(死卽死)언정 이제 내가 비는 것은 후세의 웃음이 되리로다.

아니리 "허허 야들아 신통한 꾀를 하나 생각했다."

"무슨 꾀를 생각했소?"

㉱"나를 죽었다고 홑이불 덮어 놓고 군중에 발상(發喪)허고 앉아 울면 송장이라고 막걸리 동우나 내고 피할 것이니 홑이불 둘러쓰고 살살 기다가 한 달음박질로 길로 달아나자."

정욱이 여짜오되

"산 승상 잡으려고 양국 명장 쟁공(爭功)하오."

"힘을 써서 한번 대전하야 보자."

정욱이 여짜오되,

중모리 "장군님의 높은 재조 호통 소리 한번 나면 길짐생도 갈 수 없고 검광(劍光)이 번뜻 나면 나는 새도 뚝 떨어지니 적수단검(赤手單劍)으로 오관참장(五關斬將)하는 수단 인마기진(人馬氣盡)하였으니 감히 어찌 당하리까. 만일 당적(當敵)을 허랴 허면 씨도 없이 모도 죽을 테니 전일 장군께서 승상 은혜 입었으니 어서 빌어나 보옵소서."

"빌 마음도 있다마는."

"㉲사 승상(死丞相) 목 베기야 청룡도 그 잘 드는 칼로 눈목 얼마나 그리 힘들어 베오리까. 공연헌 꾀 내었다 목만 허비될 테니 얕은꾀 내지 말고 어서 빌어나 보옵소서."

조조 할 일 없이 장군마하(將軍馬下)에 빌러 들어가는디

[B]
중모리 투구 벗어 땅에 놓고 갑옷 벗어서 말에 얹고 장검 빼어 땅에 꽂고 대아 머리 고추상투 가는 목을 움뜨리고 모양 없이 들어가서 큰 키를 줄이면서 간교한 웃음 소리로 히히 해해 몸을 굽혀 절허며 허는 말이

"장군님 뵈온 지 오래오니 별래무양(別來無恙)허시니까?"

관공의 어진 마음 마상에서 몸을 굽혀 호언으로 대답허되

"나는 봉명(奉命)하야 조 승상을 잡으려고 이곳에 와 복병하야 기다린지 오래겼다."

– 작자 미상, 〈적벽가〉

서술상의 특징 파악

01 [A], [B]를 아래와 같이 나타날 때 (가)~(다)에 들어갈 내용으로 가장 적절한 것은?

	[A]	[B]
공통점	(가)	
차이점	(나)	(다)

① (가): 공간적 배경을 세밀하게 묘사하여 사건의 사실성을 높이고 있다.
② (가): 청각적 이미지를 활용하여 작중 상황을 생동감 있게 묘사하고 있다.
③ (나): 특정한 인물의 행위를 연속적으로 서술하여 사건의 개연성을 높이고 있다.
④ (나): 작품 밖 서술자가 개입하여 작중 인물에 대해 평가하고 있다.
⑤ (다): 비유적 표현을 활용하여 인물의 외양을 묘사하고 있다.

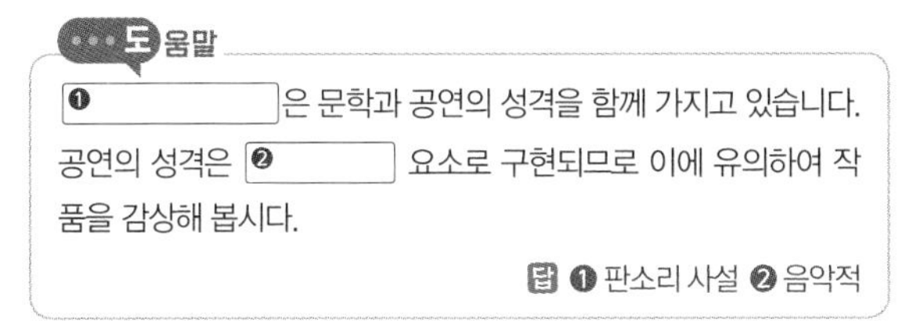
도움말
❶ [ ]은 문학과 공연의 성격을 함께 가지고 있습니다. 공연의 성격은 ❷ [ ] 요소로 구현되므로 이에 유의하여 작품을 감상해 봅시다.
답 ❶ 판소리 사설 ❷ 음악적

세부 구절의 의미 파악

02 다음 밑줄 친 ㉠의 성격을 가지고 있는 대사를 골라 바르게 묶어 놓은 것은?

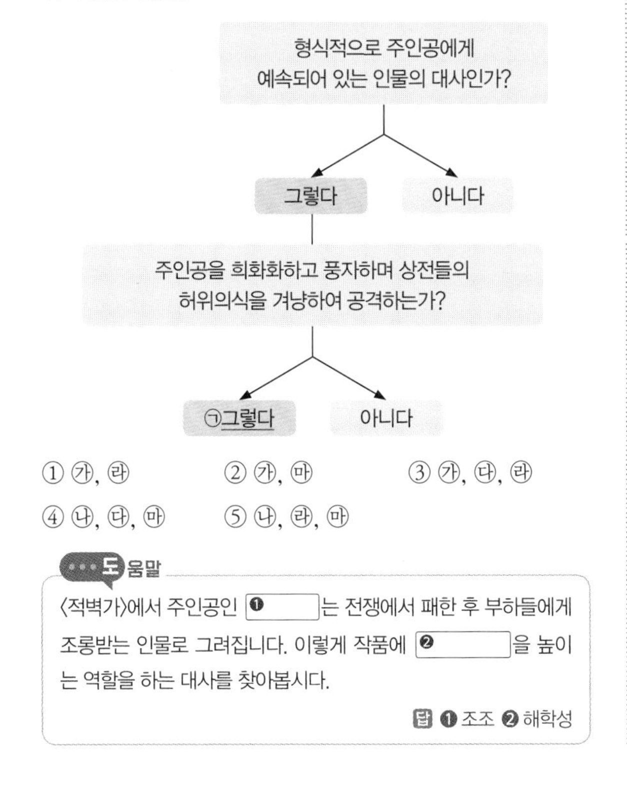

① ㉮, ㉱ ② ㉮, ㉲ ③ ㉮, ㉰, ㉱
④ ㉯, ㉰, ㉲ ⑤ ㉯, ㉱, ㉲

도움말
〈적벽가〉에서 주인공인 ❶ [ ]는 전쟁에서 패한 후 부하들에게 조롱받는 인물로 그려집니다. 이렇게 작품에 ❷ [ ]을 높이는 역할을 하는 대사를 찾아봅시다.
답 ❶ 조조 ❷ 해학성

외적 준거에 따른 작품 감상

03 〈보기〉의 ⓐ에 들어갈 말로 적절하지 않은 것은?

보기

중국 소설 〈삼국지연의〉를 원전으로 한 〈적벽가〉는 수용자층의 확대를 통해 판소리의 형태로 재창작될 수 있었습니다. 원전이 된 〈삼국지연의〉에서 인물을 바라보는 관점이 당대까지 이어지고 있었고, 아울러 원전과는 다르게 변용된 부분이 민중의 보편적 공감을 이끌었기 때문이기도 하지요. 이를 바탕으로 작품을 감상한 내용을 발표해 볼까요?

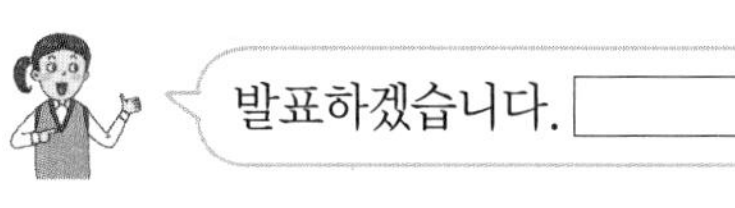

① 조조의 부하인 정욱의 모습은 올바른 신하의 역할에 대한 민중들의 바람이 반영된 것이라고 볼 수 있습니다.
② 원전과는 다르게 조조가 희화화된 것은 지배층에 대해 민중이 가진 반감을 반영한 것이라고 볼 수 있습니다.
③ 전쟁에 패한 후 병사들의 초라한 모습을 묘사한 것은 지배층이 주도하는 전쟁에 의해 민중들이 희생당하는 모습을 부각하기 위한 것으로 볼 수 있습니다.
④ 원전인 〈삼국지연의〉에서도 조조를 간신으로 보고 있는데, 인물에 대한 이런 관점을 우리나라에서도 가지고 있었기 때문에 자연스럽게 판소리로 재창작되었다고 볼 수 있습니다.
⑤ 조조와는 다르게 관우는 용맹무쌍한 영웅으로 그려지고 있는데, 이는 〈삼국지연의〉에 나오는 인물 중 관우에 대한 호감이 가장 높았다는 사실과 관련이 있다고 볼 수 있습니다.

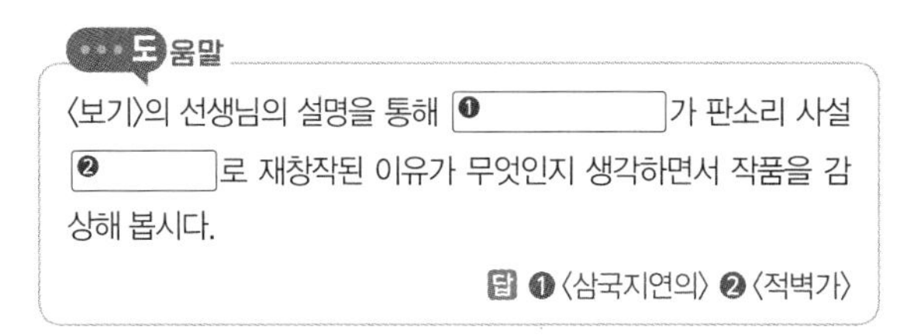
도움말
〈보기〉의 선생님의 설명을 통해 ❶ [ ]가 판소리 사설 ❷ [ ]로 재창작된 이유가 무엇인지 생각하면서 작품을 감상해 봅시다.
답 ❶ 〈삼국지연의〉 ❷ 〈적벽가〉

창의·융합·코딩 전략 ②

04~06 다음 글을 읽고, 물음에 답하시오.

| **앞부분의 줄거리** | 이생은 우연히 본 최 여인과 사랑의 시를 주고받으며 인연을 맺게 된다. 이 사실을 알게 된 이생의 아버지가 이생을 시골로 쫓아 버리자, 최 여인은 상사병이 들어 자리에 눕게 된다. 모든 사실을 알게 된 그녀의 부모가 두 사람의 혼례를 성사시킨다. 이후 이생은 과거에 급제하여 벼슬길에 오르지만 홍건적의 난이 일어나 최 여인은 홍건적에게 죽임을 당하게 된다. 난이 평정된 후 최 여인은 이생 앞에 나타난다.

그 뒤 이생도 역시 벼슬을 구하지 않고 최 여인과 함께 그곳에서 살았다. 그러자 피난을 나가 살던 노복들도 역시 제 발로 찾아왔다. 이생은 그 이후로는 인간사에 게을러졌다. 그래서 비록 친척과 빈객의 길흉사에 하례하고 조문해야 하는 경우가 있더라도, 문을 걸어 잠그고 밖에 나가지 않았다. 그는 항상 최 여인의 화답을 구하거나 최 여인이 지은 시에 화답하면서, 금슬이 좋아 화락하게 지냈다. 그렇게 서너 해가 흘러갔다.

어느 날 저녁에 여인은 이생에게 말하였다.

"세 번이나 좋은 시절을 만났습니다만, 세상일은 어긋나기만 하네요. 즐거움을 다 누리기 전에 슬픈 이별이 갑자기 닥쳐오다니."

그렇게 말하고는 마침내 흑흑 울음을 터뜨렸다. 이생이 놀라 물었다.

"어찌 이러오?"

여인은 대답하였다.

"저승길의 운수는 피할 수가 없답니다. 천제께서 저와 그대의 연분이 아직 끊어지지 않았고 또 아무 죄장(罪障)이 없음을 살피시어, 환체(幻體)를 빌려 주어, 그대와 함께 잠시 시름으로 애간장을 끊도록 하였던 것이지요. 하지만 오랫동안 인간 세상에 머물러 있으면서 이승 사람을 현혹할 수는 없지요."

최 여인은 몸종을 시켜 술을 올리게 하였다. 그러고는 옥루춘 한 곡을 노래하면서 이생에게 술을 권하였다.

[A]
전장의 창과 방패가 시야에 가득 어지러운 곳
옥구슬 부서지고 꽃잎은 날며 원앙도 짝 잃었네.
낭자하게 흩어진 해골을 그 누가 묻어 주랴.
피에 젖어 떠도는 영혼은 하소연할 사람 없어라.
고당에 무산 선녀 한 번 내려온 뒤로
깨졌던 구리 거울 다시 갈라지니 마음만 쓰려라.
이제 작별하면 둘 다 아득하여
천상과 인간 사이에 소식이 막히리라.

"내 차라리 그대와 함께 황천으로 갈지언정 어찌 무료하게 홀로 여생을 보전하겠소? 지난번 난리가 있은 뒤 친척과 노복들이 각각 서로 흩어지고 돌아가신 부모님의 해골이 들판에 낭자하게 흩어져 있었을 때, 만일 낭자가 아니었더라면 누가 매장할 수 있었겠소? 옛사람 말씀에 '어버이 살아 계실 때는 예로써 섬기고, 돌아가신 뒤에는 예로써 장사 지내야 한다.'라고 하였는데, 이런 일을 실천에 옮길 수 있었던 것은 모두 낭자의 천성이 효순하고 착하며 인정이 두터웠기 때문이었소. 그러기에 너무도 감격하였소만, 다른 한편으로 스스로 부끄러움을 어찌 이길 수 있었겠소? 부디 낭자는 인간 세상에 남아서 백 년 뒤에 나와 함께 흙이 됨이 어떻겠소?" / 여인은 대답하였다.

"낭군의 수명은 아직 여러 기(紀)가 남아 있지만, 저는 이미 귀신의 명부에 이름이 실려 있으니 오래 머물러 있을 수가 없습니다. 만약 굳이 인간 세상을 그리워하고 미련을 가져 저승 세계의 법령을 위반하게 된다면, 비단 저에게만 죄과가 미칠 뿐 아니라 아울러 그대에게도 누(累)가 미칠 것이에요. 다만 저의 유해가 아무 곳에 흩어져 있으니, 만약 은혜를 베풀어 주시겠다면 유해를 바람과 햇볕에 그냥 드러나 있지 않게 해 주세요."

두 사람은 서로 바라보며 눈물을 줄줄 흘렸다.

여인은 말하였다. / "낭군님, 부디 몸조심 하세요."

말이 끝나자 여인은 점점 사라졌다. 그리고 마침내 종적도 없게 되었다.

이생은 그녀의 유골을 거두어 부모의 묘소 곁에 묻었다. 장례를 지낸 뒤에도 이생은 여인을 추모하고 생각하다가, 병을 얻어 수개월 만에 세상을 떠났다. 이 이야기를 들은 사람들은 모두 애처로워하고 슬퍼하여 그들의 절의를 사모하지 않는 이가 없었다.

– 김시습, 〈이생규장전〉

- **죄장** 불교에서 수행이나 깨달음에 장애가 되는 죄악을 이르는 말.
- **환체** 불교에서 덧없는 인간의 몸뚱이를 이르는 말.

서술상의 특징 파악

04 윗글에 대한 설명으로 적절한 것은?

① 인물의 성격 변화를 중심으로 서술하고 있다.
② 비현실적이고 환상적인 상황을 설정하고 있다.
③ 긴박한 분위기를 잦은 장면의 전환으로 보여 주고 있다.
④ 서술자가 작품에 등장하여 사건에 직접 개입하고 있다.
⑤ 과거와 현재를 교차하며 입체적으로 사건을 제시하고 있다.

구성의 특징 파악

05 [A]의 기능만을 다음에서 고른 것은?

ㄱ. 인물의 심리 상태를 보여 줌.
ㄴ. 사건이 전개될 방향을 암시함.
ㄷ. 갈등이 해소되는 계기를 마련함.
ㄹ. 경험한 사건이 주는 교훈을 제시함.

① ㄱ, ㄴ ② ㄱ, ㄷ ③ ㄴ, ㄷ
④ ㄴ, ㄹ ⑤ ㄷ, ㄹ

도움말
작품에 나타난 ❶ ______ 를 살펴보고, 해당 작품의 내용과 관련 지어 보았을 때 어떤 ❷ ______ 을 하는지 파악해 봅시다.
답 ❶ 삽입 시 ❷ 기능

사건과 갈등의 전개 양상 파악

06 윗글에 나타난 주요 사건을 〈보기〉와 같이 정리한다고 할 때, (가)~(다)에 대한 설명으로 적절하지 않은 것은?

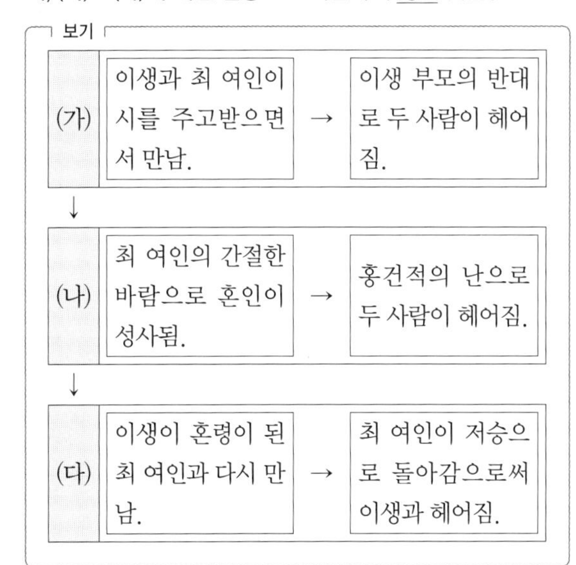
보기

(가)	이생과 최 여인이 시를 주고받으면서 만남.	→	이생 부모의 반대로 두 사람이 헤어짐.
(나)	최 여인의 간절한 바람으로 혼인이 성사됨.	→	홍건적의 난으로 두 사람이 헤어짐.
(다)	이생이 혼령이 된 최 여인과 다시 만남.	→	최 여인이 저승으로 돌아감으로써 이생과 헤어짐.

① (다)의 만남은 생사를 초월하여 주인공들의 사랑이 이어지는 사건이야.
② (다)의 헤어짐은 현실에서의 재회를 전제로 주인공들의 사랑이 연기되는 것이지.
③ (다)의 만남은 (가)의 만남과 달리 제3자의 도움으로 주인공들의 사랑이 이루어져.
④ (다)의 헤어짐에서는 (나)의 헤어짐과 달리 운명적 요인으로 주인공들의 사랑이 좌절되고 있어.
⑤ (가)~(다)는 주인공들이 사랑을 이루기 위해 자신들을 둘러싼 세계와 끊임없이 갈등하는 과정을 나타내.

도움말
작품에 나타난 주요 사건을 살펴보고 남녀의 ❶ ______ 과 헤어짐을 중심으로 ❷ ______ 이 어떻게 진행되어 가는지 파악해 봅시다.
답 ❶ 만남 ❷ 사건

후편 마무리 전략 고전문학

핵심 한눈에 보기

향가와 고려 가요

향가의 특징

내용상 특징	형식상 특징
• 주로 승려, 화랑 등이 창작했으며, 불교적 신앙심을 바탕으로 한 작품이 많음. • 그 외에도 민요, 동요, 토속 신앙에 관련된 노래, 유교적인 내용을 담은 노래 등이 있음.	• 4구체, 8구체, 10구체의 형식이 있음. • 현전하는 향가의 대부분은 10구체임. 10구체는 가장 정제되고 세련된 형태로, '기 - 서 - 결'의 세 부분으로 구성되며, 낙구는 감탄사로 시작함.

고려 가요의 특징

내용상 특징	형식상 특징
• 평민층에서 나타난 민요적 시가로, 평민들의 소박하고 진솔한 감정이 잘 드러남. • 남녀 간의 사랑, 자연에 대한 예찬, 이별의 안타까움, 삶의 애환 등을 다룸.	• 3음보를 기본으로, '3·3·2조'의 음수율이 나타남. • 특별한 의미 없이 음률을 맞추기 위한 후렴구(여음)가 나타남. • 대체로 여러 개의 연으로 나뉘어 구성되는 분연체임.

시조

시조의 특징

내용상 특징	형식상 특징
• 주된 향유층인 사대부의 충의(忠義) 사상과 자연관을 노래한 것이 많음. • 작자층이 평민으로 확대되면서 현실적인 삶을 다룬 작품이 창작됨.	• 3장 6구 45자 내외를 기본형으로 함. • 4음보로 구성되며, 종장의 첫 음보는 3음절로 고정됨. • 조선 후기에는 각 장 4음보의 정형성이 파괴되어 장형화가 이루어졌고, 사설시조가 등장함.

시조의 유형

평시조
• 3장 6구 45자 내외의 정형화된 형식을 지님.
• 주로 사대부 양반 계층에서 향유되었으며 유교적 이념이나 자연과의 조화, 풍류 사상을 노래함.

연시조
• 2수 이상의 평시조를 잇달아서 한 편을 이룸.
• 임금에 대한 충정, 자연 속에서 안분지족하는 삶과 교화를 목적으로 한 작품들이 나타남.

사설시조
• 평시조의 형식에서 두 구 이상이 길어진 시조로, 대개 중장이 길어진 것이 많음.
• 현실의 모순과 부조리에 대한 풍자, 남녀 간의 애정을 다루는 등 소재와 주제에서 다양성을 보임.

가사

가사의 특징

내용상 특징	형식상 특징
• 안빈낙도, 충신연주지사를 노래한 작품이 많음. • 조선 후기 이후 작자층이 여성과 서민으로 확대되면서 내용이 다양해지고 당대 현실을 반영한 작품이 나타남.	• 3(4)·4조의 4음보 율격을 갖춘 연속체 시가로 행수에는 제한이 없으며 '서사 - 본사 - 결사'의 짜임을 갖춤. • 마지막 행이 시조 종장의 음수율과 유사하게 끝나는 것은 정격 가사, 그렇지 않은 것은 변격 가사라고 함.

가사의 유형

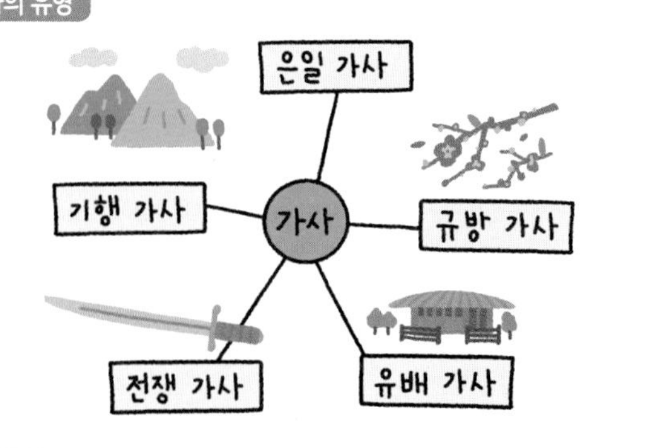

고전 소설의 인물

평면적 인물

고전 소설에서는 대체로 인물의 성격이 소설의 처음부터 끝까지 변하지 않음.

예 처음부터 끝까지 선한 인물인 흥부

전형적 인물

특정 신분이나 집단을 대변하는 인물 유형이 많이 등장함.

예 사랑을 지켜 내는 열녀, 시련과 고난을 이겨 내는 영웅, 양반을 풍자하고 조롱하는 평민 등

초월적 인물

인간의 세계를 뛰어넘는 능력을 지닌 인물 유형으로, 이원적 구성의 경우 천상계의 인물이 초월적 인물이 됨.

예 하늘의 선녀, 용궁의 용왕 등

고전 소설의 구성

평면적 구성	고전 소설에서는 대부분 시간의 흐름에 따라 사건이 전개됨.
일대기적 구성	전기(傳記)적 구성. 평면적 구성의 일종으로, 주인공이 태어나서 죽을 때까지의 사건이 시간이 흐르는 순서에 따라 전개됨.
영웅의 일대기적 구성	고귀한 혈통 → 비정상적인 출생 → 뛰어난 능력 → 유년기에 죽을 고비를 맞고 가족과 헤어짐. → 조력자의 도움으로 위기를 극복함. → 어른이 된 후 또다시 위기를 맞이함. → 위기를 극복하고 승리함.
이원적 구성	소설의 배경이 신선이 사는 '천상계'와 인간이 사는 '지상계'로 나누어진 구성

고전 소설의 사건과 서술자의 개입

사건

- 우연성: 사건이 필연적인 상황이나 원인 없이 우연하게 발생하는 경우가 많음.
- 비현실성: 현실에서 일어나기 어려운 신기하고 이상한 사건을 다루는 경우가 많음.

서술자의 개입

작품 밖의 서술자가 작품에 개입하여 인물과 사건에 대한 판단이나 생각, 느낌을 직접 서술하는 것으로 편집자적 논평이라고도 함.

고전 소설의 유형

애정 소설

주인공들이 시련을 극복하고 사랑의 결실을 맺는 구조로 되어 있음.

가정 소설

가족 구성원의 다툼과 극복 과정을 다룬 소설로, 축첩 제도와 처첩 간의 갈등이 주로 등장함.

영웅·군담 소설

전쟁을 통해 주인공의 군사적 활약상을 다루는 소설로, 대체로 영웅의 일대기적 구성에 따라 사건이 전개됨.

판소리계 소설

판소리 사설이 독서의 대상으로 전환되면서 형성된 소설로, 판소리에서 비롯된 문체와 수사적 특징, 세계관을 보여 줌.

풍자 소설

부정적 현실을 내세워 부정적 인물의 무능과 위선을 풍자하고 당대 사회의 부조리를 드러내는 소설

환몽 소설

환몽 구조로 이루어진 소설로, 외화(현실)와 내화(꿈)로 이루어진 액자식 구성을 취함.

신유형·신경향 전략

문학 영역에서는 다른 갈래들이 엮인 형태로 출제되기도 하고, 낯선 문학 이론 지문이 함께 출제되기도 합니다. 갈래별 개념과 특성을 이해하고, 문학 비평에 대한 이론적 설명, 작가의 창작 배경, 독자의 수용 양상 등에 대한 심층적 이해가 필요합니다.

01~03 다음 글을 읽고, 물음에 답하시오.

고전 시가에 연정이라는 주제와 달이라는 소재가 결합하는 애정 시조들이 있다. 이러한 시조들에서 달은 시적 정황이나, 함께 언급되는 다른 소재들과 정서적으로 연결되어 몇 가지 기능을 발휘한다.

먼저 애정 시조에서 달은 ㉠임과 이별하는 배경을 형상화하는 데 활용된다.

가 ᄃᆞᆯ 쓰쟈 ᄇᆡ ᄯᅥ나니 인졔 가면 언졔 오리
만경창파에 가ᄂᆞᆫ 듯 도라옴ᄉᆡ
ⓐ밤중만 지국총 소ᄅᆡ에 ᄋᆡ긋ᄂᆞᆫ 듯 ᄒᆞ여라

(가)의 달은 화자와 임이 달밤에 이별하는 상황을 형상화하는 데 활용되는 소재로서의 역할을 담당하고 있다.

다음으로 애정 시조에서 달은 ㉡화자의 정서를 불러일으키는 요인이 되기도 한다.

나 객창(客窓) 돗ᄂᆞᆫ 달의 두견이만 우지진다
엇그제 님 여히고 ᄒᆞ물며 객리로다
ⓑ밤즁만 난간에 의지ᄒᆞ야 지ᄂᆞᆫ 달만

다 주렴에 빗쵠 달과 멀리 오ᄂᆞᆫ 옥적(玉笛) 소ᄅᆡ
천수(千愁) 만한(萬恨)을 네 어이 도도ᄂᆞᆫ다
ⓒ천리(千里)에 님 이별ᄒᆞ고 잠 못 드러 ᄒᆞ노라

서정시에서는 특정한 소재가 화자의 감정을 촉발하는 경우가 있는데, (나)와 (다)의 달이 그러한 기능을 하고 있다. 즉 (나)와 (다)의 달은 이미 발생한 이별의 상황과 결합되어 화자의 수심을 불러일으키는 요인으로 작용하고 있다.

또한 애정 시조에서 달은 ㉢임이 부재한 상황에서 화자와 임을 이어 주는 기능을 담당한다.

라 ⓓ내 ᄆᆞᄋᆞᆷ 버혀 내여 뎌 ᄃᆞᆯ을 ᄆᆡᆼ글고져
구만 리(九萬里) 장천(長天)의 번드시 걸려 이셔
고온 님 계신 고ᄃᆡ 가 비최여나 보리라

마 ⓔ달아 ᄇᆞᆰ은 달아 님의 창전(窓前) 빗친 달아
ᄭᅩᆺ 갓흔 우리 님이 안ᄌᆞᆺ더냐 누엇더냐
져 달아 네 본 ᄃᆡ로 일너라 소식이나

달은 문학적 상상력을 바탕으로 화자와 임 사이를 정서적으로 이어 주는 역할을 한다. 달은 서로 다른 공간에 있는 두 사람이 동시에 바라볼 수도 있고, 또 두 사람을 동시에 비춰 줄 수도 있다. 그래서 (라)와 (마)의 화자는 임과 떨어져 있지만 임 역시 어느 곳에서든지 달 아래 있을 것이라 생각하고 달을 통해 두 사람은 이어질 수 있다는 상상력을 발휘하고 있다.

지금까지 언급한 애정 시조에 나타나는 달의 작중 기능들은 우리 문학에만 존재하는 것은 아니다. 연정이라는 주제와 달이라는 소재가 결합한 시가는 수천 년 동안 여러 나라에서 창작되고 향유되었다. 그러므로 우리의 애정 시조와 달을 바라보며 임을 그리워하는 외국의 시가를 비교해서 읽는 활동은 한국 문학의 보편성을 파악하는 데 도움이 된다. 우리 애정 시조에 나타나는 달의 작중 기능들은 중국의 당시(唐詩)나 일본의 와카[和歌] 등에서도 그 사례를 발견할 수 있다. 이를 통해 시대나 나라가 달라도 문화적으로 공유할 수 있는 보편성이 존재함을 알 수 있다.

01 윗글의 내용과 일치하지 않는 것은?

① (가)의 달은 임을 태운 배가 떠나는 시간적 배경으로 이별의 정황을 비추고 있다.
② (나)의 달은 두견이라는 자연물과 함께 애잔한 분위기를 형성하여 화자의 정서를 자극하고 있다.
③ (다)의 달은 먼 곳의 임이 화자에게 직접 보내는 옥적 소리를 실어 와 화자의 심회를 돋우고 있다.
④ (라)의 달은 구만 리 장천에 떠서 임 계신 곳을 비춤으로써 화자와 임을 이어 주는 매개체가 되고 있다.
⑤ (마)의 달은 임의 창 앞을 비춤으로써 화자에게 임의 소식을 전해 줄 수 있는 존재로 형상화되고 있다.

> **도움말**
> 제시된 지문의 ❶ [ ] 부분에서 '❷ [ ]'을 어떻게 설명하고 있는지 살펴보고 문제에 적용해 봅시다.
>
> 답 ❶ 평론 ❷ 달

02 〈보기〉를 바탕으로 ⓐ~ⓔ를 분석한 내용으로 적절하지 않은 것은?

> 보기
> 작품의 주제는 다양한 방식으로 형상화되는데 서정 갈래의 형상화 방법으로는 여러 가지 심상을 이용하기, 화자의 상황을 외부 사물로 드러내기, 대구·대조·영탄·설의·점층법 이용하기 등 다양한 방법이 있다.

① ⓐ: '지국총 소리'라는 청각적 심상을 활용하여 화자의 정서를 효과적으로 드러내고 있다.
② ⓑ: '돗ᄂᆞᆫ 달'이 '지ᄂᆞᆫ 달'이 되는 것은 이별한 화자가 괴로운 시간을 보내는 상황을 암시하고 있다.
③ ⓒ: 'ᄒᆞ노라'에서 영탄법을 사용하여 이별 후 심리적으로 힘들어 하는 화자의 상황을 드러내고 있다.
④ ⓓ: '내 ᄆᆞᄋᆞᆷ'이라는 구체적 사물을 'ᄃᆞᆯ'이라는 추상적 사물로 변환하여 화자의 상황을 표현하고 있다.
⑤ ⓔ: '달아'를 수식하는 말을 덧붙이면서 화자의 간절한 마음을 점층적으로 드러내고 있다.

03 윗글을 바탕으로 〈보기〉의 선생님이 제시한 과제를 학생이 수행한 내용으로 적절하지 않은 것은?

> 보기
> **선생님:** 지난 시간에는 애정 시조에서 달의 기능인 ㉠~㉢을 살펴보았는데 이 기능들이 다음 작품에서 어떻게 나타나고 있는지 탐구해 봅시다.
>
> 精졍誠셩이 지극ᄒᆞ야 ᄭᅮᆷ의 님을 보니
> 玉옥 ᄀᆞᄐᆞᆫ 얼굴이 半반이나마 늘거셰라
> ᄆᆞᄋᆞᆷ의 머근 말ᄉᆞᆷ 슬ᄏᆞ장 ᄉᆞᆲ쟈 ᄒᆞ니
> 눈믈이 바라 나니 말인들 어이ᄒᆞ며
> 情졍을 못다 ᄒᆞ야 목이조차 몌여ᄒᆞ니
> 오뎐된 鷄계聲셩의 잠은 엇디 ᄭᆡ돗던고
> 어와 **虛허事ᄉᆞ로다 이 님이 어ᄃᆡ 간고**
> 결의 니러 안자 窓창을 열고 ᄇᆞ라보니
> **어엿븐 그림재** 날 조ᄎᆞᆯ ᄲᅮᆫ이로다
> ᄎᆞᆯ하리 **ᄉᆡ여디여 落낙月월**이나 되야이셔
> **님 겨신 窓창 안**ᄒᆡ 번드시 비최리라
> 각시님 ᄃᆞᆯ이야ᄏᆞ니와 구ᄌᆞᆫ비나 되쇼셔
>
> – 정철, 〈속미인곡〉

달의 기능	탐구한 내용
㉠	'이 님이 어ᄃᆡ 간고'에서 이별 후의 정황임을 알 수 있으므로 이별하는 상황을 형상화하는 데 기여하는 달의 기능은 찾을 수가 없군. ········ ①
㉡	밤중에 창을 열고 바라본 '어엿븐 그림자'는 달빛에 비친 화자 자신을 의미하므로 달에 대한 직접적 언급이 없어도 화자가 외로운 달밤을 보내고 있다고 할 수 있겠군. ········ ②
	'허ᄉᆞ로다'에서 달이 사라질까 걱정하는 화자의 모습으로 보아 달은 화자의 수심을 유발했다고 할 수 있겠군. ········ ③
㉢	화자가 'ᄉᆡ여디여' '낙월'이 된다는 것에서 달이 화자의 분신과 같은 역할을 하는 존재라 할 수 있겠군. ········ ④
	'님 겨신 창 안'을 비추는 달은 화자와 임을 이어 주는 역할로 해석할 수 있겠군. ········ ⑤

04~07 다음 글을 읽고, 물음에 답하시오.

가 한국 문학 작품들 사이에 면면히 흐르는 공통적인 특질을 '한국 문학의 전통'이라고 한다. 한국 문학에는 정(情)과 한(恨)의 정서를 담아낸 작품들이 많다. 그중 한은 인간의 감정이 억눌려 응어리가 매듭처럼 맺힌 것을 말하는데, 이러한 한은 수난이 잦은 역사의 비운이나 사회적 억눌림 그리고 어긋난 인간관계 등으로 인해 발생한다. 하지만 한국 문학 작품들을 살펴보면 단순히 한으로 인한 아픔과 슬픔만을 그리지 않고, 그것을 극복하려는 풀이의 모습도 그리고 있다. 그렇기 때문에 한국 문학은 '한의 문학'이자 '풀이의 문학'이라고 할 수 있다.

김춘택의 〈별사미인곡〉은 평생 벼슬을 하지 못했던 그가 당쟁에 휘말려 유배를 갔을 때 지은 가사로 송강 정철의 〈사미인곡〉과 〈속미인곡〉의 영향을 받아 지어진 작품이다.

[A] 유배 가사를 비롯한 사대부들의 시가 작품 중에는 임금과의 관계가 어긋나게 되었을 때의 슬픔과 억울함 등을 담아낸 작품들이 있는데, 이때 임금을 이별한 임으로 설정하여 임금에 대한 절절한 그리움을 표현하였다. 대개 이런 작품들은 임금에 대한 변함없는 충정으로 한을 극복한다.

〈봉산 탈춤〉은 황해도 봉산(鳳山) 지방에 전승되어 오던 가면극으로 재담을 통해 봉건적인 가족 제도와 양반의 무능과 허위, 부조리 등을 폭로하고 비판한다. 이러한 탈춤은 서민들을 억압하는 사회를 풍자하고, 양반을 비하하는 욕설, 행동 등을 거침없이 표현하여 서민들의 금지된 욕망을 드러낸다. 또한 익살스러운 말과 행동을 통해 대상을 조롱하고 희화화하여 서민들이 겪었던 갈등과 고통을 웃음으로 해소한다.

나 ㉠이보소 저 각시님 설운 말씀 그만 하오
말씀을 들어하니 설운 줄을 다 모르겠네
㉡인연인들 한가지며 이별인들 같을손가
광한전(廣寒殿)* **백옥경(白玉京)***의 **님을 뫼셔 즐기더니**
이별을 하였거니 재앙인들 없을손가
해 다 저문 날에 가는 줄 설워 마소
어떻다 이내 몸이 견줄 데 전혀 없네
광한전 어디메오 백옥경 내 알던가
원앙침(鴛鴦枕) 비취금(翡翠衾)에 뫼셔 본 적 전혀 없네
내 얼굴 이 거동이 무얼로 님 사랑할고
길쌈을 모르거니 가무(歌舞)야 더 이를가
엇언지 님 향한 한 조각 이 마음을
하늘이 삼기시고 **성현**이 가르치셔
정확(鼎鑊)*이 앞에 있고 부월(斧鉞)*이 뒤에 있어
일백 번 죽고 죽어 뼈가 갈리 된 후라도
님 향한 이 마음이 변할손가
나도 일을 가져 남의 없는 것만 얻어
부용화 옷을 짓고 목란으로 꽃신 삼아
하늘께 맹세하여 님 섬기랴 원이려니
조물 시기한가 귀신이 훼방 놓았는가 〈중략〉
님을 뫼셔 그러한 각시님 같았던들
설움이 이러하며 생각인들 이러할가
㉢차생이 이렇거든 후생을 어이 알고
차라리 **싀어져 구름**이나 되어 이셔
상광 오색(祥光五色)이 님 계신 데 덮었으면
그도 마다하면 **바람**이나 되어 이셔
한여름 청음(淸陰)*의 님 계신 데 불고지고

– 김춘택, 〈별사미인곡〉

- **광한전** 달에 있다는 전설의 궁전.
- **백옥경** 옥황상제가 사는 서울.
- **정확** 죄인을 삶아 죽이는 가마.
- **부월** 도끼.
- **청음** 시원한 그늘.

다 **생원** 쉬이. (춤과 장단 그친다.) 말뚝아.

말뚝이 예에.

생원 ⓐ이놈, 너도 양반을 모시지 않고 어디로 그리 다니느냐?

말뚝이 예에. 양반을 찾으려고 찬밥 국 말어 일조식(日早食)하고, ㉣마구간에 들어가 노새 원님을 끌어다가 등에 솔질을 솰솰하여 말뚝이님 내가 타고 서양(西洋) 영미(英美), 법덕(法德), 동양 삼국 무른 메주 밟듯 하고, 동은 여울이요, 서는 구월이라, 동여울 서구월 남드리 북향산 방방곡곡(坊坊曲曲) 면면촌촌(面面村村)이, 바위 틈틈이, 모래 쨈쨈이, 참나무 결결이 다 찾아다녀도 샌님 비뚝한 놈도 없습디다. 〈중략〉

생원 이놈, 말뚝아. / **말뚝이** 예에.

생원 ⓑ나랏돈 노랑돈 칠 푼 잘라먹은 놈, 상통이 무르익은 대초빛 같고, 울룩줄룩 배미 잔등 같은 놈을 잡아들여라.

말뚝이 ㉤그놈이 심(힘)이 무량대각(無量大角)이요, 날램이 비호(飛虎) 같은데, 샌님의 전령(傳令)이나 있으면 잡아올는지 거저는 잡아 올 수 없습니다.

생원 오오, 그리하여라. 옜다. 여기 전령 가지고 가거라. (종이에 무엇을 써서 준다.)

말뚝이 (종이를 받아 들고 취발이한테로 가서) 당신 잡히었소.

취발이 어데, 전령 보자.

말뚝이 (종이를 취발이에게 보인다.)

취발이 ⓒ(종이를 보더니 말뚝이에게 끌려 양반의 앞에 온다.)

말뚝이 (취발이 엉덩이를 양반 코앞에 내밀게 하며) 그놈 잡아들였소.

생원 아, 이놈 말뚝아. 이게 무슨 냄새냐?

말뚝이 예, 이놈이 피신(避身)을 하여 다니기 때문에, 양치를 못 하여서 그렇게 냄새가 나는 모양이외다.

생원 ⓓ그러면 이놈의 모가지를 뽑아서 밑구녕에다 갖다 박아라.

〈중략〉

말뚝이 샌님, 말씀 들으시오. 시대가 금전이면 그만인데, 하필 이놈을 잡아다 죽이면 뭣하오? ⓔ돈이나 몇백 냥 내라고 하야 우리끼리 노나 쓰도록 하면, 샌님도 좋고 나도 돈냥이나 벌어 쓰지 않겠소. 그러니 샌님은 못 본 체하고 가만히 계시면 내 다 잘 처리하고 갈 것이니, 그리 알고 계시오. (굿거리장단에 맞추어 일제히 어울려서 한바탕 춤추다가 전원 퇴장한다.)

– 작자 미상, 〈봉산 탈춤〉

- **일조식** 아침 일찍 식사함.
- **법덕** 프랑스와 독일.
- **무량대각** 헤아릴 수 없을 정도로 힘이 셈.

---

04 (가)의 내용에 대한 이해로 적절하지 않은 것은?

① '정(情)'과 '한(恨)'의 정서를 담아내는 것이 한국 문학의 전통이라 할 수 있다.

② 인간의 '한(恨)'을 서술만 하는 것이 아니라 풀어내는 것이 한국 문학의 특질이라 할 수 있다.

③ 〈별사미인곡〉에서 풀이의 기능을 하는 내용은 임에 대한 변함없는 마음이라고 볼 수 있다.

④ 〈별사미인곡〉에서 화자와 임의 이별을 유발한 원인은 수난이 잦은 역사적 비운이라고 할 수 있다.

⑤ 〈별사미인곡〉에서 임에 대한 사모의 마음은 한국 문학의 전통 중 '정(情)'에 해당한다고 볼 수 있다.

도움말
(가)의 내용을 바탕으로 한국 문학의 ❶ [ ] 이 무엇인지 살펴보고, 그 ❷ [ ] 에 대해서 생각하며 감상해 봅시다.

답 ❶ 특질 ❷ 효과

05 [A]를 바탕으로 (나)를 감상한 내용으로 적절하지 않은 것은?

① 옥황상제가 사는 '백옥경'에 임이 있다는 것에서 임은 신분이 높은 존재라고 볼 수 있군.

② '님을 뫼셔 즐기더니'는 화자가 관직에 있을 때 임금과의 관계가 좋았다는 의미로 볼 수 있군.

③ 임 향한 마음을 '하늘'과 '성현'과 관련지으며 충 사상에서 벗어나지 못하는 한을 드러내고 있군.

④ '일백 번 죽고 죽어'에서 죽어도 변하지 않을 충 사상을 드러내고 있군.

⑤ '석어져' 될 '구름'과 '바람'은 화자가 임금 곁으로 가게 하는 분신 역할에 해당하는군.

06 (다)의 ⓐ~ⓔ 중 〈보기〉의 밑줄 친 부분을 확인할 수 있는 내용으로 적절하지 않은 것은?

> 보기
> 〈봉산 탈춤〉의 양반춤 과장은 말뚝이, 관객, 악공이 한패가 되어 양반의 권위를 실추시키며 양반을 희롱하고 양반도 어리숙한 모습을 드러내면서 억눌렸던 서민들의 한스러움을 풀어내고 있다. 하지만 여전히 양반의 권위가 유효한 시대임을 간과하지 않고 제시되고 있다.

① ⓐ ② ⓑ ③ ⓒ ④ ⓓ ⑤ ⓔ

07 ㉠~㉤에 대한 설명으로 적절하지 않은 것은?

① ㉠: 대화의 형식으로 시상이 전개되고 있음이 드러나고 있다.
② ㉡: 의문형 진술을 통해 화자의 생각을 강조하고 있다.
③ ㉢: 대구법을 사용하여 화자와 임을 갈라놓은 대상을 원망하는 화자의 모습이 드러나고 있다.
④ ㉣: 발음의 유사성을 이용하여 인물을 희화화하고 있다.
⑤ ㉤: 비유법을 활용하여 인물의 특성을 부각하고 있다.

08~10 다음 글을 읽고, 물음에 답하시오.

가 사람 사람마다 이 말삼 드러사라
이 말삼 아니면 사람이라도 사람 아니니
이 말삼 잇디 말고 배우고야 마로리이다 〈제1수〉

아바님 날 나흐시고 어마님 날 기르시니
부모(父母)곧 아니시면 내 몸이 업실랏다
이 덕(德)을 갚흐려 하니 하늘 가이 업스샷다 〈제2수〉

종과 주인과를 뉘라셔 삼기신고
벌과 개미가 이 뜻을 몬져 아니
한 마암애 두 뜻 업시 속이지나 마옵사이다 〈제3수〉

지아비 밭 갈라 간 데 밥고리 이고 가
반상을 들오되 눈썹에 마초이다
진실로 고마오시니 손이시나 다르실가 〈제4수〉

형님 자신 젖을 내 조처 먹나이다
어와 우리 아우야 어마님 너 사랑이야
형제(兄弟)가 불화(不和)하면 개 돼지라 하리라 〈제5수〉

늙은이는 부모 같고 어른은 형 같으니
같은데 불공(不恭)하면 어디가 다를고
나이가 많으시거든 절하고야 마로리이다 〈제6수〉

– 주세붕, 〈오륜가〉

나 나는 집이 가난해서 말이 없기 때문에 간혹 남의 말을 빌려서 탔다. 그런데 노둔하고 야윈 말을 얻었을 경우에는 일이 아무리 급해도 감히 채찍을 대지 못한 채 금방이라도 쓰러지고 넘어질 것처럼 전전긍긍하기 일쑤요, 개천이나 도랑이라도 만나면 또 말에서 내리곤 한다. 그래서 후회하는 일이 거의 없다. 반면에 발굽이 높고 귀가 쫑긋하며 잘 달리는 준마를 얻었을 경우에는 의기양양하여 방자하게 채찍을 갈기기도 하고 고삐를 놓기도 하면서 언덕과 골짜기를 모두 평지로 간주한 채 매우 유쾌하게 질주하곤 한다. 그러나 간혹 위험하게 말에서 떨어지는 환란을 면하지 못한다.

아, 사람의 감정이라는 것이 어쩌면 이렇게까지 달라지고 뒤바뀔 수가 있단 말인가. 남의 물건을 빌려서 잠깐 동안 쓸 때에도 오히려 이와 같은데, 하물며 진짜로 자기가 가지고 있는 경우야 더 말해 무엇하겠는가.

그렇긴 하지만 사람이 가지고 있는 것 가운데 남에게 빌리지 않은 것이 또 뭐가 있다고 하겠는가. 임금은 백성으로부터 힘을 빌려서 존귀하고 부유하게 되는 것이요, 신하는 임금으로부터 권세를 빌려서 총애를 받고 귀한 신분이 되는 것이다. 그리고 자식은 어버이에게서, 지어미는 지아비에게서, 비복(婢僕)은 주인에게서 각각 빌리는 것이 또한 심하고도 많은데, 대부분 자기가 본래 가지고 있는 것처럼 여기기만 할 뿐

끝내 돌이켜 보려고 하지 않는다. 이 어찌 미혹된 일이 아니겠는가.

그러다가 혹 잠깐 사이에 그동안 빌렸던 것을 돌려주는 일이 생기게 되면, 만방(萬邦)의 임금도 독부(獨夫)가 되고 백승(百乘)의 대부(大夫)도 고신(孤臣)이 되는 법인데, 더군다나 미천한 자의 경우야 더 말해 무엇하겠는가.

맹자(孟子)가 말하기를 "오래도록 차용하고서 반환하지 않았으니, 그들이 자기의 소유가 아니라는 것을 어떻게 알았겠는가."라고 하였다. 내가 이 말을 접하고서 느껴지는 바가 있기에, 〈차마설〉을 지어서 그 뜻을 부연해 보노라.

– 이곡, 〈차마설〉

---

08 (가)와 (나)를 비교한 내용으로 가장 적절한 것은?

① (가)는 대상을 예찬하는 태도가 (나)는 대상을 비판하는 태도가 드러난다.

② (가)는 현실에 대한 비관적인 태도가 (나)는 현실에 대한 낙관적인 태도가 드러난다.

③ (가)와 (나)는 모두 통념을 깨뜨리는 방식을 통해 주제를 강조하고 있다.

④ (가)와 달리 (나)는 성인의 말을 인용하여 주제 전달의 효과를 높이고 있다.

⑤ (가)와 달리 (나)는 역사적 사건을 서술하며 설득력을 높이고 있다.

09 (가)에 대한 설명으로 적절하지 않은 것은?

① 〈제1수〉는 전체 시의 서론 격으로 작품의 창작 의도를 드러내고 있다.

② 〈제2수〉~〈제6수〉는 병렬식으로 구성되어 각각의 주제를 제시하고 있다.

③ 〈제3수〉는 자연물의 속성을 근거로 들어 화자의 주장을 드러내고 있다.

④ 〈제5수〉는 화자를 교체하여 작품의 주제를 효과적으로 전달하고 있다.

⑤ 〈제2수〉와 〈제5수〉는 명령의 어조를 사용하여 주제 의식을 강조하고 있다.

10 〈보기〉를 참고하여 (가), (나)를 분석한 것으로 적절하지 않은 것은?

> 보기
>
> 문학의 갈래를 서정, 서사, 극, 교술로 나눌 때 사실성과 교훈성이 가장 돋보이는 것이 교술 갈래이다. 설, 기, 수필 등이 교술 갈래를 대표하는 하위 갈래인데 이 중에서도 '설'은 사물의 이치를 탐구하고 글쓴이의 깨달음을 서술하는 것이 일반적이다. 이에 비해 서정 갈래는 화자의 정서를 서술하는 문학 갈래인데 시조 작품 중 일부는 교술 갈래처럼 교훈성을 띠는 경우가 있다. 정철의 〈훈민가〉나 주세붕의 〈오륜가〉와 같은 연시조가 이에 해당된다. 작품에서 전달하고자 하는 교훈은 직접적으로 제시되기도 하지만 다양한 방법을 활용하여 설득력을 높인다. 유사한 사례를 예시로 언급하며 뒷받침하거나 다른 대상과의 대비, 비유, 유추 등의 방법으로 교훈의 전달 효과를 높인다.

①  (가)에서는 독자가 따라야 할 윤리적 덕목을 교훈으로 제시하고 있어.

②  (가)에서는 인간과 짐승의 구분이 없이 모두가 따라야 할 교훈임을 강조하고 있어.

③  (나)는 다양한 예시를 활용하여 교훈의 타당성을 뒷받침하고 있어.

④  (나)는 체험을 바탕으로 하므로 사실성이 작품의 전제가 되고 있어.

⑤  (나)는 유추의 방식으로 글쓴이의 깨달음을 일반화하며 교훈을 제시하고 있어.

도움말

〈보기〉에서 제시된 내용을 바탕으로 두 지문의 ❶ [ ] 과 차이점이 무엇인지 형식과 ❷ [ ] 면에서 분석하며 감상해 봅시다.

답 ❶ 공통점 ❷ 내용

1·2등급 확보 전략

01~05 다음 글을 읽고, 물음에 답하시오.

(가) 수국(水國)에 봄빛이 일렁이는데
하늘가 나그네 돌아가지 못하네
풀은 천 리에 이어져 푸른데
ⓐ달은 두 고을에 함께 밝구나
유세하느라 황금은 소진하였는데
돌아갈 생각에 백발만 돋아나네
사방을 떠도는 남아의 큰 뜻은
공명을 위한 것만은 아니라네 〈제3수〉

평생 남과 북으로 떠다녀
심사가 점점 뒤틀리는 것을
고국은 바다 서쪽에 있는데
외로운 배는 하늘가에 있다네

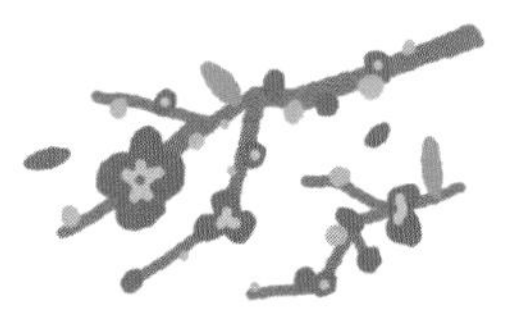

매화 핀 창가에 봄빛이 이른데
판잣집에는 빗소리가 요란하다
홀로 앉아 긴긴 날을 보내니
어찌 집 생각 괴롭지 않겠나 〈제4수〉

- 정몽주, 〈홍무정사봉사일본작〉

(나) 산림이 적막한데 헤아리니 일 많은 듯
한 조각 구름 보니 외로운 새 무슨 일인가
명월과 청풍은 함께 따라 들어오네
㉠차를 다리려고 솔방울을 주워 놓고
막걸리를 거른 후에 갈건을 아니 널랴
계곡에서 든 잠을 물소리가 깨우는 듯
대나무 숲 깊은 곳에 손이 따라 오는구나
사립문을 열어 두고 낙엽을 바삐 쓸며
이끼 낀 바위 위에 기대어 앉아 보고
그늘 진 솔뿌리를 베고도 누워 보며
㉡한가한 말 못다 해도 산의 하루 지나가니
스님을 언제 찾나 약 캐려다 저물었다
㉢그런 것도 번거로워 다 떨치고 걸어 올라
만 리 밖을 두 눈으로 치켜들어 바라보니
노을 속의 따오기는 오며 가며 다니거든
㉣멀고 먼 세상들은 눈 속의 티끌이로다
기회 엿봄 잊었으니 새 물고기 날 대할까
낚시터에 내려 앉아 갈매기를 벗을 삼고
거친 잔을 기울이며 취하도록 혼자 먹고
흥이 다함을 기약하며 석양을 보낸 후에
강문에 ⓑ달이 올라 물과 하늘 한 빛일제
강 가득 풍류를 한 배 위에 실어 오니
아득한 천지에 막힌 것이 무엇이랴
㉤두어라 이렇게 저렇게 늙어간들 어이하리

- 조우인, 〈매호별곡〉

01 (가)와 (나)의 공통점으로 가장 적절한 것은?

① 바람직하게 생각하는 삶의 태도가 드러나 있다.
② 자신이 처한 상황에 순응하는 태도가 나타나 있다.
③ 내면의 갈등을 극복하려는 화자의 의지가 나타나 있다.
④ 공간적 배경이 화자의 정서와 밀접한 관련을 맺고 있다.
⑤ 이상과 현실의 괴리에서 오는 고뇌가 작품 창작의 바탕이 된다.

02 ⓐ와 ⓑ를 비교하여 이해한 내용으로 가장 적절한 것은?

① ⓐ, ⓑ는 모두 화자의 외로운 처지를 보여 주는 소재이다.
② ⓐ, ⓑ는 모두 화자의 심리를 전환시키는 계기가 되는 자연물이다.
③ ⓐ, ⓑ는 모두 화자로 하여금 현실에 대응하는 자세를 성찰하게끔 유도하는 소재이다.
④ ⓐ는 화자에게 고향을 떠올리게 하는 매개체로, ⓑ는 화자의 흥겨움을 자아내는 자연물로 작용한다.
⑤ ⓐ는 화자가 심리적으로 동질감을 느끼는 대상인 반면, ⓑ는 화자가 심리적으로 거부감을 느끼는 대상이다.

함정문제

03 〈보기〉를 참고하여 (가)를 이해한 내용으로 적절하지 않은 것은?

보기

정몽주는 사신의 자격으로 다른 나라를 많이 오고 간 신하였다. 〈홍무정사봉사일본작〉은 당시 왜구들이 포로로 잡아 간 사람들을 송환하기 위해 일본으로 사신을 가 있는 동안에 지은 작품으로, 자연물과 인간 세상의 대비를 통한 안타까움의 감정, 사내대장부로서의 호방한 기운과 더불어 고향에 대한 그리움의 감정 등이 복합적으로 녹아들어 있다.

① '하늘가 나그네 돌아가지 못하네'는 화자가 현재 처한 상황이 나타나 있다.
② '유세하느라 황금은 소진하였는데'에는 자연과 대비되는 인간 세상의 속된 모습이 나타나 있다.
③ '사방을 떠도는 남아의 큰 뜻은 / 공명을 위한 것만은 아니라네'에는 화자의 호방한 기운이 담겨 있다.
④ '평생 남과 북으로 떠다녀'에는 사신의 자격으로 다른 나라를 많이 오고 갔던 화자의 삶이 드러나 있다.
⑤ '어찌 집 생각 괴롭지 않겠나'에는 고향을 그리워하면서도 가지 못하는 현재 상황에 대한 안타까움의 감정이 담겨 있다.

〈보기〉의 작가에 대한 설명을 참고하여 (가)의 ❶ ______ 가 처한 상황을 이해하고, 그 상황에서 화자가 느낄 ❷ ______ 을 중심으로 작품을 감상해 봅시다.

답 ❶ 화자 ❷ 감정

04 (가)와 (나)의 표현상의 특징으로 적절한 것을 〈보기〉에서 모두 고른 것은?

보기

ㄱ. (나)는 (가)와 달리 구체적인 청자를 대상으로 화자의 심정을 표출하고 있다.
ㄴ. (가)와 (나)는 모두 설의적 표현을 사용하여 화자의 의도를 부각하고 있다.
ㄷ. (가)와 (나)는 모두 대상에 화자의 감정을 이입하여 표현의 효과를 높이고 있다.

① ㄱ ② ㄱ, ㄴ ③ ㄱ, ㄷ
④ ㄴ, ㄷ ⑤ ㄱ, ㄴ, ㄷ

05 (나)의 ㉠~㉤에 대한 이해로 적절하지 않은 것은?

① ㉠: 산림에서의 행위를 나열하여 산속에서의 삶이 한가롭지만은 않다는 것을 보여 준다.
② ㉡: 산속에서의 하루가 빨리 저무는 것에 대한 아쉬움의 감정을 나타내고 있다.
③ ㉢: 정치 현실의 갈등에서 벗어나고픈 화자의 마음이 구체적인 행동으로 표출되고 있다.
④ ㉣: 속세를 자연과 대립되는 공간이라 인식하여 부정적으로 바라보고 있다.
⑤ ㉤: 속세의 부귀영화에 얽매이지 않는 자신의 삶에 대한 만족감을 표출하고 있다.

06~10 다음 글을 읽고, 물음에 답하시오.

가 생시던가 꿈이던가 **백옥경(白玉京)**에 올라가니
옥황(玉皇)은 반기시나 ⓐ**군선(群仙)**이 꺼린다
두어라 **오호연월(五湖烟月)이 내 분(分)에 옳도다**
〈제1수〉

풋잠에 꿈을 꾸어 십이루(十二樓)에 들어가니
옥황은 웃으시되 군선(群仙)이 꾸짖는다
어즈버 **백만억(百萬億) 창생(蒼生)을 어느 결에 물으리**
〈제2수〉

하늘이 무너진 때 무슨 술(術)로 기워 낸고
백옥루(白玉樓) 중수(重修)할 때 어떤 바치 이뤄 낸고
옥황께 사뢰 보쟈 하더니 다 못하여 왔도다
〈제3수〉

- 윤선도, 〈몽천요〉

● **오호연월** 아름다운 풍경.

나 정 군은 매일같이 그물을 손질하고 고기를 잡곤 하였지만 힘들어하지 않았다. 나는 그 일을 다른 노비들에게 대신 시켜 보았다. 하지만 제대로 해내는 자가 없었다. 그래서 나는 정 군에게

"그물 손질은 아무나 해낼 수 없는 특별한 방도가 있는 것이냐?"

고 물어보았다.

그러자 정 군은,

[A] "미련한 노비는 해낼 수 없는 일입니다. 그물이란 본디 벼리[網]와 코[目]가 있는데, 벼리는 코가 없으면 쓸모가 없고, 코는 벼리가 있어야만 펼쳐지는 것입니다. 벼리와 코가 잘 엮어지고 가닥가닥이 엉키지 않아야 사용할 수가 있습니다.

그물을 처음 만들 때에 맨 먼저 벼리를 준비하고 거기에다 코를 엮는데, 가닥가닥이 정연하여 헝클어지지 않도록 합니다. 그러나 모든 물건은 오래되면 망가지게 마련인 것이 세상의 이치입니다. 게나 고기들이 물어뜯고, 좀이나 쥐가 갉아서, 처음에는 그물코가 터지고 나중에는 벼리까지 끊어지게 됩니다. 그러한 그물로 고기를 잡을라치면 마치 깨진 동이에 물 붓기나 마찬가지가 됩니다. 그리고 여기저기 너덜너덜해져서 손질을 하기가 어렵게 되지요. 그렇게 되면 사람들은 통상 버릴 때가 되었다고들 합니다. 그러나 왜 손질할 수가 없겠습니까? 저는 그 해진 그물을 가지고 돌아와서 바닥에다 펼쳐 놓고 해어진 부분을 자세히 살펴봅니다. 조바심 내거나 신경질 부리지 않고 끈기를 가지고 부지런히 수선을 합니다. 제일 먼저 벼리를 손질하고, 그 다음 코를 손질합니다. 끊긴 벼리는 잇고, 터진 코는 깁는데, 며칠 안 돼서 새 그물같이 됩니다. 그렇게 되면 버리라고 말했던 사람들은 모두, 헌것을 고쳐서 새롭게 만든 것인 줄은 알지만, 골똘한 생각과 매우 부지런한 노력이 필요하였다는 것까지는 모릅니다.

만일 버리라는 말을 듣고 손질하지 않았다면 이 그물은 이미 쓸모없이 버려졌을 것입니다. 아니면 설사 손질하고자 하더라도 미련한 종놈에게 맡긴다면, 벼리와 코의 순서가 뒤죽박죽 되게 됩니다. 그렇게 되면 손질하려다가 도리어 헝클어 놓게 되는 것이니, 이익을 보려다가 도리어 손해를 보는 경우가 될 것이 뻔합니다. 이후로는 잘 사용하고 잘 간수해서, 해어진 곳이 생기면 바로바로 손질하고, 어리석은 종놈이 헝클어 놓는 일이 없게 한다면, 오래도록 성하게 사용할 수 있을 터이니 무슨 걱정할 일이 있겠습니까?"

하였다.

나는 그의 말을 자세히 다 들은 뒤에 한숨을 쉬고 탄식하면서 이르기를,

"자네의 그 말은 참으로 나라를 다스리는 이가 알아야 할 내용이다."

하였다.

아! 벼리는 끊기고 코는 엉키어서 온갖 것이 해이 되어 해진 그물과도 같은 이 말세임에랴! 끊기고 엉킨 벼리와 코를 보고 모른 체 버려두고 어찌해 볼 수가 없다고 하지 않는 이가 몇이나 되며, ⓑ어리석은 종놈에게 맡겨 그르치게 하여 이익을 보려다가 도리어 손해를 당하지 않는 이가 몇이나 되던가?

아! 어떻게 하면 정 군과 같이 골똘한 연구와 여유 있고 침착한 손질로, 조바심 내거나 신경질 부리지 않고, 선후를 잘

알아 처리하여 간단하게 정돈해 내는 그런 사람을 만날 수 있을까? 그리고 어떻게 하면 날마다 부지런히 일하면서도 힘들어하지 않고 언제나 완전함을 유지하여 망가지지 않도록 하는 그런 인물을 얻을 수가 있을까?

- 이건명, 〈보망설〉

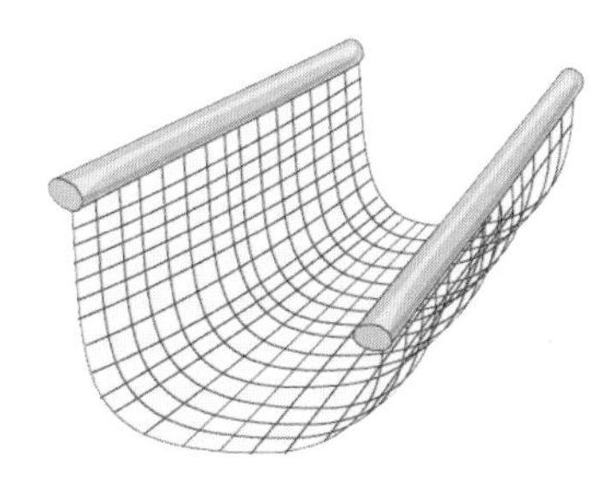

06 (가)와 (나)의 공통점으로 가장 적절한 것은?

① 반어적 표현을 통해 주제 의식을 부각하고 있다.
② 색채어를 활용하여 대상이 지닌 속성을 부각하고 있다.
③ 음성 상징어를 사용하여 상황을 생동감 있게 그리고 있다.
④ 설의적 표현을 활용하여 전하고자 하는 바를 강조하고 있다.
⑤ 과거와 현재의 대비를 통해 태도의 변화를 나타내고 있다.

함정문제

07 다음을 바탕으로 하여 (가)를 감상한 내용으로 적절하지 않은 것은?

〈몽천요〉는 윤선도가 임금의 부름을 받고 동부승지가 되었으나 시기 질투하는 반대 당파 세력의 신하들이 꺼려하여 사직하고 다시 양주 고산에 내려와 읊은 3수의 시조이다. 임금에 대한 변함없는 사랑과 우국(憂國)의 정, 자신의 포부를 펼칠 수 없는 상황에 대한 안타까움과 더불어 벼슬을 버린 삶을 수용하려는 태도를 함께 표출하고 있는 이 작품은 비유적 표현과 도교적 세계관을 바탕으로 현실에 대한 인식을 드러냈다는 평가를 받는다.

① '백옥경', '옥황' 등은 도교적 세계관을 대표하는 공간과 인물들로 볼 수 있겠군.
② 자신을 반기는 '옥황'은 임금을, 이를 꺼리는 '군선'은 반대 당파 신하를 비유한 것으로 볼 수 있겠군.
③ '오호연월이 내 분에 옳도다'에는 벼슬을 버린 현재의 삶을 수용하는 태도를 엿볼 수 있겠군.
④ '백만억 창생을 어느 결에 물으리'에는 백성과 나라의 안위를 걱정하는 우국의 마음이 담겨 있는 것으로 볼 수 있겠군.
⑤ '하늘이 무너진 때 무슨 술로 기워 낸고'에는 자신의 뜻을 펼칠 수 없는 현실 정치에 대한 안타까움이 담겨 있는 것으로 볼 수 있겠군.

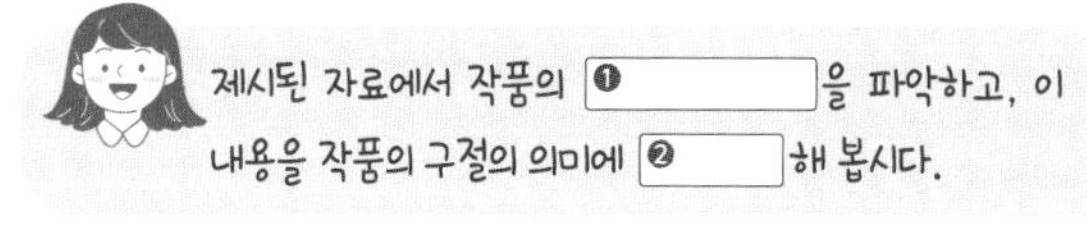

답 ❶ 주제 의식 ❷ 적용

08 ⓐ, ⓑ에 대한 이해로 가장 적절한 것은?

① ⓐ는 ⓑ와 달리 세속적 욕망에서 초연한 존재를 표상한다.
② ⓑ는 ⓐ와 달리 글쓴이가 추구하는 바를 가로막는 장애로 작용한다.
③ ⓐ, ⓑ 모두 화자와 글쓴이에 의해 부정적으로 인식되는 존재들이다.
④ ⓐ, ⓑ 모두 화자와 글쓴이에게 삶에 대한 깨달음을 주는 존재들이다.
⑤ ⓐ, ⓑ 모두 화자와 글쓴이로 하여금 현실 대응 자세를 성찰하게 하는 존재들이다.

09 〈보기〉를 참고하여 (나)를 감상한 내용으로 적절하지 않은 것은?

> 보기
>
> 교술 갈래는 실재하는 사실을 들어 말하여 그에 대한 생각과 느낌이 자연스럽게 드러나게 하는 갈래이다. 다른 갈래에 비해 실제의 외부 현실이 차지하는 비중이 크다. 교술 갈래의 작품은 대상이 지닌 의미를 남다르게 발견하는 데 의의가 있으며, 현상에 매몰되지 않고 비유나 유추 등의 방식을 통해 인식과 체험을 확장하고, 대상의 의미를 새롭게 발견해 가는 것이야말로 교술 갈래의 핵심적 특징이라고 할 수 있다. 또한 그 과정에서 얻은 깨달음을 독자에게 전달하는 것 역시 교술 갈래의 특징에 해당한다.

① 정 군과 대화를 나눈 실제의 경험을 들어 말한다는 점에서 교술의 성격이 두드러지게 나타나는군.
② '그물 손질'을 나라를 다스리는 원리에 적용하였다는 점에서 유추의 방식이 활용되고 있다고 볼 수 있겠군.
③ '해진 그물과도 같은 이 말세임에랴'에는 정 군과의 대화를 통해 얻은 깨달음을 현실 상황에 적용한 것으로 볼 수 있겠군.
④ 정 군의 말을 듣고 '선후를 잘 알아 처리하'는 것의 중요성을 깨달은 것은 현상에 매몰되지 않는 사고의 중요성을 강조한 것으로 볼 수 있겠군.
⑤ 글쓴이는 '그물 손질'의 방법을 알려 주는 정 군의 말에 담긴 뜻을 표면적으로만 파악한 것이 아니라 그 안에 담긴 의미를 남다르게 발견한 것으로 볼 수 있겠군.

10 다음은 [A]의 내용을 정리한 것이다. 이를 바탕으로 '목표 달성을 위해 리더로서 갖추어야 할 조건'을 연상한 내용으로 적절하지 않은 것은?

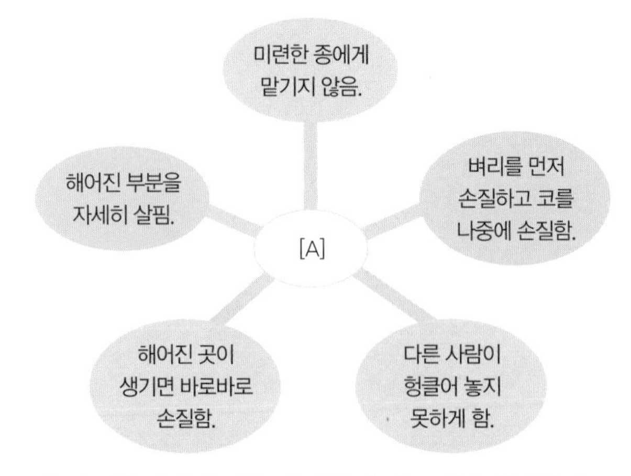

① 당면한 사안이 있을 때 미루지 말고 빨리 처리한다.
② 일을 처리할 수 있는 적합한 사람에게 업무를 지시한다.
③ 문제점이 발생했을 때 잘못된 부분을 철저하게 파악하려 노력한다.
④ 여러 가지 일이 있을 때 어떤 일을 먼저 해야 할지 순서를 정해 처리한다.
⑤ 자신의 의견만을 너무 고집하지 않고 상대방의 의견도 경청하려 노력한다.

11~14 다음 글을 읽고, 물음에 답하시오.

하루는 진사님이 대군의 궁에 갔다 돌아와서 하는 말이,

"도망해야 하겠소. 내가 지은 시로 해서 대군이 의심을 품고 있으니 오늘 밤에 도망가야 하겠소. 오늘 밤에 도망가지 않으면 후환이 있을까 두렵소."

"지난밤 ⓐ꿈에 한 사람을 보았는데 얼굴이 흉악하고 묵특 선우라 칭하면서 말하기를 '이미 약속한 바 있어 만리장성 밑에 오래도록 기다렸노라.' 하기에 깜짝 놀라 깨어 일어났거니와, 몽조가 상서롭지 아니하니 낭군님도 생각하여 보옵소서."

"꿈은 허망하다고 하는데 어찌 믿을 수 있겠소."

"그 만리장성이라고 말한 것은 궁장이며, 그 묵특이라고 말한 것은 특이니, 낭군님은 그 노복의 마음을 잘 알고 있으신지요?"

"그놈은 본래 미련하고 음흉하지만 전일 나에게 충성을 다하였으니 어찌 나중에 악한 일을 하겠소?"

"낭군님의 말씀을 어찌 감히 거역하오리이까마는 자란이와 나의 정이 형제와 같으니 이를 말하지 않을 수 없어요."

하고는 곧 자란을 불러 진사님의 계교로써 말하였더니, 자란이 크게 놀라며 꾸짖어 말하더이다.

[A] "서로 즐거워한 지가 오래 되었는데 어찌 스스로 화근을 빨리 오게 하느냐? 한두 달 동안 서로 사귐이 또한 족하거늘 담을 넘어 도망하는 것을 어찌 사람으로서 차마 할 수 있으리오? 천지는 한 그물 속 같으니 하늘로 올라가거나 땅으로 들어가지 않는 이상 도망간들 어디를 가리오? 혹 잡힐 것 같으면 그 화는 어찌 너의 몸만으로 그치겠느냐. 몽조가 상서롭지 못하다 하는 것은 그만두고라도 만약 길하다고 하면 네가 기쁘게 가겠느냐. 네가 할 일은 마음을 굽히고 뜻을 누르고서 정절을 지켜 평안이 있으면서 하늘의 뜻에 귀를 기울이는 것뿐이다. 네가 점점 나이가 들어 늙게 되면 주군의 은혜와 사랑이 점차 느슨해질 것이다. 이러한 형편을 보고 있다가 칭병하고 누워 있으면 반드시 고향으로 돌아가게 허락하여 주실 것이다. 이때를 당하여 낭군과 같이 손을 잡고 가서 백년해로(百年偕老) 함이 가장 큰 계교이니 이런 것을 생각하여 보지 못하였는가. 이제 ㉠와 같은 계교를 당하여 네가 사람을 속일 수는 있으나 감히 하늘을 속일 수야 있겠느냐?"

이에 진사님은 일이 이루어지지 못할 것을 알고는 한탄하면서 눈물을 머금고 나갔습니다.

하루는 대군이 서궁 수헌에 와서 철쭉꽃이 만발하였음을 보시고 시녀에게 명하여 ⓑ오언 절구를 지어 올리게 하고는 대군이 칭찬하여 말씀하셨습니다.

"너희들의 글이 날로 발전하므로 내 매우 가상히 여기거니와 다만 운영의 시에는 뚜렷이 사람을 생각하는 뜻이 있구나. 네가 따라가고자 하는 사람이 어떠한 사람이냐? 김 진사의 상량문에도 의심할 만한 대목이 있었는데, 너는 김 진사를 생각하고 있지 않느냐?"

이에 저는 즉시 뜰에 내려 머리를 땅에 대고 울면서 고했어요.

"대군께 한 번 의심을 보이고는 바로 곧 스스로 죽고자 했으나 나이가 아직 이십 미만이고, 또 부모님을 보지 않고 죽으면 구천지하에 죽어서도 유감이 있는 까닭으로 살기를 도적하여 여기까지 이르렀다가 또한 이제 의심을 나타냈사오니 한 번 죽기를 어찌 애석히 여기리까."

하고는 바로 ⓒ비단 수건으로 스스로 난간에다 목을 맸습니다. 그러자 자란이 말했습니다.

"현명하신 주군께서 죄 없는 시녀를 자결케 하신다면 이후 저희들은 결코 붓을 잡지 않겠나이다."

대군이 비록 크게 노하였으나 마음속으로는 정말로 죽이고 싶지 않은 고로, 자란으로 하여금 구하여 죽지 못하게 하였습니다.

이로부터 진사가 다시는 궁궐에 출입하지 못하게 되었습니다. 진사는 두문불출하고 지내다가 병들어 누워 눈물로 이불을 적셨는데, 그 목숨이 실낱 같았습니다. 특이 와서 뵙고 말했습니다.

"대장부가 죽으면 죽었지, 상사병으로 맺힌 원한 때문에 아녀자가 속을 끓이는 것처럼 잔달게 굴며 천금 같은 몸을 스스로 버린단 말입니까? 이제 계책을 부리면 궁녀를 취하는 것 또한 어렵지 않습니다. 한밤중 인적이 없는 때에 담을 넘어 들어가 솜으로 입을 틀어막고 업어 나오면 누가 감히 저를 뒤쫓겠습니까?"

진사가 말했습니다.

"그 계책 또한 위험하구나. 정성을 다해 설득하느니만 못하겠다."

진사가 그날 밤 들어오셨으나, 저는 병이 들어 일어나지 못하고, 자란으로 하여금 맞이해 들여 술 석 잔을 권하고는 ⓓ봉서를 주면서 제가 말했지요.

"이후로는 다시 볼 수 없을 것이니, 삼생의 인연과 백년의 가약이 오늘 밤으로 다한 것 같습니다. 혹 천연이 끊어지지 않았으면 마땅히 구천지하에서 서로 찾게 되겠지요."

진사는 편지를 받고 우두커니 서서 맥맥히 마주 보다가 가슴을 치고 눈물을 흘리면서 나갔습니다. 자란은 처량하여 차마 볼 수 없어 몸을 숨기고 눈물을 흘리면서 서 있었습니다. 진사가 집에 돌아와 봉서를 뜯어보니,

[B] '박명한 운영은 두 번 절하고 아룁니다. 제가 비박한 자질로서 불행하게도 낭군님께옵서 유념하여 주시어 서로 생각하기를 몇 날이며, 서로 바라보기만 한 것이 어찌 하루 이틀이었겠습니까? 다행히 하룻밤의 즐거움을 나누었으나, 바다같이 크고 넓은 정은 다하지 못하였나이다. 인간사 좋은 일에는 조물주의 시기함이 없을 수 있겠습니까? 궁인이 알고 대군이 의심하시어 조석으로 화가 다가왔으매, 낭군께서는 작별한 후로 저를 가슴에 품어 두시고 상심치 마시옵소서. 힘써 공부하시어 과거에 급제하여 벼슬길에 오르고 후세에 이름을 날리시어 부모님을 기쁘게 하여 주시옵소서. 제 의복과 보화는 모두 팔아서 부처님께 바치시어 여러 가지로 기도하시고 정성을 다하여 소원을 내어 삼생의 미진한 연분을 후세에 다시 잇게 하여 주시옵소서.'

진사는 다 보지를 못하고 기절하여 땅에 넘어지니 집 사람들이 뛰어나와 구하시니 다시 깨어났습니다. 특이 밖에서 들어와 말했습니다.

"궁인이 무슨 말로 대답을 하였기에 이렇게 죽으려 하시나이까?"

하고 물으니 진사는 다른 말은 하지 않고 다만 한 가지만 말할 뿐이었습니다.

"ⓔ재보는 네가 잘 지키고 있느냐? 내 장차 다 팔아서 부처님께 숙약을 실천하리라."

특이 집에 돌아와서 생각하기를,

'궁녀가 나오지 않으니 그 재보는 하늘과 나의 것이겠지.'

하며 벽을 향하여 남몰래 웃었으나, 사람들은 까닭을 알 수 없었지요.

- 작자 미상, 〈운영전〉

11 윗글의 등장인물에 대한 설명으로 적절하지 않은 것은?

① 진사는 대군이 운영과 자신의 관계를 의심하고 있다고 생각하고 있다.
② 특은 진사의 생각과 달리 진사를 배반하여 재물을 취할 생각을 하고 있었다.
③ 대군은 운영과 진사의 관계를 의심하였으나 운영이 죽는 것을 원하지는 않았다.
④ 운영은 진사를 사랑하는 마음과 대군의 뜻을 저버리면 안 된다는 마음 사이에서 갈등했다.
⑤ 자란은 운영이 진사와의 연을 이어 가기 위해서는 성급히 행동하지 말아야 한다고 말했다.

12 [A]와 [B]에 대한 설명으로 적절하지 않은 것은?

① [A]는 고사를 활용하여 자신이 하고자 하는 말을 우회적으로 전달한다.
② [A]는 앞으로 발생할 수 있는 긍정적인 미래를 근거로 하여 상대의 태도 변화를 요구하고 있다.
③ [B]는 비유적 표현을 활용하여 진사와 자신의 관계를 부각하고 있다.
④ [A]와 [B]는 묻는 방식을 통해 말하고자 하는 바를 강조하고 있다.
⑤ [A]와 [B]는 현실적인 한계를 벗어날 수 없다는 인식을 바탕으로 설득하려 하고 있다.

13 ⓐ~ⓔ에 대한 설명으로 가장 적절한 것은?

① 
ⓐ: 특과 진사 사이에 있었던 과거의 사건을 운영에게 알려 주는 역할을 한다.

② 
ⓑ: 대군이 자신의 시 짓기 능력을 뽐내려는 의도로 선택한 소재이다.

③ 
ⓒ: 자신에 대한 대군의 의심을 무마하고자 하는 의도를 실현하기 위한 물건이다.

④ 
ⓓ: 운영이 자신의 과오에 대한 회한의 감정을 진사에게 드러내는 소재이다.

⑤ 
ⓔ: 진사가 특의 간악한 속마음을 알아차리고 있음을 보여 주는 소재이다.

함정문제

14 윗글의 공간을 〈보기〉와 같이 나타냈을 때, 이를 통해 작품을 감상한 내용으로 적절하지 않은 것은?

보기

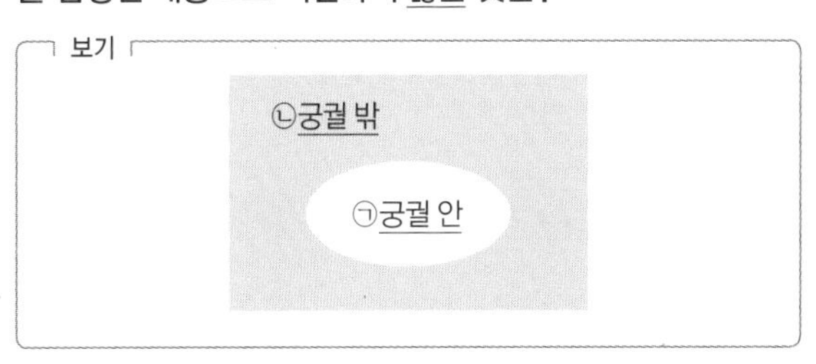

① ㉠은 대군에 의해 다스려지는 공간이므로 시녀들은 대군을 제외한 다른 이와의 만남이 허락되지 않는 것이로군.
② 운영은 대군에 얽매인 상태에서 벗어나 진사와의 사랑을 성취할 수 있는 공간인 ㉡을 지향하고 있다고 볼 수 있군.
③ 진사가 아무도 알지 못하게 ㉡에서 ㉠으로 가는 것은 운영과의 사랑이 사회적으로 용인되지 못했기 때문이라 할 수 있겠군.
④ 운영이 대군의 눈을 피해 진사와의 사랑을 꿈꾸는 것은 ㉠에서의 질서가 균열되고 있음을 보여 주는 것이로군.
⑤ 자란은 운영과 진사의 사랑을 보면서 ㉠을 지배하는 가치관과 ㉡을 지배하는 가치관 사이에서 혼란을 느끼고 있는 것이로군.

고전 소설의 서사 전개에서 ❶ ______ 이 특별한 의미를 가지고 있는 경우가 많습니다. 이 작품에서 공간이 가진 ❷ ______ 적 의미를 파악해 봅시다.

답 ❶ 공간 ❷ 상징

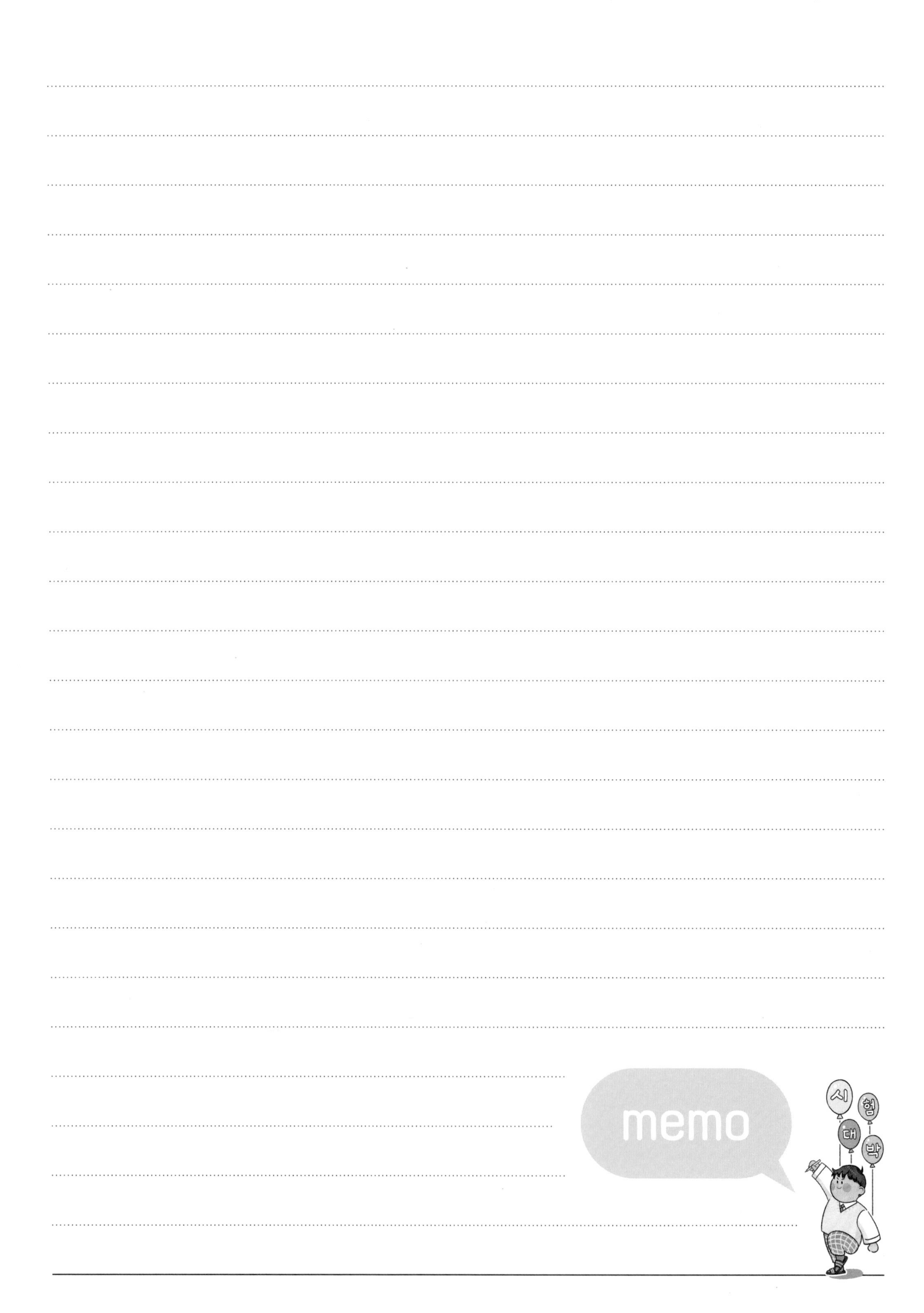
memo
시
험
대
박

내신&수능 국어에 대처하는 현명한 자세

국어 실력이 쑥쑥!

우리만 따라와!

내신 수능

입문 기초

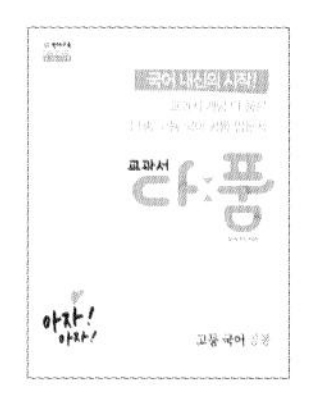

교과서 다품

중3(예비고)~고1 〈고등 국어(공통)〉

★★½☆☆

11종 교과서 공통 개념을 다~ 품다!

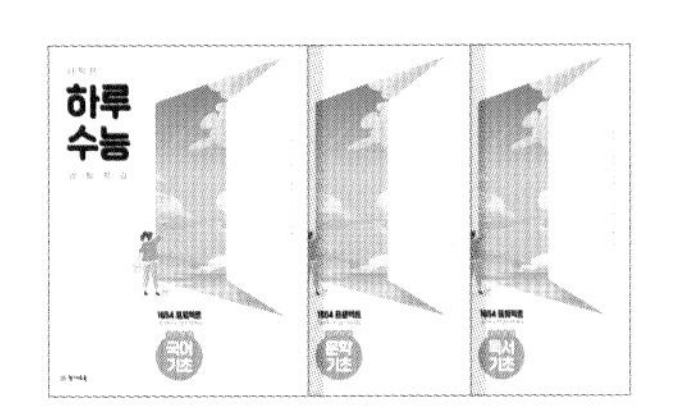

시작은 하루 수능 국어

고1~2 (국어 기초/문학 기초/독서 기초)

★½☆☆☆

1일 6쪽, 4주로 완성하는 기초 수능 국어

내신 대비

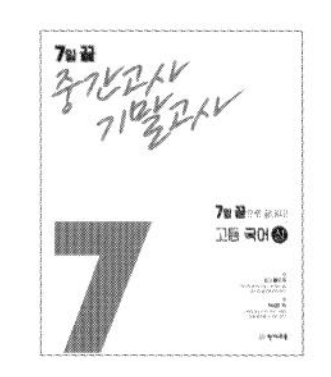

7일 끝 국어

고1~3 (고등 국어[상], [하]/문학/독서/화·작/언·매)

★★☆☆☆

7일이면 끝나는 중간·기말 대비서

고등 내신전략 국어

예비고~고1 (문학/문법)

★★★☆☆

11종 교과서 영역별 공통서

국어 기본

100인의 지혜

고1~2 (문학/문법·화작/독서)

★★½☆☆

빈틈 없는 국어 영역별 기본 개념서

비문학 훈련

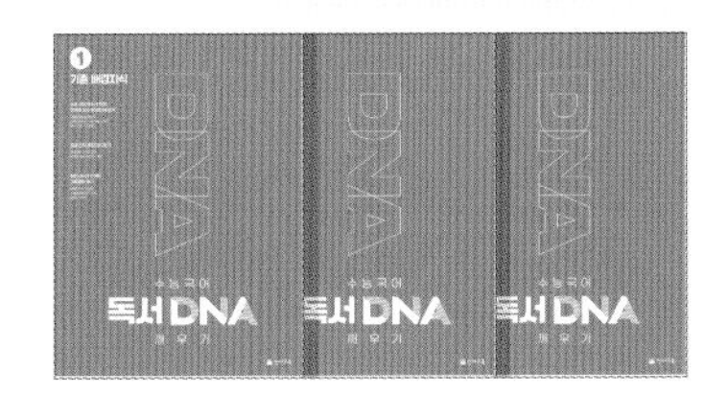

수능 국어 독서 DNA 깨우기

예비고~고2 (기출 배경지식/독해 원리/기출 유형)

★★★☆☆

배경지식을 기초로 한 단계적 독해 훈련

문학의 해법

해법문학

고1~3 (고전 시가/고전 산문/현대 시/현대 소설/수필·극)

★★★☆☆

875편의 작품을 수록한 문학 종합 참고서

해법문학Q

고2~3 (고전 문학/현대 문학)

★★★½☆

수능형 문제로 꽉 채운 필수 문학 문제집

수능 특강

고단백 수능 단기특강

고1~3 (기본편/문학/독서/언어와 매체/화법과 작문/고전시가/현대시/고난도 독서·문학)

★★★½☆

부족한 영역을 골라 약점을 보완하는 특강서

수능 대비

10일 격파 국어

고1~3 (문학/독서)

★★½☆☆

수능 기초 파이널 코스

수능전략 국어

고2~3 (문학/독서/언어와 매체/화법과 작문)

★★★★☆

개념부터 실전까지 한 번에!

book.chunjae.co.kr

교재 내용 문의 ························ 교재 홈페이지 ▸ 고등 ▸ 교재상담
교재 내용 외 문의 ···················· 교재 홈페이지 ▸ 고객센터 ▸ 1:1문의
발간 후 발견되는 오류 ··············· 교재 홈페이지 ▸ 고등 ▸ 학습지원 ▸ 학습자료실

수능공략 필승학습!
단기간에 끝장내자!

실전에강한
수능전략

국어영역 문학

BOOK 3

정답과 해설

천재교육

수능전략

국·어·영·역

문학

BOOK 3

정답과 해설

DAY **1** 개념 돌파 전략 ① 8~11쪽

01 시적 화자 **02** 체념적 태도 **03** ③ **04** 부정적 사회 현실
05 ② **06** 촉각적 심상 **07** 수미상관 **08** (1) 은유법 (2) 의인법
09 역설법 **10** 밤을 새워 우는 벌레 **11** ③

DAY **1** 개념 돌파 전략 ② 12~13쪽

01 ④ **02** ① **03** ⑤ **04** ④

01 시의 개념 확인

시를 읽을 때 느껴지는 말의 가락은 '운율'이다. 운율은 특정 위치에 동일한 음운이 반복되는 '운(韻)'과 동일한 소리 덩어리가 일정하게 반복되는 '율(律)'을 합쳐 운율이라고 한다. 운율은 외형률과 내재율로 구분한다.

오답 잡기

① 상징은 표현하고자 하는 대상을 숨기고 구체적인 다른 사물로 대신하여 표현하는 방법이다.
② 심상은 시를 읽으면서 마음속에 떠오르는 감각적인 모습이나 느낌으로 감각적 이미지를 말한다.
③ 어조는 시적 화자가 사용하는 말투로, 어조를 통해 대상을 대하는 시적 화자의 정서와 태도를 드러내고, 시의 분위기를 형성하며, 주제를 형상화한다.
⑤ 시적 화자는 시인이 자신의 생각이나 느낌을 효과적으로 전달하기 위해서 허구적으로 설정한 사람이다.

김소월, 〈초혼〉
- 갈래 자유시, 서정시
- 주제 임의 죽음으로 인한 슬픔과 임에 대한 그리움
- 표현상의 특징
① '사슴의 무리'에 화자의 감정을 이입함.
② 영탄과 반복을 통해 화자의 격정적인 감정을 강조함.
③ 삶과 죽음의 경계를 의미하는 '저녁'이라는 시간적 배경과 화자와 임과의 거리감을 드러내는 공간적 배경을 통해 화자의 처지를 상징적으로 드러냄.
④ '초혼'이라는 전통적 장례 의식과 망부석 설화를 소재로 활용함.
- 감상 포인트

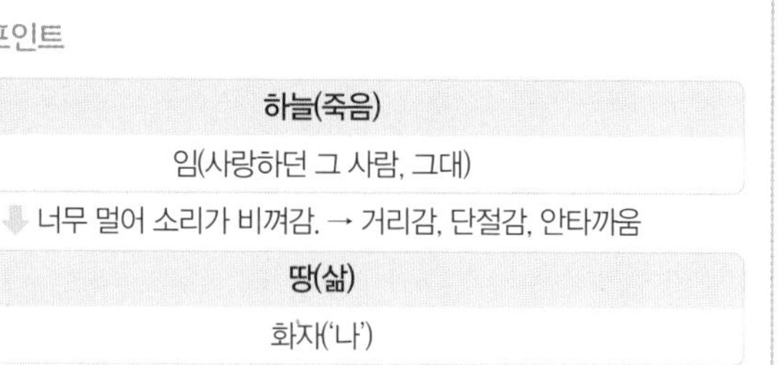

02 표현상의 특징 파악

이 작품에는 시의 처음과 끝에 형태나 의미가 동일하거나 유사한 시구를 배열하는 수미상관의 기법이 사용되지 않았다. 따라서 수미상관의 기법을 통해 정서의 변화를 부각하고 있다는 진술은 적절하지 않다.

오답 잡기

② '이름이여!', '사람이여!'를 반복적으로 사용하여 화자의 그리움과 안타까움의 정서를 강조하여 드러내고 있다.
③ '떨어져 나가 앉은 산 위'라는 공간적 배경을 통해 시적 대상인 '사랑하는 그 사람'과의 거리감을 드러내고 있다.
④ 자연물인 '사슴의 무리'에 화자의 감정을 이입하여 화자의 슬픔의 정서를 드러내고 있다.
⑤ '붉은 해는 서산마루에 걸리었다'를 통해 시간적 배경이 저녁임을 알 수 있다. 저녁은 삶과 죽음의 경계라는 의미를 나타내며, 이는 임을 떠나보낸 화자의 상황을 상징적으로 드러내는 것이다.

정호승, 〈슬픔이 기쁨에게〉
- 갈래 자유시, 서정시
- 주제 이기적인 삶에 대한 반성과 평등한 존재로서의 삶의 가치 추구
- 표현상의 특징
① 상대방에게 말을 건네는 방식으로 시상을 전개함.
② '-겠다'의 반복을 통해 운율감을 형성함.
- 감상 포인트

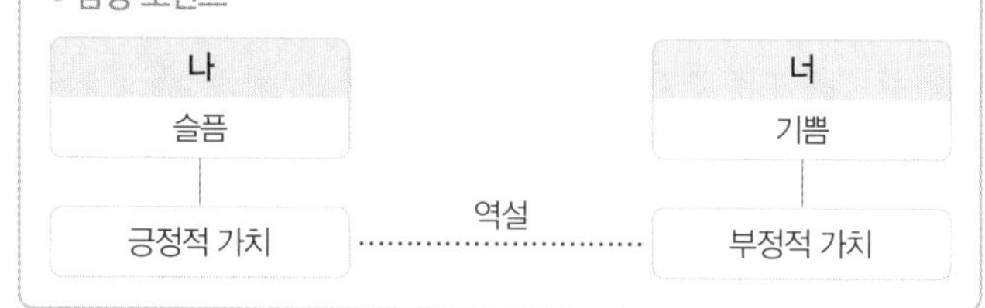

03 화자의 상황과 태도 파악

이 작품의 너는 소외된 사람들의 아픔은 외면한 채 자신의 이익 추구에만 관심을 가지는 이기적인 존재이다. 공동체 의식을 가지고 이웃과 함께 더불어 사는 삶을 강조하고 있는 〈보기〉의 화자가 너에게 들려줄 말로 가장 적절한 것은 힘겨운 사람의 아픔을 공감하고 더불어 살아야 한다는 것이다.

오답 잡기

① 이 작품에는 소외된 이웃을 평등한 존재로 바라보아야 한다는 내

용이 드러나 있다. 하지만 〈보기〉의 화자가 할 말로는 적절하지 않다.

② 이 작품에는 작은 일의 가치를 알아야 한다는 내용이 드러나지 않는다.

③ 이 작품에는 어려운 이웃에 대한 내용이 드러나 있다. 하지만 〈보기〉의 화자가 할 말로는 적절하지 않다.

④ 이 작품에는 자신의 신념을 굽히지 말고 꿋꿋하게 나아가야 한다는 내용이 드러나지 않는다.

보기 돋보기

이성부, 〈벼〉

- 갈래: 자유시, 서정시
- 주제: 민중의 공동체적 유대감과 강인한 생명력 예찬
- 해제: '벼'라는 소재를 통해 우리 민족, 민중의 공동체 의식을 형상화한 작품이다. '벼'를 의인화하여 표현하고, 다양한 비유와 상징적 기법을 사용하여 주제를 드러내고 있다.

이육사, 〈광야〉

- 갈래 자유시, 서정시
- 주제 조국 광복에 대한 의지와 염원
- 표현상의 특징
  ① 상징적 시어와 속죄양 모티프를 통해 주제를 형상화함.
  ② '과거 – 현재 – 미래'의 시간의 흐름에 따라 시상을 전개함.
- 감상 포인트

과거	광야의 생성, 생명과 문명의 시작
현재	고난과 시련의 현실, 노래의 씨를 뿌림.
미래	초인(민족의 구원자)이 노래를 부름.

04 외적 준거에 따른 작품 감상

〈보기〉의 관점은 외재적 관점 중 작품과 현실의 관계에 초점을 맞추어 작품을 감상하고 비평하는 반영론적 관점에 대한 설명이다. 따라서 시어의 상징적 의미를 통해 어려운 시대 상황을 암시하고 있다고 감상한 내용이 〈보기〉의 관점에 따라 감상한 적절한 내용이라고 할 수 있다.

DAY
2 필수 체크 전략 ①

14~17쪽

1 ④	1-1 ③	1-2 ②
2 ②	2-1 ③	2-2 ③

대표 유형 1

이형기, 〈낙화〉

- 갈래 자유시, 서정시
- 주제 이별의 아픔을 극복한 성숙한 삶의 추구
- 표현상의 특징
  ① 설의법을 통해 주제 의식을 강조함.
  ② 역설적 표현과 비유법을 통해 자연에서 깨달음을 이끌어 냄.
- 감상 포인트

			결별이 이룩하는 축복(역설적 표현)
결별	고통스러운 이별의 상황	⇒	고통스러운 이별을 통해 내적 성숙을 얻음.
↕			
축복	삶에서 느끼는 행복		

1 화자의 정서 및 태도 파악

㉣은 이별이 인생의 내적 성숙을 가져온다는 것을 꽃이 지고 머지않아 열매라는 결실을 맺는 '가을'이라는 계절의 의미에 빗대어 표현한 것이다.

오답 잡기

① ㉠은 화자가 이별의 의미와 가치를 깨닫고 이별에 대한 자신의 생각을 설의법을 통해 강조하는 것이다. 화자의 내적 방황을 드러내고 있다는 진술은 적절하지 않다.

② ㉡은 자신의 이별을 '격정을 인내한'이라고 표현하며 이별을 감내하는 태도를 드러내고 있다. 지나간 사랑에 연연하는 화자의 회한을 드러내고 있는 것은 아니다.

③ ㉢은 꽃이 떨어진 후 여름이 되면 맞이할 모습을 그리고 있다. 이별의 고통으로 삶의 목표를 상실하고 번민에 가득 차 있는 화자의 상황을 표현하고 있는 것은 아니다.

⑤ ㉤은 '샘터에 물 고이듯'을 통해 이별을 통한 정신적 성숙을 드러낸 것이다. 이별로 인한 상실감을 잊고 과거의 삶으로 회귀하는 화자의 태도를 표현하고 있는 것은 아니다.

1-1 화자의 정서 및 태도 파악

화자는 낙화라는 자연의 섭리를 인간사의 이별과 동일시하고 있으나 자연의 섭리에 대해 예찬하는 태도를 보이고 있는 것은 아니다.

오답 잡기

① 꽃이 피고 지는 자연의 순환을 인간의 '사랑'과 '이별'이라는 삶의 관점으로 바라보며 이에 대한 화자의 정서를 드러내고 있다.

② '낙화'를 고통스러운 이별의 상황과 관련짓고 있으므로 애상의 정서를 드러낸다고 볼 수 있다.

④, ⑤ 낙화를 '결별이 이룩하는 축복'이라는 역설법으로 표현하며 이별이 주는 정신적 성숙으로 인식하고 있다는 점에서 현재 상황에

대한 화자의 긍정적인 수용 태도와 깨달음을 드러내고 있음을 알 수 있다.

1-2 화자의 정서 및 태도 파악

'봄'은 화자의 젊은 시절을, '가을'은 이별로 인해 내적으로 성숙한 시절을 의미한다. 자연에 빗대어 화자의 상황을 드러내고 있으나, 시간이 흐를수록 화자의 절망감이 심화되고 있는 것은 아니다.

오답 잡기

① 1연과 3연의 '가야 할 때'는 이별과 죽음을 상징하는 시구이다. 화자가 '가야 할 때'를 인식하고 있다는 것은 이전과는 달라진 상황을 인식하고 있는 것이라고 볼 수 있다.

③ '결별이 이룩하는 축복'은 역설적인 표현으로 고통스러운 이별을 통해 내적 성숙을 얻는 것을 의미한다. 따라서 화자는 이별을 긍정적으로 받아들이고 있다고 볼 수 있다.

④ '나의 청춘은 꽃답게 죽는다'는 화자의 청춘이 꽃처럼 열매를 기약하며 죽는다는 의미로, 성숙한 삶을 위해서는 청춘의 희생이 필요하다는 인식을 역설적으로 드러내고 있다고 볼 수 있다.

⑤ '내 영혼의 슬픈 눈'은 낙화의 이별의 고통이 인내를 통해 '슬픈 눈'을 가진 성숙한 영혼을 이루어 간다는 의미로, 슬픈 이별로 인해 내적으로 성숙해지는 화자 자신을 성찰하는 태도라고 볼 수 있다.

대표 유형 2

곽재구, 〈구두 한 켤레의 시〉

- 갈래 자유시, 서정시
- 주제 고향을 떠나온 뒤에 떠올리는 고향의 이미지
- 표현상의 특징
  ① 현재형 어미를 사용하여 시적 정황을 눈앞에서 보는 듯하게 표현함.
  ② 감각적 이미지를 통해 시적 인상을 부각함.
  ③ 음성 상징어를 사용하여 화자의 심리를 형상화함.
- 감상 포인트

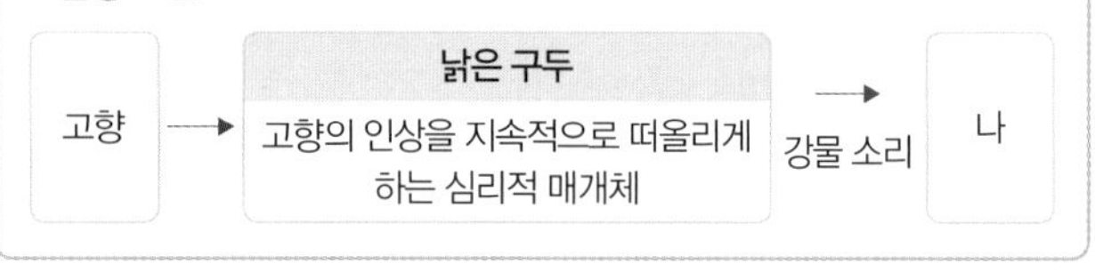

2 표현상의 특징 파악

'겨울 보리 파랗게 꽂힌 강둑', '쑥골 상엿집 흰 눈 속' 등의 표현에서 색채 이미지를 활용하여 대상의 특성을 드러내고 있음을 확인할 수 있다.

오답 잡기

① 이 작품은 낡은 '구두'를 신고 고향에 다녀온 화자의 정서를 드러낸 작품이지만, '강물 소리가 들린다', '싸리 유채 꽃잎처럼 꿈틀댄다'와 같이 현재형 시제를 활용하여 고향에 대한 화자의 정서를 부각하고 있다.

③ 이 작품은 고향을 다녀온 후 바쁘게 사느라 고향을 돌아보지 않고 무심하게 살았던 자신의 모습을 성찰하는 독백적 어조를 사용하고 있으므로, 청자를 명시적으로 설정하여 화자의 의도를 강조하고 있다는 진술은 적절하지 않다.

④ 이 작품에는 반어적 표현이 나타나지 않는다.

⑤ 이 작품은 하강적 이미지를 활용하지 않았다.

개념 더 보기

상승 이미지와 하강 이미지

상승 이미지	시적 화자의 정서를 끌어올리는 이미지로, 위로 오르는 듯한 사물이나 상황을 통해 드러남. 작품 속에서 주로 밝고 긍정적인 이미지로 활용됨.
↕	
하강 이미지	시적 화자의 정서를 가라앉히는 이미지로, 아래로 꺼지는 듯한 사물이나 상황을 통해 드러남. 작품 속에서 주로 어둡고 부정적인 이미지로 활용됨.

2-1 표현상의 특징 파악

㉠은 청각적 표현을 시각적 표현으로 전이시켜 표현한 공감각적 심상이 드러난 표현이다. '분수처럼 흩어지는 푸른 종소리'는 종소리라는 청각적 표현을 '푸른'이라는 시각적 표현으로 전이시켜 표현한 공감각적 심상이 드러난다.

오답 잡기

① '파릇한'에는 시각적 심상을 활용한 표현이 사용되었다.

② '겨울은 강철로 된 무지개'에는 역설적 표현이 사용되었다.

④ '꺾이고 구부러지고 휘어졌다'에는 시각적 심상을 활용한 표현이 사용되었다.

⑤ '누룩을 디디는 소리'에는 청각적 심상이, '누룩이 뜨는 내음새'에는 후각적 심상이 나란히 제시되었다.

개념 더 보기

감각적 이미지

이미지(심상)는 특정한 단어를 대했을 때, 독자의 마음속에 그려지는 구체적 사물의 영상이나 느낌 또는 감각적인 인상을 의미한다. 이 중 인간의 감각과 관련된 이미지(심상)를 '감각적 이미지(심상)'라고 한다.

시각적 심상	색채, 모양, 움직임 등을 떠올리게 하는 심상
청각적 심상	다양한 소리를 떠올리게 하는 심상
후각적 심상	냄새를 떠올리게 하는 심상
미각적 심상	혀를 통해 맛을 떠올리게 하는 심상
촉각적 심상	피부의 감촉을 떠올리게 하는 심상
공감각적 심상	하나의 감각을 다른 감각으로 전이시킨 심상

2-2 표현상의 특징 파악

이 작품에는 고향과 관련된 소재가 지속적으로 등장하고 있으나 어조에 변화가 나타나는 것은 아니다.

오답 잡기

① '출렁출렁 아니 덜그럭덜그럭'에서 강물 소리를 헐거워진 구두가 내는 소리로 전환하여 고향을 떠난 현재의 자리로 돌아가고 있는 화자의 쓸쓸함을 표현하고 있다.

② 작품 전체가 한 연으로 구성되어 있고, 그동안 고향을 돌아보지 않고 무심하게 살았던 화자 자신의 모습을 성찰하는 태도를 보이고

있다.

④ '고향의 저문 강물 소리(공감각적 심상)', '겨울 보리 파랗게(시각적 심상)', '흐린 불빛(시각적 심상)', '찰랑찰랑 강물 소리(청각적 심상)' 등에서 감각적 이미지를 빈번히 사용하여 시상을 전개하고 있음을 알 수 있다.

⑤ '구두 혼자 어떻게 듣고 왔을까' 등에서 구두를 의인화하여 화자는 듣지 못했던 강물 소리를 '구두 혼자' 듣고 왔다고 표현함으로써 그동안 고향을 돌아보지 않고 무심하게 살았던 화자의 정서를 효과적으로 드러내고 있음을 알 수 있다.

DAY 2 필수 체크 전략 ② | 18~19쪽

01 ⑤ 02 ① 03 ③ 04 ⑤
05 ① 06 ①

01~03

문병란, 〈전라도 젓갈〉

- 갈래 자유시, 서정시
- 주제 고난과 역경, 인내를 통해 완성되는 젓갈의 맛과 삶의 맛
- 표현상의 특징
① 전라도의 대표 음식을 통해 남도의 정서와 삶을 노래함.
② 미각적 심상을 비롯하여 다양한 비유를 활용함.
③ 토속적인 소재와 방언을 사용하여 지역적 정서를 강조함.
- 감상 포인트

전라도 젓갈	→	삶
• 전라도 갯땅의 깊은 맛 • 맛 중의 맛이 된 맛 • 세월이 가도 변하지 않는 맛 • 소금기 짭조름한 눈물의 맛 • 설움도 달디달게 익어 가는 맛 • 어머니 눈물 같은 진한 맛 • 할머니 한숨 같은 깊은 맛 • 오장에 아리히는 삶의 매운맛 • 아랫목 고이고이 감춰 놓은 사랑 맛	→	눈물과 한숨의 시간 끝에 성숙된 삶과 사랑

01 화자의 정서 및 태도 파악

이 작품의 화자는 전라도 땅에서 삭아서 완성되는 전라도 젓갈의 의미를 발견하고 있다.

오답 잡기

① 화자가 자신의 삶을 성찰하는 태도는 나타나지 않는다.

② 전라도 젓갈의 다양한 맛의 의미를 제시하고 있으나 전라도 젓갈의 다양한 맛에 대한 궁금증을 드러내고 있는 것은 아니다.

③ 전라도 젓갈의 맛은 고난과 역경과 인내를 통해 성숙된 맛으로 현실에 순응하려는 태도가 드러나 있지 않으며, 화자가 이를 본받으려는 태도를 보이는 것도 아니다.

④ 전라도 젓갈의 가치를 인식하지 못하는 현실을 비판하는 태도는 나타나지 않는다.

02 시어의 의미 파악

㉠은 썩고 곰삭아서 완성된 맛으로 고난과 역경을 이겨 내고 눈물과 한숨의 시간 끝에 성숙된 삶과 사랑의 존재이다. 5연의 '아랫목 고이고이 감춰 놓은 사랑 맛이다.'는 가족이나 사랑하는 사람을 기다리는 마음으로 아랫목에 묻어 놓은 밥그릇에서 느낄 수 있는 애틋하고 지극한 사랑을 의미하는 것이다. ㉠을 아랫목에 감추어 놓고 싶은 존재라 볼 수 없다.

오답 잡기

② 3연의 '짠맛 쓴맛 매운맛 한데 어울려'를 통해 ㉠이 삶의 애환이 어우러져 있는 존재임을 알 수 있다.

③ 2연의 '온갖 비린내 땀내 눈물 내 / 갖가지 맛 소금으로 절이고 절이어 / 세월이 가도 변하지 않는 맛 / 소금기 짭조름한 눈물의 맛'을 통해 ㉠이 역경과 인내를 통해 성숙해진 존재임을 알 수 있다.

④ 2연의 '소금기 짭조름한 눈물의 맛'을 통해 ㉠이 삶의 고통과 슬픔이 배어 있는 존재임을 알 수 있다.

⑤ 1연의 '썩고 썩어도 썩지 않는 것 / 썩고 썩어도 맛이 생기는 것'을 통해 ㉠이 고난을 겪고 더 큰 생명력을 얻은 존재임을 알 수 있다.

03 표현상의 특징 파악

이 작품에는 수미상관의 방식이 사용되지 않았다.

오답 잡기

① 1연의 '썩고 썩어도 썩지 않는 것 / 썩고 썩어도 맛이 생기는 것'에 역설적 발상으로 전라도 젓갈의 속성을 부각하고 있음을 알 수 있다.

② 5연에서 감탄사 '오호'를 통해 전라도 젓갈의 속성에 대한 화자의 깨달음을 강조하고 있다.

④ '전라도 젓갈의 맛이다', '전라도 갯땅의 깊은 맛이다', '어머니 눈물 같은 진한 맛이다 / 할머니 한숨 같은 깊은 맛이다' 등에서 '~이다'의 형태로 유사한 통사 구조를 반복하며 리듬감을 형성하고 있음을 알 수 있다.

⑤ '전라도 젓갈', '육자배기', '복사꽃' 등에서 토속적인 소재를 사용하여 지역적 정서를 드러내고 있음을 알 수 있다.

개념 더 보기

통사 구조의 반복

개념	구절이나 행을 이루는 특정한 문장 구조를 반복하여 표현하는 방법
효과	내용을 강조하고, 구조적 통일감을 부여하며, 운율감을 형성함.

04~06

가 이상, 〈가정〉

- 갈래 자유시, 서정시, 산문시
- 주제 일상적 생활에 대한 회복 의지
- 표현상의 특징
① 화자의 상황을 상징적으로 드러냄.
② 띄어쓰기를 무시하여 내면 의식을 제약 없이 드러냄.

• 감상 포인트

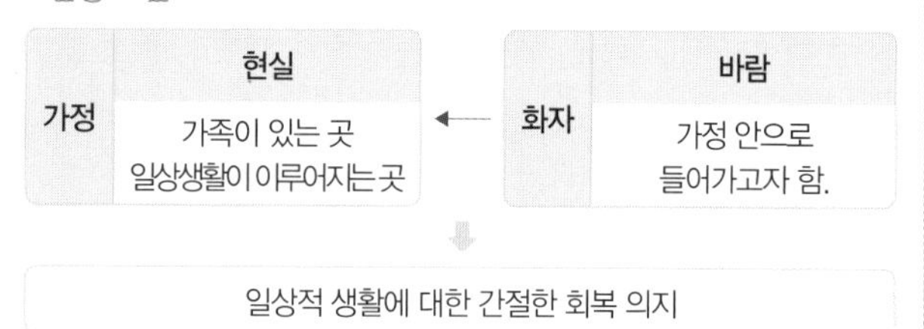

나 김광균, 〈노신〉

• 갈래 자유시, 서정시

• 주제 현실과 이상 사이에서의 갈등과 극복 의지

• 표현상의 특징

① 화자의 고뇌를 솔직하고 담담한 어조로 표현함.
② 현실 공간과 상상 공간의 이중 구조를 나타냄.
③ 실존 인물과 화자 자신을 동일시하여 주제를 형상화함.

• 감상 포인트

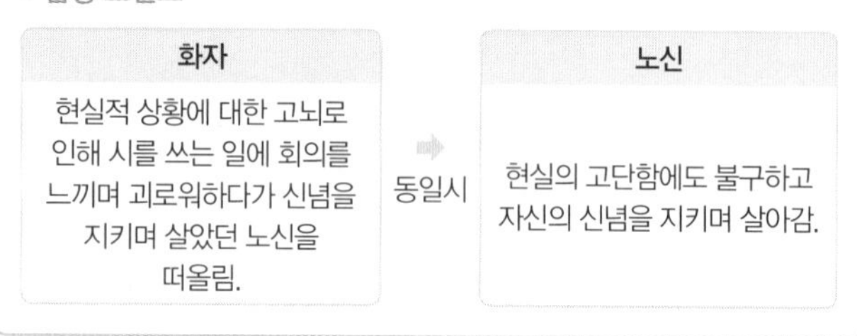

04 화자의 정서 및 태도 파악

(가)의 화자는 가장으로서 역할을 다하지 못한 것에 대한 고뇌를 드러내고 있고, (나)의 화자는 가족을 부양해야 하는 가장으로서 겪는 현실에 대한 고뇌를 드러내고 있다. 따라서 (가)의 화자와 (나)의 화자는 모두 현실적 삶에 대한 고뇌를 드러내고 있음을 알 수 있다.

오답 잡기

① 자신과 동일한 처지의 대상을 떠올리고 있는 것은 (나)의 화자이다.
② (가)의 화자와 (나)의 화자 모두 자신이 처한 상황을 극복하려는 의지를 드러내고 있다.
③ (가)의 화자는 자신이 느끼는 책임감을 '내문패'에 비유하여 표현하고 있다.
④ (가)의 화자는 가족에 대한 소외감을 느끼고 있지만, (가)의 화자와 (나)의 화자 모두 소외감을 유발한 가족에 대한 원망을 드러내고 있는 것은 아니다.

05 화자의 정서 및 태도 파악

㉠에는 문을 열고 가정 안으로 들어가려는 화자의 절실한 의지가 드러나 있고, ㉡에는 현실과 이상 사이의 갈등으로 인한 화자의 절망감이 드러나 있다.

오답 잡기

② ㉠에는 화자의 무기력한 태도가 드러나 있지 않고, ㉡에는 화자의 담담한 태도가 드러나 있지 않다.
③ ㉠에는 아무리 잡아당겨도 문이 열리지 않는, 화자의 절망적인 상황이 드러나 있다. ㉡에 화자의 희망적인 상황이 드러나 있는 것은 아니다.
④ ㉠과 ㉡에는 모두 앞날에 대한 화자의 기대감이 드러나 있지 않다.
⑤ ㉠에는 열리지 않는 문을 열려고 하는, 상황을 개선하려는 화자의 의지가 드러나 있다. 하지만 ㉡에는 상황을 개선하려는 화자의 의지가 드러나 있지 않다.

06 표현상의 특징 파악

(가)는 독백적 어조로 가장으로서의 고뇌와 일상적인 생활을 회복하고자 하는 내면을 솔직하게 드러내고 있고, (나)는 독백적 어조로 현실과 이상 사이에서의 갈등과 극복 의지를 솔직하게 드러내고 있다. 따라서 (가)와 (나) 모두 독백적 어조로 화자의 내면을 솔직하게 드러내고 있음을 알 수 있다.

오답 잡기

② (나)의 14행 '노신이여'에서 영탄적 표현을 통해 노신에 대한 경외감을 표출하고 있다. 하지만 (가)에는 영탄적 표현이 나타나지 않는다.
③ (가)에는 어둠과 밝음의 대조가 나타나지 않는다. (나)에서는 '밤'과 '등불'을 통해 어둠과 밝음의 대조가 나타나지만 긍정적 미래를 형상화하고 있는 것은 아니다.
④ (가)는 띄어쓰기를 무시하여 화자의 자의식을 자유롭게 드러내고 있다. 하지만 (나)에는 이러한 표현이 나타나지 않는다.
⑤ (나)에는 화자가 있는 현실의 공간과 '노신'이 있는 상상의 공간을 연결하고 있다. 하지만 '노신'이 있는 상상의 공간이 화자가 지향하는 공간을 형상화하는 것은 아니다. 또한 (가)에는 현실의 공간과 상상의 공간을 연결하는 내용이 나타나 있지 않다.

개념 더 보기

띄어쓰기 없는 산문시 형식

이상은 실험적이며 난해한 형식의 작품을 많이 창작하였다. 〈가정〉은 띄어쓰기를 하지 않은 산문시의 형태로 연과 행의 구분도 없어, 화자가 느끼는 답답한 심정을 시의 형식을 통해서도 느낄 수 있다. 이러한 표현을 통해 화자의 내면세계를 어떠한 제약 없이 자유롭게 드러낸다. 또한 시인의 의식 세계를 보여 주는 방법이기도 하다.

DAY
3 필수 체크 전략 ①
20~23쪽

3 ②	3-1 ⑤	3-2 ②
4 ④	4-1 ④	4-2 ②

대표 유형 3

백석, 〈수라〉

- 갈래 자유시, 서정시
- 주제 붕괴된 가족 공동체의 회복 염원
- 표현상의 특징

① 거미를 문밖으로 쓸어 버리는 화자의 행위의 반복을 통해 시상이 전개됨.
② 거미를 대하는 화자의 정서가 점층적으로 고조됨.
③ 촉각적 심상을 활용하여 대상이 처한 상황의 비극성을 부각함.

- 감상 포인트

연	내용	정서
1연	'거미 새끼'를 무심히 문밖에 버림.	무심함
2연	'큰 거미'가 '새끼 거미' 있는 데로 가길 바라며 문밖으로 버림.	서러움
3연	'무척 작은 새끼 거미'가 가족을 만나기를 바라며 문밖으로 버림.	걱정과 슬픔

3 시어 및 시구의 의미 파악

'쓸려 나간 곳'은 방바닥에 내린 거미 새끼를 화자가 문밖으로 쓸어 버린 곳으로, '쓸려 나간 곳'에 큰 거미가 오자 새끼에 대한 거미의 모성으로 인해 화자는 서러워하며 큰 거미를 문밖으로 쓸어 버린다. 따라서 '쓸려 나간 곳'은 큰 거미의 출현으로 '나'가 심적 고통을 느끼게 되는 공간이라 할 수 있다.

오답 잡기

① '방바닥'은 '거미 새끼 하나'가 내려온 공간으로 화자가 자신의 외로운 처지를 깨닫는 공간은 아니다.
③ '새끼 있는 데'는 큰 거미가 도달하기를 바라는 지점이라 할 수 있다. 하지만 '나'의 상실감이 해소되는 공간으로 볼 수 없다.
④ '큰 거미 없어진 곳'은 '무척 작은 새끼 거미'가 나타나는 공간으로 '무척 작은 새끼 거미'가 나타남으로 인해 화자는 더욱 서러움을 느낀다. 또한 거미들의 고통을 해소하기 위해 화자는 문밖으로 거미를 보냈으므로 '큰 거미 없어진 곳'이 거미들의 고통이 해소되는 공간은 아니다.
⑤ '문밖'은 거미의 가족이 만나기를 희망하는 공간이고, '방바닥'은 거미의 가족이 해체되는 공간이다. '문밖'과 '방바닥'이 대비된다고 볼 수 있으나, '문밖'에서 거미들의 만남이 실현된다고 확신하는 것은 아니다.

3-1 시어 및 시구의 의미 파악

'보드라운 종이'에는 '무척 작은 새끼 거미'를 안타깝게 바라보며 조심스럽게 대하는 화자의 배려의 마음이 담겨 있다.

오답 잡기

① '보드라운 종이'가 화자의 수고에 대한 보상을 나타내는 것은 아니다.
② '보드라운 종이'가 이상에 대한 동경을 나타내는 것은 아니다.
③ '보드라운 종이'가 미물인 거미에 대한 용서를 나타내는 것은 아니다.
④ '보드라운 종이'가 인간과 자연의 합일을 나타내는 것은 아니다.

3-2 시어 및 시구의 의미 파악

'큰 거미를 쓸어 문밖으로 버리며'는 새끼 거미와 큰 거미가 만나게 해 주기 위한 화자의 배려가 나타난 모습이다. 거미 가족이 공동체적인 삶을 회복한 것은 아니다.

오답 잡기

① 제시된 글에서 '시인은 일제 강점기에 가족 공동체가 붕괴된 우리 민족의 아픔을 거미 가족을 통해 표현'했다고 했으므로, 1연의 '차디찬 밤'은 가족 공동체가 붕괴된 일제 강점기의 비극적인 상황을 표현한다고 볼 수 있다.
③ 제시된 글에서 '시인은 일제 강점기에 가족 공동체가 붕괴된 우리 민족의 아픔'을 드러냈다고 했으므로, 3연의 '나는 가슴이 메이는 듯하다'는 가족 공동체가 붕괴된 상황에 대한 화자의 안타까움을 표현한다고 볼 수 있다.
④ 제시된 글에서 '일제 강점기에 가족 공동체가 붕괴된 우리 민족'을 표현했다고 했으므로, 3연의 '울고불고할 이 작은 것'은 일제 강점기에 가족 공동체가 붕괴된 우리 민족을 의미한다고 볼 수 있다.
⑤ 제시된 글에서 '공동체적인 삶의 회복을 염원하고 있다'고 했으므로, 3연의 '쉬이 만나기나 했으면 좋으련만'은 공동체적인 삶의 회복을 염원하는 시인의 바람이 드러난 것으로 볼 수 있다.

대표 유형 4

김광규, 〈상행〉

- 갈래 자유시, 서정시
- 주제 근대화된 일상에 안주하는 소시민적 삶에 대한 비판
- 표현상의 특징

① 종결 표현인 '∼디오'를 반복하여 특정 인식과 행동을 권유함.
② 반어적 표현을 사용하여 현실 비판적 태도를 드러냄 .
③ 시대적 상황을 반영한 다양한 소재를 활용하여 주제를 형상화함.
④ 청자에게 말을 건네는 방식을 통해 당부의 의미를 드러냄.

- 감상 포인트

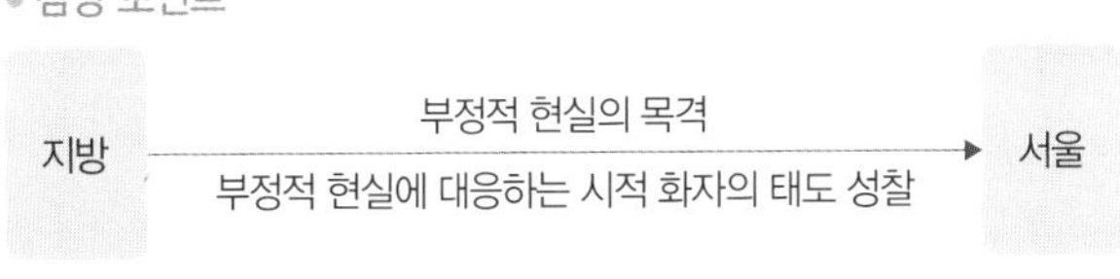

4 외적 준거에 따른 작품 감상

〈보기〉에 따르면 이 작품은 '시적 화자(A)'가 시적 대상인 '너'에게 '낯익은 얼굴들(C)'로 대표되는, 산업화 사회에서 부정적 상황을 외면하고 쾌락과 이익만을 추구하는 인물에서 벗어나 '낯선 얼굴(B)'로 형상

화된 산업화 사회의 이면에 존재하는 문제를 고민하는 비판 의식을 지닌 사람으로 나아가기를, 당부의 어조를 사용하여 반어적으로 드러내고 있다. 따라서 ④의 감상은 적절하지 않다.

오답 잡기

① 시적 화자는 급속하게 진행되는 산업화의 과정에서 파생된 현실의 부정적 상황에 대해 개인주의적 태도를 보이는 '너'에게 자기 성찰의 필요성을 일깨워 주고 있다고 볼 수 있다.

② '낯선 얼굴'은 현실에 대해 비판하려는 반성적 자아를 의미하므로, 사회 이면에 존재하는 근본 문제에 대해 고민하는 인물의 모습을 형상화한다고 볼 수 있다.

③ '낯익은 얼굴들'은 현실에 순응하며 살아가는 자아를 의미하므로, 사회 현실을 외면한 채 자신의 욕망에만 집착하는 현대인의 모습을 나타낸다고 볼 수 있다.

⑤ 〈보기〉에서 시인은 시인의 삶에 대한 진지한 고뇌와 자각이 인간의 삶을 좀 더 바람직한 방향으로 전환하게 하는 계기가 된다고 하였다. 따라서 시적 화자(A)는 '너'가 현실에 순응하며 살아가는 삶의 유형(C)으로부터 벗어난 냉철한 인식을 지니도록 요청하고 있다고 볼 수 있다.

4-1 외적 준거에 따른 작품 감상

'맥주나 콜라'는 당시 사회의 많은 문제점 중 하나일 뿐 사회가 내포하고 있는 문제점들을 집약적으로 보여 주는 것은 아니다.

오답 잡기

① 제시된 글에서 1970년대 사람들은 삶에 대한 진지한 성찰의 자세를 잃어버렸다고 했다. '화투판을 벌이는 / 낯익은 얼굴들'은 현실에 무비판적인 소시민의 삶의 모습으로 삶에 대한 진지한 성찰을 잃어버린 사람들의 모습이라 할 수 있다.

② 제시된 글에서 '전시 행정에만 급급했던 지붕 개량화 사업과 같은 정책들은 실질적인 서민들의 삶과 유리되어 있었다.'고 했다. '황혼 속에 고함치는 원색의 지붕들'은 지붕 개량화 사업의 결과물로 서민들의 실질적인 삶과 유리된 전시 행정의 결과물이라고 할 수 있다.

③ 제시된 글에서 '무분별한 성장 추구로 인해 환경 오염이 심각해졌'다고 했다. '농약으로 질식한 풀벌레'는 무분별한 성장 추구로 인해 심각한 환경 오염에 물든 상황을 보여 준다고 할 수 있다.

⑤ 제시된 글에서 '소시민적 삶에 매몰되어 갔다'고 했다. 'GNP와 증권 시세'는 긍정적인 현실만을 바라보는 대화의 소재로 자신의 안위만을 걱정하는 소시민적 삶의 한 단면을 보여 주는 것이라 할 수 있다.

4-2 외적 준거에 따른 작품 감상

ⓐ는 작가에 초점을 두고 감상하는 표현론적 관점으로, 평범한 일상 속에서 자신의 소시민성을 비판하는 시인의 특성에 집중하여 감상한 내용이 이에 따른 감상 내용으로 적절하다고 볼 수 있다.

오답 잡기

① 독자에 초점을 두고 감상하는 효용론적 관점에 따른 감상 내용이다.

③, ④ 작품 자체에 초점을 두고 감상하는 절대론적 관점에 따른 감상 내용이다.

⑤ 현실에 초점을 두고 감상하는 반영론적 관점에 따른 감상 내용이다.

개념 더 보기

문학 작품 감상과 비평

- **내재적 관점(절대론적 관점)**: 어조, 운율, 표현 기법 등 작품의 내적인 요소를 중심으로 감상하는 방법
- **외재적 관점**: 작가, 독자, 현실 세계와 같은 작품 외적인 요소를 중심으로 작품을 감상하고 비평하는 관점

표현론적 관점	작가의 창작 의도, 전기적 사실, 심리 상태 등 작가와 작품의 관계에 초점을 맞추어 작품을 감상하고 비평하는 관점
효용론적 관점	작품이 독자에게 주는 감동과 교훈, 그것을 유발한 요소에 초점을 맞추어 작품을 감상하고 비평하는 관점
반영론적 관점	작품과 현실 세계의 관계에 초점을 맞추어 작품을 감상하고 비평하는 관점

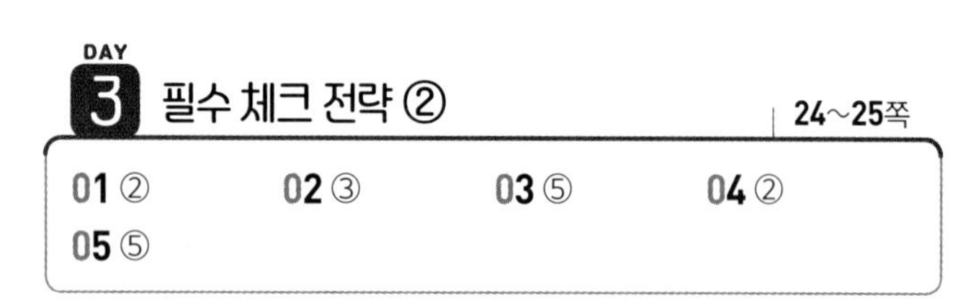

DAY 3 필수 체크 전략 ②

24~25쪽

01 ② **02** ③ **03** ⑤ **04** ② **05** ⑤

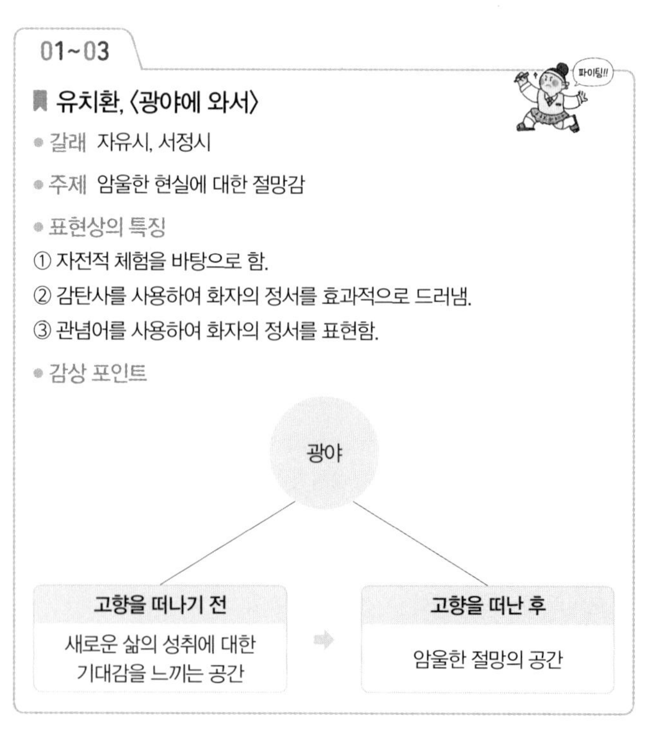

01~03

유치환, 〈광야에 와서〉

- 갈래 자유시, 서정시
- 주제 암울한 현실에 대한 절망감
- 표현상의 특징

① 자전적 체험을 바탕으로 함.
② 감탄사를 사용하여 화자의 정서를 효과적으로 드러냄.
③ 관념어를 사용하여 화자의 정서를 표현함.

- 감상 포인트

01 표현상의 특징 파악

감탄사(아아)와 '절망의 광야!'와 같은 영탄적 표현을 통해 시적 대상인 광야에서의 화자의 절망감을 효과적으로 드러내고 있다.

오답 잡기

① 이 작품은 색채 이미지를 활용하지 않았다.

③ '자학', '회오'와 같은 관념어를 활용하고 있으나, 화자의 심경이 변화되는 과정을 구체적으로 드러내고 있는 것은 아니다.

④ '화툿장을 뒤치고 / 담배를 눌러 꺼도'와 같은 화자의 구체적인 행동을 나열하고 있으나, 시적 대상인 광야에 대한 화자의 인식을 드러내고 있는 것은 아니다.

⑤ '정차장도 이백 리 밖'과 같은 거리를 나타내는 시어를 활용하고 있으나, 시적 대상인 광야에 대한 화자의 기대감을 드러내고 있는 것은 아니다.

02 시어 및 시구의 의미 파악

ⓒ의 '과실'은 고향을 떠나온 잘못을 의미하는 것이다. 고향을 떠나 광야에 온 것을 후회하는 것으로, 고향을 일찍 떠나오지 못했던 자신의 과거를 후회하는 정서를 표현한 것은 아니다.

오답 잡기

① ⓐ는 '흥안령 가까운 북변'으로 고향을 떠난 화자의 새로운 삶의 공간이자 암울한 공간을 의미하므로 적절하다.

② ⓑ의 '암수'는 어두운 수심을 의미하는 것으로, 고향을 떠나올 때 기대했던 새로운 삶을 성취할 것이라는 믿음과 달리 광야에서 느낀 현실에 대한 시름을 의미하므로 적절하다.

④ ⓓ는 고향을 떠나 광야에 온 자신의 행동에 대해 목 놓아 소리 내어 울 곳도 없다는 의미로 화자 자신의 행동에 대한 후회의 정서를 표현한 것이므로 적절하다.

⑤ ⓔ는 광야를 철벽에 비유함으로써 화자가 광야를 암울한 절망의 땅으로 인식함을 드러낸 것이므로 적절하다.

03 외적 준거에 따른 작품 감상

'탈주할 사념의 하늘도 보이지 않고'는 암담한 광야의 삶에서 벗어나고자 하는 시인의 희망이 좌절되었음을 표현한 것으로, 허무와 고독을 극복하려는 의지라 볼 수 없다.

오답 잡기

① 〈보기〉에서 이 작품은 '시인이 일제의 탄압을 피해 만주로 탈출해서 생활할 때의 경험을 담은 작품'이라고 했다. 따라서 '흥안령 가까운 북변'은 시인이 일제의 탄압을 피해 탈출해서 생활한 곳이라 볼 수 있다.

② 〈보기〉에서 '시인은 새로운 삶을 꿈꾸며 떠났'다고 했다. 따라서 '죽어도 뉘우치지 않으려는 마음'은 시인이 고향을 떠나 만주로 올 때 가졌던 마음가짐이라 볼 수 있다

③ 〈보기〉에서 '시인은 여러 작품을 통해 일제와 맞서지 못하고 나라를 버리고 떠났다는 자책감을 드러'냈다고 했다. 따라서 '마음은 속으로 끝없이 울리노니'는 나라를 버리고 떠나온 시인이 느끼는 자책감을 표현한 것이라고 볼 수 있다.

④ 〈보기〉에서 시인은 '떠난 곳이 암울한 땅임을 깨닫고 절망한다.'고 했다. 따라서 시인이 나라를 버리고 암울한 곳으로 떠나온 행동을 패망의 인생이라 인식하고 있다고 볼 수 있다.

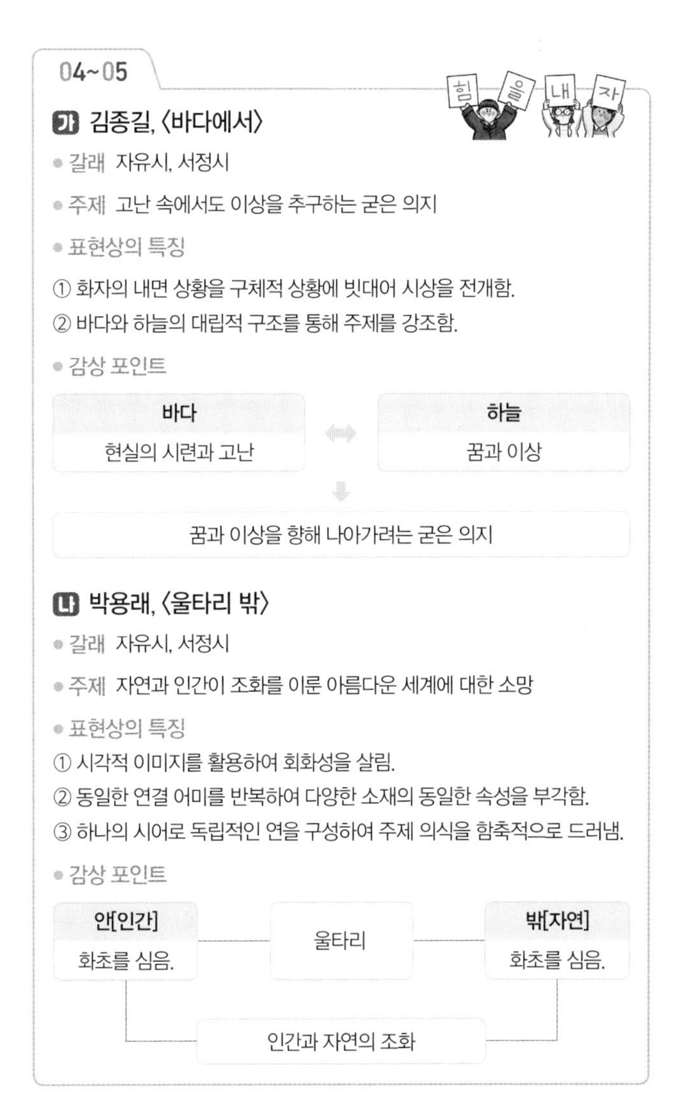

04~05

가 김종길, 〈바다에서〉

- 갈래 자유시, 서정시
- 주제 고난 속에서도 이상을 추구하는 굳은 의지
- 표현상의 특징

① 화자의 내면 상황을 구체적 상황에 빗대어 시상을 전개함.
② 바다와 하늘의 대립적 구조를 통해 주제를 강조함.

- 감상 포인트

바다	↔	하늘
현실의 시련과 고난		꿈과 이상

↓

꿈과 이상을 향해 나아가려는 굳은 의지

나 박용래, 〈울타리 밖〉

- 갈래 자유시, 서정시
- 주제 자연과 인간이 조화를 이룬 아름다운 세계에 대한 소망
- 표현상의 특징

① 시각적 이미지를 활용하여 회화성을 살림.
② 동일한 연결 어미를 반복하여 다양한 소재의 동일한 속성을 부각함.
③ 하나의 시어로 독립적인 연을 구성하여 주제 의식을 함축적으로 드러냄.

- 감상 포인트

안[인간]		밖[자연]
화초를 심음.	울타리	화초를 심음.

→ 인간과 자연의 조화

04 시어 및 시구의 의미 파악

ⓛ은 고난 속에서 홀로 있는 화자 자신의 처지를 인식하는 표현이다. '바다'로 인해 '홀로'가 아닌 화자의 처지를 부각하는 반어적 표현이 아니다.

오답 잡기

① ㉠의 '해로'는 화자가 겪는 고난의 상황을 비유한 표현이므로 적절하다.

③ ⓒ에서 '꽃처럼 황홀한 순간'은 화자가 꿈과 이상을 위해 노력하는 시간을 비유적으로 표현하고 있으므로 적절하다.

④ ㉣에서 '아지랑이가 피듯', '태양이 타듯', '제비가 날듯', '물이 흐르듯'에 모두 '-듯'으로 연결하고 있고, '아지랑이', '태양', '제비', '물' 모두 인위적인 요소가 배제된 채 자연의 섭리에 따라 움직이는 동일한 속성을 가진 대상을 의미하므로 적절하다.

⑤ ㉤은 '생긴 그대로 조금도 꾸밈이 없이'의 의미인 '천연히'라는 시어 하나로 한 연을 구성하여 대상의 꾸밈이 없는 속성을 강조하고 시상을 집약하며 주제를 함축하고 있으므로 적절하다.

05 외적 준거에 따른 작품 감상

(가)에서 화자는 '바다'를 부정적으로 인식하고 있으나, (나)에서 화자에게 울타리의 안과 밖은 자연과 인간의 조화로운 공간을 의미하므로 화자가 '울타리 밖'을 부정적으로 인식하고 있는 것은 아니다.

오답 잡기

① 제시된 글에서 (가)의 바다는 부정적 속성을 지니고 있다고 했다. '차운 물보라'는 힘든 현실의 시련과 고난을 의미하므로 힘든 현실을 참을 수밖에 없었던 화자는 바다를 부정적으로 인식하고 있다고 볼 수 있다.

② 제시된 글에서 (가)의 하늘은 긍정적인 대상이라고 했다. 6연에서 화자는 '뉘우치지 않을', '하늘'을 꿈꾼다고 하였으므로, (가)의 화자는 하늘을 긍정적으로 인식하고 있다고 볼 수 있다.

③ 제시된 글에서 (나)의 울타리 안과 밖은 자연과 인간이 조화를 이루는 공간의 의미를 지닌다고 하였다. '고향의 소녀'는 꾸밈이 없고 소박한 모습을, '고향의 소년'은 순수한 모습을 드러내고 있으므로 울타리 안에도 자연스러운 인간의 모습이 드러난다고 볼 수 있다.

④ 제시된 글에서 (나)에는 울타리를 경계로 안과 밖의 공간 대비가 드러난다고 했다. 4연에서 '울타리 밖에도 화초를 심는 마을이 있다'고 했으므로, 울타리를 경계로 공간의 대비가 드러나고 있다고 볼 수 있다.

누구나 합격 전략 | 26~29쪽

01 ④	02 ⑤	03 ②	04 ②	05 ④
06 ②	07 ③	08 ④	09 ①	10 ⑤

01~03

신석정, 〈꽃덤불〉

- 갈래 자유시, 서정시
- 주제 광복의 기쁨과 새로운 민족 국가 건설에의 소망
- 표현상의 특징
  ① 시간의 흐름에 따라 시상을 전개함.
  ② 유사한 문장 구조의 반복을 통해 운율을 형성함.
  ③ 어둠과 밝음의 대립적 이미지를 활용하여 주제를 형상화함.
- 감상 포인트

어둠		밝음
태양을 등진 곳, 밤, 헐어진 성터, 겨울밤	대조	태양, 하늘, 봄, 꽃덤불
↓		↓
화자가 처해 있는 암담하고 혼란스러운 현실		화자가 소망하는 밝은 미래

01 표현상의 특징 파악

이 작품에는 음성 상징어가 사용되지 않았으므로, 음성 상징어를 활용하여 시적 상황을 생생하게 드러내고 있다는 설명은 적절하지 않다.

오답 잡기

① 일제 강점기의 암담한 현실을 드러내는 '과거', 광복 직후의 혼란과 갈등을 드러내는 '현재', 민족의 완전한 독립과 화합에 대한 기대를 드러내는 '미래'의 시간의 흐름에 따라 시상을 전개하고 있다.

② 2연의 '가슴을 쥐어뜯지 않았느냐?'에 설의적 표현을 사용하여 화자의 정서를 강조하고 있다.

③ 3연에서 유사한 문장 구조의 반복을 통해 운율을 형성하고 있다.

⑤ 화자가 처해 있는 암담하고 혼란스러운 현실을 상징하는 '어둠'과 화자가 소망하는 밝은 미래를 상징하는 '밝음'의 대립적 이미지를 활용하여 주제를 형상화하고 있다.

02 화자의 정서 및 태도 파악

이 작품의 화자는 광복이 되었음에도 혼란스러운 상황을 안타까워하며, 민족의 화합이 이루어진 완전한 민족 국가가 수립되기를 염원하고 있다.

오답 잡기

① 일제 강점기의 암담한 현실을 드러내고 있으나 좌절하고 있지는 않다.

② 4연에서 '서른여섯 해가 지나갔다'고 했으므로 일제 강점기 상황이 끝났음을 알 수 있다.

③ 3연에서 일제 강점기 동안 몸과 마음을 팔아 버린 벗이 있음을 드러내고 있으나, 이를 비난하고 있는 것은 아니다.

④ 5연에서 '오는 봄엔' '꽃덤불에 아늑히 안겨 보리라'라고 했으므로 자신이 소망하는 완전한 민족 국가가 수립될 것을 기대하며 염원하고 있음을 알 수 있다.

03 외적 준거에 따른 작품 감상

'헐어진 성터'는 일제 강점기의 국권을 상실한 조국을 의미하고, '오롯한 태양'은 조국의 광복을 의미한다. 따라서 '헐어진 성터'에서 갈망한 '오롯한 태양'은 아직 이루지 못한 일제로부터의 광복을 의미한다.

오답 잡기

① 제시된 글에서 시인은 '일제 강점기의 어둡고 고통스러웠던 과거를 돌아'본다고 하였다. 따라서 '태양을 등진 곳'과 '밤'은 일제 강점기의 어둡고 고통스러웠던 상황을 표현한 것으로 볼 수 있다.

③ 제시된 글에서 시인은 '일제 강점기'에 '광복'을 염원했다고 하였다. 따라서 '가슴을 쥐어뜯으며 이야기'한 것은 조국의 광복을 실현하고 싶은 열망이라 볼 수 있다.

④ 제시된 글에서 '좌우익의 이념 갈등으로 인해 혼란한 상황'이 지속되고 있다고 했다. 따라서 '달'이 아직 찬 것은 혼란한 상황이 이어지고 있음을 의미한 것으로 볼 수 있다.

⑤ 제시된 글에서 시인은 '조국의 완전한 독립과 화합을 바라는 소망을 드러내고 있다'고 했다. 따라서 '오는 봄'에 화자가 안기고 싶어 하는 '꽃덤불'은 화자가 궁극적으로 소망하는, 좌우익의 이념 갈등이 해결되고 조국의 완전한 독립과 화합을 이룬 이상적인 모습을 의미한다고 볼 수 있다.

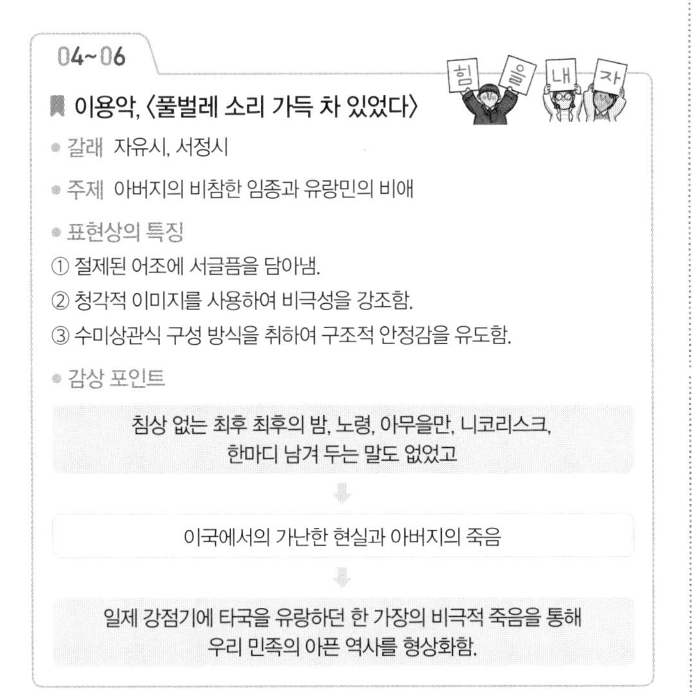

04~06

이용악, 〈풀벌레 소리 가득 차 있었다〉

- 갈래 자유시, 서정시
- 주제 아버지의 비참한 임종과 유랑민의 비애
- 표현상의 특징
  ① 절제된 어조에 서글픔을 담아냄.
  ② 청각적 이미지를 사용하여 비극성을 강조함.
  ③ 수미상관식 구성 방식을 취하여 구조적 안정감을 유도함.
- 감상 포인트

침상 없는 최후 최후의 밤, 노령, 아무을만, 니코리스크, 한마디 남겨 두는 말도 없었고

↓

이국에서의 가난한 현실과 아버지의 죽음

↓

일제 강점기에 타국을 유랑하던 한 가장의 비극적 죽음을 통해 우리 민족의 아픈 역사를 형상화함.

04 화자의 정서 및 태도 파악

㉠의 '풀벌레 소리'는 침상도 없는 타국에서 죽음을 맞이한 아버지에 대한 화자의 서글픔을 강조하는 소재이다. 따라서 ㉠에 나타나 있는 화자의 정서는 죽은 아버지에 대한 비통함이라 할 수 있다.

오답 잡기

① 고향을 떠날 수밖에 없던 화자의 처지에 대한 안타까움은 이 작품에 나타나 있지 않다.

③ '피지 못한 꿈의 꽃봉오리'에 이루지 못한 아버지의 꿈이 나타나 있으나, 이를 대신 이루겠다는 화자의 다짐은 나타나 있지 않다.

④ 고향에서 들은 풀벌레 소리를 떠올리는 것은 나타나 있지 않다.

⑤ 화자를 키우기 위해 타국을 떠돌아다닌 아버지의 모습을 나타나 있으나, 이에 대한 고마움을 드러내고 있는 것은 아니다.

05 표현상의 특징 파악

이 작품에는 감정 이입의 기법이 나타나지 않는다.

오답 잡기

① 1연의 4, 5행이 4연의 3, 4행에서 반복되고 있으므로 수미상관식 구성 방식이 사용되었다.

② '풀벌레 소리 가득 차 있었다.'에 청각적 이미지를 활용하여 아버지의 죽음에 대한 서글픈 정서를 강조하고 있다.

③ 구체적 지명인 '노령', '아무을만', '니코리스크'를 제시하여 시적 상황에 대한 사실성을 획득하고 있다.

⑤ 아버지의 죽음을 절제된 어조로 묘사함으로써 비극성을 더욱 부각하고 있다.

06 시어 및 시구의 의미 파악

2연에서 '아들과 딸'들에게 '한마디 남겨 두는 말'도 남기지 못한 것은 아버지가 갑작스러운 죽음을 맞이한 상황을 나타내는 것으로 아버지에 대한 원망이 드러나 있는 것은 아니다.

오답 잡기

① 1연에는 타향에서 맞이한 아버지의 죽음을 드러내고 있다.

③ 2연에는 아들과 딸을 키우기 위해 타국을 떠돌아 다니던 아버지의 모습을 형상화하고 있다.

④ 3연에는 아버지의 임종 장면을 형상화하고 있다.

⑤ 4연에는 아버지의 죽음에 대한 가족의 슬픔을 형상화하고 있다.

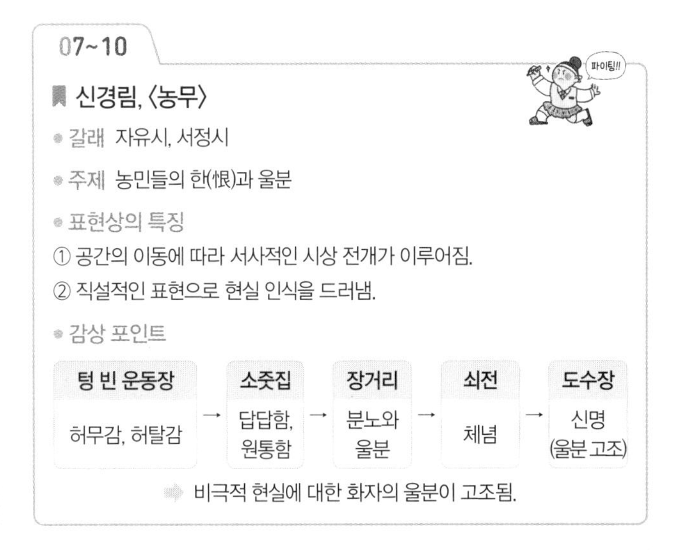

07~10

신경림, 〈농무〉

- 갈래 자유시, 서정시
- 주제 농민들의 한(恨)과 울분
- 표현상의 특징
  ① 공간의 이동에 따라 서사적인 시상 전개가 이루어짐.
  ② 직설적인 표현으로 현실 인식을 드러냄.
- 감상 포인트

텅 빈 운동장		소줏집		장거리		쇠전		도수장
허무감, 허탈감	→	답답함, 원통함	→	분노와 울분	→	체념	→	신명 (울분 고조)

➡ 비극적 현실에 대한 화자의 울분이 고조됨.

07 표현상의 특징 파악

'발버둥 친들 무엇하랴'는 설의적 표현으로 발버둥 쳐 봐야 소용없다는 의미이다. 즉 산업화 과정에서 소외된 농촌에 대한 자조적인 현실 인식이 드러나 있는 것으로 시적 대상인 농무를 예찬하고 있는 것은 아니다.

오답 잡기

① '꽹과리를 앞장세워 장거리'로 나서면서 농무를 추는 농민들의 상황을 설정함으로써 농촌에서 농무를 통해 분노와 한을 표출하는 농민들의 정서에 사실감을 더하고 있다.

② 시상의 전개가 '운동장'에서 '소줏집', '장거리', '쇠전', '도수장'으로 이동하면서 이루어지고 있으므로, 공간의 이동에 따라 시상이 전개된다고 볼 수 있다.

④ '고달프게 사는 것이 원통하다'는 소외된 농촌에서 살아가는 농민들의 울분을 '원통하다'라는 직설적인 표현으로 드러내고 있으므로 적절하다.

⑤ '꺽정이'와 '서림이'는 조선 시대의 역사적인 인물로, '꺽정이'를 통해 모순된 현실을 개혁하기 위해 맞서 싸우고자 하는 인식을, '서림이'를 통해 모순된 현실에 타협하며 살아가고자 하는 인식을 드러내고 있다.

08 화자의 정서 및 태도 파악

'쇠전'은 과거 소를 팔고 사던 시장으로, 과거처럼 번성하지 못한 현실에 대한 체념의 정서가 드러나는 공간이다. 지금보다 나아질 미래에 대한 기대감의 정서는 드러나지 않는다.

오답 잡기

① '운동장'에서는 농무가 끝나고 난 뒤의 허무함과 허탈감의 정서가 나타난다.

② '소줏집'에서는 농촌에서 사는 것에 대한 답답함과 원통함의 정서가 나타난다.

③ '장거리'에서는 농촌의 현실에 대한 분노와 울분의 정서가 나타난다.

⑤ '도수장'에서는 분노가 최고조에 이르렀음을 신명으로 표현하며 농촌 현실에 대한 불만의 정서가 나타난다.

09 표현상의 특징 파악

〈진달래꽃〉의 '죽어도 아니 눈물 흘리우리다'는 임이 떠날 때 자신은 매우 슬퍼할 것이라는 의미를 내포한 반어적 표현이므로 ⓐ에 사용된 표현 방식과 유사한 표현 방식이 사용되었다.

오답 잡기

② '찬란한 슬픔의 봄'에 역설법이 사용되었다.

③ '해설피 금빛 게으른 울음을 우는 곳'에 청각적 심상인 '울음'을 시각적 심상인 '금빛'으로 전이시켜 표현한 공감각적 심상이 사용되었다.

④ '산 꿩도 섧게 울은 슬픈 날'에 감정 이입이 사용되었다.

⑤ '별 하나에'가 반복적으로 사용되고 있으며, '추억'과 '사랑'과 '쓸쓸함', '동경', '시', '어머니'가 열거되어 있다.

10 외적 준거에 따른 작품 감상

'신명'은 농민의 울분과 고뇌를 역설적으로 드러낸 것으로 농무를 통해 농민의 고뇌와 울분을 승화시켜 새로운 농촌을 만들려는 의지를 드러낸 것은 아니다.

오답 잡기

① 〈보기〉에서 1960년대부터 산업화와 도시화에 집중하면서 농촌은 피폐해져 갔다고 했다. 따라서 '막이 내'린 '텅빈 운동장'은 피폐해진 농촌의 현실을 상징적으로 표현하고 있다고 볼 수 있다.

② 〈보기〉를 통해 농민들은 농촌의 암담한 현실로 인해 울분과 고뇌를 느낌을 알 수 있다. 따라서 '학교 앞 소줏집'에서 술을 마시는 것은 농민들이 고뇌를 잊기 위함이라고 볼 수 있다.

③ 〈보기〉에서 농민들은 피폐한 농촌을 견디지 못하면 도시로 이주하여 빈민층이 된다고 했다. 따라서 농무를 구경하는 사람이 '조무래기'와 '처녀 애들'뿐이라는 것은 농민들이 농촌을 떠난 현실을 보여 준다고 볼 수 있다.

④ 〈보기〉에서 저곡가 정책에 따라 농민들은 생산비에도 못 미치는 싼값에 농작물을 팔아야 했다고 했다. 따라서 '비룟값도 안 나오는 농사 따위'는 농민들의 암담한 처지를 드러낸다고 볼 수 있다.

창의·융합·코딩 전략 ①

30~31쪽

01 ③ 02 ⑤ 03 ④ 04 ⑤

01~04

가 정지용, 〈고향〉

- 갈래 자유시, 서정시
- 주제 돌아온 고향에서 느끼는 상실감
- 표현상의 특징

① 수미상관을 통해 주제 의식을 강조함.
② 자연의 영원성과 인간의 유한함을 대조적으로 나타냄.
③ 다양한 감각적 이미지를 통해 고향의 모습을 형상화함.

- 감상 포인트

변함없는 고향의 자연		변해 버린 인간
산꿩, 뻐꾸기, 흰 점 꽃, 하늘	대조	어린 시절 불던 풀피리 소리 아니 남.

어린 시절에 불던 풀피리 소리가 아니 나고 메마른 입술에 쓰디쓴 것을 변함없는 고향의 모습과 대조하여 고향에 대한 상실감을 부각하고 있음.

나 이호철, 〈탈향〉

- 갈래 단편 소설, 전후 소설
- 주제 월남한 실향민의 애환과 비애
- 서술상의 특징

① 간결한 문체로 속도감 있게 사건을 전개함.
② 방언을 사용하여 토속성과 사실감을 부여함.

- 구성

발단	6·25 전쟁 때 한 마을에서 살다 월남하던 중 만난 광석, 두찬, 하원과 '나'는 부산에서 화차를 전전하며 궁핍한 피란살이를 함.
전개	고향에 돌아가는 것이 어려워지자 광석은 현실적인 삶을 찾고, 두찬은 이를 못마땅해함.
위기	생활이 어려워지며 두찬과 광석은 생활력이 부족한 '나'와 하원을 귀찮게 생각하고, 광석이 화차에서 실족하여 죽게 되며 이들의 관계는 점차 소원해짐.
절정	세 사람은 양심의 가책을 느끼며 점차 자신을 되돌아보고, 마침내 현실에 절망한 두찬은 '나'와 하원을 버리고 떠남.
결말	'나' 역시 다른 친구들처럼 고향을 버리기로 결심하고 하원을 떠날 궁리를 함.

- 감상 포인트

탈향
- 이 작품의 제목이 '실향'이 아니라 고향을 벗어난다는 의미인 '탈향'인 것은 평화로우나 비현실적인 고향, 즉 과거의 세계로부터 벗어나 독자적인 개인으로서 현실을 탐구해야 한다는 깨달음을 그린 소설이기 때문임.
- 함흥에서 부산으로의 탈출이 '물리적인 탈향'이라면, 고향 친구들을 버리고 홀로서기를 결심하는 것은 '심리적인 탈향'임.

01 화자의 정서 및 태도 파악

(가)의 화자는 '산꿩이 알을 품고 / 뻐꾸기 제철에 울건만'이라고 하여 고향의 자연은 변함없는 모습이지만, 자신이 생각하던 고향은 없다고 하였다. 따라서 산꿩과 뻐꾸기조차 모두 변해 버렸다는 내용은 적절하지 않다.

오답 잡기

① (가)의 '고향에 고향에 돌아와도 / 그리던 고향은 아니러뇨'를 통해 고향에 돌아왔지만 (가)의 화자가 생각했던 고향은 아니었음을 알 수 있다.
② (나)에는 하원은 "야하, 언제나 고향 가지?"라고 하여 고향에 가고 싶은 마음을 드러내고 있다. 따라서 하원이 고향에 갈 수 있는 (가)의 화자를 부러워한다는 내용은 적절하다.
④ (나)에서 하원은 고향의 하얀 양산처럼 되는 상나무와 장자골집 형수의 웃음이 보고 싶다고 했으므로 적절하다.
⑤ (가)에서 '마음은 제 고향 지니지 않고'라고 하여 고향의 자연은 변함이 없지만 화자의 인식이 변화하여 고향이 예전 같지 않다고 느끼고 있으므로 적절하다.

02 표현상의 특징 파악

(가)는 '어린 시절에 불던 풀피리 소리 아니 나고 / 메마른 입술에 쓰디쓰다'라고 하며 변해 버린 화자의 모습과 변함없는 고향의 모습을 대조하여 보여 주고 있다. 이를 통해 고향에 대한 화자의 상실감과 이로 인한 허망함을 부각하여 드러내고 있다.

오답 잡기

① (가)에서 변함없는 고향의 자연을 나열한 것은 고향에 대한 그리움을 부각하기 위한 것이라고 보기 어렵다.
② (가)에서 변함없는 고향의 자연과 변해 버린 인간을 대조한 것은 변해 버린 인간에 대한 비판을 강화하기 위함은 아니다.
③ (가)에서 변함없는 고향의 자연과 변해 버린 인간을 대조한 것은 변해 버린 화자 자신의 모습에 대한 성찰적 태도를 드러내기 위함이 아니며, 이 작품에서 화자 자신의 모습이 변한 것도 아니다.
④ (가)에서 변함없는 고향의 자연과 변해 버린 인간을 대조한 것은 변함없는 자연을 바라보며 느끼는 경이로움을 강조하기 위함은 아니다.

03 외적 준거에 따른 작품 감상

(나)는 고향을 떠난 인물들이 타향에서 고향에 대해 느끼는 감정을 드러내고 있다고 하였다. '중공군이 밀려온다는 바람'은 인물들이 고향을 떠난 이유를 나타낸 것이라고 할 수 있다. 하지만 이것이 고향에 대한 부정적인 관념을 형성한 것은 아니다.

오답 잡기

① (가)는 고향을 떠났던 화자가 고향에 돌아와 느끼는 정서를 드러내고 있다고 하였다. 3연의 '마음은 제 고향 지니지 않고'는 '고향'이라는 공간은 동일하지만, 시간이 흐르면서 예전과 같은 고향으로 느끼지 못하는 화자의 정서가 드러나 있다.

② (가)의 5연에서 화자는 변해 버린 어린 시절과 다르게 변한 자신의 모습을 드러내며, 고향 상실의 정서를 감각적 심상을 통해 나타내고 있다. '쓰디쓰다'는 미각적 심상으로, 화자가 변해 버린 고향에서 상실감을 느끼는 안타까운 정서를 드러낸다.

③ (나)의 '광석이 아저씨네 움물'은 과거 고향에서 겪은 기억을 나타내는 소재이다. 과거의 시간과 공간의 요소를 통해 그리움을 드러내고 있다.

⑤ (나)의 인물들은 모두 낯선 타향 땅에 위치하고 있다. '서로 마주 건너다보며 어리둥절했다'를 통해 고향을 떠나 낯선 부산에 도착했을 때의 감정을 표현하고 있다.

04 시어 및 시구의 의미 파악

하늘은 변함없는 고향의 자연을 의미하는 것으로, 화자가 타향에서 그리워하던 고향의 모습을 나타낸다고 할 수 있다. 눈은 타향인 부산에서는 내리지 않는 것으로 보이, 피란지 부산에서 고향을 떠올리게 하는 소재라 할 수 있다.

오답 잡기

① 하늘은 이상적인 세계라 할 수 없고, 눈은 고난을 의미하지 않는다.

② 하늘은 변함없는 자연을 의미하지만, 눈은 고향으로 돌아갈 수 없는 이유는 아니다.

③ 하늘은 미래에 대한 기대라 할 수 없고, 눈은 순수한 성격을 드러내는 것은 아니다.

④ 하늘은 변함없는 고향의 자연을 의미하고, 눈은 고향으로 돌아가려는 의지를 드러내는 것은 아니다.

창의·융합·코딩 전략 ②

32~33쪽

05 ① 06 ⑤ 07 ② 08 ⑤

05~08

가 윤동주, 〈길〉

- 갈래 자유시, 서정시
- 주제 진정한 자아를 찾기 위한 탐색과 노력
- 표현상의 특징
  ① 고백적 어조를 통해 내면을 드러냄.
  ② 소박하고 일상적인 시어를 사용함.
- 감상 포인트

길	잃은 것을 찾는 과정, 인생의 의미를 찾아가는 공간
돌담	현실적 자아와 이상적 자아를 단절시키는 장애물, 현실적 자아의 삶의 길에 놓인 암담한 현실의 상징물
하늘	화자에게 자신이 처한 현실 상황을 일깨워 주는 순수한 존재, 화자에게 부끄러움을 느끼게 하고, 자기 성찰을 통해 새로운 의지를 북돋우는 계기를 마련해 줌.

나 이수익, 〈방울 소리〉

- 갈래 자유시, 서정시
- 주제 아름답고 소중한 추억에 대한 그리움
- 표현상의 특징
  ① 소재를 매개로 하여 과거를 떠올리며 정서를 심화함.
  ② 대립적인 시어와 특정 소재를 통해 정서를 드러냄.
- 감상 포인트

방울
↓
과거의 체험을 생각하게 함으로써 잃어버린 소중한 추억을 불러 냄.

05 화자의 정서 및 태도 파악

(가)는 '길'을 통해 본질적 자아를 찾아가는 과정과 잃어버린 자아를 찾고자 하는 노력을 보여 주고 있다. 2연에서 '돌과 돌과 돌이 끝없이 연달아' 있는 것은 본질적 자아를 찾는 길이 어렵다는 것을 나타내는 것이지 화자의 의지가 확고함을 드러내는 것은 아니다.

오답 잡기

② '돌과 돌과 돌이 끝없이 연달아' 있는 담과 굳게 닫힌 '쇠문'을 통해 상실한 대상을 찾는 일이 어렵다는 사실을 드러내고 있다.

③ 길이 '아침에서 저녁으로 / 저녁에서 아침으로 통'한다는 것은 참된 자아를 찾기 위한 탐색 과정이 지속됨을 의미한다.

④ 돌담이 화자가 걸어야 하는 길과 상실한 대상이 감추어진 공간을 갈라놓는 역할을 하여 화자는 눈물짓고 있다. 또한 화자는 희망을 갖게 하는 존재인 하늘에 자신을 비춰 성찰하며 부끄러움을 느끼고 있다.

⑤ 6~7연에서는 '풀 한 포기 없는' 황량하고 삭막한 현실 속에도 참된 자아를 되찾겠다는 화자의 굳은 의지와 결연한 사명을 엿볼 수 있다.

보기 돋보기

'돌담'과 '길'

이 시의 화자는 끝없이 이어져 있는 '돌담'을 끼고 걸어가고 있다. 돌담은 '길'을 안과 밖으로 갈라놓았는데, 화자가 들여다 볼 수 없는 돌담 안쪽은 화자가 상실한 참된 자아가 존재하는 공간이다.

길의 안쪽	돌담 (경계선)	길의 바깥쪽
참된 자아		상실한 자아를 찾는 화자

06 시어 및 시구의 의미 파악

현재 화자는 ㉢으로 상징되는 떠들썩한 문명의 시간을 살고 있으며 ㉣을 들으며 과거의 시간과 공간을 그리워하고 있다. 따라서 ㉣은 과거를 환기하는 것이지, 자연과 인간사의 부조화를 상징하는 것은 아니다.

오답 잡기

①, ② 화자는 ㉠을 매개로 소박하고 평화롭던 유년 시절의 고향을 떠올리면서 ㉡을 생각한다. 그리고 ㉡과 함께 옥분이와 누나에 대한 그리움을 환기하게 된다.

07 작품 간 공통점 파악

(가)는 '길'을 통해 본질적 자아를 찾아가는 과정에서의 부끄러움과 의지를, (나)는 '방울 소리'를 통해 그리움의 정서를 드러내고 있다.

08 작품의 종합적 감상

화자는 청계천에서 구입한 방울을 통해 어린 시절 자신이 소를 몰고 산을 내려오던 때를 회상하게 된다. 3연에서 화자는 지금과 같이 소음이 가득한 문명 속에서는 옛날처럼 방울 소리가 옥분이네 안방과 사립문에 서 있는 누나에게 들리지 않을 것이라는 안타까운 마음을 나타내고 있다. 따라서 '나'가 방울 소리를 일부러 크게 내는 장면은 시의 내용을 형상화한 장면으로 적절하지 않다.

오답 잡기

① 화자는 청계천 골동품 가게에서 어느 황소 목에 걸렸던 방울을 샀다고 하였으므로 방울을 유심히 바라보는 '나'의 모습을 표현하는 것은 적절하다.
② '그 영롱한 소리의 방울을 딸랑거리던 / 소'라는 부분을 통해 방울을 단 소의 모습을 표현하는 것은 적절하다.
③ 골목에서는 삼륜차의 경적 소리가 울린다고 하였으므로 소의 방울 소리와 대조적으로 경적을 울리도록 표현하는 것은 적절하다.
④ '소를 몰고 여름 해 질 녘 하산하던' 소년의 모습이 드러나 있으므로 소를 몰고 산에서 내려오던 어린 '나'의 모습을 표현하는 것은 적절하다.

전편

WEEK 2 현대 소설

DAY 1 개념 돌파 전략 ① 36~39쪽

01 3인칭 관찰자 **02** (1) 발단 (2) 입체적 구성 **03** × **04** ②
05 자연적 배경 **06** ① **07** (1) ○ (2) ○ **08** (1) ○ (2) ×
09 현학적 표현 **10** × **11** 지시문 **12** (1) ○ (2) ×

DAY 1 개념 돌파 전략 ② 40~41쪽

01 ② **02** ④ **03** ② **04** ④

01 인물의 유형 이해

어떤 사회 계층이나 직업, 세대를 대표하는 성격을 지닌 인물은 전형적 인물이며, 이와 달리 개인의 독자적 성격을 뚜렷이 지닌 인물은 개성적 인물이다.

김동리, 〈역마〉

- 갈래 순수 소설, 단편 소설
- 주제 운명에 순응하며 사는 삶과 인간 구원의 문제
- 서술상의 특징
① 시간적, 공간적 배경에 상징적인 의미를 부여함.
② 전통적 운명론을 바탕으로 개인과 운명의 갈등을 형상화함.
- 구성

발단	화개 장터에서 주막을 운영하며 살던 옥화는 아들 성기의 타고난 역마살을 없애기 위해 노력함. 어느 날, 체 장수 영감이 자신의 딸 계연을 주막에 맡기고 떠남.
전개	옥화는 성기가 계연과 연을 맺고 역마살을 극복하고 정착하여 살기를 희망함.
위기	어느 날, 옥화는 계연의 왼쪽 귓바퀴 위에 난 사마귀를 보고 자신의 동생이 아닐까 의심함.
절정	체 장수 영감이 돌아와 들려준 이야기에 의해 계연이 옥화의 이복동생이라는 것이 드러나고, 계연과 성기는 이별하게 됨.
결말	계연은 아버지를 따라 고향으로 떠나고, 성기는 병을 앓다가 화개 장터를 떠남.

• 감상 포인트

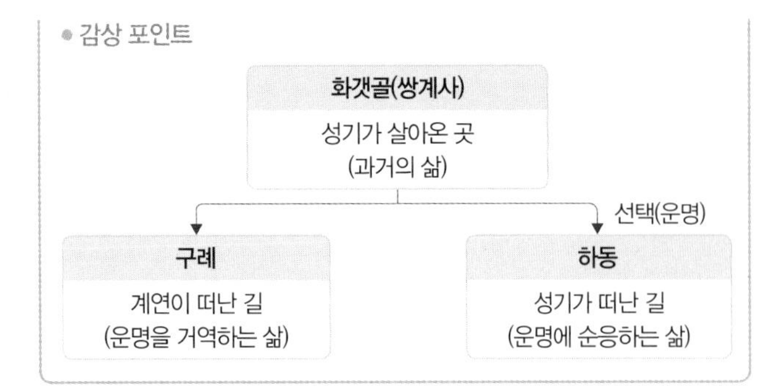

02 갈등의 유형 이해

성기는 계연과 이별한 상황에서 자신이 어떤 선택을 해야 하는지 고민하고 있다. 강원도 쪽으로 가 보고 싶은지 묻는 옥화의 질문에 고개를 돌리며 침묵하는 모습에서 성기의 내적 갈등을 확인할 수 있다.

오답 잡기

① 등장인물 간의 가치관의 대립은 나타나지 않는다.

② 봄 풍경을 그린 부분은 있지만, 이러한 자연환경과 성기가 갈등을 겪는 것은 아니다.

③ 성기는 계연과 관련하여 내적으로 고민을 하고 있으므로 특별한 갈등이 없다는 설명은 적절하지 않다. 또한 계연과 이별한 상황이므로 성기가 현재의 상황에 만족한다는 설명은 적절하지 않다.

⑤ 성기를 억압하는 시대 현실은 이 작품에 나타나지 않는다.

채만식, 〈치숙〉

• 갈래 단편 소설, 풍자 소설

• 주제 일제 식민 통치에 순응하며 살아가는 '나'와 사회주의 사상을 가진 아저씨의 갈등

• 서술상의 특징

① 미성숙한 서술자를 통해 인물을 관찰함.

② 대화적 문체를 통해 '나'와 아저씨의 가치관을 비교함.

• 구성

발단	일본에서 대학까지 나온 아저씨는 징역살이를 하고 나와 폐병을 앓고 있음.
전개	'나'는 아저씨와, 아저씨를 돌보고 있는 아주머니를 답답해함.
위기	'나'는 일본인이 운영하는 상점의 점원 생활을 하며, 곧 자립하여 일본에 가서 살고자 하지만 아저씨 때문에 방해를 받음.
절정	'나'는 무능한 아저씨를 비판하는데, 아저씨는 오히려 세상 물정을 모른다며 '나'를 비판함.
결말	'나'는 아저씨 같은 사람은 빨리 없어져야 한다고 생각하지만 계속 살아나 걱정함.

• 감상 포인트

아저씨	'나'
대학교 졸업	보통학교도 제대로 못 마침.
어려운 한자가 섞인 책을 읽음.	만화, 연애 소설 위주로 읽음.
경제학을 전공하고 사회주의자가 됨.	사회주의자를 불한당과 동일시함.

↓

물질적 가치만 중시하고 무지한 '나'가 아저씨를 비판함.

03 서술자와 시점 이해

이 작품은 작품 내부의 서술자인 '나'의 시각에서 아저씨의 상황을 관찰하고 그에 대한 생각을 드러내고 있는 1인칭 관찰자 시점의 작품이다. 1인칭 관찰자 시점에서는 서술자가 주인공을 관찰하고 주인공의 정서를 간접적으로 드러낸다.

오답 잡기

① 서술자가 작품 안에 있고 주인공의 역할을 하는 것은 1인칭 주인공 시점이다.

③ 서술자가 작품 밖에 있고 작품에 개입하여 인물에 대한 평가를 드러내는 것은 서술자의 개입에 대한 설명이다.

④ 서술자가 작품 밖에 있고 인물에 대해 직접 서술하는 것은 전지적 작가 시점이다.

⑤ 서술자가 작품 밖에 있고 객관적인 서술을 드러내는 것은 3인칭 관찰자 시점에 관한 설명이다.

개념 더 보기

서술자의 개입

작품 외부의 서술자가 등장인물인 것처럼 작품 내부에 개입하여 자신의 목소리를 내는 것을 서술자의 개입이라고 한다. 서술자가 작품에 개입하여 인물이나 사건에 대해 논평을 하거나 독자에게 말을 건네는 경우가 이에 해당한다.

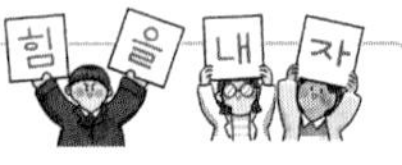

김정한, 〈산거족〉

• 갈래 단편 소설, 민중 소설

• 주제 부조리한 현실에 대한 고발과 저항

• 서술상의 특징

① 방언을 사용하여 사실감을 부여함.

② 비속어를 사용하여 인물의 상황과 정서를 드러냄.

• 구성

발단	황거칠이 산의 물을 직접 끌어다가 마삿등의 물 부족 문제를 해결함.
전개	호동팔이 산의 소유권을 주장하고 수도를 철거해 줄 것을 통보함. 재판에서 진 황거칠은 물 사용권을 빼앗기고 이에 항의하다 경찰에 연행됨.
위기	풀려난 황거칠은 새 우물을 파고 수도를 연결하지만 또 다른 산 주인이 나타나 다시 수도 시설을 빼앗길 위기에 처함.
절정	황거칠은 수도를 지키기 위해 탄원서까지 제출하며 사태에 맞서는데, 재판 도중 총선이 겹치면서 재판이 갑자기 중단됨.
결말	황거칠은 불하 취소 투쟁을 전개하며 끝까지 맞서 싸울 것을 다짐함.

• 감상 포인트

중심 소재인 '물'의 의미

물
- 서민들의 생존권을 상징함.
- 인물 간의 첨예한 갈등을 유발하는 소재임.
- 호동팔, 호동수 형제에게는 부를 축적할 수 있는 수단이 됨.

04 서술상의 특징 파악

이 작품은 작품 외부의 서술자가 사건이나 등장인물의 외양, 성격 등을 직접 서술하여 독자의 이해를 돕고 있다.

오답 잡기

① '눈마저 이상스럽게 이글거리는 것'과 같은 부분에서 인물의 외양을 묘사했다고 볼 수도 있지만, 이를 통해 인물을 희화화한 것은 아니다.

②, ③, ⑤ 이 작품에서 과거와 현재가 교차된 부분이나 장면의 변화가 나타난 부분, 시간적 배경을 상징적으로 제시한 부분은 나타나지 않는다.

DAY

2 필수 체크 전략 ①

42~43쪽

1 ② **1**-1 ⑤ **2** ③ **2**-1 ⑤

대표 유형 1 **대표 유형 2**

파이팅!!

최인훈, 〈광장〉

- 갈래 장편 소설, 분단 소설
- 주제 이데올로기 갈등 속에서 진정한 삶과 사회에 대한 추구
- 서술상의 특징

① 상징적인 소재를 통해 인물의 정서와 주제 의식을 형상화함.

② 관념적이고 철학적인 용어가 많이 사용됨.

- 구성

발단	평범한 대학생이었던 명준은 월북한 아버지로 인해 고초를 겪고 월북을 결행함.
전개	북쪽 사회에 왜곡된 이념과 부자유만 있음을 깨닫게 된 명준은 은혜와의 사랑으로 고난을 극복하려 하지만 은혜가 유학을 떠나 이마저도 좌절됨.
위기	6·25 전쟁에 인민군으로 참여한 명준은 은혜와 극적으로 상봉하나, 은혜가 비극적으로 죽게 되고 명준은 포로로 붙잡힘.
절정	명준은 포로수용소에서 석방될 때, 남한과 북한이 아닌 제3국을 선택함.
결말	제3국인 인도로 향하는 타고르 호에서 명준은 바다에 투신함.

- 감상 포인트

북한	남한
개인의 자유가 부재하고 사회적 소통만 존재함.	자유는 넘치지만 사회적 소통이 결여됨.

↓

명준은 남한도 북한도 아닌 중립국행을 결심함.

1 서술상의 특징 파악

이 작품은 명준의 의식에 초점을 맞추고 있다. 명준이 분단 현실에 대한 경험을 바탕으로 파악한 현실에 대한 관념적 인식을 드러내고 있다.

오답 잡기

① 제시된 부분은 명준이 현실에 대해 파악한 것을 드러내고 있는 부분으로, 장면 전환이 거의 없다고 볼 수 있으며 그 분위기도 긴박하지 않으므로 적절하지 않다.

③ 공간에 대한 묘사를 거의 찾아볼 수 없으며, 공간의 묘사를 통해 시대적 상황을 구체적으로 드러내고 있다고 볼 수도 없다.

④ 명준이 남한행을 권유받는 장면, 명준의 생각을 서술한 부분은 자신의 경험을 바탕으로 자신이 살았던 공간들에 대한 관념적 판단을 내리고 있는 것으로 회상이라고 볼 수 없다.

⑤ 명준이 혼자 생각하는 내용들이 전개되고 있으며, 인물 간의 갈등은 드러나지 않는다.

1-1 서술상의 특징 파악

이 작품의 시점은 전지적 작가 시점이라고 할 수 있으며, 작품 외부의 서술자가 주인공 명준의 상황과 내면 심리를 직접적으로 드러내고 있다.

오답 잡기

① 작품 외부의 서술자가 객관적으로 사건의 내용을 전달하는 것은 3인칭 관찰자 시점에 대한 설명이다.
② 서술자가 사건과 관련을 맺고 있는 것은 1인칭 시점과 관련되어 있으며, 일정한 거리를 두고 관찰한다는 것은 1인칭 관찰자 시점에 대한 설명이다.
③ 주인공이 직접 체험한 사건을 서술하고 있는 것은 1인칭 주인공 시점에 대한 설명이다.
④ 장면이 전환되는 부분이 드러나긴 하지만, 이 과정에서 서술자가 변화되고 있지는 않다.

개념 더 보기

3인칭 관찰자 시점

서술자가 작품 내부에 있으면 1인칭, 작품 외부에 있으면 3인칭 시점에 해당한다. 그리고 3인칭 시점 중에서도 서술자가 등장인물의 외양이나 행동뿐만 아니라 심리 및 정서까지 직접 서술하면 전지적 작가 시점, 인물의 외양이나 행동만 객관적으로 서술하면 3인칭 관찰자 시점에 해당한다. 3인칭 관찰자 시점은 서술자가 인물의 심리 및 정서를 직접 드러내지 않기 때문에, 인물이나 사건을 객관적인 입장에서 바라본다고 할 수 있으며, 다른 인물의 심리나 정서를 드러내고 싶을 경우에는 추측형 표현으로 서술하는 경우도 있다.

2 인물의 성격 및 태도 파악

마지막 문단에서 '참을 알고 돌아온 바다의 난파자들'은 자신들이 속았다는 낌새를 알아챈 즉 권력자들의 속임수를 알아차린 존재임을 나타내고 있다. 즉 난파꾼인 이명준은 마술, 환상이 허황됨을 알아차린 존재임을 알 수 있다.

오답 잡기

① '이제 이루어 놓은 것에 눈을 돌리면서 살 수 있는 힘이 남아 있지 않다.' 등을 볼 때, 난파꾼은 과거에 집착하는 존재가 아닌, 과거를 잊고자 하는 존재라 할 수 있다.
② '환상의 술에 취해 보지 못한 섬에 닿기를 바라며'를 볼 때, 난파꾼은 정주할 곳이 어디인지 모르거나, 아직 도달하지는 못한 존재라고 볼 수 있다.
④ 난파꾼인 명준이 가기로 선택한 곳은 중립국으로, 속세를 떠난 구도자가 되려는 존재라고 보기는 어렵다.
⑤ '자연의 수명을 다하기를 기다리면서 쉬기 위해서' 중립국을 선택했다는 점을 볼 때, 난파꾼이 현실 변화에 민첩하게 적응하는 존재라고 보기는 어렵다.

2-1 인물의 성격 및 태도 파악

남한 측의 설득자가 조국애를 비롯하여 다양한 근거를 들어 명준의 남한행을 설득하지만, 명준은 그러한 회유를 거절한다. 명준이 남한행을 거절하고 중립국을 선택하는 과정에서 다른 인물에게 미안한 감정을 느끼는 부분은 나타나지 않는다.

오답 잡기

① 설득자는 조국의 품으로 돌아와 조국을 재건하는 일꾼이 되어 달라며 명준을 설득하고 있다.
② 설득자는 무식한 사람 열을 잃는 것보다 명준과 같은 지식인 한 사람을 잃는 것이 더 큰 손실이라고 얘기하고 있다.
③ 명준은 남한과 북한이 아닌, 이데올로기가 완전히 배제된 중립국에 가기를 희망하고 있다.
④ 은혜의 죽음을 당했을 때, 마지막 돛대가 부러진 것과 같이 느꼈다는 부분에서 명준이 절망감을 느꼈음을 알 수 있다.

DAY 2 필수 체크 전략 ②

44~47쪽

01 ②	02 ④	03 ④	04 ④
05 ①	06 ①	07 ⑤	08 ③

01~04

채만식, 〈미스터 방〉

- 갈래 세태 소설, 풍자 소설
- 주제 권력에 기생하여 이익을 추구하는 세태 비판
- 서술상의 특징
① 부정적 인물을 희화화하여 웃음을 유발하고 있음.
② 풍자의 대상이 되는 인물의 행적을 시간적 순서로 드러냄.
- 구성

발단	방삼복은 십여 년을 외국에서 떠돌다가 서울로 돌아와 신기료 장수를 하며 지냄.
전개	방삼복은 미국 장교(S 소위)에게 접근하여 통역을 해 주고, 그의 통역이 됨. 그 후 삼복은 부자가 되어 큰 권세를 누림.
위기	어느 날 백 주사가 방삼복을 찾아와 해방이 되니 전 재산을 빼앗기게 된 사정을 이야기하며 보복을 부탁함.
절정–결말	방삼복이 뱉은 양칫물이 그를 찾아온 S 소위의 얼굴에 떨어지게 되고, 방삼복은 S 소위에게 턱을 얻어맞음.

- 감상 포인트
〈미스터 방〉의 풍자성

웃음(해학)	부정적 인물인 방삼복을 희화화하여 웃음을 유발하고, 방삼복이 미스터 방으로 변모하기까지의 과정을 해학적으로 표현함.
비판적 관점	기회주의자인 미스터 방과 백 주사를 조롱과 냉소의 시선으로 비판하고, 나아가 광복 직후의 혼란스러운 사회 양상을 비판함.

01 서술상의 특징 파악

광복과 미군의 주둔 같은 시대적 상황을 이용하여 경제적 이득을 취하려는 삼복의 행동을 묘사하여 웃음을 유발하고 있다.

오답 잡기

① 이 작품은 시간적 순서에 따라 사건이 전개되고 있다.
③ 등장인물인 서술자가 자신의 이야기를 하는 것은 1인칭 주인공 시점에 대한 설명이다. 이 작품은 서술자가 작품 외부에 있는 3인칭 시점을 나타낸다.
④ 이 작품에서 요약적 제시와 주인공의 회한은 나타나 있지 않다.
⑤ 비속어를 통해 인물의 상황을 나타내고는 있지만, 현실에 대한 저항 의지를 드러내고 있지는 않다.

개념 더 보기

요약적 제시
서술자의 서술이나 등장인물의 말을 통해 인물의 상황이나 사건을 압축하여 서술하는 방식이다. 인물의 상황이나 사건을 압축하여 간단하게 제시하므로 사건 전개 속도가 빨라지는 특징이 있다.

02 외적 준거에 따른 작품 감상

담뱃대 장수 영감이 미군 장교에게 소리를 지르는 것은 의사소통이 되지 않았기 때문이다. 이를 미군정을 반대하는 사회적 분위기와 관련이 있다고 볼 수 없다.

오답 잡기

① 서로 모르던 사람끼리 껴안고 눈물을 흘리는 것은 독립으로 인한 감격을 누렸던 사회상을 보여 준다.
② 활개를 쳐 가면서 무슨 짓을 해도 상관이 없는 상황은 갑작스러운 변화로 인한 사회적 혼란을 드러낸다.
③ 삼복이 징 열 개를 박아 주고 오 원을 받아도 재료 값이 올라 큰 이득이 되지 않고 있다. 이러한 장면을 통해 해방이 되어도 경제적 상황이 개선되지 않은 당대의 현실을 보여 준다.
⑤ 신기료장수였던 삼복은 미군정을 이용하여 미국 장교의 통역으로 변모하고 있다.

03 인물의 성격 및 태도 파악

삼복은 서울 사람들과 미군 사이에 의사소통이 되지 않는 상황을 활용하여 자신의 이익을 모색하고 있다. 이러한 상황을 삼복이 안타까워하고 있다는 설명은 적절하지 않다.

오답 잡기

① 삼복은 순사가 없어진 상황에 대해 "옳아, 그렇다면 독립도 할 만한 건가 보다."라고 하고 있으므로, 일본 순사가 없어진 것을 긍정적으로 인식했다고 할 수 있다.
② 삼복은 징을 박아 주고 오십 전을 받아도 이를 제지하는 순사가 없어 독립을 긍정적으로 인식했다가, 도가들 때문에 큰 이익이 되지 않자 독립을 냉소적으로 바라보고 있다.
③ 삼복은 미군 장교를 물색하다가 종로에서 담뱃대를 사고 있는 장교를 만나 친분을 쌓는 데 성공하고 있다.
⑤ 삼복은 서울 거리를 다니면서 경제적 이득을 취할 방법을 모색하고 있다.

04 사건의 전개 양상 파악

신기료장수였던 삼복은 해방이 되어도 재료 값 상승으로 그다지 이익을 얻지 못한다. 해방 이후 삼복은 영어 실력을 활용하여 출세를 하기 위해 거리를 걷다가 미군 장교를 만나 미군 통역으로 일하게 된다.

오답 잡기

① 신기료장수는 돈벌이가 잘 될 때에 삼복에게 일시적으로 희망을 주었다고 볼 수 있지만, 통역이 삼복에게 좌절감을 준다고 볼 수 없다.
② 신기료장수는 삼복이 외부 환경을 적극적으로 바꿀 수 있는 역할이라 볼 수 없으며, 통역은 삼복이 긍정적으로 인식한 역할이라 할 수 있다.
③ 신기료장수는 부정적 현실에 저항하는 인물이라 볼 수 없으며, 통역은 미군정이라는 상황에 순응하는 역할이라 할 수 있다.
⑤ 신기료장수는 삼복이 경제적 이득을 취하려는 역할로, 민족적 위기와 관련이 없으며, 통역은 삼복이 자신의 과거를 돌아보는 것과 큰 관련이 없다.

05~08

양귀자, 〈비 오는 날이면 가리봉동에 가야 한다〉

- 갈래 단편 소설, 연작 소설
- 주제 소시민들 사이에 벌어지는 일상의 갈등과 화해
- 서술상의 특징
  ① 등장인물의 대화와 행동을 중심으로 사건을 전개함.
  ② 실제 존재하는 지명을 배경으로 하여 소시민들의 삶을 사실적으로 그려 냄.
- 구성

발단	원미동으로 이사를 온 '그'는 집의 하자 때문에 많은 돈이 들어 감.
전개	목욕탕 배수관에 문제가 생겨 '그'는 지물포 주인에게 소개받은 임 씨에게 일을 맡김.
위기	임 씨의 원래 직업은 연탄장수이고 부업으로 집수리를 한다는 사실을 알고, '그'와 아내는 임 씨에게 공사를 맡긴 것을 후회함.
절정	임 씨는 예상보다 적은 금액을 공사비로 요구하고, '그'는 임 씨를 의심했던 것을 부끄러워하며 함께 술을 마심.
결말	'그'는 임 씨가 비가 오는 날이면 떼인 연탄값을 받으러 가리봉동에 간다는 이야기를 듣고, 임 씨의 처지에 연민을 느낌.

- 감상 포인트

임 씨에 대한 인식 변화

'그'는 연립 주택 집주인으로 임 씨에게 집수리를 맡김.
'그'의 아내는 임 씨가 공사비로 많은 금액을 요구할까 봐 긴장함.

↓

임 씨가 옥상 공사를 성실하게 끝내고 견적보다 더 낮은 금액을 요구함.

↓

임 씨를 오해했던 것에 미안함과 부끄러움을 느낌.

05 서술상의 특징 파악

이 작품에서는 작품 외부의 서술자가 '그'의 시각에 주목하여 화장실 공사에 관한 사건을 전개하고 있다.

오답 잡기

② 이 작품의 서술자는 작품 외부에 있으므로 서술자가 등장인물이라는 설명은 적절하지 않다.

③ 이 작품의 서술자는 작품 외부에 있으므로 작품 내부의 서술자가 회상을 한다는 설명은 적절하지 않다.

④ 이 작품에서는 사건이 진행되는 과정에서 서술자가 교체되고 있지 않다.

⑤ 이 작품의 시점은 전지적 작가 시점으로, 어수룩한 서술자가 등장인물을 관찰한다는 설명은 적절하지 않다.

개념 더 보기

어수룩한 서술자

어린아이 또는 무지한 서술자가 자신이 서술하는 사건이나 인물에 대해 불완전하게 서술하는 경우가 있다. 때로는 어수룩한 서술자가 독자보다 무지한 것으로 그려지는 경우가 있어 독자의 흥미를 자극하기도 한다. 또한 외부 세계를 완전하게 서술하지 못하므로, 이데올로기 대립과 같은 민감한 이야기를 피해 갈 수 있는 특징이 있다.

예 우리 아저씨 말이지요? 아따 저 거시키, 한참 당년에 무엇이냐 그놈의 것, 사회주의라더냐 막걸리라더냐.

– 채만식, 〈치숙〉

06 소재의 기능 파악

아내는 '임 씨가 빼놓은 견적'에 대해 부정적으로 평가하고 있다. 임 씨가 공사 비용을 과도하게 요구할까 봐 걱정하고 있는 것이다. 하지만 아내는 '분홍 편지지'를 통해 예상보다 훨씬 낮은 금액의 공사 비용을 확인하고 임 씨를 의심하고 오해한 것에 대해 미안함을 느끼고 있다.

오답 잡기

② '그'가 아내를 오해하는 부분은 나타나지 않는다. 또한 목욕탕 공사가 끝난 후 ⓑ를 받은 것이므로, ⓑ가 목욕탕 공사에 대한 아내의 기대를 유발한다는 설명은 적절하지 않다.

③ 임 씨에 대한 '그'의 기대감과 ⓐ는 관련이 없으며, 임 씨가 '그'에 대해 고마움을 드러낸 부분은 드러나지 않는다.

④ '그'가 아내를 설득하는 장면은 나타나지 않는다. 한편 아내는 ⓑ를 본 후, 임 씨를 의심했던 것에 미안함을 느끼고 있다.

⑤ '그'에 대한 아내의 평가와 ⓐ는 큰 관련이 없다. ⓑ를 통해 아내는 임 씨에 대해 미안함을 느끼고 있으므로 임 씨에 대한 부정적 평가를 유발한다는 설명은 적절하지 않다.

07 외적 준거에 따른 작품 감상

'써비스할 때는 써비스도 하지요.'라는 말을 통해 임 씨의 소박함을 알 수 있다. 이 작품에서 아내의 속물 의식에 대해 임 씨가 비판적 태도를 취하는 장면은 나타나지 않는다.

오답 잡기

① 임 씨가 공사비를 더 요구할까 봐 걱정하는 모습에서 아내의 소시민적인 태도를 확인할 수 있다.

② 아내가 인부들을 '저런 사람들'이라고 지칭한 것은 인부들을 낮잡아 보는 편견이 반영되어 있는 것이다.

③ 정식 견적 용지가 아닌 유치한 편지지를 사용한 모습에서 임 씨의 경제적 처지와 순박한 성격을 알 수 있다.

④ 재료비가 얼마 들어가지 않은 옥상의 품값을 따로 받지 않는 모습을 통해 임 씨가 정직하고 순박한 사람임을 알 수 있다.

08 인물의 성격 및 태도 파악

임 씨는 처음 견적보다 훨씬 저렴해진 견적을 제시하며 실제 비용이 얼마 들지 않았다는 점과 '옥상 일한 품값'은 서비스라는 점을 강조하고 있다.

오답 잡기

① 임 씨가 과거 행적을 나열하는 부분은 나타나지 않는다.

② 임 씨의 앞으로의 계획이 드러난 부분은 없으며, 임 씨가 상대방을 설득하고 있지도 않다.

④ 미래에 일어날 일을 예측한 부분은 없으며, 임 씨가 상대방의 감정에 호소하고 있지도 않다.

⑤ 구체적인 수치를 제시한 부분은 없으며, 임 씨가 상대방의 의견을 비판하고 있지도 않다.

DAY 3 필수 체크 전략 ①

48~49쪽

3 ① 3-1 ④ 4 ② 4-1 ①

대표 유형 3 대표 유형 4

힘 을 내 자

이태준, 〈돌다리〉

- 갈래 단편 소설
- 주제 땅의 가치에 대한 인식과 물질 만능주의 사회에 대한 비판
- 서술상의 특징
① 상징적인 소재를 사용하여 인물의 가치관을 보여 줌.
② 인물 간의 대화와 서술자의 요약적 제시를 통해 주제를 형상화함.
- 구성

발단	내과 의사인 창섭은 병원을 확장하기 위해 부모님의 땅을 팔려는 생각으로 고향에 내려옴.
전개	창섭은 마을 입구에서 돌다리를 고치는 아버지를 만남.
위기	창섭은 아버지에게 병원 확장을 위해 땅을 팔 것을 제안함.
절정	아버지는 창섭의 제안을 거절하고, 창섭은 자신의 세계와 아버지 세계의 거리감을 느낌.
결말	창섭은 돌다리를 건너 서울로 돌아가고, 아버지는 돌다리에서 세수를 하며 땅을 지키며 살아갈 것을 다짐함.

- 감상 포인트
나무다리와 돌다리의 상징적 의미

나무다리		돌다리
쉽게 만들 수 있음, 튼튼하지 않음.		무겁고 만들기 어려움.
근대적 사고방식		전통적 사고방식

상징적 소재를 통해 창섭과 아버지의 가치관 차이가 드러남.

3 사건과 갈등의 전개 양상 파악

어머니가 창섭을 맞이한 다음, 창섭이 아버지에게 땅을 팔아 병원을 확장할 계획을 말한다. 그러자 아버지가 다시 개울로 나가고 장정들이 다릿돌을 올려놓는다. 그다음 아버지가 점심상을 받는다.

3-1 사건과 갈등의 전개 양상 파악

창섭의 아버지는 이해타산적인 태도로 땅을 돈벌이 수단으로만 생각하는 세태를 부정적으로 생각하고 있다. 이 작품에서 아버지가 창섭이 병원을 돈벌이 수단으로 생각하는 것을 비판하는 내용은 나타나지 않는다.

오답 잡기

① 창섭의 어머니는 서울에서 손자들과 함께 살아 보면 소원이 없겠다고 말하고 있다.
② 창섭은 환자에게 치료 방법을 이르듯이 아버지께 여러 가지 이유를 제시하며 땅을 팔자고 설득하고 있다.
③ 창섭은 땅을 팔고 병원을 확장하면 땅을 그대로 두는 것보다 훨씬 많은 이익을 얻을 수 있다고 말하였다.
⑤ 창섭의 아버지는 창섭과 같이 땅을 경제적 가치로만 생각하는 세태를 부정적으로 생각하고 있다.

4 외적 준거에 따른 작품 감상

이 작품의 끝부분의 땅에 대한 애착을 드러내는 아버지의 말을 통해 아버지의 완고한 성격을 확인할 수 있다.

오답 잡기

① 창섭은 자아로서의 논리를 통해 아버지와의 갈등을 드러내고 있지만 세계와의 갈등을 해소하고 있지는 않다.
③ '지금 시국에 큰 건물을 새로 짓기란 거의 불가능의 일'이라고 한 창섭의 말을 통해, 창섭이 세계의 부정적 속성을 드러내고 있다고 볼 수도 있지만 그러한 세계를 고발한다고 보는 것은 적절하지 않다.
④ 창섭과 어머니의 대립과 갈등은 나타나지 않으므로, 아버지가 이러한 갈등을 중재하고 있다는 설명은 적절하지 않다.
⑤ 어머니는 손자에 대한 사랑을 드러내고 있을 뿐, 자신 속에 존재하는 또 다른 자아와 갈등을 겪고 있지는 않다.

4-1 외적 준거에 따른 작품 감상

아버지는 창섭에게 돌다리에 관한 과거 내력에 대해 이야기를 하고 있다. 하지만 창섭이 돌다리를 이용한 것을 기억하지 못한다고 단정할 만한 내용은 찾을 수 없다.

오답 잡기

② 창섭의 아버지는 돌다리에 관한 집안의 내력을 창섭에게 설명하고 있다.
③ 창섭은 무겁고 만들기 어려운 돌다리보다 쉽게 설치할 수 있는 나무다리를 이용하는 것이 더 편리하다고 생각하고 있다.
④ 창섭의 아버지는 나무다리가 돌다리만큼 튼튼하지 않다고 생각하고 있다.
⑤ 창섭의 아버지는 돌다리에 담긴 전통적 가치를 소중히 여기고 있다.

개념 더 보기

자아와 세계

'자아'의 사전적인 의미는 '대상의 세계와 구별된 인식·행위의 주체이며, 체험 내용이 변화해도 동일성을 지속하여, 작용·반응·체험·사고·의욕의 작용을 하는 의식의 통일체'이다. 즉, 소설 속 등장인물은 모두 자아라고 할 수 있으며, 동시에 다른 자아를 둘러싼 세계라고 할 수 있다. 또한 한 인물 안에 여러 자아가 존재할 수도 있다.

DAY 3 필수 체크 전략 ②

50~53쪽

01 ④	02 ④	03 ③	04 ③
05 ①	06 ⑤	07 ③	08 ①

01~04

손창섭, 〈비 오는 날〉

- 갈래 단편 소설, 전후 소설
- 주제 전후의 무기력한 삶과 허무 의식

• 서술상의 특징

① '~것이었다'라는 종결 표현을 반복하여 사건을 간접적으로 제시함.

② 배경과 인물의 상황을 세밀하게 묘사하여 우울한 분위기를 조성하고, 비극성을 부각함.

• 구성

발단	비가 오는 날이면 원구는 동욱, 동옥 남매가 떠오름.
전개	원구는 폐가와 다름없는 동욱의 집을 방문하여 우울한 표정의 동옥을 만남.
위기	동욱, 동옥 남매는 초상화를 내다 팔아 생계를 유지하던 것을 그만두게 됨.
절정	동옥이 초상화를 그려서 번 돈을 주인 노파에게 떼이고 세를 들어 살던 집에서도 쫓겨남.
결말	다시 동욱의 집을 찾아갔을 때 동욱과 동옥이 모두 사라져 버렸다는 말을 듣고 원구는 자책감에 빠짐.

• 감상 포인트

시간적, 공간적 배경의 역할

시간적 배경	공간적 배경
1·4 후퇴 후 장마철	피란지 부산의 외딴집
눅눅함, 우울함	낡음, 어두움

↓

전후의 무기력한 삶과 허무함을 효과적으로 드러냄.

제목의 의미

비 오는 날

- 원구가 과거를 회상하게 되는 매개체임.
- 동욱, 동옥 남매의 우울한 상황을 암시함.
- 원구의 죄책감과 자괴감을 연상하게 함.

↓

작품 전체의 우울하고 음산한 분위기를 조성함.

01 서술상의 특징 파악

동욱이 동옥을 모질게 대하는 장면에서 갈등 요소를 확인할 수 있지만, 주인공인 '나'의 회상은 찾아볼 수 없다. 이 작품에는 작품 밖 서술자가 인물과 사건을 서술하는 전지적 작가 시점이 나타난다.

오답 잡기

① 제시된 부분은 시간적 순서에 따라 동욱, 동옥, 원구를 둘러싼 사건을 전개하고 있다.

② 비 오는 날, 빗물이 떨어지는 방 안이라는 배경 묘사를 통해 인물의 상황을 부각하고 있다.

③ 이 작품은 작품 밖의 전지적인 서술자가 등장인물의 심리를 서술하고 있다.

⑤ '~것이었다'와 같은 종결 표현을 반복하여 사건을 간접적으로 전달하는 느낌을 주고 있다.

개념 더 보기

배경 묘사

배경은 등장인물이 행동하거나 사건이 벌어지는 시간과 장소, 사회적 분위기 등을 의미한다. 배경 묘사를 통해 인물의 심리나 사건을 암시하기도 하고 작중 분위기를 조성하기도 하며 주제 의식을 드러내는 데 기여하기도 한다.

02 소재의 기능 파악

동옥이 가끔 하품을 하며 '외국에서 온 낡은 화보'를 뒤적이고 있는 장면을 통해 동옥의 무기력함을 알 수 있다. 그리고 양동이의 물이 쏟아져 '물바다'가 된 상황으로 인해 동옥의 다리가 불편하다는 점이 드러나고 있다.

오답 잡기

① ⓐ는 인물 간의 갈등과 관련이 없는 소재이다. 한편 ⓑ를 통해 동옥의 다리가 불편하다는 사실이 드러나고 있으므로 우울한 분위기를 부각하는 소재라고 볼 수 있다.

② ⓐ는 동옥이 무기력하게 시간을 보내는 도구이므로 정신적 고통을 심화하는 소재라고 볼 수 없다. 또한 ⓑ를 통해 인물 간의 갈등이 해소되고 있지 않다.

③ ⓐ는 인물의 내적 갈등과 관련이 없다. 한편 ⓑ로 인해 동옥의 다리가 불편하다는 사실이 드러나게 되므로 연민을 불러일으키는 소재라고 볼 수 있다.

⑤ ⓐ는 인물이 처한 부정적 현실을 상징하고 있지 않다. 또한 ⓑ로 인해 동옥의 다리가 불편하다는 사실이 드러나고 있으므로 동옥의 정신적 상처를 심화시킨다고 보는 것이 적절하다.

03 사건과 갈등의 전개 양상 파악

ⓒ은 양동이의 물이 넘쳐 어쩔 수 없이 한 걸음 비켜서는 행동이다. 여기서 원구를 대하는 동옥의 심리가 변화한 것은 아니다.

오답 잡기

① 비 오는 날 굴속같이 어두운 방 안의 모습은 동욱, 동옥 남매가 처한 우울한 상황을 상징하고 있다.

② 삼시의 구별이 없다는 동욱의 말을 통해 가난하고 비참한 현실에 처한 동욱 남매의 모습을 보여 준다.

④ 양동이의 물이 쏟아지고 동옥이 원구를 잡아먹을 듯이 노려보자, 원구는 당황하고 있다.

⑤ 원구는 동옥의 태도가 결코 대견하지 않은데도 무언가에 이끌려 동욱이네 집을 계속 찾고 있다. 즉, 동옥의 상황이 걱정되어 찾아간 것이므로 원구가 동옥에게 연민을 느끼고 있다고 볼 수 있다.

04 외적 준거에 따른 작품 감상

소극적 성격인 동옥은 자신을 둘러싼 세계, 즉 동욱과 원구와의 관계에서도 소극적이고 무기력한 모습을 보이고 있다.

오답 잡기

① 이 작품의 제시된 부분에 동욱과 원구의 대립은 나타나지 않는다.

② 동욱은 자신을 둘러싸고 있는 우울한 현실과의 갈등을 해소하고 있지 않다.

④ 원구가 자신을 둘러싸고 있는 세계를 직접적으로 비판하는 장면은 나타나지 않는다.

⑤ 동옥이 또 다른 자아와 내적으로 갈등하는 장면은 작품에 나타나지 않는다.

05~08

이문구, 〈유자소전〉

- 갈래 단편 소설, 세태 소설
- 주제 물질 만능주의에 빠진 현대 사회 비판
- 서술상의 특징

① 방언을 사용하여 향토적인 정서를 드러냄.
② 비속어를 사용하여 대상을 효과적으로 풍자함.
③ 인물의 일대기를 서술하면서 교훈적인 내용을 서술하는 '전(傳)'의 형식을 취함.

- 구성

발단	'나'의 친구인 유재필은 매사에 생각이 깊고 곧은 성품을 지녔으며 남의 아픔을 자신의 아픔으로 받아들일 줄 아는 사람임. '나'는 그를 성인군자를 대하는 기분으로 '유자'라고 부름.
전개	유자는 특유의 붙임성과 눈썰미로 학교에서 명물로 이름을 날림. 졸업 후에는 선거 운동원과 의원 비서관 등을 지내다가 제대한 후 총수의 집에서 운전기사로 지내게 됨. 하지만 유자는 총수의 위선적인 모습 때문에 남들이 부러워하는 그 자리를 벗어나고 싶어 함.
절정 – 결말	총수에게 쫓겨난 유자는 그룹 소속 차량의 모든 교통사고를 뒤처리하는 노선 상무가 되는데, 그곳에서도 남을 먼저 생각하며 삶. 말년에는 종합 병원 원무실장으로 근무하다가 6·29 선언 때 시위를 하다 부상당한 사람들을 치료해 주고 사표를 낸 후 간암으로 생을 마감함.

- 감상 포인트

유자(유재필)		총수
맡은 일에 정성을 다하고 자신의 신념에 따라 이타적인 삶을 삶.		사치심이 강하고 위선적임.

유자의 삶을 높이 평가하고 물질 만능주의에 빠진 세태를 비판함.

05 서술상의 특징 파악

유자의 말과 행동을 통해 총수의 허영심과 사치를 비꼬고 있으며 이 과정을 통해 웃음을 유발하고 있다.

오답 잡기

② 현재형보다는 대부분 과거형으로 진술되어 있다.
③ 인물 간의 갈등이 요약적으로 제시된 부분은 나타나지 않는다.
④ 공간적 배경을 세밀하게 묘사된 부분은 나타나지 않는다.
⑤ 대폿집에서 총수의 자택으로 공간이 변화하였지만, 동시에 일어나는 장면을 병렬적으로 제시한 것이 아니다.

06 사건과 갈등의 전개 양상 파악

(가)와 (나)에 모두 등장하는 인물 A는 유자이다. (나)에서 인물 A와 인물 C 사이의 갈등이 나타나지만, 제시된 부분 전체에서 인물 B와 인물 C 사이의 갈등은 일어나지 않는다. 따라서 인물 A가 인물 B와 인물 C 사이의 갈등을 중재한다는 설명은 적절하지 않다.

오답 잡기

① (가)에서는 서술자 '나'의 생각이 직접 드러나고 있다.
② (나)에서는 인물 A인 유자와 인물 C인 총수의 갈등이 구체적으로 드러나 있다.
③ (나)에서 일어난 일을 유자가 '나'에게 이야기하는 것이므로, (가)보다 (나)가 시간적으로 앞선 상황이다.
④ (가)와 (나)에 모두 등장하는 인물 A는 유자인데, 유자는 (나)에서 일어난 일을 인물 B인 '나'에게 이야기하고 있다.

07 외적 준거에 따른 작품 감상

비단잉어가 갑작스럽게 죽은 원인을 짐작하면서도 일부러 의뭉을 떠는 모습을 통해 유자의 능청스러움을 알 수 있다. 그러나 유자의 이러한 행동을 현대인들의 이기주의적 면모라고 보기는 어렵다.

오답 잡기

① 자신을 다그치는 총수에게 능청스럽게 이야기하는 모습을 볼 때 유자는 권위에 굴복하지 않는 인물이라 할 수 있다.
② 유자는 시멘트의 독성 때문에 비단잉어가 죽었을 것이라 짐작하면서도 감기 때문에 죽은 것이라고 이야기하고 있다. 이 모습을 통해 유자의 천연덕스러운 성격을 알 수 있다.
④ '딴따라'는 예술을 하는 사람을 낮잡아 부르는 표현으로 비단잉어를 '딴따라 고기'라 부르는 것은 상류층의 위선적인 모습에 대한 작가의 부정적 인식이 드러난 것이라 할 수 있다.
⑤ 총수가 직원들 월급보다 몇 배나 더 비싼 비단잉어를 키우는 것은 인간보다 물질을 더 우선시하는 모습이라 할 수 있다.

개념 더 보기

전(傳)

'전(傳)'은 문자 그대로 사람의 평생 사적을 기록하여 후세에 전하는 내용의 한문 문체를 말한다. 주로 인물의 생애를 서술한 다음 후세 사람들이 본받을 만한 내용을 서술하였다. 역사적 사실을 바탕으로 한 사전(史傳), 필자의 일생을 가상의 인물에 빗대어 서술하는 탁전(託傳), 사물을 의인화하여 인물의 일대기 형식으로 서술한 가전(假傳) 등이 있다.

08 소재의 기능 파악

'민물고기'는 비단잉어에 관한 유자의 과거 기억을 이야기하게 되는 계기가 되는 소재이다. '비단잉어'의 몸값이 3년 4개월 동안의 월급에 달한다는 것을 볼 때, '비단잉어'는 빈궁하게 살 수밖에 없는 회사 직원들의 삶과 대비되는 소재라 할 수있다.

오답 잡기

② 민물고기와 인물의 가치관과는 관련이 없으며, 비단잉어와 인물의 의지와는 관련이 없다.
③ 민물고기는 인물의 고뇌를 심화하고 있지 않으며, 비단잉어로 인하여 유자와 총수의 관계가 악화되고 있다.
④ 인물 간의 갈등의 원인이 되는 것은 민물고기가 아니라 비단잉어이다. 한편 비단잉어로 인해 인물의 좌절감이 유발되는 것은 아니다.
⑤ 민물고기는 인물 간의 갈등을 심화하고 있지 않다. 한편 비단잉어는 총수의 허영심을 상징한다고 볼 수 있다.

누구나 합격 전략 54~57쪽

01 ①	02 ④	03 ③	04 ④	05 ②
06 ①	07 ③	08 ④		

01~04

박완서, 〈부끄러움을 가르칩니다〉

- 갈래 단편 소설, 세태 소설
- 주제 근대화 과정에서 속물화된 현대인에 대한 비판과 삶의 진정성 회복에 대한 소망
- 서술상의 특징

① 1인칭 주인공 시점을 통해 인물의 내면을 효과적으로 드러냄.
② '나'를 둘러싼 인물들의 삶의 모습을 통해 속물화된 현대인들을 표현함.

- 구성

발단	세 번째 결혼을 한 후 고향인 서울로 다시 올라오게 된 '나'는 분주한 서울 생활에서 마음의 피로를 느낌.
전개	'나'는 동창회에 참석했다가 어린 시절의 각박한 삶과 세 번에 걸친 결혼 생활을 되돌아봄.
위기	동창들과 함께 경희의 집을 찾은 '나'는 화려한 세간과 세련된 경희의 모습에 담긴 가식과 속물적 태도를 발견함.
절정	일본어 학원에 다니던 '나'는 어느 날 한국인 안내원이 일본인 관광객들에게 소매치기를 조심하라고 하는 말을 듣고 부끄러움을 느낌.
결말	'나'는 모처럼 돌아온 부끄러움의 감정에 자랑스러움을 느끼고, 그 감정이 자신만의 것이어서는 안 될 것 같다고 생각함.

- 감상 포인트

등장인물의 특성

'나'	소녀 때부터 부끄러움을 많이 탔으나 가난한 생활과 세 번의 결혼을 통해 현실적으로 변함.
희숙과 영미	다른 사람의 집안 형편이나 남편의 직업에만 관심을 갖는 속물적인 인물을 대표함.
경희	어린 시절에는 순수한 부끄러움을 보였으나, 고위층 남편을 만나 호화로운 생활을 하며 가식과 속물근성을 지닌 중년 여성이 됨.
'나'의 세 번째 남편	세속적인 출세를 위해 인간관계를 활용하려 함.

↓

다양한 인물형을 통해 속물적인 현실에 대한 반성을 드러냄.

01 서술상의 특징 파악

이 작품의 서술자는 희숙, 영미, 경희와 대화를 나누는 '나'이다. '나'가 인물들 사이의 갈등을 중재하는 장면은 나타나지 않는다.

오답 잡기

② 이 작품에는 희숙, 영미, 경희를 대하는 '나'의 심리가 독백을 통해 드러나고 있다.
③ 작품 내부의 인물인 '나'가 인물들의 상황을 직접 서술하고 있다.
④ 약속 장소와 한남동 경희네, '나'의 집 등 다양한 공간에서 일어나는 상황을 시간적 순서로 서술하고 있다.
⑤ 대화와 행동을 통해 등장인물의 정서를 살펴볼 수 있다.

개념 더 보기

간접 제시
대화와 행동을 통해 인물의 성격이나 정서를 드러내는 방식을 '간접 제시'라고 한다. 대화와 행동을 통해 인물의 성격을 보여 준다는 점에서 '보여 주기(showing)'라고 하기도 한다.

02 인물의 성격 및 태도 파악

'나'의 남편 이야기를 듣고 경희는 얼굴을 붉히고 있지만, 이는 예전과 같은 부끄러움 때문인 것이 아니라 미적 효과를 계산한 아름다운 포즈일 뿐이라고 하였다.

오답 잡기

① '나'는 집기들에 약간의 용도와 금전적 가치, 전시 효과 외에는 특별한 애정을 두지 않는다고 하였다.
② 영미는 부유하게 사는 경희를 질투하면서도 부러워하고 있다.
③ '나'는 남편이 부자인지, 빈털터리인지 모른다고 하였다.
⑤ 경희가 부유하게 산다는 사실을 '나'에게 알려 주는 것을 볼 때 영미와 희숙은 경희가 부유하게 산다는 것을 '나'보다 먼저 알고 있었다고 할 수있다.

03 인물의 성격 및 태도 파악

[A]에서 경희는 '나'에게 일본어 학습을 권유하고 있지만, 이는 경희의 오랜 경험을 바탕으로 한 것이라 볼 수는 없다.

오답 잡기

① '나'에게는 남편의 출세를 위해 일본어 공부를 권유하면서 자신은 교양 삼아 배운다고 말하는 것에서 자신의 우월감을 드러내려는 의도를 엿볼 수 있다.
② 남편의 출세를 위해 일본어 공부를 권유한다는 점에서 처세술의 일환으로 일본어 학원에 다니라고 권유했다는 설명은 적절하다.
④ 남편은 '나'의 친구 중에 고관의 부인이 있을 것이라고 말했던 것을 강조하고 있다.
⑤ 남편은 '나'에게 고관의 부인과 친분을 갖기 위해 일본어 학원에 다니라고 말하고 있다.

04 외적 준거에 따른 작품 감상

'유연한 손가락'과 '귀부인다운 품위'는 경희의 현재 모습으로, 미적 효과를 미리 계산한 아름다운 포즈에 불과하다고 표현하고 있다. 따라서 이러한 모습이 속물근성과 대비되는 순수함을 상징한다는 설명은 적절하지 않다.

오답 잡기

① 예전의 경희가 손으로 입을 가리면서 웃었던 것은 순수한 부끄러움의 행위라고 볼 수 있다.
② '나'가 보고 싶어 하는 '부끄럼 타는 경희'는 물질 만능주의 이전의 순수했던 경희의 모습이라 할 수 있다. 이러한 모습은 순수했던 시절로 회복하고 싶은 작가의 소망이 드러난 것이라 할 수 있다.

③ '세련된 포즈'는 순수한 부끄러움이 아니라 가식적인 부끄러움을 의미한다.
⑤ 포즈로 잔존하고 있는 '겉껍질'은 외형만 중요시하는 시대 상황과 관련이 있다.

개념 더 보기

의식의 흐름
등장인물의 머릿속에 떠오른 생각, 기억, 자유 연상 등을 마음에 스치는 느낌 그대로 서술하는 방식을 '의식의 흐름'이라고 한다. 머릿속에 떠오르는 생각을 다듬지 않고 그대로 서술하므로, 논리적 일관성이 덜하거나 의미 없는 말이 단순 나열되는 경우도 많다.

05~08

전상국, 〈우상의 눈물〉

- 갈래 단편 소설, 성장 소설
- 주제 진실을 가장한 합법적 권력의 무서움
- 서술상의 특징
① 1인칭 서술자의 객관적 서술로 사회의 이중적 단면을 폭로함.
② 행위에 의한 극적 제시와 관찰자의 분석적 해설의 방법으로 인물을 생동감 있게 그려 냄.
- 구성

발단	임시 반장이 된 '나'는 기표를 비롯한 재수파에게 심한 폭행을 당함.
전개	'나'는 학급을 위해 정보를 제공해 달라는 담임 선생님의 요구를 거절하고, 형우가 반장으로 임명됨.
위기	시험 날 형우는 기표에게 답을 적은 쪽지를 건네고, 원치 않는 도움에 비위가 상한 기표는 재수파들을 불러 형우를 때림. 하지만 형우는 끝까지 가해자를 밝히지 않음.
절정	담임과 형우에 의해 기표는 폭력의 상징에서 동정의 대상으로 바뀜. 기표는 소극적으로 변하고, 아이들은 더 이상 기표를 두려워하지 않음.
결말	기표는 학교에 나오지 않고 '무섭다. 나는 무서워서 살 수가 없다.'라는 편지를 남기고 가출을 함.

- 감상 포인트

기표의 폭력	↔	담임 선생님과 형우의 폭력
물리적이고 외형적인 폭력, 불법이라는 사실이 겉으로 드러나는 폭력		진실과 호의를 가장한 위선적인 폭력, 합법을 가장한 폭력

↓

합법을 가장한 폭력이 더 무서운 폭력임을 보여 줌.

05 서술상의 특징 파악
등장인물인 서술자 '나'가 기표와 형우를 비롯하여 교실에서 벌어지는 사건을 관찰하여 서술하고 있다.

오답 잡기
① 시간적 순서로 서술되어 있으므로 과거와 현재를 교차했다는 설명은 적절하지 않다.
③ 제시된 부분에는 주인공의 의식의 흐름이 나타나지 않는다.
④ 교내, 하굣길 등 공간은 이동하고 있지만, 이 과정에서 등장인물의 성격이 변화하고 있지는 않다.
⑤ 제시된 부분에는 배경을 자세하게 묘사한 부분이 나타나지 않는다.

06 인물의 성격 및 태도 파악
'나'가 다른 인물과 대화하는 과정에서 상대방을 조롱하거나 자기를 과시하는 태도는 나타나지 않는다.

오답 잡기
② '나'는 형우가 한순간 당황해하자 '그렇지?'라고 하며 재질문을 하고 있다.
③ '나'는 커닝을 한 것이 담임 선생님 지시에 의한 것이라는 추측을 바탕으로 형우에게 질문을 하고 있다.
④ '나'는 '무슨 뜻이냐?'와 같이 이해가 되지 않는 내용에 대해서 추가 정보를 요구하고 있다.
⑤ '나'는 선생님이 기표를 구원해 주고 싶었던 것이라는 형우의 반응에 '그랬겠지'와 같이 동의의 의사를 표한 다음 자신의 의견을 제시하고 있다.

07 외적 준거에 따른 작품 감상
'섬뜩한 느낌'은 기표에게 느끼는 두려움으로 합법적 권력에 대한 두려움이 아니라 겉으로 드러나는 물리적인 폭력에 대한 두려움이다.

오답 잡기
① 형우와 기표의 물리적인 싸움의 결과 형우가 '전치 2주'의 상처를 입은 것이다.
② 항상 빳빳하게 쳐들고 앉았던 기표의 고개가 숙여지는 것은 물리적인 힘을 갖고 있던 기표의 몰락과 관련이 있다.
④ '커닝'에 관해 담임 선생님과 '의논'을 한 것은 합법적 권력의 부정적인 모습이라 할 수 있다.
⑤ 담임 선생님이 기표를 형우에게 '일임'한 것은 합법적 권력을 유지하는 기능을 한다.

08 사건과 갈등의 전개 양상
'그때 그 일, 담임 선생님이 시켜서 한 거지?'에서 '나'가 형우의 진심을 의심하고 있음을 알 수 있다.

오답 잡기
① 형우의 존재감이 커지는 것을 예상을 안 하지는 않았지만 그 여세가 보통이 아니라고 하였다.
② 형우는 기표를 제외한 재수파 모두가 자신의 병문안을 왔다고 하였다.
③ 아이들은 형우에게 악수 세례를 보내고 헹가래를 해 주려고 하면서도 기표의 동정을 살피고 있다.
⑤ 선생님들이 다른 반 교실에 가서 형우의 일화를 얘기했으므로, 형우의 사연이 다른 반 친구들에게 퍼져 나갔다고 볼 수 있다.

창의·융합·코딩 전략 ①

58~59쪽

01 ⑤ 02 ③ 03 ④

01~03

김유정, 〈만무방〉

- 갈래 단편 소설, 농촌 소설
- 주제 일제 강점기 농민들의 비참한 현실
- 서술상의 특징
① 아이러니한 상황 설정을 통해 당대 현실의 구조적인 모순을 드러냄.
② 간결하고 사실적인 문체를 통해 인물이 처한 상황을 생생하게 드러냄.
- 구성

발단	전과자이면서 만무방인 응칠은 송이를 캐고 닭을 잡아먹으며 살아감.
전개	성실한 농군인 응오는 추수를 해도 남는 것이 없다는 생각에 추수를 미루다가 벼를 도둑맞게 됨.
위기	응칠은 응오의 벼를 훔쳐 간 범인을 잡기로 결심함.
절정	벼 도둑을 잡은 응칠은 도둑이 응오라는 사실을 알고 망연자실함.
결말	응칠은 소를 잡아 돈을 벌자는 자신의 제안을 거절하는 응오에게 몽둥이질을 하고 산을 내려옴.

- 감상 포인트
〈만무방〉의 반어적 상황

표면적 상황	이면적 상황
응오가 자신의 벼를 훔침, 응오도 만무방으로 전락함.	농민들이 착취를 당함.

↓

성실한 농민이 만무방으로 전락할 수밖에 없는 현실을 사실적으로 보여 줌으로써 일제 강점기 구조적 모순을 고발함.

01 사건과 갈등의 전개 양상 파악

응칠은 벼 도둑을 잡기 위해 잠복을 하다가 벼 도둑이 응오라는 사실을 알게 되었으므로, 우연히 논 근처를 지나다가 벼를 훔치는 장면을 목격했다는 설명은 적절하지 않다.

오답 잡기

① 지주에게 도지를 줄 걱정을 하는 것을 볼 때 응오는 다른 사람의 땅에 소작을 얻어 농사를 지었음을 알 수 있다.
② 응오는 한 해 동안 가꿔 온 벼를 추수하더라도 자신에게 돌아오는 몫이 거의 없는 상황이다.
③ 응칠은 벼 도둑이 동생 응오라는 사실을 알고 당황하고 있다.
④ 응칠은 응오를 도와주기 위해 황소를 훔칠 궁리를 하고 있다.

02 인물의 성격 및 태도 파악

지주나 김 참판이 와서 수확을 재촉했을 때 응오가 아내가 아프기 때문이라고 말한 것은 벼를 베지 않은 데 대한 변명이라 할 수 있다. 따라서 벼를 베지 않은 이유가 빚쟁이들이 벼를 다 갖고 가서가 아니라 아내의 병간호 때문이라는 내용은 적절하지 않다.

오답 잡기

① 응오는 일 년 내내 농사를 지어도 이자와 세금을 내고 나면 남는 것이 거의 없는 상황이다.
② 지주와 김 참판은 응오를 계속 찾아와 벼를 빨리 벨 것을 재촉하고 있다.
④ 응오는 어쩔 수 없이 밤에 몰래 논으로 와 자신의 벼를 훔치고 있다.
⑤ 응오는 벼를 훔치러 재차 논으로 나왔다가 응칠에게 적발되었다.

03 작품의 종합적 감상

〈보기〉는 각 달과 절기에 따른 농사일에 대해 노래한 가사 작품으로, 제시된 부분을 통해 모든 농사일에는 시기가 중요하다는 점을 알 수 있다. 따라서 〈보기〉의 화자가 응오에게 해 줄 수 있는 말은 농사일은 다 때가 있으니 수확을 하라고 권유하는 것이 가장 적절하다.

오답 잡기

① 〈보기〉는 땅의 신성함과 관련이 없는 내용이다.
② 〈보기〉는 어려움을 견디라는 내용과 관련이 없다.
③ 〈보기〉는 즐거운 마음으로 일을 하면 효율이 더 오를 것이라는 내용과 관련이 없다.
⑤ 〈보기〉는 수확보다 노동의 신성함이 중요하다는 내용과 관련이 없다.

보기 돋보기

정학유, 〈농가월령가〉

- 갈래: 가사
- 주제: 각 달과 절기에 따른 농사일과 세시 풍속 소개
- 해제: 전 13장으로 이루어진 월령체 가사로, 월별로 해야 할 농사일과 각 달의 절기상 특징, 세시 풍속 등을 노래한 작품이다. 1월령에서 12월령까지 공통적으로 '절기 소개 – 절기를 맞은 감상 – 농사일 – 세시 풍속'을 노래하고 있으며, 다양한 농사일과 더불어 세시 풍속까지 포함하고 있어 조선 시대 풍속사를 알 수 있는 작품이다.

창의·융합·코딩 전략 ②

60~61쪽

04 ④ 05 ③ 06 ③

04~06

이청준, 〈줄〉

- 갈래 단편 소설, 액자 소설
- 주제 장인 정신의 추구와 무기력한 현대인의 가치 상실 비판
- 서술상의 특징

액자 소설의 기법을 사용하여 인물들의 삶을 대조적으로 제시함.

- 구성

발단	'나'는 부장의 명령으로 '승천한 줄광대'에 관한 기사를 쓰기 위해 C읍으로 감. 그곳에서 '나'는 예전에 서커스단에서 트럼펫을 불던 사내로부터 줄광대 부자(父子)에 관한 이야기를 듣게 됨.
전개	아내가 서커스 단장과 부정을 저질렀다고 생각하여 아내의 목을 졸라 죽게 한 아버지 허 노인으로부터 운은 엄격하게 줄타기를 배움. 그런데 아들에게 줄타기를 가르친 지 5년 만에 허 노인은 아들과 줄을 타다가 줄에서 떨어져 죽게 됨.
위기	어느 날 공연을 마쳤을 때, 한 여인에게서 꽃다발을 받은 운은 그 여인에게 사랑을 느끼지만, 여인은 이를 거부함.
절정	여인이 사랑한 것은 자신이 아니라 자신이 줄 타는 모습이었음을 깨달은 운은 줄 위에 올라 최후의 연기를 하다 죽게 됨.
결말	줄광대 이야기를 다 들은 '나'는 다음 날 C읍을 떠나기 전 트럼펫 부는 사내에게 인사하러 가던 중 그가 세상을 떠났음을 알게 됨.

- 감상 포인트

등장인물의 대조적인 삶의 모습

'나'(남 기자)	허 노인, 허운
• 가치관의 부재 • 무의미한 일상 • 타성에 젖은 삶의 태도 • 현대인의 무기력한 삶	• 절대적인 가치 추구 • 예술의 완성 추구 • 줄을 탈 때의 엄격한 태도 • 전통적인 장인의 삶

바깥 이야기의 주인공인 '나'와 안 이야기의 주인공인 줄광대 부자의 이야기를 나란히 전개함으로써 과거의 사건을 통해 현재를 성찰함.

04 서술상의 특징 파악

이 작품은 외부 이야기 속에 내부 이야기가 들어 있는 액자 소설 구조로 구성되어 있다. [A]는 외부 이야기로 신문 기자인 '나'가 트럼펫을 불던 '사내'에게 '허 노인'과 '운'에 대한 이야기를 듣는 형식으로 되어 있고, [B]는 내부 이야기로 '사내'가 '허 노인'과 '운'의 사건을 관찰하는 형식으로 구성되어 있다. [B]에 등장하는 '사내'는 '허 노인'과 '운' 사이에서 일어났던 일을 지켜볼 뿐, '허 노인'과 갈등하는 부분은 나타나지 않는다.

오답 잡기

① [A]는 1인칭 시점으로 작품 속에 등장하는 '나'가 서술자가 된다.
② '나'는 [A]에만 등장할 뿐, [B]에는 등장하지 않는다.
③ '사내'는 [B]에서 보고 들은 '허 노인'과 '운'에 대한 이야기를 [A]의 '나'에게 전해 준다. 즉, '사내'는 [A]와 [B]를 이어 주는 역할을 하고 있다.
⑤ [B]는 과거에 일어났던 사건으로, 현재에 일어나고 있는 [A]의 사건보다 앞선다.

05 사건과 갈등의 전개 양상 파악

'어느 날 밤'에 허 노인은 딱 한 번 줄 위에서 발을 헛디디는 실수를 한다. 그러나 객석을 쳐다보고 있었던 단장은 허 노인의 실수를 알지 못한다.

오답 잡기

① '그 다음날'에도 허 노인은 평소와 다름없이 흘러가듯 조용히 줄을 탄다.
④ '다음날'에 운은 줄타기 연습을 하다 드디어 허 노인이 원하는 줄타기 경지에 이르게 되고, 허 노인으로부터 무대의 줄에 올라도 된다고 허락을 받게 된다.
⑤ 자신의 기력이 다했음을 알게 된 허 노인은 운과 함께 줄을 타다 줄에서 떨어져 죽고 만다.

06 외적 준거에 따른 작품 감상

허 노인은 줄타기 자세를 바꾸지 않아야 자신의 예술 세계를 지킬 수 있다고 생각하는데 줄타기 자세를 바꾸라는 단장의 요구가 계속되기 때문에, 그로 인한 현실의 힘겨움으로 땀을 뻘뻘 흘린 것이라고 할 수 있다. 그러므로 재주를 부리라는 단장의 질책에 땀을 흘리는 허 노인의 행동을 현실과 이상의 괴리를 극복하려는 모습으로 해석하는 것은 적절하지 않다.

오답 잡기

② 자신의 운명이 다했음을 깨닫고 아들에게 자신의 자리를 물려주고 끝까지 줄을 타다가 생을 마감하는 허 노인의 모습은 자신의 엄격성을 지키려는 장인의 모습을 보여 준다고 할 수 있다.
④ 주막에서 허 노인이 운에게 하는 이야기는 일생을 통해 깨달은 줄타기에 대한 자신의 신념이다. 이는 예술가나 장인들이 자신의 예술 세계를 통해 발견하는 근원적인 삶의 의미라 할 수 있다.

전편 마무리 전략

신유형·신경향 전략

64~69쪽

01 ②	02 ④	03 ⑤	04 ①
05 ①	06 ③	07 ④	08 ③
09 ⑤	10 ②	11 ②	

01~04

가 시에 나타나는 전형적 인물의 유형과 기능

● 해제 시 속에 나타나는 전형적 인물의 양상과 그 기능을 설명하는 글이다. 시에는 특정 시대나 사회, 혹은 특정 계층을 대표할 만한 인물인 전형적 인물이 드러난다. 화자 자신이 전형적 인물이 되면 화자가 체험한 현실을 생생하게 전달할 수 있고, 화자가 관찰한 대상이 전형적 인물이 되면 시적 대상이 처한 현실과 정서를 객관적으로 담아낼 수 있다. 또한 시는 전형적 인물이 처해 있는 상황을 통해 현실을 구체적으로 보여 줄 수 있다.

● 주제 시 속의 전형적 인물의 유형과 기능

● 구성

1문단	시에 나타난 전형적 인물의 개념과 유형
2문단	시의 전형적 인물의 기능

나 정희성, 〈저문 강에 삽을 씻고〉

● 갈래 자유시, 서정시

● 주제 가난한 노동자의 삶의 비애

● 표현상의 특징

① 연의 구분이 없는 단연시임.
② 구체적인 삶의 경험을 자연물의 이미지와 결합함.
③ 시간의 흐름과 화자의 내면 변화에 따라 시상을 전개함.

● 감상 포인트

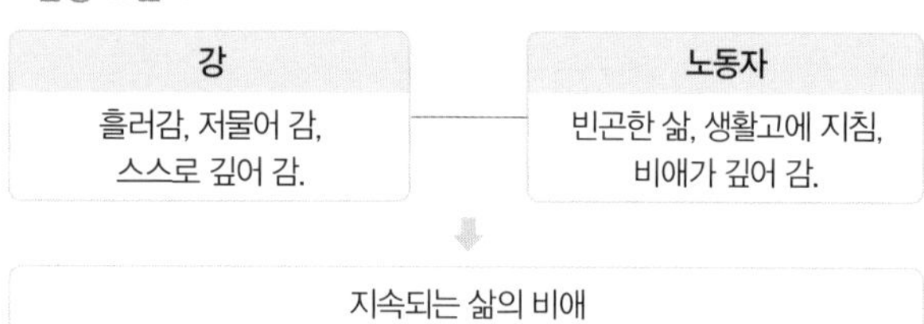

다 나희덕, 〈못 위의 잠〉

● 갈래 자유시, 서정시

● 주제 유년 시절 아버지의 삶에 대한 회상과 연민

● 표현상의 특징

① 아비 제비와 아버지의 고단한 삶의 모습을 병치시켜 구성함.
② '현재 - 과거 회상 - 현재'로 장면을 구성함.
③ 시어를 통해 화자의 정서를 객관적으로 표현함.

● 감상 포인트

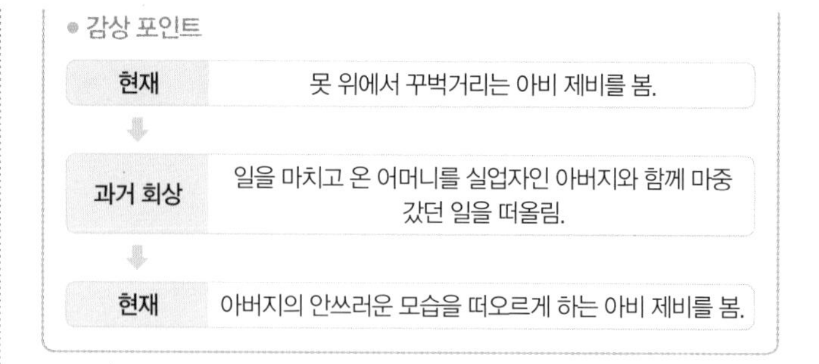

01 화자의 정서 및 태도 파악

(나)는 1970년대 도시화, 산업화로 인해 소외된 도시 노동자를 대표하는 화자 자신이 전형적 인물이 되어 암담한 현실에서 자신이 체험한 현실을 생생한 목소리로 전달하고 있다. 따라서 화자가 힘겨운 삶을 사는 전형적 인물을 관찰하고 있는 것은 아니다.

오답 잡기

① (나)는 화자 자신이 전형적 인물로, 가난한 노동자 계층을 대표하는 인물을 화자로 내세워 노동자가 겪는 암담한 현실을 드러내고 있다.

③ (가)에서 화자 자신이 전형적 인물이 되면 화자가 체험한 현실을 생생하게 전달할 수 있다고 하였다. 따라서 암담한 현실을 살아가는 자신이 전형적 인물인 (나)의 화자는 노동자로서 자신이 체험한 현실을 생생하게 전달하고 있다고 볼 수 있다.

④ (다)는 화자가 못 하나 위에서 꾸벅거리는 제비를 관찰하고 있으므로, 화자가 대상의 모습과 행동을 통해 자신의 정서를 객관적으로 전달한다고 볼 수 있다.

⑤ (가)에서 시는 전형적 인물이 처해 있는 상황을 통해 현실을 구체적으로 보여 줄 수 있다고 하였다. (다)에서 화자는 실직한 아버지를 관찰하고 있으므로 아버지가 놓여 있는 상황에 대한 인식을 보여 준다고 할 수 있다.

02 외적 준거에 따른 작품 감상

'우리가 저와 같아서'는 강물이 흘러가고 달이 반복하여 뜨는 것처럼 암담한 현실 속에서 희망 없이 힘들게 살아가는 노동자의 삶을 보여 주는 것으로, 힘겨운 노동자의 삶도 지나갈 것이라는 화자의 기대가 드러나 있는 것은 아니다.

오답 잡기

① 〈보기〉에서 이 작품은 '소외된 도시 노동자의 비애를 노래'하였다고 했다. 따라서 '쭈그려 앉아 담배나 피우고'는 노동을 한 후 허탈감과 절망감이 가득한 노동자의 비애감이 드러나 있다고 볼 수 있다.

② 〈보기〉에서 농촌 인구의 도시 집중 현상이 두드러지면서 도시에는 저임금 노동자가 급증하게 되었다고 했다. 따라서 '이렇게 저물고, 저물어서'는 도시에서 발전이나 희망 없이 현실이 반복되어 삶에 찌들어가는 도시의 저임금 노동자의 삶의 모습을 드러내고 있다고 볼 수 있다.

③ 〈보기〉에서 1970년대는 급격한 산업화가 진행되었다고 했다. 따라서 '샛강 바닥 썩은 물'은 급격한 산업화로 인한 도시의 문제점과 더불어 생명력 없는 노동자의 삶이 드러난다고 볼 수 있다.

⑤ 〈보기〉에서 화자는 인생의 의미를 성찰하고 삶의 슬픔을 관조하고 있다고 했다. 따라서 '다시 어두워 돌아가야 한다'는 저임금 노동자인 화자가 궁핍한 상황을 체념하는 모습이 드러나 있다고 볼 수 있다.

03 시어 및 시구의 의미 파악

'늘 한 걸음 늦게 따라오던'은 미안한 마음에 쉽게 아내에게 다가가지 못하는 아버지의 행동을 나타낸 것으로, 화자가 '아버지'를 원망하는 정서가 담겨 있는 것은 아니다.

오답 잡기

① ㉠은 너무도 작은 집이 갓 태어난 새끼들만으로 가득 차 버리자 어미는 둥지로 날개를 덮은 채 간신히 잠이 든다. 이는 새끼에 대한 어미 제비의 모성애를 드러낸 것으로 볼 수 있다.

② ㉡은 너무도 작은 둥지를 갓 태어난 새끼가 차지하자 아비 제비는 둥지 옆에 있는 못 위에서 밤새 꾸벅거리고 있는 모습으로, '못' 하나에 의지해 밤새 불편한 잠을 자는 아비 제비에 대한 안쓰러움을 드러낸 것으로 볼 수 있다.

③ 버스에서 내리는 '피곤에 지친 한 여자'는 일을 마치고 돌아오는 어머니의 모습으로, 어머니의 창백함을 달빛에 감정을 이입하여 달빛이 창백하다고 표현하고 있으므로, 일을 마치고 돌아오는 어머니의 고단함을 강조하고 있다고 볼 수 있다.

④ '흙바람'은 화자의 가족에게 닥친 삶의 고난과 시련을 상징한다. 이러한 '흙바람'이 아직도 몰려오고 있는 것은 가족에게 닥친 고난과 시련이 여전히 이어지고 있음을 보여 준다고 할 수 있다.

04 시어의 의미 파악

ⓐ는 달이 반복하여 뜨는 것처럼 암담한 현실 속에서 희망 없이 힘들게 살아가는 화자의 삶이 반복되고 있음을 의미한다. ⓑ는 아내를 마중 나간 사내가 바라보는 대상으로, 이러한 행동에서 아내에 대한 미안함과 안쓰러움의 정서를 엿볼 수 있다.

오답 잡기

② ⓐ는 화자의 반복적인 삶을 의미하는 것으로, 화자의 희망을 의미하는 것은 아니다. ⓑ는 아내에 대한 미안함과 안쓰러움이 담겨 있는 소재로, 화자의 평화로운 내면을 부각하는 의미가 담겨 있는 것은 아니다.

③ ⓐ는 화자의 반복적인 삶을 의미하는 것으로, 화자를 위로하는 대상은 아니다. ⓑ는 아내에 대한 미안함과 안쓰러움이 담겨 있는 소재이므로 아내에 대한 애정의 의미가 담겨 있다고 볼 수 있다.

④ ⓐ는 화자의 반복적인 삶을 의미하는 것으로, 과거에 대한 그리움을 의미하는 것은 아니다. ⓑ는 아내에 대한 미안함과 안쓰러움이 담겨 있는 소재로, 자신의 처지에 대한 화자의 깨달음의 의미가 담겨 있는 것은 아니다.

⑤ ⓐ는 화자의 반복적인 삶을 의미하는 것으로, 화자에게 닥친 고난과 시련을 의미하는 것은 아니다. ⓑ는 아내를 대하는 화자의 경외감의 의미가 담겨 있는 것은 아니다.

05~08

가 작자 미상, 〈박씨전〉

- 갈래 고전 소설, 역사 군담 소설
- 주제 청나라 군사들을 물리치는 박씨와 그 영웅적 면모
- 서술상의 특징

① 전기적인 요소를 통해 주인공의 초월적인 능력을 보여 줌.
② 실제로 있었던 전쟁을 배경으로 사건을 전개함.

- 구성

구성	내용
발단	이시백은 문무를 겸비한 총명한 인물로, 이시백의 아버지 이상공은 아들을 박 처사의 딸과 혼인시킴.
전개	이시백이 박씨의 외모에 실망하여 그녀를 홀대하자, 박씨는 후원에 피화당을 짓고 홀로 지냄.
위기	신이한 재주를 가졌음에도 남편에게 계속 천대받던 박씨는 어느 날 허물을 벗고 절세가인이 됨. 이시백은 크게 놀라 기뻐하며 이후 박씨의 뜻을 따름.
절정	청나라 용골대 형제가 조선을 침략하자 박씨는 뛰어난 능력으로 오랑캐를 물리침.
결말	박씨와 이시백은 국난을 극복하고 행복한 여생을 보냄.

- 감상 포인트

조정의 항복을 받고 왕대비와 세자 대군을 볼모로 데리고 돌아가는 용골대 형제
↓
박씨가 초월적인 능력을 발휘하여 오랑캐를 물리침.
↓
오랑캐 장수가 왕대비를 모셔 가지 않는 조건으로 살려 달라고 간청함.
↓
박씨가 하늘의 뜻을 고려하여 오랑캐를 살려 보냄.

나 박경리, 〈시장과 전장〉

- 갈래 현대 소설, 전후 소설
- 주제 한국 전쟁으로 인한 우리 민족의 수난
- 서술상의 특징

① 작가의 자전적 체험을 바탕으로 함.
② 시장과 전장이라는 상징적 공간을 통해 전쟁의 비극을 객관적으로 형상화함.

- 구성

구성	내용
발단	38선 바로 아래 위치한 황해도 연백에서 국어 교사로 근무하던 지영은 6·25 전쟁이 발발하자 서울 집으로 돌아옴.
전개	지영은 가족과 함께 피란길에 오르지만 한강 철교가 끊어져 다시 집으로 돌아옴. 지영의 가족은 인민군 치하에 살면서도 남편 기석의 형인 공산주의자 기훈의 도움으로 잘 지냄.
위기	인민군이 후퇴하고 국군이 서울을 되찾자 기석이 붙잡혀 가고 지영은 친척인 국회의원을 찾아가 기석의 석방을 위해 노력하지만 무위로 끝나고, 기훈은 지리산에 들어가 빨치산이 됨.
절정	지영의 가족은 1·4후퇴 때 서울에 있다가 어머니가 돌아가시고 부산으로 피란을 감. 기훈은 가화를 만나 사랑에 빠지고 가화를 좋아하는 장덕삼은 가화와 기훈에게 자수를 권함.
결말	경찰의 색출 작전이 심해지고 장덕삼의 오발로 가화가 죽자 기훈은 장덕삼을 죽이고 사라짐.

• 감상 포인트

시장	전장
지영을 중심으로 펼쳐지는 생활과 살림의 공간	공산주의자인 기훈을 중심으로 펼쳐지는 혁명과 죽음의 공간

↓

삶을 위한 다툼의 공간

05 작품의 공통점 및 차이점 파악

(가)에서 주인공 박씨는 용골대와의 대결에서 부채를 쥐어 불을 붙여 오랑캐를 타 죽게 하고, 비와 바람, 백설, 얼음 등으로 상대를 제압하는 등 초월적인 능력을 보여 주고 있다.

오답 잡기

② (가)에서는 공간적 배경을 자세히 묘사하여 인물의 심리 변화를 보여 주지 않고 있으며, (나)에서는 한강 모래밭에서 쌀을 옮기려는 사람들의 모습을 묘사하고 있으나 인물의 심리 변화를 보여 주는 것은 아니다.

③ (가)에서 '박씨'가 '용골대'를 공격하며 왕대비를 데려가지 못한다는 말에 '용골대'를 비롯한 오랑캐 장수들이 욕을 하며 듣지 않는 장면 등에서 '박씨'와 오랑캐 장수 '용골대'의 대립 구도가 제시되어 있다. 하지만 (나)에서는 인물들의 대립 구도가 나타나지 않는다.

④ (가)에서 '박씨'와 '용골대'의 대화 내용을 통해 이미 조정으로부터 화친을 받았다는 이전에 일어난 사건의 정황이 드러난다. (나)에서 '윤씨'의 '그래도 댁은⋯⋯ 우린 애아범이 그래 놔서⋯⋯ 전에도 배급을 못 타 먹었는데.'를 통해 윤씨의 남편 때문에 이전에 배급을 받지 못한 정황이 드러난다. 따라서 (가)와 (나) 모두 대화 내용을 통해 이전에 일어난 사건의 정황이 나타난다고 볼 수 있다.

⑤ (가)의 주인공은 '박씨'로 (가)에는 주인공의 죽음이 드러나 있지 않다. (나)에서는 '윤씨'가 쌀자루를 머리에 이고 일어서다 총을 맞고 죽는 장면을 제시함으로써 작품의 비극성을 고조하고 있다.

06 사건과 갈등의 전개 양상 파악

(가)에서 박씨가 '너희들을 모두 죽일 것이로되, 천시를 생각하고 용서하거니와'라고 하였으므로, 박씨는 하늘의 뜻을 고려하여 오랑캐를 살려 보냈음을 알 수 있다.

오답 잡기

① (가)의 '이미 화친을 받았으니 대공을 세웠거늘'을 통해 용골대는 화친하기 위해 박씨를 공격한 것은 아님을 알 수 있다.

② (가)의 '오늘날 이미 화친을 받았으나 왕대비는 아니 뫼셔 갈 것이니, 박 부인 덕택에 살려 주옵소서.'를 통해 오랑캐 장수는 왕대비를 모셔 가기 위해 박씨에게 애걸한 것은 아님을 알 수 있다.

④ (나)의 '윤씨와 김씨 댁 아주머니도 이제 더 이상 묻지 않고 그들을 따라 뛰어간다'를 통해 윤씨는 배급을 주는 곳을 알고 김씨 댁 아주머니를 데리고 간 것은 아님을 알 수 있다.

⑤ (나)에서 '인도교'는 노량진 쪽에서 몰려오는 사람들에게 배급을 받는 곳을 물어보는 장소이므로 윤씨가 총을 맞는 장소가 아니다.

07 세부 내용 파악

㉣은 '갈가마귀떼처럼'에 직유법을 사용하여 '중공군과 인민군이 후퇴하면서 미처 날라가지 못했던 식량'을 사람들이 꺼내 가는 모습을 표현한 것으로, 배급을 받고 있는 사람들의 모습을 표현한 것은 아니다.

오답 잡기

① '은혜지국'은 은혜를 베푼 나라를 의미하는 것으로 우리나라를 은혜지국으로 표현하여 상대보다 우월한 위치에 있음을 드러내고 있다.

② '무지개', '모진 비', '음풍', '백설' 등을 일으키는 것은 전기적인 요소로 박씨의 뛰어난 능력을 보여 준다고 볼 수 있다.

③ 배급을 받기 위해 대답도 없이 뛰어가고 있는 상황이므로, 전쟁 중 배급을 받아 생활을 하는 사회적 상황을 드러내고 있다고 볼 수 있다.

⑤ '거무죽죽한 피'라는 색채를 나타내는 표현을 통해 윤씨의 죽음이라는 비극적인 상황을 강조한다고 볼 수 있다.

08 외적 준거에 따른 작품 감상

(가)에서 박씨가 거처하는 '피화당'이 전쟁의 현장이 되고 있고 박씨가 전쟁으로부터 고통을 받고 있지만, 박씨는 초월적인 능력으로 '오랑캐'를 물리치는 것으로 보아 생의 의지를 추구하기 힘들 정도의 고통을 받는다고 보기 어려우며 비극성이 드러나 있다고 볼 수 없다.

오답 잡기

① 자료에서 명분에 따라 죽음을 이용한다는 폭력성을 띤다고 했다. (가)에서는 '은혜지국'을 침범했다는 명분에 따라 적군의 죽음을 외면하는 폭력성이 드러나 있다고 볼 수 있다.

② 자료에서 전쟁터는 가해자와 피해자가 구분되지 않는 혼돈의 현장이라고 했다. (가)에서는 '오랑캐 장졸'이 죽는 피해를 당하는 혼돈의 현장이라 볼 수 있다.

④ 자료에서 고통을 받으면서 생의 의지를 추구한다는 점에서 비극성을 띤다고 했다. (나)에서는 '굶주린 이리떼'처럼 곡식을 챙기는 모습에서 비극성이 드러난다고 볼 수 있다.

⑤ 자료에서 사람들이 죽는 장소가 전선만이 아니라고 했다. (나)에서는 전선이 아닌 장소에서 '총성과 함께 윤씨가' 쓰러지는 모습을 통해 비극성이 드러난다고 볼 수 있다.

09~11

가 김수영, 〈구름의 파수병〉

• 갈래 자유시, 서정시

• 주제 현실에 안주하는 삶을 사는 것에 대한 반성과 성찰

• 표현상의 특징

① 가정법과 비유법을 통해 시상을 전개함.

② 다양한 종결 방식을 활용하여 화자의 정서를 효과적으로 표현함.

• 감상 포인트

시와 반역된 생활		반역의 정신
현실의 삶에 몰두하는 삶	➡	시를 새롭게 지향하려는 화자가 추구하는 삶

⬇

화자의 진솔한 자기 성찰이 드러남.

나 이강백, 〈느낌, 극락 같은〉

• 갈래 장막극

• 주제 예술의 본질과 진정한 구원에 대한 고찰

• 서술상의 특징

① 두 인물을 통해 대립되는 예술관을 제시함.

② 과거와 현재의 시공간이 공존하는 형태로 극이 전개됨.

• 구성

발단	서연의 장례식장에서 함이정이 그녀의 아들 조숭인과 대화를 나누면서 과거를 회상함.
전개	불상 제작자인 함묘진의 제자인 동연과 서연은 불상 제작에 대해 갈등을 겪고, 서연은 부처의 마음을 찾기 위해 길을 떠남.
절정	동연은 불상 제작자로 명성을 얻고, 함이정과 결혼하여 조숭인을 낳음. 함묘진이 죽자 함이정은 서연을 찾아 나섬.
하강	함이정과 서연은 여러 곳을 돌아다니며 부처를 만들고 함이정은 서연의 임종을 지킴.
대단원	함이정은 서연의 장례식장에 나타난 조숭인에게 지난날의 이야기를 들려줌.

• 감상 포인트

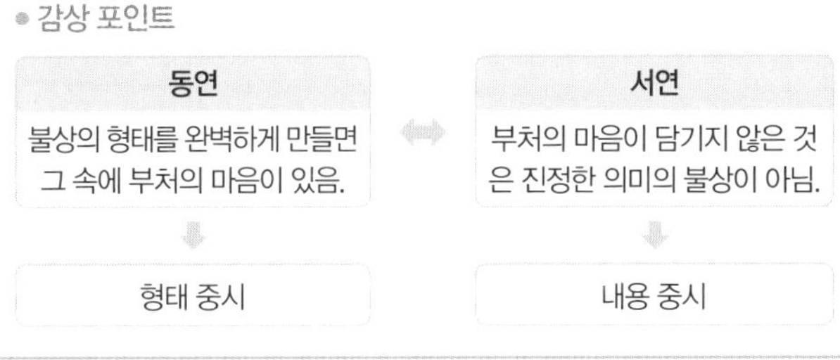

09 시어 및 시구의 의미 파악

㉤에서 화자는 '시와는 반역된 생활'을 '죄'로 받아들이고 자신을 '구름의 파수병'으로 표현하고 있다. 따라서 화자가 '시를 반역한 죄'에서 벗어나 즐거움을 표현했다는 내용은 적절하지 않다.

오답 잡기

① '만약에'는 화자의 삶을 가정하는 것으로 자신의 객관화하여 내면적 성찰을 시도하는 것이다.

② 화자는 친구가 와서 꿈을 깨워 주고 그릇됨을 꾸짖어 주기를 기대하고 있다.

③ ㉢은 화자가 시와 반역된 현실에 안주하는 삶을 살기로 한 계기로 볼 수 있다.

④ 화자는 시를 배반한 자신의 처지를 비참한 사람으로 표현하고 있다.

10 인물의 특성 및 사건 전개 양상 파악

'조숭인'의 "할아버지 목청은 왜 저렇게 커요?"의 대사를 통해 '조숭인'은 '함묘진'의 손자이며, '함이정'이 하고 있는 과거 이야기를 현재의 시각에서 보고 있음을 알 수 있다.

오답 잡기

① '동연'과 '서연'은 '함묘진'에게 불상 제작을 배우고 있다.

③ '동연'과 '서연'은 불상 제작에 대한 말다툼 때문에 작업장을 비웠다.

④, ⑤ '동연'은 불상의 형태를, '서연'은 불상의 내용을 중시한다.

11 외적 준거에 따른 작품 감상

'방 두 칸과 마루 한 칸과 말쑥한 부엌'은 현실적 삶의 공간으로 '먼지 낀 잡초'와 동일한 의미의 공간이다. '반역의 정신'과는 대비되는 공간이므로 적절하지 않다.

오답 잡기

① '먼 산정'은 화자의 삶을 객관적으로 바라보며 성찰하는 공간이다.

③ '거리'와 '집'은 대비적인 공간으로 현실과 이상 사이에 갈등하는 화자의 정서를 드러낸다.

④ '작업장'은 '동연'과 '서연'이 불상을 만드는 가치관에 대한 갈등이 발생하는 공간이다.

⑤ '개울가'는 '서연'이 '함이정'에게 물을 마시라는 배려와 함께 형태보다 내용이 중요하다는 예술관을 드러내는 공간이다.

1·2등급 확보 전략

70~76쪽

01 ⑤	02 ④	03 ③	04 ②
05 ④	06 ②	07 ②	08 ②
09 ④	10 ①	11 ②	12 ①
13 ⑤	14 ③		

01~04

힘을 내자

가 박봉우, 〈나비와 철조망〉

● 갈래 자유시, 서정시

● 주제 분단의 아픔과 현실 극복의 염원

● 표현상의 특징

① 상징적 시어를 사용하여 분단에 대한 화자의 인식을 드러냄.

② 대립적 이미지를 활용하여 현실 극복 의지를 드러냄.

③ 감각적 이미지를 통해 나비의 여정을 형상화함.

● 감상 포인트

상징적 의미의 시어

나비	분단을 극복해야 할 우리 민족
철조망	남북이 분단된 상황
강, 산, 벽	우리 민족이 넘어서야 할 장애물
바람, 싸늘한 적지	부정적인 현실 상황, 남북이 대립하는 상황
꽃밭	통일의 장

↓

분단의 아픔을 형상화하고 평화에 대한 갈망을 표현함.

나 구상, 〈초토의 시 8 – 적군 묘지 앞에서〉

● 갈래 자유시, 서정시

● 주제 적군의 묘지를 보며 느낀 전쟁의 아픔과 인도주의

● 표현상의 특징

① 독백적이고 직설적인 어조로 화자의 정서를 드러냄.

② 화자의 상황과 자연물을 대비하여 주제 의식을 부각함.

● 감상 포인트

과거	현재
살아서는 '나'와 '너희'가 적으로 만나 미움의 감정을 지님.	고향으로 돌아가지 못하고 땅에 묻힌 적군의 한을 떠올림.

↓

이데올로기 대립을 초월하여 인간애를 통해 화해를 지향함.

01 작품 간의 공통점 파악

(가)에서는 '철조망'과 같은 금속성의 이미지를 활용하여 분단된 현실을 형상화하고 있다. (나)에서도 '방아쇠', '포성' 등과 같은 금속성의 이미지를 통해 분단 현실로 인한 안타까움을 노래하고 있다.

오답 잡기

① 청자를 구체적으로 지칭하여 화자의 내면을 드러낸 것은 (나)에 해당하는 설명이다.

② (가)에는 청각적 이미지가 사용되지 않았다.

③ (나)의 5연에서 살아 있을 때의 상황과 죽음 이후의 상황을 대비하고 있지만, 이 과정에서 화자의 희생적 태도를 부각하고 있지는 않다.

④ (가), (나)에는 공감각적 이미지가 사용되지 않았다.

개념 더 보기

감각의 전이

인간의 오감으로 느낀 감각을 다른 감각으로 전이시켜 표현하는 방식을 '감각의 전이'라고 한다. '분수처럼 흩어지는 푸른 종소리'(김광균, 〈외인촌〉)의 경우 화자가 실질적으로 느낀 것은 청각적 이미지의 '종소리'이지만 '분수처럼 흩어지는 푸른'이라고 표현함으로써 청각적 이미지를 시각적 이미지로 전이한 것으로 볼 수 있다.

02 외적 준거에 따른 작품 감상

'따시하고 슬픈 철조망'은 비행이 끝나도 분단 현실은 계속되는 상황을 역설적으로 표현한 것이다.

오답 잡기

① '시푸런 강'과 '산'은 우리 민족이 극복해야 할 장애물을 의미한다.

② '나비 한 마리의 생채기'는 전쟁이라는 시대적 상황으로 인해 상처받은 우리 민족의 모습을 표현한 것이다.

③ '첫 고향의 꽃밭'은 상처 입은 나비가 지향하는 곳으로 민족 공통체의 모습이 회복된 평화로운 공간을 상징한다.

⑤ '어설픈 표시의 벽'은 나비가 넘어서야 할 장애물로 분단 상황을 의미한다.

03 시어 및 시구의 의미 파악

(가)의 '산'은 남북의 화해를 위해 넘어서야 할 방해물이고, (나)의 '무인공산'은 적군의 묘지가 있는 곳으로 화자가 현재 위치해 있는 공간이다.

오답 잡기

① ⓐ는 넘어서야 할 장애물이지 화자가 과거에 머물렀던 공간이 아니다. ⓑ는 돌아가야 할 고향 땅에서 멀리 떨어진 사람이 살지 않는 비무장 지대를 의미하므로 화자가 지향하는 공간이라 볼 수 없다.

② ⓐ는 남북 화해를 위해 넘어서야 할 방해물이므로 화자가 부정적으로 인식하는 대상이라 할 수 있으며 ⓑ는 화자의 성찰과 관련이 없다.

④ ⓐ는 남북 화해를 위해 넘어서야 할 방해물이므로 화자의 고뇌를 해소할 수 있는 공간이라 볼 수 없으며 ⓑ는 화자의 깨달음과 관련이 없다.

⑤ ⓐ는 화자의 반성과 관련이 없으며, ⓑ에서 화자는 분단 현실의 비극을 인식하고 안타까움을 드러내고 있으므로 화자의 고뇌를 심화시킨다고 볼 수도 있다.

04 시상의 전개 방식 파악

㉡에서는 '썩어 문드러진 살덩이와 뼈'와 같이 비참한 장면을 구체적으로 형상화하여 남북이 전쟁을 치르던 상황을 생생하게 드러낸 것이지 적군에 대한 원망을 드러낸 것은 아니다.

오답 잡기

① 화자는 적군 묘지 앞에서 눈도 감지 못하고 죽었을 적군의 넋을 떠올리고 있다.

③ 4연에서 화자는 돌아가야 할 고향 땅이 삼십 리면 가로막힌다고 하였다.

④ 5연에서 화자는 적군의 '풀지 못한 원한'이 나의 '바램' 속에 깃들어 있다고 하였다. 원한이 풀리는 것은 남북 화해를 의미하는 것으로, 이 장면을 통해 남북 화해에 대한 화자의 염원을 엿볼 수있다.

⑤ 7연에서 화자는 무덤 앞에서 목 놓아 울고 있는데, 이러한 행위는 분단으로 인한 안타까움 때문이다.

함정문제 해결 전략

시상 전개 방식을 파악하기 위해서는 '변화'하는 부분에 주목해야 합니다. 시에서 시간, 공간, 상황, 화자의 반응이나 태도 등이 변화하는 부분에 초점을 맞추면 시상 전개 방식을 효과적으로 파악할 수 있습니다.

05~09

가 이세보, 〈농부가〉

- 갈래 연시조
- 주제 계절에 따른 농가의 일상과 농부의 소임
- 표현상의 특징
  ① 농촌에 관한 일상적 어휘를 통해 농촌 생활을 구체적으로 드러냄.
  ② 종장의 마지막 음보를 생략하여 부르는 시조창 방식으로 기록함.
- 감상 포인트

농촌의 일상		유교적 가치
• 백로 상강에 맞는 농사를 실기하지 않아야 함. • 백곡이 풍등함. • 겨울나기를 걱정함.	+	• 우순풍조가 성화 덕분임. • 태평성대를 찬양함.

↓

다양한 농촌 현실을 사실적으로 형상화함.

나 김용준, 〈두꺼비 연적을 산 이야기〉

- 갈래 현대 수필, 경수필
- 주제 두꺼비 연적에 대한 애정
- 서술상의 특징
  ① 사물에 인격을 부여하며 친근감을 드러냄.
  ② 일상적 소재를 통해 우리 민족의 특성을 환기함.
- 감상 포인트

두꺼비 연적		
• 투박하고 어설픈 모양새임. • 연적으로는 특이하게 생긴 외양임.	➡	볼품없는 두꺼비 연적을 통해 순박하고 어리숙한 조선 사람의 모습을 상상함.

05 작품 간의 공통점 파악

(가)의 〈제8, 9수〉에서는 청자를 '그대'라고 구체적으로 지칭하여 농촌 생활의 어려움을 드러내고 있다. (나)에서는 두꺼비 연적을 '너'라고 지칭하여 두꺼비 연적 주인에 대한 상상을 말을 건네는 어투로 서술하고 있다.

오답 잡기

① 문장의 서술어를 생략하여 여운을 남기는 것은 (가)에만 해당하는 설명이다.

② (가)와 (나)는 모두 의문형 문장이 사용되었지만 화자나 글쓴이의 의지를 강조하고 있지 않다.

③ (가)에서는 특정 계절의 상황이 드러나지만 계절의 순환 과정은 나타나 있지 않다. (나)는 계절의 순환과 관련이 없다.

⑤ 대상의 외양을 묘사하여 대상과의 친밀감을 드러낸 것은 (나)에만 해당하는 설명이다.

06 외적 준거에 따른 작품 감상

〈제6수〉에서는 때를 놓친 농부에게 훈계를 하는 장면이 드러나므로, 고생한 농부의 노동을 예찬한다는 감상은 적절하지 않다.

오답 잡기

① 〈제5수〉에서 화자는 우순풍조가 임금의 덕분이라고 생각하고 있다.

③ 〈제7수〉에서 화자는 현재 상황을 나라가 태평하고 백성이 즐거운 시대라며 임금의 선정을 부각하고 있다.

④ 〈제8수〉에서 화자는 추수를 하더라도 토세와 신역을 내고 나면 겨울나기가 어려울 것이라며 걱정하고 있다.

⑤ 〈제9수〉에서 부자와 가난한 사람을 이야기하는 것을 볼 때 당시 사회에 빈부 격차가 있었다는 것을 알 수 있다.

함정문제 해결 전략

외적 준거를 참고하여 작품을 감상하는 문항은 자주 출제되는 유형 중 하나입니다. 〈보기〉에서 말하고자 하는 바를 정확하게 이해하고 이러한 내용을 근거로 하여 작품을 이해하는 연습이 필요합니다. 자신이 알고 있던 기존의 배경지식이 아니라 〈보기〉에서 말하는 내용을 중심으로 작품을 감상할 수 있어야 합니다.

07 글쓴이의 관점 및 태도 파악

글쓴이는 두꺼비 연적의 모습을 통해 두꺼비 연적을 만든 조선 사람이 어리석고 못나고 속기 잘하는 호인일 것이며, 웃어야 할지 울어야 할지를 모르는 성격의 사람일 것이라고 연상하고 있다.

오답 잡기

③ 요즘 골동가들이 두꺼비 연적을 본다면 거저 준대도 안 가져갈 것이라고 했으므로, 두꺼비 연적을 보는 관점이 '나'와 대비된다.

④ '나'는 글 값이 혹시나 두꺼비 연적 값이 될는지 모르겠다고 했으므로, 자신의 글이 두꺼비 연적의 가치와 동일하다고 생각했다는 설명은 적절하지 않다.

⑤ '나'는 두꺼비 연적의 외양을 친근하게 생각하고 있지만, 저렴한 가격 때문에 두꺼비 연적을 구매한 것은 아니다.

08 시어 및 시구의 의미 파악

화자는 〈제6수〉에서 때를 놓친 농부에게 충고를 하고 있다. 〈제9수〉의 '그대'는 수확을 해도 빈궁함을 면하지 못하는 점에서 화자와 유사한 상황에 놓여 있다고 할 수 있다.

오답 잡기

① 화자와 ⓐ는 갈등을 겪고 있지 않다. ⓑ는 화자처럼 가난한 상황에 처해 있으므로 화자의 고민을 해결해 주는 대상이라는 설명은 적절하지 않다.

③ ⓐ는 화자에게 깨달음을 주고 있지 않다. ⓑ는 화자와 동병상련인 상황이므로 화자에게 시련을 주는 대상이라는 설명은 적절하지 않다.

④ ⓐ는 화자의 상황과 대비되는 대상이 아니다. ⓑ는 화자의 상황과 동일한 상황에 놓인 대상이다.

⑤ ⓐ와 화자의 궁금증은 관련이 없다. ⓑ는 화자와 동일한 상황에 놓여 있으므로 동질감을 느끼는 대상이라는 설명은 적절하다.

09 글쓴이의 관점 및 태도 파악

(나)의 글쓴이는 가치를 돈으로만 환산하는 현실에 대해 안타까워하고 있다. 따라서 골동품의 경제적 가치를 정확히 판단하는 사람이라는 설명은 적절하지 않다.

오답 잡기

① 글쓴이는 두꺼비 연적을 세심하게 관찰하였다.

② 글쓴이는 가난한 형편에 두꺼비 연적을 사 왔다고 아내와 말다툼을 하였는데, 이러한 다툼이 한두 번이 아니라고 하였다.

③ 글쓴이는 두꺼비 연적을 만든 주인이 조선 사람이라고 확신하며, 두꺼비 연적에 대한 애정과 관심을 두꺼비 연적을 만든 사람에게까지 동일하게 이어서 표현하고 있다. 따라서 글쓴이가 조선 사람에 대해 긍정적으로 인식하고 있다고 볼 수 있다.

⑤ 글쓴이는 자신의 글을 '잡문'이라고 하였는데, 이는 자신의 글에 대한 겸손한 표현이라 할 수 있다.

10~14

김원일, 〈어둠의 혼〉

- 갈래 단편 소설, 순수 소설
- 주제 아버지의 죽음을 통해서 본 민족 분단의 비극
- 서술상의 특징
  ① 어린아이의 시각을 통해 이데올로기 대립의 문제를 순수하게 드러냄.
  ② 청개구리 우화에 빗대어 주제를 암시함.
- 감상 포인트

아버지		'나'에게 끼친 영향
• 지적 수준이 높음. • 좌익 활동을 하다가 붙잡혀 총살을 당함.	➡	• 가족의 고난이 아버지 탓이라고 생각함. • 공포와 불안감을 느끼며 아버지를 저주함. • 죽음의 의미를 깨닫고 삶의 의지를 다짐.

10 서술상의 특징 파악

이 작품은 시간적 순서가 아니라 '몇 해 전', '초등학교 2학년 때'와 같이 과거와 현재를 교차하여 '나'가 처한 상황을 입체적으로 드러내고 있다.

오답 잡기

② 과거와 현재가 교차되는 시간 속에서 벌어지는 사건을 드러내고 있으므로 다양한 공간에서의 벌어지는 장면을 병렬적으로 제시했다는 설명은 적절하지 않다.

③ 서술자는 '나'이므로 전지적인 서술자가 특정 인물의 시각에서 사건을 전개한다는 설명은 적절하지 않다.

④ 서술자는 '나'이므로 작품 외부의 서술자가 주인공의 삶을 관찰한다는 설명은 적절하지 않다.

⑤ 장면의 변화에 따라 서술자를 달리하고 있지 않다.

11 인물의 성격 및 태도 파악

'누가 시켜서 하는 일인지, 스스로 무슨 일을 꾸미는지 아버지에 관해서 그 사연을 들려주는 사람이 없었다'고 했으므로, 아버지가 본인의 의지대로 좌익 활동을 하였다고 단정하는 것은 적절하지 않다.

오답 잡기

① 어머니가 지서로 끌려간 이후 아버지는 순경에게 잡혔으므로, 아버지가 집에 돌아오지 않았다는 설명은 적절하다.

③ '나'는 아버지를 두고 '죽어 뿌리라'라고 말하며 아버지에 대한 증오를 드러내고 있다.

④ 어머니는 가난의 원인을 아버지 탓으로 돌리고 있다.

⑤ 마을 사람들은 좌익 활동을 했던 아버지에 대해 이야기하는 것을 조심스러워했다.

12 소재의 의미와 기능 파악

아버지가 가족의 생계와 관련 없는 일을 하는 것을 '요술'이라고 하였다. 문맥적으로 볼 때 '요술'은 괴이한 일을 하는 것을 의미하는 것으로 아버지에 관한 일에 대해 이야기하는 것을 조심스러워하는 마을 사람의 입장과 '나'의 입장이 크게 다르지 않다.

오답 잡기

② 어머니를 기다리며 '아흔아홉, 백'을 헤아리는 것은 어머니를 기다리는 '나'의 초조한 마음을 보여 준다고 할 수 있다.

③ 나무다리에서 나는 '삐거덕 소리'는 '나'의 불안한 심리를 상징적으로 드러내고 있다.

④ 귀신 꼴을 한 '대추나무'의 모습은 '나'에게 무섬기를 들게 하면서 어머니가 잡혀가던 날의 기억을 떠올리게 한다.

⑤ '보라색'은 아버지의 죽음과 어머니의 멍을 연상하게 한다.

13 외적 준거에 따른 작품 감상

'하늘'은 지식인들이 도달하고자 하는 사회적 이상으로, 그러한 하늘의 '끝'은 사회적 이상의 최종 지향점이라 할 수 있다. 따라서 '끝'을 지식인들이 실패를 숙명으로 받아들인 상황을 의미한다는 설명은 적절하지 않다.

오답 잡기

① '높이뛰기'는 사회적 이상에 이르기 위한 지식인의 노력이라 할 수 있다.
② '죽는 날까지' 끊임없이 높이뛰기를 하는 것은 사회적 이상을 실현하기 위한 지식인들의 숙명적인 노력을 의미한다고 볼 수 있다.
③ 하늘은 끝이 없기 때문에 '하늘에 닿지' 못하는 청개구리는 끊임없는 노력에도 사회적 이상에 이르지 못하는 지식인의 상황을 의미한다고 볼 수 있다.
④ '얇고 흰 뱃가죽'이 팔딱거리는 것은 청개구리의 생명력이 넘치는 모습으로, 이는 사회적 이상을 위해 노력하는 지식인의 활동성을 의미한다고 볼 수 있다.

14 소재의 상징적 의미 파악

'연두색'은 생명력 즉, 왕성한 활동력을 의미하고, '보라색'은 어머니의 멍과 아버지의 죽음 등 불길한 이미지를 연상하게 한다.

오답 잡기

① ⓐ는 순수한 이상을 위해 노력하는 지식인들의 생명력, 활동성을 의미하는 것이지, 순수한 이상 자체를 상징하는 것은 아니다. ⓑ는 어머니의 멍과 아버지의 죽음과 같이 불길함을 의미하는 것이지 불합리한 사회 현실을 의미하는 것은 아니다.
② ⓐ는 아버지와의 화해와 관련이 없다. ⓑ는 아버지와의 갈등과 관련이 없다.
④ ⓐ는 대상의 연약한 이미지를 연상하게 하는 것이 아니라 생명력을 의미한다. ⓑ는 아버지의 죽음을 연상하게 하므로 대상의 죽음을 연상하게 한다는 설명은 적절하다.
⑤ ⓐ는 고된 현실을 극복하고자 하는 지식인들의 생명력을 의미하는 것이지 '나'의 의지를 상징하는 것은 아니다. ⓑ는 아버지에 대한 '나'의 분노를 상징하고 있지 않다.

함정문제 해결 전략

서사 전개 과정에서 중요한 소재의 상징적 의미를 묻는 문항으로, 소재나 공간, 배경의 의미를 묻는 문항이 자주 출제됩니다. 등장인물의 정서 및 심리를 파악하며 중요한 소재들이 주제 의식을 형상화하는 데 어떻게 기여하는지를 파악할 수 있어야 합니다.

DAY 1 개념 돌파 전략 ① | 6~9쪽

01 정형시 02 ② 03 ○ 04 은일 가사 05 (1) ○ (2) ×
06 ② 07 × 08 구전 09 ② 10 강호 한정 11 황새, 뱀
12 × 13 시련을 주는 대상

DAY 1 개념 돌파 전략 ② | 10~11쪽

01 ③ 02 ④ 03 ③ 04 ⑤

01 향가의 개념 확인

향찰로 기록된 향가는 신라 시대를 대표하는 시가 문학 갈래로 불교 신앙을 바탕으로 한 노래가 가장 많으며 토속 신앙, 주술적 내용 등 다양한 내용을 담고 있다.

작자 미상, 〈서경별곡〉

- 갈래 고려 가요
- 주제 이별의 정한
- 표현상의 특징

① 상징적 시어를 통해 화자가 처한 이별의 상황을 드러냄.
② 설의적 표현으로 임과의 사랑을 맹세하는 화자의 정서를 효과적으로 드러냄.

- 감상 포인트

시적 상황 – 이별
서경과 길쌈하던 베를 모두 버릴지언정 임과는 이별할 수 없음.

↓

화자의 태도
임과의 이별을 거부하는 적극적인 태도

02 고려 가요의 내용 및 형식상의 특징 파악

이 작품은 남녀 간의 이별을 다루고 있으며, 유교적 이념을 표현한 것과는 거리가 멀다.

오답 잡기

① '서경이 ∨ (아즐가) 서경이 ∨ 셔울히마르는'과 같이 3음보의 율격으로 전개된다.
② 이 작품의 주제는 '이별의 정한'이므로 남녀 간의 사랑을 표현한다고 볼 수 있다.
③ '위 두어렁셩 두어렁셩 다링디리'와 같이 후렴구가 있다는 것이 고려 가요의 특징이다.
⑤ 고려 가요는 평민들의 감정을 진솔하게 표현하는 것이 특징인데 이 작품에서도 '우러곰 좃니노이다'에서 확인할 수 있듯이 임과 이별하기보다는 임을 따라가겠다는 생각을 진솔하게 표현하고 있다.

신흠, 〈방옹시여〉

- 갈래 연시조(전 30수)
- 주제 자연을 벗하며 살아가는 삶의 흥취와 자긍심, 연군지정
- 표현상의 특징

대유법, 설의법, 영탄법 등 다양한 표현법을 사용함.

- 감상 포인트

자연		삶
• 산촌 • 일편명월 • 수간모옥 • 만산 나월	→	• 자연에서의 삶에 만족함. • 은자로서의 자긍심

03 시조의 내용 및 형식상의 특징 파악

이 작품은 2수 이상의 평시조가 잇달아서 한 편을 이루는 연시조이다. 전 30수로 이루어진 작품으로, 〈제1수〉와 〈제8수〉가 제시되어 있다.

오답 잡기

① 시조는 4음보의 율격을 바탕으로 전개된다.
② 시조는 정형화된 형식을 지닌 갈래로, 각 수 종장의 첫 음보는 3음절로 이루어져 있다.
④ '일편명월이 긔 벗인가 ᄒᆞ노라', '수간모옥을 즈은 줄 웃지 마라 / 어즈버 만산 나월이 다 ᄂᆡ 거신가 ᄒᆞ노라'라고 하며 자연을 벗하며 살아가는 삶에 대한 만족감과 자긍심을 드러내고 있다.
⑤ 〈제1수〉 종장의 '일편명월'에서 달을 통해 자연 전체를 나타내는 대유법이 사용되었고, 중장의 '날 ᄎᆞᄌᆞ리 뉘 이스리'에서 설의법이 사용되었다. 또한 〈제8수〉 종장 등에서 영탄법이 사용되었다.

개념 더 보기

음보

음보는 운율을 이루는 소리 덩어리로 소리 내어 읽을 때 자연스럽게 한 호흡으로 묶여 읽히는 단위를 말한다. 각 음보는 발음의 시간이 대체로 비슷하며 자연스럽게 끊어 읽는 마디의 수에 따라 2음보, 3음보, 4음보와 같이 나눌 수 있다. 고려 가요는 3음보 율격이고, 시조와 가사는 4음보 율격을 이룬다.

작자 미상, 〈두터비 파리를 물고〉

- 갈래 사설시조
- 주제 탐관오리의 횡포와 허장성세 풍자
- 표현상의 특징

동물을 의인화하여 탐관오리의 수탈을 우회적으로 비판함.

- 감상 포인트

우의적 표현	파리 – 백성, 두터비 – 양반 혹은 지방 관리(탐관오리), 백송골 – 외세 혹은 상부의 중앙 관리를 의인화함.	➡ 조선 후기 권력자들의 횡포와 허위의식을 풍자하여 신랄하게 비판함.
희화화	겁 많은 자신의 모습을 감추기 위해 허세를 부리는 두터비의 모습을 익살스럽게 표현함.	

04 시조의 내용 및 형식상의 특징 파악

이 작품의 '파리'는 두터비에게 수탈당하는 백성으로 볼 수 있는 존재이지만, 헛된 욕심으로 위기를 자초한 것인지는 드러나지 않는다.

오답 잡기

① 이 작품의 중장은 평시조의 중장보다 길이가 길다.

②, ③, ④ '두터비, 파리, 백송골'은 각각 '탐관오리, 백성, 중앙 관리'를 의인화한 것이다.

개념 더 보기

우의적 표현

'우의'란 다른 사물에 빗대어 비유적인 뜻을 나타내거나 풍자하는 것을 의미하며, 우의적 표현이란 어떤 의도를 직접 말하지 않고 동물이나 식물, 사물 등에 빗대어 넌지시 일깨우는 표현을 말한다.

DAY

2 필수 체크 전략 ①

12~15쪽

1 ②	1-1 ⑤	1-2 ③
2 ③	2-1 ④	2-2 ①

대표 유형 1

작자 미상, 〈시집살이 노래〉

- 갈래 민요
- 주제 시집살이의 한과 체념
- 표현상의 특징

① 비유적 표현을 통해 시적 대상을 묘사함.

② 대조법, 열거법 등 다양한 표현 방법을 사용함.

- 감상 포인트

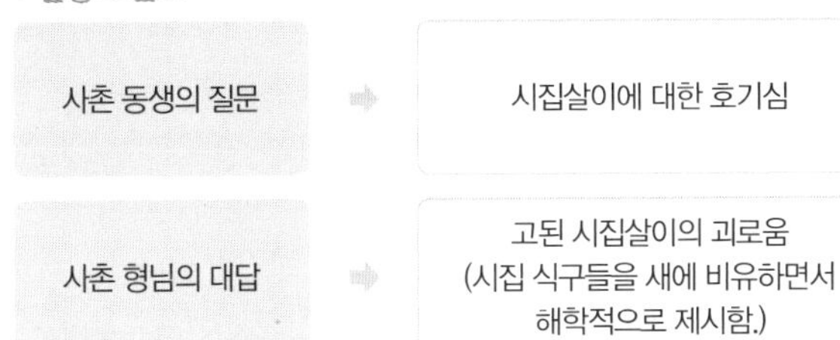

1 시상의 전개 방식 파악

이 작품은 사촌 동생이 사촌 형님에게 시집살이에 대해 물어보자 사촌 형님이 시집살이를 개집살이로 규정한 뒤 시집살이의 어려움을 밥 담기, 수저 놓기, 물 긷기, 불 때기 등의 다양한 사례를 들어 제시하고 있다.

오답 잡기

① 시집살이의 어려움에 대해 한탄하고 있으나 반성의 어조는 드러나지 않는다.

③ 이 작품은 시선을 확대해 가는 전개 방식을 취하고 있지 않으며, 중심 화자인 사촌 형님의 심리 변화도 나타나지 않는다.

④ 이 작품은 시집살이의 어려움을 서술하고 있다. 이상적 세계에 대한 언급은 드러나지 않는다.

⑤ 이 작품은 '형님 온다'로 시작하고 '쌍쌍이 때 들어오네'로 끝난다. 처음과 끝을 동일한 내용으로 상응시키지 않았다.

1-1 시상의 전개 방식 파악

작품의 마지막 부분에서 화자는 시집살이의 괴로움 때문에 울고 있는 자신에게 자식들이 다가온다는 내용을 서술하며 마무리하고 있다. 여기서 거위와 오리는 자식을 비유한 것이고, 소(연못)는 시집살이의 괴로움을 과장하여 표현한 것이므로 직설적으로 서술한 것이 아니라 비유적으로 화자의 해학적 체념을 드러냈다고 할 수 있다.

오답 잡기

① 앞부분에 사촌 형님이 근친을 오는 상황을 설정하여 자연스럽게 시상 전개를 하고 있다.

② 사촌 동생과 사촌 형님의 대화로 시상이 전개되면서 시적 화자가 바뀌고 있다.

③ '호랑새, 꾸중새, 할림새, 뾰족새, 뾰중새, 미련새' 등과 같이 대상을 새에 비유하여 전달 효과를 높이고 있다.
④ '당추'를 반복하지 않고 유사한 표현인 '고추'로 바꾸거나 '둥글둥글 수박 식기'와 '도리도리 도리소반'처럼 문장의 틀은 동일하나 표현에 변화를 줌으로써 작품을 지루하게 않게 전개하고 있다.

1-2 시상의 전개 방식 파악

이 작품은 사촌 동생이 사촌 형님에게 시집살이에 대해 물어보면서 대화하는 형식으로, 〈보기〉는 화자가 제비에게 느릅나무와 홰나무 구멍에 깃들지 않는 이유를 물어보면서 대화하는 형식으로 시상을 전개하고 있다.

오답 잡기

① 이 작품과 〈보기〉 모두 수미상관 구성 방식이 사용되지 않았다.
② 이 작품과 〈보기〉 모두 시간의 흐름에 따라 시상을 전개하지 않았다.
④ 이 작품에서는 분고개로 사촌 형님이 온다는 것에서 공간적 요소가 드러나기는 하지만 사촌 동생과 대화가 진행되면서 공간을 이동하지 않았으며, 〈보기〉는 시간의 흐름과 관련이 없다.
⑤ 이 작품과 〈보기〉 모두 선경후정이나 원경에서 근경으로의 시상 전개가 나타나지 않는다.

보기 돋보기

정약용, 〈고시 8〉
- 갈래: 한시, 5언 고시
- 주제: 지배층의 횡포와 피지배층의 고통
- 해제: 조선 후기 지배층의 횡포를 제비(수탈당하는 백성), 느릅나무·홰나무(백성들의 삶의 터전), 황새·뱀(백성들을 괴롭히는 세력)에 빗대어 우의적으로 비판한 작품이다.

대표 유형 2

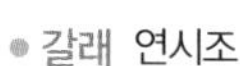

안민영, 〈매화사〉
- 갈래 연시조
- 주제 매화의 아름다움과 지조, 절개 예찬
- 표현상의 특징
  ① 대상을 의인화하여 표현함.
  ② 영탄법, 설의법 등으로 주제를 강조함.
  ③ 다양한 감각적 이미지를 통해 매화의 모습과 상황을 드러냄.
- 감상 포인트

매화에 부여된 의미	
암향 부동	고결하고 그윽한 성품
빙자옥질	맑고 깨끗한 자태와 성품
아치고절	아담한 풍치와 높은 절개
봄뜻	봄이 찾아옴을 알리겠다는 의지
백설양춘	지조와 절개

↓

매화의 고결한 자태, 높은 지조와 절개를 예찬함.

2 표현상의 특징 파악

이 작품은 시각적 이미지, 청각적 이미지, 후각적 이미지, 촉각적 이미지 등 다양한 감각적 이미지를 사용하여 매화의 모습을 표현하고 있으며, 이를 통해 매화의 속성을 예찬하고 있다.

오답 잡기

① 이 작품에서는 반어적 표현을 찾을 수 없다.
② '매화'를 '너'로 의인화하였지만 대화 형식으로 시상을 전개하지 않았다.
④ 대상에 감정을 이입하는 부분이 드러나지 않는다.
⑤ 이 작품에서는 영탄법이나 설의법 등을 사용하고 있으나 명령형 어조는 드러나지 않는다.

2-1 표현상의 특징 파악

이 작품의 〈제1수〉에서는 대상물인 매화를 즐기려는 풍류적 자세가 드러나지만 그것을 독자에게 권하는 내용은 나타나지 않는다.

오답 잡기

① 〈제2수〉의 '피었구나'에서 영탄법을 사용하여 대상에 대한 감흥을 표현하고 있다.
② 〈제6수〉의 '바람', '찬 기운'과 '봄뜻'을 대비하여 매화의 지조와 절개를 부각하고 있다.
③ 〈제2수〉의 '암향조차 부동터라'에서 후각의 시각화를 통해 대상인 매화의 아름다움을 드러내고 있다.
⑤ 이 작품은 객관적 존재인 매화를 '너'로 의인화하며 화자의 주관적 감상을 드러내고 있다.

2-2 표현상의 특징 파악

〈제1수〉는 시적 화자를 둘러싼 상황 즉 매화의 그림자가 비치는 방에서 두세 명의 노인과 함께 거문고를 타고 노래를 부르며 술을 권하고, 밖에서는 달이 떠오르는 낭만적 배경을 제시하여 작품 전체의 시적 분위기를 조성하고 있다. 대상과 대비되는 상황을 제시한 것은 〈제6수〉이다.

오답 잡기

② 〈제2수〉와 〈제3수〉에서는 '매화'를 '너'라고 의인화하여 표현하고 있다.
③ 〈제3수〉의 '아치고절'과 〈제8수〉의 '백설양춘'을 활용하여 매화의 가치를 표현하고 있다.
④ 〈제6수〉의 '봄뜻이야 앗을쏘냐'와 〈제8수〉의 '백설양춘은 매화밖에 뉘 있으리'에서 설의법을 사용하여 매화의 속성인 지조와 절개를 강조하고 있다.
⑤ 〈제6수〉와 〈제8수〉에서는 '매화'라는 대상의 명칭이 명시적으로 제시되었다.

개념 더 보기

〈제2수〉에 나타난 매화에 대한 화자의 인식 변화

초장	어리고 성긴 매화를 믿지 않음.
중장	눈 기약을 지킴. (눈 속에서도 꽃을 피움, 약속을 저버리지 않음. → 지조, 절개)
종장	촉 잡고 사랑할 만한 대상임. (매화에 대한 화자의 애정을 드러냄.)

DAY

2 필수 체크 전략 ②

16~17쪽

01 ③ 02 ⑤ 03 ③ 04 ①
05 ⑤

01~03

정철, 〈속미인곡〉

- 갈래 서정 가사, 양반 가사, 정격 가사
- 주제 임에 대한 그리움, 연군지정
- 표현상의 특징
  ① 대화의 형식으로 내용을 전개함.
  ② 순우리말을 절묘하게 구사함.
- 감상 포인트

화자의 분신			
화자의 분신	달 (소극적 사랑)	→	연군지정, 임에 대한 일편단심
	궂은비 (적극적 사랑)		

01 시상의 전개 방식 파악

이 작품은 임(임금)을 그리워하는 정을 두 여인의 대화 형식을 통해 나타내고 있다. '각시님'이라는 호칭이 등장하는 것에서 대화의 주체가 여성 화자임을 짐작할 수 있다.

오답 잡기

① 제시된 부분은 두 사람의 대화로 시상을 전개하고 있으므로 자문자답으로 시상을 전개한다는 설명은 적절하지 않다.

② 제시된 부분의 내용은 자연 경관을 제시한 후 화자의 정서를 드러내는 것이 아니다.

④ 제시된 부분에서는 계절의 변화가 드러나지 않는다.

⑤ 제시된 부분에서는 불가능한 상황을 바탕으로 주제를 형상화한 부분이 드러나지 않는다.

02 표현상의 특징 파악

이 작품에서 화자가 '옥과 같이 곱던 얼굴이 반이 넘게 늙'은 시적 대상을 꿈에서 만나 염려하는 내용을 확인할 수 있지만 반어적 표현으로 대상이 처한 현실을 비판하는 내용은 나타나지 않는다.

오답 잡기

① '더욱 아득하구나', '아, 헛된 일이로다' 등에서 영탄법을 사용하여 화자의 막막한 심정을 드러내고 있다.

② '지는 달'이나 '궂은비'와 같은 상징성을 지닌 소재를 화자의 분신으로 삼아 임에 대한 그리움을 표현하고 있다.

③ '방정맞은 닭소리'에서 청각적 심상이 드러나며 이를 통해 임과 이별한 화자의 처지를 제시하고 있다.

④ '빈 배'와 '등불'은 화자의 외로운 처지를 드러내는 객관적 상관물이다.

개념 더 보기

객관적 상관물

화자의 정서를 간접적으로 표현하는 데 사용된 사물

외부 사물	(사공이 없는) 빈 배, (벽 가운데 걸려 있는) 등불
	≒
화자의 처지	임과 이별하고 홀로 있는 화자

→ 화자의 외로운 처지를 부각함.

03 작품 간의 공통점과 차이점 파악

이 작품은 '각시님'인 시적 화자가 다른 대상과 대화를 하면서 시상을 전개하고 있지만 〈보기〉에서는 시적 화자의 독백으로 시상이 전개되고 있다.

오답 잡기

① 이 작품과 〈보기〉의 제시된 부분에서는 배경 묘사를 통해 시적 분위기를 조성하는 내용을 찾을 수 없다.

② 〈보기〉에서는 직유법을 사용한 표현이 드러나지 않고, 이 작품에서는 '옥과 같이 곱던 얼굴'이라는 표현이 있기는 하지만 이를 통해 화자의 정서를 드러낸 것은 아니다.

④ 〈보기〉에서는 임이 계신 곳이 '광한전'임이 명확하게 제시되고 있지만, 이 작품의 제시된 부분에서는 임이 계신 곳이 명확하게 드러나 있지 않다.

⑤ 이 작품에서는 화자와 임의 만남을 방해하는 대상인 바람, 물결, 닭소리 등이 제시되었고 〈보기〉에서는 방해물이 드러나지 않는다.

보기 돋보기

정철, 〈사미인곡〉

- 갈래: 서정 가사, 양반 가사, 정격 가사
- 주제: 임금을 그리는 마음
- 해제: 작가가 50세 되던 해에 관직에서 물러나 전남 창평에서 지내던 시기에 지은 노래로 〈속미인곡〉과 더불어 우리나라 가사 문학을 대표하는 작품으로 손꼽힌다. 화자를 임을 그리는 여성으로 설정하여 임금에 대한 그리움을 표현한 것이 특징이다.

04~05

가 월명사, 〈제망매가〉

- 갈래 10구체 향가
- 주제 죽은 누이에 대한 추모
- 표현상의 특징

① 낙구의 감탄사로 시상을 집약함.
② 뛰어난 비유법을 사용하여 향가 문학의 백미로 불림.

- 감상 포인트

예	미타찰
화자와 누이가 이별한 공간 (이승)	화자와 누이가 재회할 공간 (서방 정토)

↓

누이의 죽음에 대한 애도와 슬픔의 종교적 승화

나 황진이, 〈동지ㅅ돌 기나긴 밤〉

- 갈래 평시조
- 주제 임을 기다리는 애타는 마음
- 표현상의 특징

① 추상적 관념을 구체화하여 표현함.
② 우리말의 묘미를 살린 음성 상징어를 통해 화자의 정서를 효과적으로 전달함.

- 감상 포인트

추상적 관념의 구체화

동짓달 긴 밤의 한 허리를 베어 냄(초장).	임이 오신 날 밤에 펼침(종장).
임이 없는 시간을 단축함.	임과 함께하는 시간을 늘림.

04 작품 간의 공통점 파악

(가)는 누이의 죽음으로 인한 안타까움과 슬픔의 정서와 함께 종교적 수양을 통해 '미타찰'에서 재회를 기약하는 모습이 나타나 있다. (나)의 시적 화자는 '어론 님' 즉 '임'이 돌아오기를 기다리고 있다.

오답 잡기

② (가)는 죽은 누이가 가는 곳을 모르겠다는 표현에서 화자의 허탈함과 무상감이 드러나지만, (나)에서는 화자의 허탈함의 정서가 드러나지 않는다.
③ (가)와 (나) 모두 자연과 대비되는 인간의 삶에 대한 소회가 나타나지 않는다.
④ (가)와 (나) 모두 도덕적 가치를 추구하는 작품이 아니다.
⑤ (가)와 (나) 모두 사회적 문제를 다루는 작품이 아니다.

05 시상의 전개 방식 파악

(가)는 누이의 죽음이라는 인간 보편의 문제 상황에 직면한 화자가 종교적 수양을 통해 재회를 기약하면서 이를 극복하는 모습을 형상화하고 있고, (나)는 남녀 간의 애정과 같은 보편적 정서를 다루며 임과 함께하는 시간을 더 늘리겠다고 서술하는 등 독특한 발상을 통해 형상화하고 있다.

오답 잡기

① 자료에서 10구체 향가는 세 개의 의미 단락으로 나눌 수 있다고 하였다. (가)는 1~4구에서 누이의 죽음으로 인한 안타까움과 슬픔을 5~8구에서 누이의 죽음으로 인한 무상감을 9~10구에서 슬픔의 종교적 승화를 다루고 있다.
② 자료에서 10구체의 세 개의 의미 단락이라는 형식적 특징이 시조로 계승된다고 하였다.
③ 자료에서 향가 낙구의 감탄사는 시조 종장의 첫 3음절로 이어진다고 하였다.
④ (가)는 누이의 죽음을 '이른 바람', '떨어질 잎'으로, 한 부모에게서 태어난 남매라는 상황을 '한 가지에 나고' 등으로 자연에 비유하여 표현하고 있고, (나)는 추상적인 시간을 잘라 내고 펼 수 있는 구체적인 사물처럼 표현하고 있다.

개념 더 보기

추상적 관념의 구체화

추상적 관념	희망, 사랑 등과 같이 인간이 직접 지각할 수 없거나, 인간의 오감으로 느낄 수 없는 것을 말함.

↓

구체화	인간의 감각으로 지각할 수 있도록 변화함.

↓

실제로는 지각할 수 없는 대상을 오감으로 느낄 수 있도록 형상화하는 방식

보기 돋보기

문학 갈래의 이해

서정 갈래는 작가의 주관적 정서를 함축적 언어로 형상화한 것인데 향가, 고려 가요, 시조, 가사와 같은 시가 문학은 서정 갈래에 해당한다고 볼 수 있다. 서사 갈래는 작가가 서술자를 내세워 특정 공간과 시간을 배경으로 하여 어떤 인물이 겪는 사건과 갈등을 허구적으로 형상화한 문학 양식이며 극 갈래는 서술자의 개입 없이 인물들의 대사나 행동을 직접 보여 주는 문학 양식으로 〈봉산 탈춤〉이나 희곡이 이에 해당한다. 교술 갈래는 대상이나 세계에 관심을 갖고 그 대상이나 세계를 표현하는 문학 양식이며 〈차마설〉 같은 작품이나 현대 수필이 이에 해당한다.

DAY

3 필수 체크 전략 ①

18~21쪽

3 ③	3-1 ①	3-2 ①
4 ⑤	4-1 ②	4-2 ⑤

대표 유형 3

윤선도, 〈견회요〉

- 갈래 연시조
- 주제 연군, 우국지정과 부모님에 대한 그리움
- 표현상의 특징

① 감정 이입을 통해 화자의 정서를 드러냄.

② 대구법, 반복법을 통해 주제를 강조하고 운율을 형성함.

- 감상 포인트

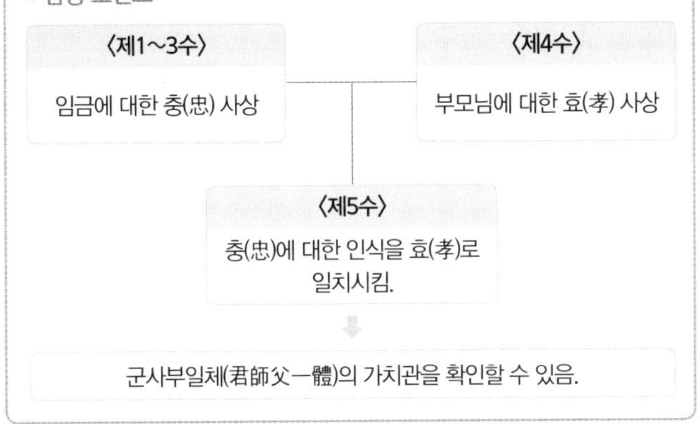

3 시어 및 시구의 의미 파악

그칠 줄 모른다는 것은 강물의 흐름처럼 임을 향한 화자의 마음도 그치지 않는다는 의미이므로 곧은 지조를 표현하는 것이라고 할 수 있다.

오답 잡기

① '그 밧긔 여남은 일'은 화자가 추구하는 일 외의 것을 의미하며, 화자의 신념과 거리가 먼 일들이다.

② '이 마음 어리기도'는 화자의 마음이 어리석다는 의미로, 순수한 본성의 회복을 바라는 것과는 관련이 없다.

④ '많고 많고 하고 하고'는 부모님에 대한 그리움을 반복적으로 강조한 것으로 볼 수 있다.

⑤ '하늘이 삼겨시니'는 임금에 대한 충성이 하늘의 뜻임을 밝혀 그 절대성과 당위성을 드러낸 것으로 볼 수 있다.

3-1 시어의 의미 파악

시내와 외기러기는 모두 화자의 감정 이입 대상이며 울고 가는 존재이므로 청각적 이미지를 지니고 있다. 또한 흘러가고 울고 가는 존재이므로 동적 변화를 바탕으로 화자의 그리움을 표현하고 있다.

오답 잡기

㉣, ㉤ 시내와 외기러기는 화자가 원하는 상황을 묘사하는 것이 아니며, 시내는 임금에 대한 화자의 마음을, 외기러기는 부모에 대한 화자의 마음을 드러내는 자연물이다.

개념 더 보기

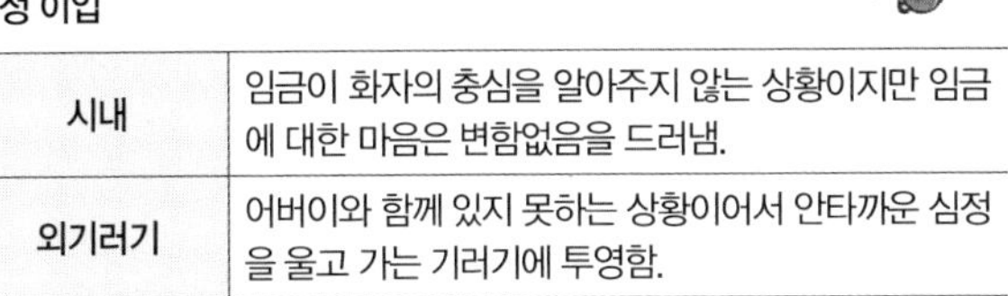

감정 이입

시내	임금이 화자의 충심을 알아주지 않는 상황이지만 임금에 대한 마음은 변함없음을 드러냄.
외기러기	어버이와 함께 있지 못하는 상황이어서 안타까운 심정을 울고 가는 기러기에 투영함.

변함없는 충성심과 부모에 대한 그리움의 정서를 구체화하고 심화함.

3-2 시구의 의미 파악

'옳다 하나 외다 하나'의 주체는 화자가 아니라 세상 사람들이므로 화자가 내적 갈등을 한다는 내용은 적절하지 않다. 작품 전체를 살펴보면 화자는 오히려 강력한 신념을 지닌 인물임을 알 수 있다.

오답 잡기

② '내 몸의 해올 일'은 자신이 추구하는 일이므로 신념을 따른 일 즉, 임금에 대한 충성을 의미한다.

③ '아무가 아무리 일러도'에서 '아무'는 화자를 모함하는 사람을 의미한다.

④ '추성 진호루'는 화자가 유배된 지역의 누각이므로 화자가 임과 멀리 떨어져 있는 현재의 공간이다.

⑤ '임금 향한 뜻'은 임금에 대한 충성심을 의미한다.

대표 유형 4

허전, 〈고공가〉

- 갈래 도덕 가사, 교훈 가사
- 주제 나태한 관리들의 탐욕과 정치적 무능 비판
- 표현상의 특징

① 4음보의 율격으로 음악성을 형성함.

② 탐욕적이고 무능한 벼슬아치들을 고공 즉 머슴에 비유함.

- 감상 포인트

고공(머슴, 벼슬아치)들의 행태	• 집의 옷밥을 두고 빌어먹는 • 마음을 다투는 듯 우두머리를 시기하는 듯 • 무슨 일 얽혀들어 흘깃흘깃 • 너희들 일 아니하고	→	나태한 관리들의 탐욕과 정치적 무능 비판

4 외적 준거에 따른 작품 감상

'김가 이가 고공들'은 어려움에 빠진 백성을 일으킬 새로운 인재가 아니라 '마음을 다투는 듯 우두머리를 시기하는 듯'하고 '흘깃흘깃'하며 '너희들 일 아니'하는 기존의 탐욕적이고 이기적인 관리들을 의미한다.

오답 잡기

① '큰 집'은 '처음의 한어버이' 즉 태조 이성계가 살림살이를 하려 할 때 풀 베고 터를 닦은 곳이므로 이성계가 건국한 조선을 의미한다.

② 조선 건국 당시의 고공들은 '근검(勤儉)'했다는 의미이므로 현재의 고공들이 본받아야 할 태도에 해당한다.

③ 화자가 비판하는 대상인 오늘날 고공들의 행태가 '마음을 다투는 듯'하는 것이므로 당파 싸움을 의미한다고 볼 수 있다.

④ '화강도(火强盜)'에 가산을 탕진했다고 했으므로 '화강도'는 조선을 위기에 빠뜨린 왜적을 의미한다고 볼 수 있다.

4-1 외적 준거에 따른 작품 감상

이 작품의 화자는 고공이 제 일만 챙기며 사리사욕에 빠진 세태를 비판하면서 각성을 촉구하고 있다. 작품의 흐름을 볼 때 '우두머리'를 시기하는 고공들의 모습은 서로 다투고 시기하는 모습을 나타낸 것이다. 이를 역모를 꾀하는 모습이라고 보기는 어렵다.

오답 잡기

① '옷밥'을 두고도 빌어먹는 것은 과한 욕심을 부린다는 의미이므로 고공들의 탐욕적인 모습을 뜻한다고 볼 수 있다.

③ '흘깃흘깃'하는 고공들의 행태는 '너희들 일 아니하고'와 연결 지어 볼 때 자기 일을 제대로 하지 않는 모습을 의미한다고 볼 수 있다.

④ '시절조차' 사납다는 것은 화강도에 가산을 탕진한 현실을 의미하므로 임진왜란으로 인해 황폐해진 현실을 뜻한다고 볼 수 있다.

⑤ 살림살이를 일으킨다는 것은 나라의 기강을 바로 세운다는 의미이므로 이를 걱정하는 화자는 나라를 바로 세우려는 인물이라 할 수 있다.

4-2 외적 준거에 따른 작품 감상

〈보기〉의 '어른 종을 믿으소서 / 진실로 이리 하시면 집안 절로 일어나리다'에서 집안을 일으키려면 어른 종을 믿어야 한다고 답을 제시하고 있다.

오답 잡기

① 〈보기〉에는 처음 한어버이의 마음에 대한 언급은 찾아볼 수 없다.

② 〈보기〉에서는 집안을 일으키려면 종들을 휘어잡아 상벌을 밝히라고 하였으므로 고공이 스스로 마음을 새롭게 하라는 답을 제시했다고 보기 어렵다.

③ 〈보기〉에는 화살 찬 경비병들이 힘쓰지 않는 현실에 대한 진술이 있지만 이들이 자신의 일을 힘써 하는 것을 현재 문제에 대한 해결책으로 제시한 부분은 드러나지 않는다.

④ '마노라 탓이로다'라는 〈보기〉의 진술에서 임금을 탓하는 내용이 있지만 임금이 직접 움직여야 한다는 진술은 찾을 수 없다.

보기 돋보기

이원익, 〈고공답주인가〉

- 갈래: 가사
- 주제: 나태하고 이기적인 관리들의 행태 비판과 임금의 역할에 대한 조언
- 해제: 허전의 〈고공가〉에 대한 답가에 해당하며 〈고공가〉와 달리 나라가 기울어진 원인이 신하들의 이기적인 모습에만 있는 것이 아니므로 기울어진 집안을 일으키려면 종의 상벌을 밝히고 어른 종(중신)을 믿으면 나라의 형편이 저절로 일어날 것이라는 충언을 담고 있다.

DAY 3 필수 체크 전략 ②

22~23쪽

01 ⑤ **02** ① **03** ⑤ **04** ④ **05** ④

01~03

이이, 〈고산구곡가〉

- 갈래 연시조
- 주제 자연의 아름다움 예찬과 학문의 즐거움
- 표현상의 특징
  ① 중의적 표현을 사용하여 자연의 아름다움 예찬과 학문 수양의 즐거움을 함께 표현함.
  ② 유사한 문장 구조의 반복을 통해 형식상의 통일성을 보임.
- 감상 포인트

〈제1수〉	서(序)	학문 수양에 대한 다짐(창작 동기)	자연 예찬과 학문 수양의 즐거움
〈제2수〉	일곡	관암의 아침 경치	
〈제3수〉	이곡	화암의 늦봄 경치	
〈제4수〉	삼곡	취병의 여름 경치	
〈제5수〉	사곡	송애의 해질 무렵	
〈제6수〉	오곡	수변 정사에서의 강학과 영월음풍	
〈제7수〉	육곡	조협의 야경	
〈제8수〉	칠곡	풍암의 가을 경치	
〈제9수〉	팔곡	금탄의 흥겨운 물소리	
〈제10수〉	구곡	문산의 겨울 경치	

01 화자의 정서와 태도 파악

이 작품의 화자는 자연 친화적 태도로 현실에 만족하고 있으며 학문 정진이라는 이상을 추구하고 있다.

오답 잡기

① 이 작품에서 역사적 사건을 제시한 부분은 드러나지 않는다.

② 이 작품은 고산구곡담에서 자연을 예찬하고 학문에 정진하는 내용을 다루고 있으므로 세태를 비판하며 금욕적인 삶을 강조한다고 보기 어렵다.

③ 이 작품은 남녀 간의 애정을 다루지 않았다.

④ '학주자'에서 주자학을 배우려는 자세가 드러나지만 성리학의 충과 효를 구체적으로 강조한 것은 아니다.

02 시어 및 시구의 의미 파악

〈제1수〉의 '학주자'는 '주자의 학문을 배우겠다' 또는 '주자를 공부하리라'는 의미로 해석할 수 있다. 〈보기〉를 참고하면 무이에서 후학을 양성한 주자처럼 구곡에서 후학을 가르치며 학문에 정진하겠다는 의미로 볼 수 있으므로 주자를 뛰어넘고자 했다는 이해는 적절하지 않다.

오답 잡기

② 이 작품은 자연 예찬과 학문의 즐거움을 모두 다루고 있으므로 '승지'는 '경치가 빼어난 곳'과 '학문의 경지가 높은 곳'의 두 가지로 해석이 가능하다.

③ '강학'은 '학문을 가르치고 연구한다'는 의미이고 '영월음풍'은 '자연 속에서 풍류를 즐기겠다'는 의미이므로 ㉢은 자연 속에서 학문을 추구하겠다는 의미로 해석이 가능하다.

④ '풍암'은 '단풍 바위'라는 의미인데 '추색'의 가을과 연결되어 가을의 단풍을 떠올리게 하므로 이 작품이 자연의 특성을 반영하고 있다는 것을 확인할 수 있다.

⑤ '눈'은 겨울의 계절감을 드러내는 소재이므로 계절의 변화에 따른 자연의 모습을 보여 준다고 할 수 있다.

보기 돋보기

〈고산구곡가〉와 〈무이구곡가〉

중국의 '주자'는 무이산의 계곡에 들어가 후학을 가르쳤는데 이 시기에 창작한 작품이 〈무이구곡가〉(〈무이도가〉라고도 함.)이다. 이이는 고산의 구곡에 들어간 자신의 삶이 주자와 비슷하다고 여겼으며 이에 주자의 작품을 본떠 〈고산구곡가〉를 지은 것으로 추정하고 있다.

03 외적 준거에 따른 작품 감상

〈제3수〉의 '사름'은 승지 즉 경치가 뛰어난 곳 혹은 학문의 높은 경지를 모르는 사람이어서 화자가 이것을 알려 주고 싶어 하는 대상이고 〈제10수〉의 '유인'은 화자가 있는 곳을 볼 것 없다고 하였으므로 화자가 비판하는 대상이다. 따라서 둘 다 화자가 추구하는 가치에 동의하는 인물이라고 보기 어렵다.

오답 잡기

① 이 작품은 〈제1수〉를 제외한 각 수의 초장이 '~곡은 어듸미오'가 반복되면서 형식적 질서를 형성하고 있다.

② '관암', '화암', '풍암' 등과 같이 자연의 특성을 바탕으로 한 지명을 제시하는 등 통일성을 보여 주고 있다.

③ 〈제1수〉는 화자가 고산구곡담에 있으며, 학주자를 하고자 한다는 내용을 서술하고 있으므로 작품 전체 내용에 대한 실마리를 제공한다고 볼 수 있다.

④ 학문을 가르치고 연구하겠다고 하는 '강학'과 주자를 배우겠다고 하는 '학주자'는 '학문'이라는 공통점으로 서로 관련이 있는 내용이라고 할 수 있다.

개념 더 보기

자연의 특색 반영

고전 시가에서는 자연 친화적인 태도로 자연의 속성을 이용하여 화자의 정서나 작품의 분위기를 형상화하는 경우가 많다. 〈고산구곡가〉의 경우 소재로 자연을 제시하면서 자연 친화적 태도를 드러내고, 그러한 자연 속에서 학문을 추구하는 모습을 형상화하고 있다.

강학	학문을 가르치고 연구함.
+	
영월음풍	자연 속에서 풍류를 즐김.

↓

자연 예찬과 학문의 즐거움

04~05

가 작자 미상, 〈창 내고쟈 창을 내고쟈〉

- 갈래 사설시조
- 주제 삶의 답답함에서 벗어나고 싶은 마음
- 표현상의 특징

① 반복법, 열거법 등 다양한 방법을 활용하여 화자의 답답한 심정을 제시함.
② 일상적인 사물을 활용하여 주제의 전달 효과를 높임.

- 감상 포인트

화자의 심정		기발한 발상
삶의 현실에 대한 답답함	→ 해결책	가슴에 '창'을 내어 답답함을 해소하고자 함.

↓

삶의 답답함에서 벗어나고 싶은 마음

나 작자 미상, 〈댁들에 동난지이〉

- 갈래 사설시조
- 주제 현학적 태도(세태) 비판
- 표현상의 특징

① 돈호법을 사용하여 주제를 직설적으로 제시함.
② 대화 형식으로 내용을 전개하여 전달 효과를 높임.

- 감상 포인트

게젓 장수	손님
한자어를 사용하여 장황하게 설명함.	거북하게 말하지 말고 쉽게 말하라고 함.

↓

현학적 태도 풍자

04 시어 및 시구의 의미 파악

(나)에서는 게젓 장수와 손님으로 화자를 교체하면서 작품의 내용을 생동감 있게 전달하고 현학적 태도에 대한 풍자의 효과를 높이고 있다.

오답 잡기

① '창 내고쟈'를 반복하여 답답한 마음을 해소하고 싶은 화자의 소망을 강조하고 있다.
② 음성 상징어 '둑닥'을 통해 답답함에서 빨리 벗어나고 싶은 화자의 심정을 드러낸다.
③ ㉢은 게젓을 사라고 외치는 게젓 장수의 목소리이므로 현장감을 형성한다고 볼 수 있다.
⑤ (나)의 중장에서는 일상적 소재인 게를 설명하는 데 한자어를 많이 사용함으로써 현학적 자세를 풍자하는 효과를 거두고 있다.

05 외적 준거에 따른 작품 감상

(가)에서는 답답함을 해소하고 싶은 화자의 정서를 일상생활의 소재를 통해 직설적으로 제시하고 있고, (나)에서는 현학적 자세를 비판하는 주제를 일상생활의 사건을 통해 직설적으로 제시하고 있다. 따라서 화자의 심정을 관념적 대상을 통해 표출했다는 진술은 적절하지 않다.

오답 잡기

① (가)는 답답한 심정에서 벗어나고 싶은 소망을 다루고 있고, (나)는 대상을 현학적으로 설명하는 세태를 풍자하고 있다.
② (가)와 (나)는 사설시조로, 중장의 길이가 평시조보다 길다.
③ (가)에서는 '둑닥', (나)에서는 '아스슥'이라는 음성 상징어를 사용하여 생동감 있게 삶의 모습을 표현하고 있다.
⑤ (가)에서 나열된 창이나 (나)에서 게젓 장수가 팔려고 하는 동난지이, 게젓은 모두 일상적 소재라고 할 수 있다.

누구나 합격 전략 | 24~27쪽

01 ③	02 ④	03 ②	04 ②	05 ②
06 ⑤	07 ⑤	08 ⑤	09 ⑤	

01~03

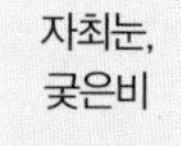

허난설헌, 〈규원가〉

- 갈래 규방 가사
- 주제 봉건 사회 규방 여인의 삶과 정한
- 표현상의 특징
① 다양한 대상에 화자의 심정을 투영함.
② 대구법, 설의법 등 다양한 표현 방법을 활용함.
- 감상 포인트

기	과거 회상과 늙음에 대한 한탄
승	임에 대한 원망과 애달픈 심정
전	거문고를 타며 달래는 외로움과 한
결	임을 기다리는 마음과 운명에 대한 한탄

자최눈, 굿은비 ➡ 화자의 쓸쓸한 심회를 돋우는 객관적 상관물

실솔, 새 ➡ 화자의 서글픈 심정이 투영된 감정 이입 대상

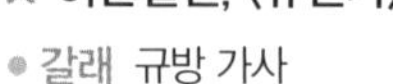

01 시상의 전개 방식 파악

'설빈화안'이 '면목가증'이 되었다는 진술에서 알 수 있듯이 이 작품의 화자는 자신의 과거와 현재를 대비함으로써 현재의 처지를 부각하면서 시상을 전개하고 있다.

오답 잡기

① 이 작품은 독백체의 어조로 시상을 전개하고 있다.
② 제시된 부분은 자연을 노래하는 내용이 아니며, 작품 중간에 제시된 계절은 임과 함께하지 못하는 시간의 경과를 보여 주는 것이지 경치를 제시하고 화자의 정서나 깨달음을 보여 주려는 내용이 아니다.
④ 난간에 기대선 화자의 모습은 공간의 이동으로 볼 수도 있지만 떠난 임을 여전히 기다리고 있으므로 내적 갈등이 해소되었다고 보기 어렵다.
⑤ 자연을 노래한 작품이 아니며 원경에서 근경으로의 이동도 드러나지 않는다.

02 표현상의 특징 파악

이 작품에서는 반어적 표현의 사용이 드러나지 않는다.

오답 잡기

① '공후배필은 못 바라도 군자호구 원하더니', '겨울밤 차고 찬 제 자최눈 섞어 치고 / 여름날 길고 길 제 궂은비는 무슨 일고' 등과 같이 작품 전반에 걸쳐 대구법을 많이 사용하고 있다.
② '면목가증 되었구나' 같은 구절에서 영탄법을 사용하여 화자의 정서를 드러내고 있다.
③ '내 얼굴 내 보거니 어느 님이 날 사랑할까', '박명한 홍안이야 나 같은 이 또 있을까' 등에서 설의법을 사용하여 화자의 자조적인 처지를 드러내고 있다.
⑤ '백마금편'은 호사스러운 행장을 상징하며 이를 통해 '장안 유협 경박자'인 남편의 성격이 드러난다.

03 외적 준거에 따른 작품 감상

'삼생의 원업'은 불교적 가치관을 바탕으로 남편과의 인연이 원망스러운 업보의 결과라는 내용을 표현한 것이다. 이 구절 자체로 화자가 남편과 인연을 맺게 한 존재를 원망하고 있다고 보기 어렵다.

오답 잡기

① 화자는 내적으로 힘겨운 삶을 살았으며 이것이 '서러운 말'이라는 표현에서 드러난다.
③ '베올에 북 지나듯'에서 '베올'은 베틀에서 사용하는 것이므로 여성의 삶과 밀접한 관련이 있는 소재이다.
④ '정처 없이 나가 있어'는 어디로 갔는지 알 수 없다는 의미이므로 남편의 원유와 관련이 있다.
⑤ '생각이야 업슬소냐'는 생각을 하지 않을 수 없다는 의미이므로 남편을 기다린다는 것을 알 수 있다.

04~06

맹사성, 〈강호사시가〉

- 갈래 연시조
- 주제 강호 한정과 임금의 은혜에 감사함
- 표현상의 특징
  ① 계절의 흐름에 따라 시상을 전개함.
  ② 각 수마다 형식을 통일하여 시적 안정감을 추구함.
- 감상 포인트

〈제1수〉	봄	봄철의 흥겨운 강호 생활	역군은이샷다 (임금의 은혜)
〈제2수〉	여름	여름철의 한가한 강호 생활	
〈제3수〉	가을	가을철의 고기잡이와 여유로운 강호 생활	
〈제4수〉	겨울	눈 오는 겨울의 강호 생활	

04 시상의 전개 방식 파악

이 작품은 각 수마다 초장은 '강호에 ~이 드니'로 시작하고, 종장은 '이 몸이 ~ 역군은이샷다'로 마무리하는 구조를 반복함으로써 시적 안정감을 부여하고 있다.

오답 잡기

① '~이샷다'라는 표현에서 감탄의 어조가 드러나지만 반성의 어조는 드러나지 않는다.
③ 화자는 강호에 있는 자신의 상황에 만족하고 있으므로 상황을 부정적으로 규정하였다는 진술은 적절하지 않다.
④ 계절별로 시상을 전개하고 있으므로 근경에서 원경으로 시선을 확대해 간다는 진술은 적절하지 않다.
⑤ 화자는 외부 세계인 강호에서의 삶에 만족하고 있으므로 내면과의 차이를 부각한다는 진술은 적절하지 않다.

05 시어 및 시구의 의미 파악

초당에 일이 없다는 것은 여름날의 한가로운 정경을 의미하는 것이다. 화자가 자연 속에서 할 일이 없어 다시 어지러운 정치판으로 돌아가고 싶어 하는 미련을 드러내는 것은 아니다.

오답 잡기

① '강호'는 자연을 의미하며 강호에서 추구하는 '흥'이므로 자연 속에서의 풍류를 뜻한다고 볼 수 있다.
③ 고기잡이에 욕심을 내지 않고 던져두는 것이므로 화자의 유유자적한 삶과 관련이 있다.
④ '삿갓'과 '누역'은 소박한 옷차림과 관련이 있으므로 안빈낙도의 가치관을 암시한다고 볼 수 있다.
⑤ '역군은이샷다'는 임금의 은혜를 표현하는 것이므로 임금에 대한 충의의 정신과 관련이 있다.

06 외적 준거에 따른 작품 감상

화자가 그물을 던져 놓고 소일하는 것은 자연 속에서 유유자적한 모습을 보여 주는 것이므로 자연과 인간을 대비하여 무상한 인간사를 드러내고 있다고 보기 어렵다.

오답 잡기

① 봄, 여름, 가을, 겨울 순서로 각 수가 이어지고 있으므로 '사시가'의 요건을 갖추었다고 할 수 있다.
② 각 수마다 초장에서 유사한 내용을 반복적으로 서술하여 시상을 유기적으로 연결하고 있다.
③ '탁료계변'은 막걸리를 마시며 노는 시냇가라는 의미로, '막걸리'는 소박한 술이므로 자연 속에서의 소박한 삶과 관련이 있다.
④ 각 수의 앞부분에서 '봄이 드니', '여름이 드니' 등과 같은 표현을 한 뒤 각 계절의 자연의 모습이나 화자의 상황을 제시하고 있다.

07~09

정극인, 〈상춘곡〉

- 갈래 서정 가사, 은일 가사
- 주제 봄의 완상과 안빈낙도
- 표현상의 특징

① 화자의 시선 이동에 따라 시상을 전개함.
② 대구법, 비유법 등 다양한 표현을 사용함.

- 감상 포인트

홍진(속세)	↔	산림(자연)
관직에 나아가 정치에 참여하며 부귀와 공명을 누리는 공간		학문을 닦고 수양하며, 풍류를 즐기는 공간

07 표현상의 특징 파악

이 작품은 '수간모옥 – 정자 – 시냇ᄀᆞ' 등으로 공간이 이동하지만 화자의 갈등 고조는 드러나지 않는다. 자연을 즐기는 화자의 태도가 지속되고 있다.

오답 잡기

① '홍진(속세)'과 '산림(자연)'을 대비하며 자연 친화적 태도를 드러내고 있다.
② '도화행화ᄂᆞᆫ 석양리예 ~ 녹양방초ᄂᆞᆫ 세우 중에~', '칼로 ᄆᆞᆯ아 낸가 붓으로 그려 낸가', '답청으란 오ᄂᆞᆯ ᄒᆞ고 욕기란 내일 ᄒᆞ새', '청향은 잔에 지고 낙홍은 옷새 진다', '얼운은 막대 집고 아ᄒᆡᄂᆞᆫ 술을 메고' 등 작품 전반에 걸쳐 대구법을 사용하여 봄 경치 구경이라는 시적 상황을 상세하게 제시하고 있다.
③ '프르도다'(시각), '청향'(후각), '낙홍'(시각) 등 다양한 감각적 이미지를 활용하여 시적 배경을 생동감 있게 제시하고 있다.
④ '이 내 생애 엇더ᄒᆞᆫ고', '물아일체어니 흥이ᄋᆡ 다ᄅᆞᆯ소냐' 등에서 의문문을 사용하여 현재 상황에 대한 화자의 만족감을 드러내고 있다.

08 외적 준거에 따른 작품 감상

'낙홍'(붉은 꽃잎)이 옷에 진다는 표현을 통해 자연 현상과 화자의 모습을 관련 지어 자연과의 일체감을 느끼는 화자의 모습을 드러내고 있다.

오답 잡기

① 화자 자신의 풍류가 옛사람의 풍류 못지않다는 자부심을 드러내는 구절이다.
② '풍월주인'은 자연 친화적인 태도를 나타내는 것이며 자연의 주인이 되어 소유하려는 자세를 보여 주는 것이 아니다.
③ '물아일체'하는 흥겨움이 느껴진다는 것을 강조하는 구절이다.
④ 아침과 저녁에 자연을 즐기느라 분주하다는 의미를 드러내는 표현이다.

09 시어 및 시구의 의미 파악

'시냇ᄀᆞ'에 화자가 혼자 있는 것은 맞지만 화자는 이곳에서 풍류를 즐기고 있으므로 고독을 느끼는 부정적 공간이라고 보기 어렵다.

오답 잡기

① '수간모옥'은 화자가 기거하는 자연 속의 공간이므로 만족감을 느끼는 공간이라 할 수 있다.
② '새봄'은 화자가 즐기고 있는 작품의 계절적 배경이므로 긍정적인 시간이라고 할 수 있다.
③ '산수' 구경을 권하고 있으므로 화자가 이웃과 함께하고 싶어 하는 공간이라고 할 수 있다.
④ '아츰'에도 화자는 자연을 즐기고 있으므로 긍정적인 시간이라고 할 수 있다.

창의·융합·코딩 전략 ① | 28~29쪽

01 ⑤ **02** ⑤ **03** ⑤

01~03

가 김인겸, 〈일동장유가〉

- 갈래 기행 가사
- 주제 일본의 풍속과 문화에 대한 견문과 감상
- 표현상의 특징
① 일본의 풍속에 대한 사실적 묘사가 나타남.
② 대구법, 직유법 등 다양하고 참신한 표현법을 사용함.
- 감상 포인트

객관적 사실	주관적 감상
여정과 일본의 문물, 풍속	일본에 대한 평가

↓

여행 중에 겪은 사건을 기록하고, 자신의 감상과 비평을 서술하여 기행 문학의 묘미를 살림.

나 박제가, 〈시장과 우물〉

- 갈래 고전 수필
- 주제 중국과 우리나라의 시장 비교와 유통의 중요성
- 서술상의 특징
① 중국과 우리나라의 상황을 비교하여 설명함.
② 비유적 표현을 사용하여 자신의 주장을 펼침.
- 감상 포인트

우리나라	대조	중국
종로 네거리의 시장 점포가 1리가 채 되지 않음.	↔	시골 마을에도 점포가 몇 리에 걸쳐 있음.

↓

물자의 유통 여부에 따른 결과, 물자 유통의 중요성 강조

01 작품 간의 공통점과 차이점 파악

(가)는 '산형이 웅장하고'에서 화자의 감탄이 드러나지만 문화를 숭상하는 모습은 드러나지 않는다. (나)에서는 연경의 상점에서 물자의 유통이 원활한 것을 보고 물자 유통의 중요성을 강조하고 있지만 문화를 숭상하는 태도는 두드러지지 않는다. 그러므로 (가)와 (나) 모두 다른 나라 문화를 숭상하며 자국 상황을 비판하고 있다는 진술은 적절하지 않다.

오답 잡기

① (가)에서는 '실상사', '왜성' 등의 여정이, (나)에서는 '연경'이라는 서술에서 여정이 드러난다.

② (가)와 (나) 모두 대상에 대한 상세한 서술에서 실제의 경험임을 추론할 수 있다.

③ (가)는 '왜성'이라는 구체적 지명에서 일본 기행 기록임을 알 수 있다.

④ (나)는 '연경'이나 '중국'이라는 진술에서 중국 기행 기록임이 드러난다.

02 세부 내용의 이해

전승산이 은자로 준 글 값을 화자가 '의에 크게 가하지 않아 / 못 받고 도로 주니'라고 거절하는 것에서 좋은 구경에는 값을 치르는 것이 일반적인 예법이라는 진술은 적절하지 않음을 알 수 있다.

오답 잡기

① '전승산이 글 쓰는 양 바라보고'에서 전승산이 화자의 글 쓰는 모양을 보고 이로부터 두 사람의 필담이 시작된 것을 알 수 있다.

② '퇴석 선생 / 쉬 짓기가 유명터니'에서 전승산이 화자의 명성을 익히 알고 있었음이 드러난다.

③ 전승산이 '장한 구경'을 하여 '저녁에 죽사와도 여한이 없다'한 것에서 감격을 표현하고 있음을 알 수 있다.

④ 화자가 자신의 글을 '늙고 병든 둔한 글'이라고 표현한 것이나 전승산이 자신을 '소국의 천한 선비'로 표현한 것에서 겸양을 바탕으로 예의를 갖추고 있음이 드러난다.

03 외적 준거에 따른 작품 감상

'말단의 이익만을 숭상한다'는 것은 상업을 경시하는 우리나라의 인식을 드러낸 것이다.

오답 잡기

① (나)의 앞부분에서 연경의 아홉 개 성문 안팎으로 뻗은 수십 리 거리를 자세하게 진술할 수 있었던 것은 글쓴이가 〈보기〉에서 진술한 것처럼 그때그때 적었기 때문에 가능했다고 추론할 수 있다.

② 〈보기〉에서 글쓴이는 우리나라에서 시행했을 때의 이익과 손해에 대해 설명하겠다고 하였으므로 연경 거리의 모습은 글쓴이가 우리나라에 시행할 만한 것이어서 관심을 가졌다고 추측해 볼 수 있다.

③ '쓸모없는'과 '쓸모 있는'은 손해나 이로움과 관련이 있는 표현이며, 〈보기〉에서 언급된 것과 맥락이 유사하다.

④ '고갈'은 손해와 관련이 있다.

창의·융합·코딩 전략 ② | 30~31쪽

04 ⑤ **05** ① **06** ③ **07** ③

04~07

가 화전가의 서술 특성과 주제적 의미

● 해제 19세기 규방 가사 중 하나인 '화전가'의 전반적인 특성을 소개하고 그중에서도 독특한 서사 구조를 지닌 〈덴동 어미 화전가〉의 의미와 서술 특성, 의의 등에 대해 설명하는 글이다.

● 주제 화전가의 일반적인 특성과 〈덴동 어미 화전가〉의 특성

● 구성

처음	규방 가사 중 하나인 화전가의 특성 소개
중간	화전가의 일반적인 흐름을 보여 주는 예
끝	독특한 구성으로 주목을 받는 〈덴동 어미 화전가〉

나 작자 미상, 〈덴동 어미 화전가〉

● 갈래 규방 가사, 화전 가사

● 주제 덴동 어미의 기구한 인생 역정

● 표현상의 특징

① 대화적 구성을 통해 주제 의식을 드러냄.

② 4음보, 유사한 구절의 반복 등을 통해 운율감을 형성함.

● 감상 포인트

도입	덴동 어미를 비롯한 여성들이 봄에 화전놀이를 떠남.
중심 이야기	청춘과부의 신세 한탄을 듣고 덴동 어미가 자신의 경험담을 이야기하며 충고를 함.
마무리	화전놀이를 즐긴 여성들이 내년을 기약하며 마무리함.

04 세부 내용의 이해

화전가는 주로 부녀자들이 화전놀이를 하며 지었으나 남편이 지어 준 글을 가져오기도 했다는 점으로 미루어 남성도 화전가의 창작이 가능했다는 것을 알 수 있다.

오답 잡기

① 화전가는 대체로 인근 산천에서 봄을 즐기며 지은 것으로, 현장에서 창작하기도 했다는 것을 확인할 수 있다.

④ 화전가는 삼월 삼짇날, 청명절 등에 화전놀이를 하면서 지었으며, 일반적으로 화전놀이의 여러 과정이 제시되었다는 것을 확인할 수 있다.

05 구성의 특징 파악

[A]는 화전가의 특징을 잘 보여 주는 대목으로, 화전가 구성의 앞부분에 해당한다. [A]의 '방춘삼월 ~ 춤을 춘다'는 (가)에 제시된 '봄의 찬미'와 관련되며 봄을 맞이하여 떠오르는 흥취를 드러내는 부분이므로 ⓐ의 내용을 확인할 수 있다. [A]의 '갑자을축 ~ 합당하다'를 보면 여러 날 중에서 화전놀이를 행할 날을 택했음을 알 수 있으므로 ⓑ의 내용을 확인할 수 있다.

오답 잡기

ⓒ, ⓓ 경비를 어떻게 거두기로 했는지 논의한 내용은 [A]에서 확인할 수 없으며, [A]는 화전놀이가 행해지기 이전의 내용이므로 화전놀이 후 다시 만나기로 약속한 부분은 확인할 수 없다.

06 세부 내용의 이해

(나)에서 청춘과부는 수심에 차 앉아서 슬피 울고 있다. 이에 덴동 어미는 청춘과부에게 깨달음을 주어 슬픔에서 벗어나 화전놀이를 즐기도록 하고 있다. 따라서 덴동 어미가 청춘과부에게 생명력을 불어넣는 역할을 한다고 볼 수 있다.

오답 잡기

② 이미 덴동 어미와 그 일행은 화전놀이를 하고 있으므로 화전놀이를 떠날 채비를 하고 있다는 이해는 적절하지 않다.

⑤ 덴동 어미의 충고를 들은 청춘과부는 깨달음을 얻어 인식을 바꾸게 된다. 하지만 이를 가난이 사람을 성숙하게 만드는 것으로 믿게 되었다는 것으로는 보기 어렵다.

07 표현상의 특징 파악

〈보기〉에서는 '청산', '유수'라는 자연물에 빗대어 변함없이 학문 수양에 힘쓰겠다는 화자의 의지가 드러나 있다.

오답 잡기

① [B]에서는 대체로 동적인 분위기를 만들어 내고 있으므로 정적인 분위기라는 설명은 적절하지 않다.

② [B]에서는 대화가 아니라 인물의 독백이 나타나고 있다.

④ 〈보기〉에서는 의문형 어구가 나타나지만, 이를 통해 심리적 갈등을 드러내는 것은 아니다.

⑤ [B]와 〈보기〉 모두에서 반어적 표현을 찾아볼 수 없다.

보기 돋보기

이황, 〈도산십이곡〉

갈래: 연시조

주제: 자연 친화적 삶의 추구와 학문 수양에의 의지

해제: 작가가 고향으로 돌아가 도산 서원을 세우고 후진을 양성할 때, 자연 친화적 삶을 추구하고 학문을 수양하고자 하는 심경을 노래한 작품이다. 전 6곡(前六曲)에는 자연에 묻혀 사는 화자의 감정이 나타나 있고, 후 6곡(後六曲)에는 학문 수양의 의지가 담겨 있다.

후편

WEEK

2 고전 소설

DAY

1 개념 돌파 전략 ①

34~37쪽

01 ㉠: 비정상적인 출생, ㉡: 조력자의 도움 02 ③ 03 ○ 04 판소리계 소설, 운문체 05 서술자의 개입 06 (1) 영웅·군담 소설 (2) 환몽 소설 (3) 전기 소설 07 × 08 (1) ○ (2) × 09 ② 10 ○ 11 창, 아니리 12 해학 13 × 14 의인화

DAY

1 개념 돌파 전략 ②

38~39쪽

01 ⑤ 02 ③ 03 ⑤ 04 ③

01 고전 소설의 개념 확인

〈보기〉는 고전 소설에 주로 등장하는 인물 유형으로 재자가인형 인물에 대한 설명이다.

오답 잡기

① 특정 계층을 대변하는 전형적 인물과 달리 특정 시대, 특정 계층이나 집단과 관계없이 자신만의 독자적인 성격을 뚜렷하게 드러내는 인물을 개성적 인물이라고 한다.

② 평면적 인물과 달리 사건 전개에 따라 성격이 변화하는 인물 유형을 입체적 인물이라고 한다.

③ 인물의 성격이 소설의 처음부터 끝까지 변하지 않는 인물을 평면적 인물이라고 한다.

④ 인간의 세계를 뛰어넘는 능력을 지닌 인물 유형을 초월적 인물이라고 한다. 하늘의 선녀, 용궁의 용왕 등이 있다.

작자 미상, 〈금방울전〉

- 갈래 전기 소설, 영웅 소설, 도술 소설
- 주제 금방울과 해룡의 고난 극복
- 서술상의 특징

① '해룡'과 '금령'의 상호 협력을 통해 영웅성이 발휘됨.

② '여성 영웅'을 통해 당대 여성 독자들에게 위안을 주려는 의도가 반영됨.

③ 공간적으로 현실계와 비현실계, 내용적으로 고난과 행복의 순환에 의해 사건이 전개됨.

- 구성

발단	동해 용왕의 아들과 남해 용왕의 딸이 혼인하고 신행길에 나섰다가 요괴의 공격을 받아 용녀는 죽고 용자는 장원 부인의 몸속으로 몸을 피함.
전개	용자는 장원의 아들 해룡으로, 용녀는 과부 막씨에게서 금방울로 태어남. 금방울은 각종 재주로 온갖 어려움을 극복함.
위기	장원의 부인이 병을 얻었을 때 금방울이 부인의 생명을 구해 준 일로, 장원 부부와 막씨는 형제의 연을 맺고 금방울은 두 집안을 오가며 총애를 얻음. 해룡은 여러 번 죽을 고비를 맞았으나 그때마다 금방울의 도움을 얻어 살아남.
절정	금선 공주가 지하국에 사는 요괴에게 납치되고, 해룡은 금방울의 도움을 받아 금선 공주를 구하고 공주와 혼인함. 금방울은 액운이 다해 허물을 벗고 절세미인이 됨.
결말	황제는 금방울을 양녀로 삼아 금령 공주라 칭하고, 해룡과 혼인시킴. 해룡은 두 부인을 거느리고 부귀공명을 누리다가 금선 공주가 죽은 후에 금방울과 함께 하늘로 올라가 신선이 됨.

- 감상 포인트

공간의 이동

비현실계	현실계	비현실계	현실계	비현실계
동해 용왕, 남해 용왕의 공간	'해룡'과 '금령'으로 환생한 인간계	요괴가 사는 지하계	황제의 딸과 혼인한 인간계	신선의 공간

02 서술상의 특징 파악

이 작품은 사건의 전개 과정에서 짐승이 나타나 악귀로 변해 구슬을 삼키는 등 비현실적인 요소가 등장한다. 이렇게 고전 소설은 비현실적인 일을 바탕으로 서사가 전개되는 경우가 많은데, 이를 고전 소설 특유의 전기성이라 한다.

오답 잡기

① 이 작품은 시간의 흐름에 따라 서술되고 있을 뿐 과거와 현재가 교차되고 있지 않다.

② 이 작품의 제시된 부분에서 서술자가 등장인물에 대해 논평하는 부분은 확인할 수 없다.

④ 요약적 진술은 제시된 장면에 나타나지 않는다.

⑤ 이 작품은 서술자의 시점 교체가 이루어지지 않는다.

개념 더 보기

고전 소설의 용어

고전 소설에서 화제를 돌려 다른 줄거리로 접어들 때 사용하는 표현이 있다.

화설	이야기를 시작할 때 쓰는 말
차설/각설	화제를 돌려 다른 이야기를 꺼낼 때, 앞서 이야기하던 내용을 그만둔다는 뜻으로 다음 이야기의 첫머리에 쓰는 말

신광한, 〈하생기우전〉

- 갈래 전기 소설, 명혼 소설, 애정 소설
- 주제 혼사 장애의 극복을 통한 애정의 성취와 입신 현달의 성취 과정
- 서술상의 특징

① 주인공이 혼인과 출세라는 두 가지 욕망을 실현하는 과정이 드러남.
② 유가적 세계관을 반영함.
③ 현실에 대한 비판적 인식이 드러남.

- 구성

발단	용모가 준수하고 행실이 좋아 고을의 많은 이들로부터 칭송을 받은 하생은 고을 수령에게 뽑혀 태학에 갔으나 조정이 어지러운 탓에 등용되지 못함.
전개	하생은 여인을 만나 운우지정을 나누나, 여인은 자신이 귀신이라는 사실을 밝히고, 다시 소생할 수 있는 방안을 하생에게 알려 줌.
위기	하생은 여인의 무덤을 도둑질했다는 오해를 받아 여인의 부모와 만나게 되니, 오해를 풀고 여인의 무덤을 파헤치니 여인이 소생함.
절정	신분이 맞지 않고 일이 미덥지 않다는 이유로, 여인의 부모가 혼인을 반대하지만, 여인이 식음을 폐하고 대죄하여 부모를 설득함.
결말	하생이 여인과 부부가 되어 사십여 년을 함께 살며 하생의 벼슬은 상서령까지 이름. 두 아들 모두 세상에 이름을 드러냄.

- 감상 포인트

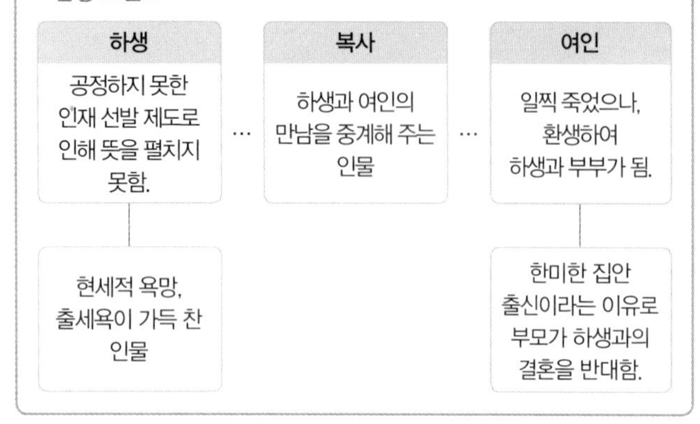

03 소재의 기능과 역할 파악

하생은 여인으로부터 받은 금척을 통해 여인의 부모를 만나게 되었다.

오답 잡기

① 하생과 여인이 대립하고 갈등하는 내용은 제시되어 있지 않다.
② 이 작품의 제시된 부분에서 하생의 내면 심리가 전환되고 있지 않다.
③ 시중이 자신의 잘못을 뉘우치는 내용은 제시되어 있지 않다.
④ 하생이 금척을 통해 여인과의 사랑을 추억하는 내용은 제시되어 있지 않다.

작자 미상, 〈춘향전〉

- 갈래 판소리계 소설, 염정 소설
- 주제 ① 신분을 초월한 남녀 간의 사랑
  ② 불의한 지배 계층에 대한 서민의 항거
  ③ 신분적 갈등의 극복을 통한 인간 해방
- 서술상의 특징

① 해학과 풍자에 의한 골계미가 드러남.
② 서술자의 편집자적 논평이 자주 드러남.
③ 판소리의 영향으로 운문체와 산문체가 혼합되어 사용됨.

- 구성

발단	이몽룡은 춘향의 자태에 첫눈에 반하고, 춘향과 백년가약을 맺지만 곧 아버지를 따라 한양으로 떠남.
전개	사또로 새로 부임한 변학도는 춘향에게 수청을 강요하고, 이를 거절한 춘향은 옥에 갇힘.
위기	이몽룡이 어사가 되어 남원으로 돌아옴. 춘향의 소식을 들은 이몽룡은 자신의 신분을 걸인으로 위장한 채 춘향을 만남.
절정	변학도의 생일잔치에 찾아간 이몽룡은 암행어사로 출두하고, 변학도를 봉고파직함.
결말	옥에서 풀려난 춘향은 이몽룡을 따라 서울로 올라가고, 두 사람은 백년해로함.

- 감상 포인트

갈등의 주체	갈등 양상	당시 사회상
춘향과 사회	신분적 제약과 신분 상승에 대한 욕구	신분의 차이가 있는 남녀의 사랑은 공인받기가 어려움.
춘향과 변학도	수청 요구와 수절	권력자가 선한 백성을 핍박함.
이몽룡과 변학도	탐관오리의 횡포와 암행어사의 징벌	악한 권력자는 영화를 누리고 선량한 백성은 생활고에 시달림.

04 서술상의 특징 파악

'운봉의 갈비를 가리키며, / 갈비 한 대 먹고지고'에서 신체의 일부인 갈비와 음식인 갈비가 동음이의어인 것을 이용한 언어유희적 표현이 활용된 것을 확인할 수 있다.

오답 잡기

① 운봉과 몽룡 사이의 대화가 제시되긴 하지만 인물 간의 갈등이 고조되는 양상은 표출되지 않는다.
② 자연물을 이용해 인물의 감정을 드러낸 부분은 확인할 수 없다.
④ 율문투가 활용되긴 하지만 이를 통해 비극적 분위기가 고조되는 것은 아니다.
⑤ 제시된 부분에서는 고사가 활용되고 있지 않으므로, 이를 통해 인물이 처한 상황이 형상화되고 있다는 설명은 적절하지 않다.

DAY

2 필수 체크 전략 ① | 40~41쪽

1 ① 1-1 ① 2 ⑤ 2-1 ③

대표 유형 1 대표 유형 2

작자 미상, 〈권익중전〉

- 갈래 국문 소설, 적강 소설, 영웅 소설, 군담 소설, 재생 소설
- 주제 고난을 극복하고 사랑을 성취하는 영웅의 일대기
- 서술상의 특징

① 대화를 통해 인물의 정서를 드러냄.
② 도선적(道仙的) 신비주의를 바탕으로 함.
③ 초현실적인 요소가 두드러지게 나타남.

- 구성

구성	내용
발단	명나라 권 승상이 나이 40에 아들 익중을 얻음. 익중은 이 승상의 딸을 만나 사랑에 빠짐.
전개	승상 옥낭목이 이 승상의 딸을 맘에 두어 며느리를 삼고자 황제를 움직여 약혼을 성립시키고, 이에 이 낭자는 자결하여 선녀가 됨.
위기	권익중은 가짜 허수아비로 인해 쫓겨나 동정호로 가고 그곳에서 죽은 이 낭자를 만나 부부의 정을 나눔. 이 낭자의 청에 따라 5년 후 아들 권선동을 데리고 집에 돌아감.
절정	권익중이 이 낭자와 혼인을 한 사실이 알려지자 황명을 어긴 죄로 투옥되고, 권선동은 17세가 되자 부모의 원수를 갚음.
결말	원수를 갚은 권선동은 부친, 모친과 함께 행복한 삶을 누림.

- 감상 포인트

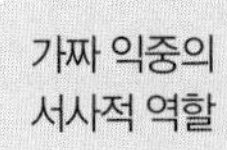

가짜 익중의 서사적 역할 → 진짜 익중으로 하여금 집에서 쫓겨나와 동정호로 향하게 되는 계기를 마련함. 익중은 동정호에서 이 낭자와 재회하게 됨.

1 서술상의 특징 파악

'낭자가 일어나 앉아 촛불을 밝히고 약 세 봉지를 주며 말하기를 ~ "낭군님은 지나치게 슬퍼하지 마시고 때를 기다리옵소서. 천명을 어이 거역하오리까?".'에서 권익중과 이 낭자의 대화를 통해 이 낭자와 다시 이별해야 하는 상황을 맞아 놀라고 슬퍼하는 익중의 정서를 드러내고 있다.

오답 잡기

② 이 작품에서는 익중과 우인, 익중과 가족 간의 갈등이 나타나는데, 이를 통해 주인공 익중의 업적이 아닌 고난이 드러나고 있다.
③ 이 작품에서 구체적 시대 상황은 제시되어 있지 않다.
④ 이 작품은 시간의 흐름에 따라 사건의 전개되고 있다. 동시에 일어난 두 사건을 교차하고 있지 않다.
⑤ 이 작품에서 공간적 배경을 묘사하는 부분은 나타나지 않는다.

1-1 서술상의 특징 파악

이 작품의 제시된 장면에서 언어유희적 표현을 사용한 부분은 확인할 수 없다.

오답 잡기

② 옥황상제가 만들어 보낸 우인으로 인해 익중과 가족 간의 갈등을 유발하고 있다.
③ 익중과 이 낭자의 대화를 통해 향후 일이 제시되고 있다.
④ '산골 물이 콸콸 소리 내며 흘러가듯 두들겨 때렸다.'를 통해 비유적 표현이 활용되고 있음을 알 수 있다.
⑤ 작품 밖의 서술자에 의해 기술되고 있는 작품이다.

2 인물의 성격 및 태도 파악

'위 낭자가 익중인 줄 여겨 반겨하고 서촉 안부를 물으니, 우인이 대강 대답하고'라고 했다. 따라서 위 낭자가 안부를 묻는 말에 대한 우인의 대답 때문에 우인을 반겼다는 진술은 적절하지 않다.

오답 잡기

① '승상은 부인을 붙들고 기가 막혀 묵묵히 말없이 앉아 있을 따름이라. 익중이 들어오니 난형난제되어 어느 것이 참 익중이며 어느 것이 거짓 익중인지 알기 어려웠다.'라고 했으므로 적절하다.
② 승상의 부인이 '어젯밤에 여차여차한 꿈을 꾸었더니 과연 그대로이구나.'와 '먼저 온 것이 참 익중이 분명하고 나중 온 것이 귀신이 분명하다.'라고 했으므로 적절하다.
③ '권생이 며칠을 돌아다니다가 집으로 돌아와 대문 안에 들어서니, 당상에 어떤 한 사람이 앉았다 일어났다 하며 화를 내는 것이었다. 익중이 이를 보고'라고 했으므로 적절하다.
④ 하인은 진짜 익중을 가짜라고 생각한 승상 부인의 명에 따라 진짜 익중을 대문 밖으로 쫓고, 온갖 고초를 행했다고 했으므로 적절하다.

2-1 인물의 성격 및 태도 파악

앞부분의 줄거리에서 '옥황상제는 익중의 자태와 얼굴이 같은 허수아비를 만들어 익중의 집으로 보낸다.'라고 하였고, 중략 이후 이 낭자의 대사에서 '천상옥황께서 허수아비를 보내었으니'라고 하였다. 따라서 우인이 익중의 모습을 하고 익중의 집에 들어앉은 것은 옥황상제의 명에 의한 것임을 알 수 있다.

오답 잡기

① 익중이 자신을 몰라보는 위 부인에 실망했다는 내용은 확인할 수 없다.
② 이 낭자는 익중에게 가짜 익중(허수아비)을 없앨 약을 주었고, '오년이 지나 이곳에 와서 오늘 밤 복중에 들어 때가 찬 아이를 데려가옵소서.'라고 하며 오 년 후에 아이를 만날 사건을 예고하였다.
④ 익중은 우인이 자신을 대신할 것을 알고 우인보다 먼저 집으로 향한 것이 아니다.
⑤ 이 낭자가 익중에게 서운한 감정을 보이는 장면은 제시되어 있지 않다.

DAY

2 필수 체크 전략 ② | 42~45쪽

01 ⑤	02 ②	03 ⑤	04 ⑤
05 ⑤	06 ④	07 ④	08 ②

01~04

작자 미상, 〈조웅전〉

- 갈래 국문 소설, 영웅 소설, 군담 소설
- 주제 역적을 물리치고 나라를 구한 조웅의 영웅적 행적
- 서술상의 특징

① 영웅의 무용담과 결연담으로 구성됨.
② 유교, 불교, 도교 사상의 영향을 받음.

- 구성

발단	중국 송나라 문제(文帝) 때 승상 조정인이 이두병의 참소를 받고 음독자살하자, 조웅 모자는 이두병을 피해 도망침.
전개	천자가 세상을 떠나자, 이두병은 어린 태자를 계량도로 유배 보내고 스스로 천자가 됨. 조웅 모자는 온갖 고생을 하며 유랑하다가 월경 대사를 만나 강선암에 들어가 살게 됨. 조웅은 강선암을 떠나 화산 대사로부터 삼척검을 얻고, 철관 대사에게서 무술과 도술을 배운 뒤 용마를 얻음.
위기	조웅은 어머니를 만나러 강선암으로 가던 중 장 소저를 만나 혼인을 약속함. 이때, 서번이 위국을 침공하므로 조웅은 위국으로 달려가서 위왕을 도와 서번군을 격파하고, 태자를 구출하여 중국으로 와서 이두병 일파를 처단함.
절정	조웅은 위왕과 연합하여 수십 만 대군으로 황성을 쳐서 이두병의 목을 베고, 태자를 천자의 자리에 등극시킴.
결말	황실은 다시 회복되고 조웅은 서번의 왕이 됨.

- 감상 포인트

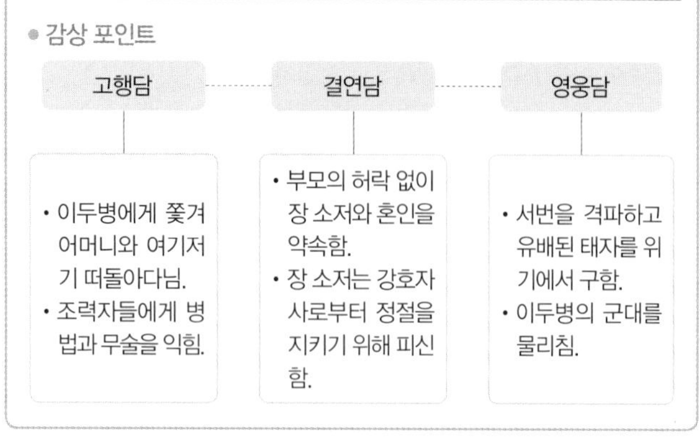

01 서술상의 특징 파악

'부인이 하늘에 축수하며 애걸하되, 선약이 없으니 누가 살려 내리오.'에서 작품 밖 서술자가 작중 상황에 대한 자신의 생각을 드러내고 있음을 알 수 있다.

오답 잡기

① 이 작품의 제시된 장면에서 꿈과 현실이 교차되어 나타나는 부분은 드러나지 않는다.
② 이 작품의 제시된 장면에서 인물의 외양이 묘사된 장면은 찾아볼 수 없다.
③ 이 작품의 제시된 장면에서 시공간적 배경이 사실적으로 묘사되고 있지 않다.
④ 대화가 제시되어 있긴 하지만 이를 통해 갈등이 고조되는 것은 아니다.

02 인물의 성격 및 태도 파악

도사가 조웅에게 무예와 병법을 가르쳐 준 것은 맞지만 이는 월경 대사의 부탁을 받고 그렇게 한 것이 아니다.

오답 잡기

① 조웅의 어머니인 부인은 '네 회환이 더딜진대'라며 조웅이 다시 돌아옴이 더딜 것을 염려하고 있다.
③ 도사는 조웅에게 "그대의 거동을 보니 전과 다른지라, 분명 배필을 정한가 싶으니 기쁘도다."라고 말하고 있다.
④ '장 소저는 조 공자를 보내고 종적을 모르매 일로 병이 되어 눕고 일어나지 못'했다는 내용을 통해 확인할 수 있다.
⑤ 위 부인은 조웅이 왔음을 알리는 시비의 말을 듣고 울기를 그치고 반가워하며 객실을 깨끗이 청소하고 대접하라는 명을 내린다.

03 공간적 배경의 이해

조웅은 장 진사 댁(ⓒ)에서 장 소저와 인연을 맺은 일을 부끄러워할 뿐 이에 대해 도사에게 죄책감을 느끼는 것은 아니다.

오답 잡기

① 조웅은 어머니께 '강선암으로 올 적에 선생께 기약을 정하고 왔'다고 말하고 있고, '관산에 이르니, 이전에 보던 산천이 모두 반기는 듯하더라.'라고 밝히고 있다. 따라서 조웅은 어머니가 계신 강선암(ⓐ)에 오기 전에 관산(ⓑ)을 들린 적이 있음을 알 수 있다. 또한 조웅이 장 진사 댁(ⓒ)에 갔을 때 시비와 위 부인의 반응에서 조웅이 이전에 장 진사 댁에 방문한 적이 있었음을 알 수 있다.
② 조웅의 거처를 어디서 찾을 수 있나는 부인의 걱정에 대해 월경 대사는 자신이 조웅의 거처를 알고 있다는 말로 그 걱정을 덜어 주고 있다.
③ 관산의 도사는 장 소저가 중한 병에 걸려 있음을 내다보고 이를 고칠 수 있는 환약을 조웅에게 준다.
④ 조웅은 관산에서 도사로부터 신통한 술법과 병법을 배우게 된다. 도사는 조웅에게 '대국이 네 손에 회복될 것'이라고 밝히는데, 이를 통해 관산이 조웅에게 영웅적 능력을 기르는 공간이라는 것을 알 수 있다.

04 외적 준거에 따른 작품 감상

제시된 글은 영웅 군담 소설의 일반적인 특징과 〈조웅전〉을 비교하고, 〈조웅전〉이 다른 작품과 다른 점을 제시하고 있다. 이 작품에서 장 소저는 조웅이 떠난 후 조웅을 잊지 못하고 병에 걸리게 된다. 여기서 장 소저가 관습적인 혼례의 틀을 깨뜨리는 것에 거부감을 가지고 있다는 태도는 드러나지 않는다.

오답 잡기

① 조웅의 어머니는 "만일 대사가 아니면 객지에서 어찌 우리 모자가 서로 의지하리오?"라고 말하고 있다. 이를 통해 조웅 모자가 겪었던 고통과 고난의 정도를 짐작할 수 있다.
② 조웅은 관산에서 도사가 가르친 육도삼략을 한 번 보면 잊지 않는 모습을 보이는데, 이는 후일 진정한 영웅의 모습으로 태어날 수 있는 자질에 해당한다.
③ 조웅의 어머니를 보살피는 월경 대사와 관산에서 조웅을 가르치는 도사는 조력자의 역할을 하고 있음을 알 수 있다.
④ 일반적인 영웅 군담 소설과 달리 장 소저를 구하는 장면에서 조웅은 영웅적 활약을 하고 있지 않다. 이는 초월적 힘을 지닌 주인공의 능력이 크게 부각되지 않는 이 작품의 특징과 관련이 깊다고 볼 수 있다.

05~08

작자 미상, 〈윤지경전〉

- 갈래 애정 소설
- 주제 권세에 흔들리지 않는 지경과 연화의 사랑
- 서술상의 특징
① 실존 역사에서 제재를 취하여 사실과 허구를 적절히 배치함.
② 남녀의 사랑을 소재로 하여 당시 정치 상황을 비판함.
- 구성

발단	재상 윤현의 셋째 아들 지경은 전염병을 피해 종매부 최 참판의 집으로 갔다가 참판의 딸 연화와 사랑에 빠짐.
전개	지경은 장원 급제를 하고, 연화와 혼례식을 하려고 하나 경빈 박씨의 차녀 연성 옹주의 부마로 간택됨. 지경은 부당함을 강변하나 임금의 뜻을 끝내 거절하지 못하고 옹주와 혼인함.
위기	지경은 옹주와 혼인한 뒤에도 옹주를 박해하며 연화와의 만남을 이어 감. 이로 인해 지경은 임금의 분노를 사게 되고 유배를 가게 됨.
절정	몇 년 뒤 세자를 저주한 사건이 일어나, 이 사건의 주범으로 지목된 경빈 박씨가 처형당함. 임금은 지경을 불러들여 벼슬을 제수함.
결말	지경은 옹주를 다시 맞아 극진히 대하고, 옹주와 연화는 친동기처럼 화목하게 됨.

- 감상 포인트

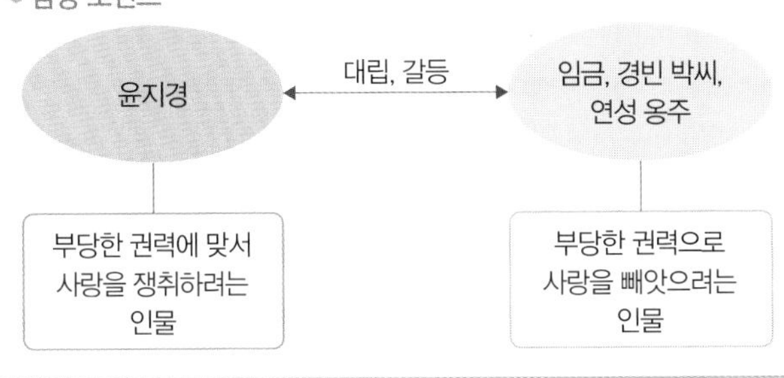

05 서술상의 특징 파악

제시된 장면에 등장하는 인물들은 모두 평면적 성격의 인물로 사건 전개 과정에서 인물의 성격 변화 양상이 드러나지 않는다.

오답 잡기

① 지경이 옹주에게 황영의 고사를 인용하여 말하는 부분에서 확인할 수 있다.
② 지경과 연화 낭자 가족들 간의 대화, 지경과 옹주와의 대화를 통해 인물들의 성격이 드러나 있다.
③ '산 사람을 동여 두지 못하고, 날마다 최씨에게 가니 옹주 어찌 모르리오.'에서 서술자의 개입이 활용되고 있다.
④ 지경과 최 참판, 지경과 옹주와의 갈등이 작품의 표면에 드러나 있다.

개념 더 보기

고사의 활용
고사는 '옛이야기'라는 뜻으로 주로 고대 중국에서 전해져 온 이야기를 말한다. 고사를 활용하여 표현할 때는 독자가 해당 이야기를 알고 있다고 판단하여 그 이야기에 등장하는 인물의 이름을 언급하는 형태로 나타나는 경우가 많다. 고사성어는 이러한 고사에서 유래한 한자로 이루어진 말을 의미한다. 고사와 고사성어 모두 옛이야기와 관련되지만, 고사성어는 그 이야기를 한자로 축약하여 표현한 것이다.

06 사건과 갈등의 전개 양상 파악

지경(ⓐ)은 옹주의 어머니인 경빈 박씨(ⓒ)에 대한 분노와 적개심을 표출하고 있는데, 이는 옹주(ⓑ)에 대한 지경의 쌀쌀맞은 태도로 이어지고 있음을 알 수 있다.

오답 잡기

① 옹주는 자신의 불행한 결혼 생활에 대해 지경과 연화, 최홍일을 탓하고 있을 뿐 어머니인 박씨를 원망하고 있지 않다.
② 자신과 결혼한 지경이 연화를 계속 만나고 있는 사실을 알고 분노하는 것은 옹주와 경빈 박씨이다. 지경의 아버지인 윤현과 연화의 아버지인 최홍일이 분노를 표출한다는 설명은 적절하지 않다.
③ 옹주는 남편인 지경이 옛 연인인 연화를 계속 만나는 것에 대해 간접적으로 연화의 아버지인 최홍일을 비난하고 있지만, 연화와 최홍일이 공모하여 자신과 지경을 속이고 있다고 생각하고 있는 것은 아니다.
⑤ 지경은 황영의 고사를 이야기하면서 자신이 연화를 잊지 못하고 만나는 것을 투기하지 말라는 이야기를 하고 있는 것이지, 옹주의 의견을 수용하여 연화와의 인연을 끊겠다는 의사를 전달한 것이 아니다.

07 소재의 기능과 역할 파악

월장을 해서라도 연화를 만나고 싶은 마음을 보여 준다는 측면에서 지경의 연화에 대한 애정과 사랑의 정도를 보여 준다고 할 수 있다(ㄴ). 또한 떳떳하게 낮에 만나는 것이 아니라 남들이 다 자는 시간에 담을 넘어서야 만날 수 있다는 점에서 이 둘의 만남이 다른 사람들로부터 인정을 받고 있지 못함을 알 수 있다(ㄹ).

오답 잡기

ㄱ. 지경은 '내 어찌 조강지처를 버리고 부귀를 탐하여 옹주와 화락하리오.'라고 하며 세속의 부귀영화에 큰 뜻이 없음을 드러내고 있다.

ㄷ. 지경이 부마로서 제대로 된 대접을 받지 못하기 때문에 월장하는 것이 아니라 연화에 대한 지극한 사랑을 포기하지 못하기 때문에 월장하는 것이다.

08 외적 준거에 따른 작품 감상

'부마에게 재취를 주어 주상과 첩을 업수이 여김이 심하뇨.'라는 말은 지경이 여전히 연화에 대한 마음을 거두지 못하는 상황의 책임을 최홍일에게 돌린 것으로 이 말에 당대의 일부다처제의 풍속에 대한 부정적 생각이 담겨 있다고 보는 것은 적절하지 않다.

오답 잡기

① 지경은 옹주와의 결혼 생활을 견딜 수 없다고 말하며 연화와의 인연을 이어 가겠다는 의지를 표출하고 있다.

③ 지경은 연화 낭자를 조강지처라 여기며 옹주를 연화 낭자와 자신의 사이를 가로막는 장애물로 여기고 있다.

④ 주상의 명으로 혼인을 하게 되었다는 것은 혼인 당사자 간의 의지로 혼례가 이루어지는 것이 아니라 가문간의 결정에 의해 혼례가 이루어졌던 당대의 풍속이 드러난 것이다.

⑤ '퇴혼'이라는 말은 정혼 상태에서 어느 한쪽의 뜻에 의해 혼인을 물린다는 의미를 담고 있으므로 주상의 말에는 정혼 상태만으로는 혼인이 이루어진 것이 아니라는 생각이 담겨 있다고 볼 수 있다.

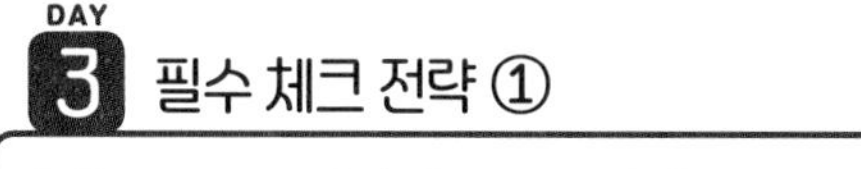

| 46~47쪽 |

3 ③　**3**-1 ②　**4** ④　**4**-1 ③

대표 유형 3 　대표 유형 4

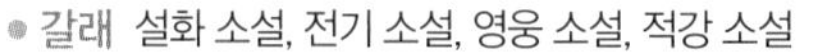

작자 미상, 〈최고운전〉

- 갈래 설화 소설, 전기 소설, 영웅 소설, 적강 소설
- 주제 ① 중국의 위협에 맞선 최치원의 비범한 능력
  ② 최치원의 일대기를 통한 우리 민족의 문화적 자긍심 고취
- 서술상의 특징
  ① 역사적 실존 인물을 주인공으로 하여 민족의 자긍심을 고취함.
  ② 비현실적 사건을 통해 인물의 비범함을 부각함.
- 구성

발단	금돼지에게 납치되었다가 돌아온 최충의 부인이 잉태하여 여섯 달 만에 최치원을 낳음. 최치원은 금돼지의 자식이라며 버려짐.
전개	최치원의 글 읽는 소리를 들은 중국 황제가 두 학사를 보내 실력을 겨루게 하지만 최치원을 당해 내지 못함.
위기	최치원은 나 승상의 딸을 아내로 삼는 것을 조건으로 중국 황제가 보낸 돌함 안의 물건을 알아맞히는 시를 지음.
절정	중국에 도착한 최치원은 황제의 간계를 물리치고 중원의 학자들과 문장을 겨루어 이김. 이때 황소의 난이 일어나는데 최치원이 격문을 지어 항복을 받아 내니 이를 시기한 신하들이 최치원을 유배 보냄.
결말	유배지에서의 위기를 극복한 최치원은 신라로 돌아와 가야산에 들어가 신선이 됨.

- 감상 포인트

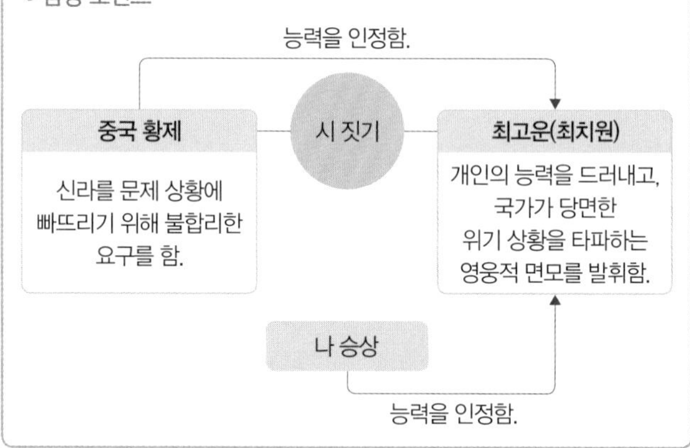

3 배경 및 소재의 기능 파악

아이는 돌함 속 물건을 알아내어 시를 지으면 관직을 높여 땅을 나누어 줄 것이라는 임금의 명령과, 나 승상의 딸아이가 아름답고 재예와 절개가 뛰어나다는 소문을 듣고 거울 장수로 가장하여 서울로 들어간다. 이후 나 승상 댁으로 간 아이는 나 승상 딸의 거울을 고의로 떨어뜨려 깨뜨린 뒤 이를 구실로 그 집의 노복이 된다. 이러한 행동은 아이가 나 승상 딸과의 혼인을 통해 승상 집안의 일원이 됨으로써 신분 상승을 이루고, 나아가 시를 지음으로써 자신의 능력을 입증하려는 의도에서 비롯된 것이라고 볼 수 있다. 따라서 거울은 아이가 나 승상의 사위가 되려는 내적 욕망을 실현하는 데 동원된 소재로 볼 수 있다.

오답 잡기

① 아이가 거울을 가지고 승상에게 직접 자신의 능력을 증명하는 것은 아니다.

② 거울은 고난과 관련이 없다.

④ 아이와 승상 간의 긴장감과 거울은 관련이 없다.

⑤ 이 작품에 아이가 승상 딸의 재예와 절개를 시험하는 장면은 제시되어 있지 않다.

3-1 배경 및 소재의 기능 파악

구리쇠를 녹여 함께 부어 열어 보지 못하게 했다는 내용이 제시되고 있으므로, 계란이 깨지지 않도록 보호하기 위한 물건이라는 설명은 적절하지 않다.

오답 잡기

① '중국 황제가 크게 화를 내어 신라를 침공하고자 하여'라고 제시하고 있으므로, 계란은 신라를 침공할 구실을 만들기 위해 돌함에 넣은 것이라 볼 수 있다.

③ 파경노가 말 먹이는 일을 할 때 청의동자가 도와주게 되는데 이를 통해 파경노가 비범한 존재임이 드러난다.

④ 꿈속에서 쌍룡이 상서로운 기운을 보이는 것은 치원이 문제를 해결할 것임을 암시하는 것이라 할 수 있다.

⑤ 알이 병아리로 부화한 것은 중국 황제가 예상하지 못한 일이라 할 수 있다.

4 외적 준거에 따른 작품 감상

㉣의 '시 짓기'를 통해 치원은 비범함을 발휘하여 황제가 제시한 문제를 해결하였음을 알 수 있다. 따라서 '시 짓기'를 통해 신분적 한계로 인한 울분을 직접적으로 토로하고 있다고 볼 수 없다.

오답 잡기

① ㉠에서 중국 황제는 '시 짓기'를 내세워 봉인된 함 속의 물건을 맞히라는 불합리한 요구를 한다. 서사 전개상 이를 통해 신라가 위기 상황에 당면하게 되었음을 알 수 있다.

② ㉡에서 중국 황제가 제시한 '시 짓기' 과제를 아무도 해결하지 못하여 신라 조정은 혼란에 빠진다. 이는 국가적 문제를 해결할 인재가 없는 신라의 상황을 드러내는 것으로 볼 수 있다.

③ ㉢에서 최치원이 시를 읊으면 신선의 시중을 든다는 청의동자가 나타나 말을 돌본다. 이는 초월적 존재의 등장과 맞물려 최치원의 비범함이 부각되는 것으로 볼 수 있다.

⑤ ㉤에서 승상이 자신의 사위가 쓴 것이라고 하며 치원의 시를 신라의 왕에게 바치자, 신라의 왕은 그 시를 중국 황제에게 바친다. 이는 치원의 '시 짓기' 능력이 승상과 왕에게 인정받았음을 보여 주는 동시에, 국가의 위기를 해결할 방법이 될 수 있음을 보여 준다.

4-1 외적 준거에 따른 작품 감상

파경노의 시를 왕에게 전하는 것은 임금의 명을 수행하기 위한 것이므로 세계의 부당한 횡포와는 관련이 없다. 이 작품에서 세계의 부당한 횡포는 약소국인 신라를 괴롭히고 위협하는 중국 황제의 부당한 요구라고 할 수 있다.

오답 잡기

① 말을 먹이고 훈련시키는 청의동자는 파경노를 돕는 조력자에 해당한다.

② 시를 짓지 않으면 침공한다고 하는 중국 황제의 위협은 신라의 존망을 결정하는 요인이 된다.

④ 중국 황제가 치원을 천하의 기재라고 말하는 것은 민족적 자긍심을 고취하려는 설정으로 이해할 수 있다.

⑤ 치원이 황제가 낸 문제를 해결하는 과정에서 치원의 영웅적 능력이 표출된다.

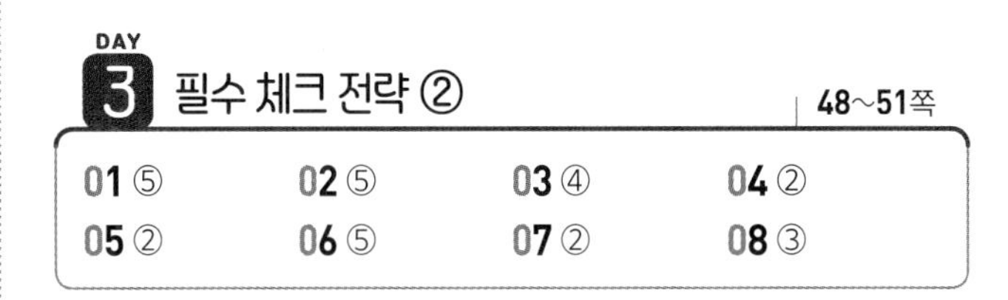

DAY 3 필수 체크 전략 ② 48~51쪽

01 ⑤	02 ⑤	03 ④	04 ②
05 ②	06 ⑤	07 ②	08 ③

01~04

작자 미상, 〈장풍운전〉

- 갈래 영웅 소설, 가정 소설
- 주제 장풍운에게 닥친 시련과 이의 극복
- 서술상의 특징

① 꿈이 서사의 전개에서 큰 역할을 함.

② 시간의 흐름과 공간의 이동에 따라 이야기가 전개됨.

- 구성

발단	이부 시랑 장회는 가달의 침략 때 장수로 나가게 되어 아내와 아들 풍운과 헤어짐.
전개	풍운은 통판 이운경의 집에서 양육되고, 풍운의 인물됨을 알아본 운경에 의해 그의 딸과 혼인을 하게 됨.
위기	운경이 죽은 후 운경의 후처 호씨의 박해가 심해지자 풍운은 경패의 동생을 데리고 집을 나서고, 경패 역시 호씨를 피해 집을 나서게 됨. 부친이 꿈에서 계시를 하여 경패는 여남 승당으로 가게 되고, 그곳에서 풍운의 모친을 만남.
절정	풍운은 과거 급제하여 한림학사가 되고 서번과 서달의 침략 때 영웅적 활약을 펼침.
결말	풍운은 전쟁을 승리로 이끈 후 헤어졌던 모친과 부친, 아내와 만나 행복하게 살게 됨.

- 감상 포인트

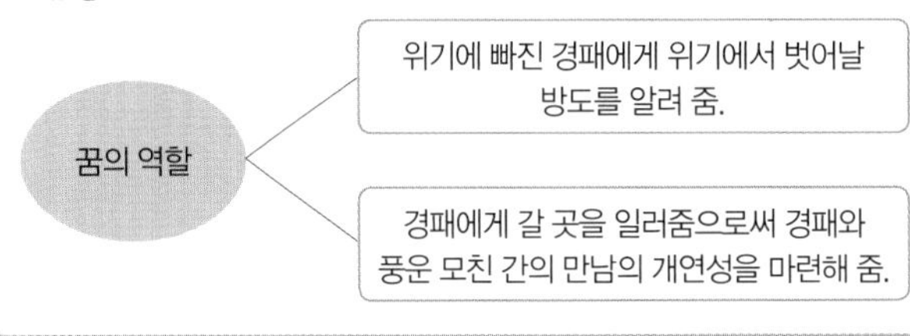

01 세부 내용 파악

풍운은 경패에게 옷을 맡기며 이 옷이 모친이 지은 옷이니 자신을 보는 것처럼 잘 간직하라는 부탁을 한다. 따라서 경패에게 맡긴 옷이 어머니가 지은 옷이라는 것을 모른다는 설명은 적절하지 않다.

오답 잡기

① 자란은 경패의 말을 따라 함께 집을 나서고 있다.

② 호씨는 경패를 다른 남자와 결혼시키려 하는데, 경패는 이를 모면하기 위해 집을 나섰다.

③ 풍운은 호씨의 패악이 심해지자 경패의 동생인 경운을 데리고 집을 나서게 된다. 이에 경패는 동생인 경운을 잘 보살펴 달라는 당부를 한다.

④ 풍운의 어머니인 계원은 어릴 때 헤어진 자신의 아들을 만나지 못하고 있음을 알 수 있다.

02 소재의 기능과 역할 파악

경패는 반지와 금비녀(ⓐ)를 팔아 마련한 돈을 풍운에게 주며 행장에 보태게 한다. 따라서 이는 풍운에 대한 경패의 사랑을 보여 주는 소재라 볼 수 있다. 그리고 경패는 꿈속 계시에 따라 호씨를 피해 승당으로 달아난다. 따라서 비몽(ⓑ)은 경패에게 닥칠 위험에서 벗어날 방도를 알려 주는 역할을 함을 알 수 있다.

오답 잡기

① 인물이 처한 상황의 긴박감을 부각하는 것은 반지와 금비녀(ⓐ)가 아니라 비몽(ⓑ)이다.

② 비몽(ⓑ)은 경패가 닥친 갈등 상황에서 피할 수 있는 실마리가 되어 준다. 따라서 인물과 인물 간의 갈등을 부각하는 역할을 한다는 설명은 적절하지 않다.

③ 반지와 금비녀(ⓐ)나 비몽(ⓑ)은 모두 경패와 풍운의 재회에 있어서 역할을 하지 않는다.

④ 반지와 금비녀(ⓐ)로 인해 상대에 대한 태도가 바뀌는 것은 아니므로 적절하지 않다. 비몽(ⓑ) 역시 인물의 태도 변화의 원인으로 작용하지 않는다.

03 공간적 배경의 이해

경패와 자란은 경패 부친의 유서에 따라 '호씨 집(㉮)'을 떠난 것은 맞지만, 유서에 '승당(㉯)'을 찾으라는 내용은 나타나 있지 않다. 경패와 자란이 ㉯로 향한 것은 부친이 나타난 꿈의 계시 때문이다.

오답 잡기

① 풍운과 경패는 '호씨 집(㉮)'에서 호씨에 의해 시련을 당하였다.

② '소저 협실로 들어가면 슬퍼하고', '일일은 소저가 협실로 들어가 실성 체읍할 새', '소저가 남자의 옷을 만지며 울다가 감추거늘' 등에서 경패는 '승당(㉯)'으로 달아난 후 남몰래 눈물을 흘리며 풍운에 대한 그리움에 괴로워하고 있음을 알 수 있다.

③ 경패는 '호씨 집(㉮)'에서 풍운으로부터 받은 옷을 '승당(㉯)'으로 가져가는데, 이로 인해 계원과의 관계가 밝혀지게 된다.

⑤ '자란이 또 전후곡절을 설파하니 모든 승이 호씨를 꾸짖더라.'에서 경패가 '호씨 집(㉮)'에서 겪은 일을 알게 된 승려들이 호씨를 비난했음을 알 수 있다.

04 외적 준거에 따른 작품 감상

계원이 지은 풍운의 옷으로 인해 계원과 경패는 시어머니와 며느리의 관계임이 처음으로 밝혀지며 가족 관계임을 확인하게 된다. 계원과 경패는 외부적 요인에 의해 분리되었던 관계가 아니므로 다시 결합한다는 설명은 적절하지 않다.

오답 잡기

① 가달이 침략해 왔을 때 계원은 남편인 장 시랑과 헤어졌으며, 경패는 호씨의 박해로 인해 남편인 풍운과 헤어지게 된다. 이로 인해 계원과 경패는 시련을 당하게 되므로 이들이 겪는 시련은 남편과 헤어지는 사건으로 인해 촉발되었다고 볼 수 있다.

③ 호씨를 피해 달아난 경패는 여남 승당으로 몸을 피하게 되고 그곳에서 풍운의 모친인 계원과 만나게 된다. 따라서 시어머니와 며느리라는 가족의 결합에 있어서 여남 승당의 노승은 조력자의 역할을 하게 된다고 볼 수 있다.

④ 가달의 침범으로 인해 풍운은 어린 나이에 부모와 헤어져 떠돌게 된다. 따라서 이는 부모 자식 간의 분리를 유발하는 요인이라 할 수 있다.

⑤ 풍운이 집을 나간 후 경패에게 다른 사람과 혼인할 것을 강요하는 호씨는 혼사 장애의 요인에 해당한다.

05~08

작자 미상, 〈임경업전〉

- 갈래 국문 소설, 역사 소설, 군담 소설, 영웅 소설
- 주제 임경업의 영웅적 활약과 무능한 위정자 비판
- 서술상의 특징

① 역사적 실존 인물과 병자호란이라는 역사적 사건을 배경으로 함.

② 주인공의 모습이 민족적 영웅으로 부각되어 나타남.

③ 사실적 요소와 허구적 요소를 결합하여 호국에 대한 적개심과 간신에 대한 분노를 효과적으로 나타냄.

- 구성

발단	임경업은 비범한 인물로 무과에 급제한 후 사신 이시백의 무관으로 명나라에 가게 됨. 가달국의 침입을 받은 호국에서 구원병을 요청하고, 임경업은 호국을 돕는 전쟁에서 용맹을 떨침.
전개	호국이 조선을 침략해 왕의 항복을 받아 냄. 임경업은 세자 일행을 인질로 끌고 가던 호국 군사들을 격파하지만, 호왕이 진노하여 임경업을 호국으로 보낼 것을 명함.
위기	호왕이 임경업을 제거하려고, 그에게 명나라를 치도록 요구하나 임경업은 우방인 명나라를 칠 수 없어 명에게 거짓 항복을 받고 귀국함.
절정	임경업의 내통 사실을 안 호왕이 그를 잡아들이나 호왕은 임경업의 당당한 태도에 감복하여 그를 인질로 잡았던 왕자들과 함께 조선으로 돌려보냄. 간신 김자점이 임경업을 모함하는 간계를 꾸미다가 실패한 뒤 임경업을 암살함.
결말	임경업의 억울한 죽음을 안 임금은 김자점을 문초하여 죽인 다음, 임경업의 충의를 포상함. 임경업의 자손들은 벼슬에 뜻을 두지 않고 낙향함.

● 감상 포인트

	임경업과 호왕	임경업과 김자점
갈등 내용	임경업을 사위로 삼고 싶은 호왕과 이를 거절하는 임경업 간의 갈등	자신이 꾀하는 역모에 방해가 될 임경업을 제거하려는 김자점과 충신 임경업 간의 갈등
해소 과정	임경업의 충의에 감복한 호왕은 임경업을 조선으로 돌려보냄.	김자점의 음모가 밝혀져 김자점은 처단되고 임경업의 명예가 회복됨.
의의	임경업의 충의가 강조됨.	

05 세부 내용 파악

경업은 조선으로 돌아와서 죄인 취급을 받는 것에 안타까움을 표하고 있을 뿐 분노의 감정을 표출하고 있지 않다. 또한 경업은 김자점의 계략에 의해 자신이 역적 취급을 받고 있다는 것도 알지 못하고 있다.

오답 잡기

① 임금은 임경업을 모함하는 김자점을 질책하며 임경업을 두둔하는 말을 하였다.
③ 호국의 신하들은 호왕에게 절개 높고 충심이 깊은 사람을 두어 무익하다고 말하고 있다. 따라서 임경업을 붙잡아 두는 것이 나라에 도움이 되지 않을 것이라 말한 것이라 볼 수 있다.
④ 김자점은 임경업이 돌아온다는 통지문을 보고 경업이 생환하면 자신의 계교가 이루어지지 못할 것을 염려하여 임금에게 경업을 모함하고 있다.
⑤ 임경업은 조강지처가 있음을 들어 자신을 부마로 삼으려는 호왕의 뜻을 정중히 거절하고 있다.

06 공간에 따른 서사 구조 이해

ⓕ에서 임경업은 예우를 갖춘 대우를 받지만 ⓖ의 과정에서는 역적으로 몰려 칼을 쓴 채 호송된다. ⓖ의 과정은 김자점에 의해 조성된 것이 맞지만 ⓕ의 과정은 김자점에 의해 조성된 것이 아니다.

오답 잡기

① 호왕과 신하, 그리고 조선의 임금은 경업의 인물됨을 높이 평가하고, 충신이라 생각하고 있다.
② 의주의 백성들은 임경업이 역적으로 몰려 잡혀가자 연고를 모르고 슬퍼하고 있다.
③ 조선의 임금은 임경업이 역적의 죄를 뒤집어쓰고 호송되고 있다는 사실을 알지 못하고 있다.
④ 김자점은 임금의 뜻과는 상관없이 자신이 도모하고 있는 일을 실현하기 위해 임경업에게 역적의 죄명을 씌우고 있다.

07 소재의 기능과 역할 파악

임경업은 자신을 부마로 삼으려는 호왕의 뜻을 간파한 후 관상을 잘 보는 공주의 눈에 들지 않기 위해 일부러 솜을 넣은 신발을 신었다. 따라서 '솜'은 원치 않는 상황에서 벗어나기 위한 임경업의 기지를 보여 준다고 할 수 있다.

오답 잡기

① 임경업은 자신의 능력을 알아주고 자신에게 호의를 베푸는 호왕에 대해 반감을 표하고 있지는 않다.
③ 임경업은 적국의 포로 신세로 있기는 하지만, '솜'이 이러한 처지를 보여 주는 것은 아니다.
④ 임경업이 '솜'을 통해 자신의 능력을 알아주는 사람을 만나고자 하는 뜻을 드러내는 것은 아니다.
⑤ 임경업이 고국에 송환된 후 김자점에 의해 모함을 당하긴 하지만 '솜'이 이러한 처지를 드러내 주는 것은 아니다.

08 외적 준거에 따른 작품 감상

충신 임경업이 고국으로 귀환된 후 역적으로 몰리자 백성들은 슬퍼하며 울고 있다. 이를 통해 임경업이 백성들의 신망을 얻고 있음을 알 수 있으나, 이것이 조정에 대해 민중들이 가진 반감의 정도를 보여 주는 것은 아니다.

오답 잡기

① 김자점은 자신의 계교가 이루어지지 못할 것을 염려하여 충신인 임경업을 모함하는 인물이다. 따라서 사리사욕만 일삼는 간신을 대변하는 인물이라 할 수 있다.
② 호왕이 부마가 되면 부귀영화를 누릴 수 있음을 들어 임경업을 회유하려 했지만 임경업은 자신의 뜻을 꺾지 않는다. 이는 국운을 걱정하는 충신의 모습이라 할 수 있다.
④ 호국의 왕과 신하까지 임경업의 절개와 의의를 인정하고 있다. 이는 임경업의 충성스러운 마음을 강조하기 위한 설정이라 할 수 있다.
⑤ 호왕이 임경업을 돌려보낼 때 잔치를 열고 예물을 갖추었다는 것은 병자호란으로 인해 떨어진 민족적 자긍심을 높이기 위한 설정이라 할 수 있다.

누구나 합격 전략 | 52~55쪽

01 ④ 02 ⑤ 03 ⑤ 04 ② 05 ④
06 ② 07 ④ 08 ①

01~04

작자 미상, 〈매화전〉

- 갈래 판소리계 소설, 국문 소설, 애정 소설, 도술 소설
- 주제 고난을 극복한 양유와 매화의 사랑
- 서술상의 특징

① 인물 간의 대화를 중심으로 사건이 전개됨.
② 판소리 사설의 문체가 사용된 부분이 있음.
③ 설화적 모티프가 결합되어 있음.

- 구성

발단	도술이 능한 김 주부는 조정의 간신들이 그를 해치려 하자 딸 매화를 남장시켜 길에 버리고 구월산으로 피함.
전개	매화는 조 병사의 집에서 살면서 그의 아들 양유와 함께 학당에서 공부하며 성장함. 양유는 매화의 용모를 보고 연정을 느끼고, 매화가 자신의 사연을 털어놓자 부모의 승낙을 받은 뒤 혼인을 약속함.
위기	양유의 계모인 조 병사의 부인은 매화를 자신의 동생과 혼인시키고자 하여, 매화의 신분에 대한 거짓 소문을 내고, 이로 인해 매화와 양유는 이별함.
절정	계모의 하수인에 의해 납치될 처지에 이른 매화는 몸을 물에 던졌으나, 김 주부가 도술로 구출함. 양유는 혼인 전날 호랑이에 물려 구월산에 와서 매화와 혼례를 치름.
결말	도사로 변한 김 주부가 조 병사에게 구월산에 양유가 있음을 알려 주고, 그들은 김 주부의 예언으로 그곳에서 임진왜란의 피해를 면함.

- 감상 포인트

〈매화전〉에 나타난 고전 소설의 특징

영웅 소설
매화가 고난을 극복하는 과정이 영웅 소설의 서사 구조와 유사함.

염정 소설
매화와 양유의 만남과 이별, 사랑의 성취 과정이 드러남.

〈매화전〉

계모형 가정 소설
매화와 양유의 사랑을 방해하는 인물로 계모가 설정됨.

판소리계 소설
문체적인 특징으로 판소리 사설의 문체가 사용됨.

01 서술상의 특징 파악

"마오 마오, 우지 마오. 낭자의 우는 거동 차마 못 보겠소. 아무리 자탄한들 낭자의 근본 뉘 알리오. 제발 덕분에 우지 마오."에서 율문투의 어투로 비극적 분위기를 고조시키고 있다.

오답 잡기

① 서술자가 사건을 요약하여 제시하는 부분은 나타나지 않는다.
② 이 작품에서 고사를 인용하여 인물의 생각을 드러낸 부분은 확인할 수 없다.
③ 이 작품에서 비현실적이거나 환상적인 장면의 배경은 나타나지 않는다.
⑤ 이 작품에 사건에 따라 성격이 변하는 입체적 인물은 나타나지 않는다. 이 작품은 일반적인 고전 소설 작품과 마찬가지로 평면적 성격의 인물이 등장한다.

02 공간의 의미 파악

ⓐ에서 몇몇 사람이 김 주부에 대해 부정적으로 말한 것은 사실에 부합한 것이 아니라 최씨의 매수에 의한 것이다. 따라서 김 주부가 장단골에서 이웃 사람들과 불화를 겪어 돌아갈 수 없다는 설명은 적절하지 않다.

오답 잡기

① 조 병사는 장단골에서 매화의 아버지인 김 주부에 대한 악평을 듣고 매화를 내쫓으라고 명령한다. 따라서 매화의 입장에서 ⓐ는 앞으로 있을 시련의 원인이 되는 공간이라 할 수 있다.
② 아버지인 조 병사의 명에 의해 매화와의 혼인이 성사되지 않게 되므로 양유의 입장에서 ⓐ는 혼인에 대한 소망이 좌절되게 만드는 공간이라 할 수 있다.
③ 조 병사는 장단골에서 김 주부에 대한 평판을 확인한 후 매화와 양유를 혼인시키고자 하는 마음을 접게 된다.
④ 최씨 부인은 매화의 아버지인 김 주부에 대한 악평을 조장하여 매화를 며느리로 맞아들이지 못하게 하는 계략을 꾸몄다.

03 구절의 의미 파악

[A]는 자신의 가치를 알아보지 못하는 상대방의 어리석음에 대한 비판과 자신의 처지에 대한 한탄의 감정이 나타나 있을 뿐, 앞으로 벌어질 수 있는 부정적 상황을 언급한 부분은 확인할 수 없다.

오답 잡기

① '백옥'과 '명월'은 '설리한매'와 같이 모두 자기 자신, 즉 매화 자신을 가리키는 어휘이다.
② '진토'에 묻혀 있는 상황이나, '흑운'에 가려 있는 상황은 모두 자신이 처한 고난과 시련의 상황을 가리키는 어휘이다.
③ 거문고를 칠 줄 모르면서 거문고만 나무라는 상대방의 행동을 비판하는 부분을 통해 알 수 있다.
④ '설리한매'와 '양유'는 자신의 이름인 '매화'와 상대방의 이름인 '양유'와 동음을 형성하는 자연물을 이용하여 나타낸 표현이다.

04 외적 준거에 따른 작품 감상

병사와 최씨 부인이 매화를 며느리감으로 흡족하게 생각하지 않은 것은 아니다. 병사는 매화의 인물 됨됨이에 만족하지만, 매화의 신분을 오해하여, 최씨 부인은 매화를 자신의 남동생과 혼인시키기 위하여 양유와의 혼인을 반대하는 것이다.

오답 잡기

① 양유는 매화의 신분을 천인으로 알고 좌절하는 모습을 보여 준다. 여기서 양유가 가문 의식에서 자유롭지 못하다는 것을 알 수 있다.

③ 매화가 자신의 남장 사실을 양유에게 알린 후 양유와 매화는 사랑의 감정을 서로에게 솔직하게 말하게 된다. 이 과정까지는 부모의 개입이 보이지 않지만, 양유와 매화의 혼인에 대한 이야기가 거론되면서부터 부모의 개입이 드러난다.

④ 병사가 매화의 신분을 알아보기 위해 장단골로 가는 것은 가문 의식의 맥락에서 매화를 자신의 가문의 일원으로 받아들일 수 있는지 알아보기 위해서이다.

⑤ 병사의 말에서 번듯한 사대부 집안끼리 혼례를 하는 것이 당연하다고 생각하는 당대의 사회적 분위기가 드러난다.

05~08

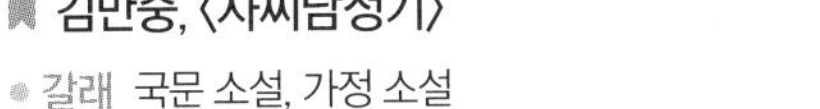

김만중, 〈사씨남정기〉

- 갈래 국문 소설, 가정 소설
- 주제 처첩 간의 갈등과 사씨의 고행, 권선징악(勸善懲惡)
- 서술상의 특징

① 각 인물이 상징성을 지님.
② 숙종을 깨우치기 위해 쓴 일종의 목적 소설임.
③ 선악의 대립 구도를 중심으로 서사가 전개됨.
④ 서술자가 개입하여 작중 인물을 직접 평가함.

- 구성

발단	중국 명나라 세종 때 금릉 순천부에 사는 유현이라는 명신의 아들로 태어난 연수는 15세에 장원 급제하여 한림학사를 제수 받음.
전개	유연수(유 한림)는 덕성과 재학을 겸비한 사씨와 결혼하나, 늦도록 자식이 없어 첩으로 교씨를 들임.
위기	교씨는 천성이 간악한 인물로 아들을 낳자 정실이 되기 위해 사씨를 참소함. 유 한림은 사씨를 폐출하고 교씨를 정실로 삼으나, 교씨는 문객 동청과 모의하여 유 한림까지 유배 보냄.
절정	조정에서 유 한림에 대한 혐의를 풀어 소환하고, 충신을 참소한 동청을 처형함.
결말	유 한림은 사씨의 행방을 찾다가 소식을 듣고 온 사씨와 해후함. 유 한림은 자신의 잘못을 뉘우치고 고향으로 돌아와 교씨를 처형하고 사씨를 다시 정실로 맞아들임.

- 감상 포인트

사씨		교씨
현모양처, 현숙한 인물로 유교적 가치관에 부합함.	← 대립 →	탐욕스럽고 교활한 악인으로 정절과 도리를 지키지 않음.

선악의 대립을 통해 권선징악의 주제 의식을 강조함.

05 서술상의 특징 파악

'동청의 언사가 민첩하여 흐르는 물 같았다.'에 비유적 표현이 활용되고 있다(ㄴ). '동청은 영리하고 민첩하여 남의 마음을 잘 맞추어서 영합하기를 잘하였다.'에서 서술자가 직접 인물에 대한 평가를 제시하고 있다(ㄹ).

오답 잡기

ㄱ. 요약적 서술로 인물의 삶의 내력을 드러낸 부분은 확인할 수 없다.
ㄷ. 인물의 외양 묘사가 구체적으로 제시되어 있지 않다.

06 구절의 의미와 역할 파악

ⓐ와 ⓑ 모두 이후에 벌어질 사건을 상세하게 서술하는 대신 '이리이리하다'라는 말로 기술하고 있다. 이렇게 함으로써 이후에 전개될 사건을 숨기게 되는데, 이로 인해 독자의 호기심과 궁금증을 높일 수 있다.

오답 잡기

① ⓐ와 ⓑ가 인물 간의 갈등 원인을 독자에게 알려 주는 것은 아니다.

③ 이 작품은 전지적 작가 시점에서 서술되고 있다. '이리이리하다'라고 서술할 수 있는 것은 서술자가 인물과 사건을 모두 파악하고 있기 때문이라고 볼 수 있다.

④ ⓐ, ⓑ 모두 특정 인물이 처한 곤경에 대해 독자의 안타까움을 유도하는 것은 아니다.

⑤ ⓐ, ⓑ에서 서술자는 전지적 시점에 있기 때문에 사건에 대한 모든 정보를 파악하고 있으나 이를 드러내지 않을 뿐이므로 서술자가 작중 상황을 모두 파악하고 있지 않음을 보여 준다는 설명은 적절하지 않다.

07 작품의 세부 내용 파악

교씨의 아들이 병에 걸린 것은 교씨와 십랑의 간악한 계교에 의한 것이므로, 교씨가 자신의 아들이 아픈 것에 당황하며 어찌할 줄 몰라 한다는 설명은 적절하지 않다.

오답 잡기

① '들리는 말'을 근거로 하여 동청을 내보낼 것을 요청하고 있으므로 이는 평판을 근거로 의견을 드러냈다고 볼 수 있다.

② 유 한림은 동청에 대한 풍설에 근거하여 판단하는 것이 아니라 좋지 못한 것을 발견하게 되었을 때 처리하자고 말하고 있으므로 동청의 품성을 직접 겪은 후 그를 내칠 것인지 여부를 결정하겠다고 말한 것이다.

③ 정부인인 사씨가 득남한 것으로 인해 교씨의 위치가 위협을 받게 될 것이므로 이는 교씨가 조바심을 내며 사씨를 음해하는 이유가 된다고 할 수 있다.

⑤ 유 한림은 교씨와의 사이에 난 아들의 건강을 걱정하고 있으므로 집안에서 벌어지는 흉계의 실체를 파악하지 못하고 있다고 볼 수 있다.

08 외적 준거에 따른 작품 감상

유 한림의 친구가 동청의 품성을 알면서도 한림에게 그를 소개하는 사건은 이후에 갈등의 빌미가 될 인물이 등장하는 계기가 된다. 여기서 입신양명을 추구하는 세태와의 관련성은 찾아볼 수 없다.

오답 잡기

② 교씨는 정실 부인이 아니므로 정신 부인인 사씨가 아들을 낳으면 그 아들이 장자로서 집안의 모든 것을 상속받게 되어 교씨는 사씨의 임신으로 불안을 느낀다. 이는 적서 차별의 문제가 존재했던 당대의 시대상과 관련지어 이해할 수 있다.

③ 교씨가 요물을 사방에 두루 묻는 이유는 사씨를 음해하기 위해서이다. 자신의 아들이 병에 걸리게 하여 이를 사씨가 방예를 한 탓이라고 몰아가기 위해서이다. 자신의 안정적 지위를 위해 아들마저 희생시키는 모습에서 욕망을 추구하는 인간 본성의 발현을 찾아볼 수 있다.

④ 집안에서 일하는 사람들에 대한 결정권이 유 한림에게 있다는 점에서 남녀의 역할과 위계가 존재했음을 짐작할 수 있다.

⑤ 동청과 관련한 좋지 않은 소문을 듣고 사씨가 유한림에게 조언을 하는 모습에서 도덕성과 평판을 중시하는 유교적 가치관을 확인할 수 있다.

창의·융합·코딩 전략 ①

56~57쪽

01 ② 02 ② 03 ①

01~03

작자 미상, 〈적벽가〉

- 갈래 판소리 사설
- 주제 적벽전 영웅들의 활약상과 전쟁으로 인한 하층민의 고통
- 서술상의 특징

① 〈삼국지연의〉의 '적벽 대전'을 바탕으로 함.

② 조조로 표상되는 당대 지배층에 대한 민중의 신랄한 저항 정신을 표출함.

③ 과장과 비유를 통해 장면을 극대화하고, 반복과 열거를 통해 리듬감을 형성함.

- 구성

구성	내용
발단	유비가 관우, 장비와 더불어 삼고초려 끝에 제갈공명을 데려옴.
전개	조조는 강남을 평정하기 위해 백만 대군을 이끌고 남정 길에 오르고, 군사들은 제각기 설움을 늘어놓음.
위기	제갈공명의 지략에 조조는 패하게 되고, 장판교에서도 장비에게 패함.
절정	제갈공명은 손권과 주유의 마음을 움직여 조조와 적벽 대전을 벌여 크게 승리함.
결말	패전하던 조조는 화용도에서 관우에게 또다시 패한 후, 목숨만 부지하여 돌아감.

- 감상 포인트

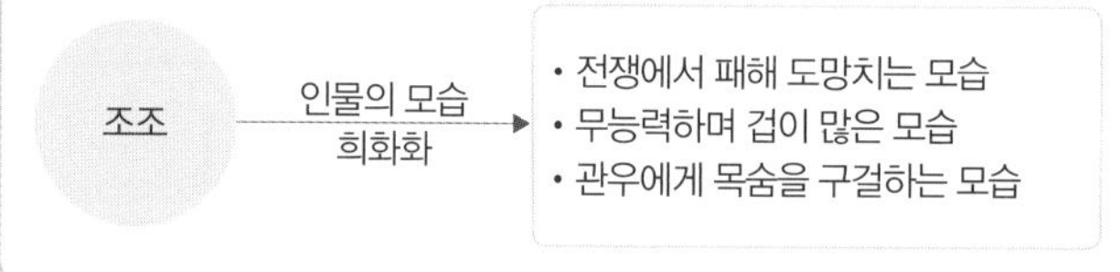

01 서술상의 특징 파악

[A]에서는 방포성을 '쿵'과 같은 의성어를 사용하여 나타내고, [B]에서는 조조의 웃음소리를 '히히 해해'와 같은 의성어를 통해 나타내어 작중 상황을 생동감 있게 묘사하고 있다.

오답 잡기

① [A], [B] 모두 공간적 배경을 세밀하게 묘사하고 있지 않다.

③ 인물의 행위를 연속적으로 서술한 것은 [A]가 아니라 [B]이다. [B]에서는 조조의 행위를 연속적으로 서술하고 있다.

④ [A], [B] 모두 서술자의 개입을 확인할 수 없다.

⑤ [B]에는 비유적 표현이 활용되고 있지 않다. [A]에서는 '우레 같은 소리'에서 비유적 표현이 활용되고 있다.

02 세부 구절의 의미 파악

정욱은 조조의 부하이므로 형식적으로 주인공에게 예속되어 있다. ㉮에서 정욱은 병졸들에게 조조의 흉을 보고 있으므로 주인공을 희화화하고 풍자한다고 볼 수 있다. 또한 ㉰에서는 관우를 높이고 조조를 비하하고 있으므로 형식적으로 주인공에게 예속된 인물이 주인공을 희화화하고 풍자한 것으로 볼 수 있다.

오답 잡기

㉯ 관우가 한 말이므로 형식적으로 주인공에게 예속된 인물이 아니다.

㉰ 정욱의 말이기는 하지만 조조를 희화화하는 말이 아니다.

㉱ 조조가 한 말이므로 형식적으로 주인공에게 예속된 인물이 한 대사가 아니다.

03 외적 준거에 따른 작품 감상

정욱은 조조를 희화화하는 역할로 등장하고 있으므로 올바른 신하의 역할에 대한 민중의 바람을 반영한 인물이라 해석하는 것은 적절하지 않다.

오답 잡기

② 전쟁을 주도하는 조조는 지배층을 대표하는 인물로, 이런 조조가 희화화된 것은 지배층에 대한 반감이 반영된 것으로 볼 수 있다.

③ 조조의 군대는 적벽에서 패한 후 초라한 모습으로 그려지고 있는데 이는 지배층이 주도하는 전쟁에서 민중이 입게 되는 피해와 희생을 나타낸 것으로 볼 수 있다.

④ 원전과 마찬가지의 관점으로 조조를 다루고 있는 것은 조조에 대한 민중들의 반감을 반영한 것으로 볼 수 있다.

⑤ 관우는 조조를 굴복시키는 용맹한 무장으로서의 모습이 강조되는데, 이는 소설에서 민중들이 가장 선호했던 인물이 관우였기 때문이라 해석할 수 있다.

보기 돋보기

〈적벽가〉와 〈삼국지연의〉

	〈적벽가〉	〈삼국지연의〉
갈래	판소리 사설	소설
등장인물	무명의 하층 군사들 중심	유비, 관우, 장비, 제갈공명 등 영웅 중심
내용의 초점	민중 의식과 지배층에 대한 비판 의식	영웅의 이야기와 웅장한 전쟁 장면
중심 내용	적벽 대전 중심으로 서술	삼국의 흥망성쇠 중심
조조의 모습	희극적, 풍자적	영웅적
미의식	비장미, 골계미	비장미, 숭고미

창의·융합·코딩 전략 ②

58~59쪽

04 ② **05** ① **06** ②

04~06

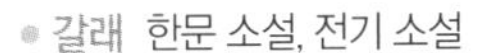

김시습, 〈이생규장전〉

- 갈래 한문 소설, 전기 소설
- 주제 죽음을 초월한 남녀 간의 애절한 사랑
- 서술상의 특징

① '만남 – 이별'을 반복하는 구조가 나타남.

② 시를 삽입하여 인물의 심리를 효과적으로 드러냄.

③ 구체적인 시간과 공간을 배경으로 사건이 진행됨.

- 구성

발단	이생은 어느 봄날 서당에 갔다 오던 중 우연히 담 너머로 최씨 집안의 아름다운 처녀를 보게 됨.
전개	두 사람은 시를 주고받으며 사랑에 빠지지만, 이를 눈치챈 이생의 부모는 이생을 지방으로 보냄. 사정을 알게 된 최 여인의 부모가 나서서 두 사람을 혼인시킴.
위기	홍건적의 난이 일어나 이생은 간신히 목숨을 보전했지만 최 여인은 정조를 지키다가 홍건적에게 목숨을 잃음.
절정	슬퍼하던 이생에게 최 여인의 환신이 찾아와 두 사람은 행복하게 함께 삶.
결말	최 여인은 이생에게 영원한 이별을 고하고 이생은 이내 병이 들어 죽음.

- 감상 포인트

이생	최 여인
• 외모가 수려하고 시문에 능한 선비 • 여러 가지 난관을 극복하고 최 여인과의 사랑을 지켜 감.	• 여러 가지 난관 속에서 이생과 사랑을 이루는 여인 • 홍건적의 난을 겪으며 정조를 지키려다 죽음에 이름.

↓

담을 매개로 이생과 최 여인이 만남.	1차 만남
이생의 부모에 의해 두 사람이 이별함.	1차 시련
최 여인 부모의 설득으로 혼인을 함.	시련 극복, 2차 만남
홍건적의 난으로 최 여인이 죽음.	2차 시련
죽은 최 여인의 환신과 이생이 재회함.	시련 극복, 3차 만남
최 여인이 영원한 이별을 고함.	3차 시련
이생이 병들어 죽음.	비극적 결말

↓

죽음을 초월한 남녀 간의 애절한 사랑

04 서술상의 특징 파악

이 작품은 귀신이 나타나서 살아 있는 사람과 함께 사랑을 나누며 살아간다는 비현실적이고 환상적인 상황을 설정하고 있다.

오답 잡기

① 제시된 부분에는 인물의 성격 변화는 나타나지 않는다.
③ 제시된 부분에는 장면의 전환이 나타나지 않는다.
④ 제시된 부분은 작품 밖의 서술자에 의해 서술되고 있으며, 서술자가 작품에 등장하지 않는다.
⑤ 제시된 부분은 시간의 순서에 따라 사건이 진행되고 있다.

05 구성의 특징 파악

삽입 시는 주로 인물의 정서를 효과적으로 제시하는 기능을 한다. [A]는 인물의 정서를 드러내는 것 외에도 최 여인이 과거에 겪었던 사건에 대해 환기하고 앞으로 전개될 사건의 방향을 암시하고 있다.

오답 잡기

ㄷ. [A] 앞 부분에서 뚜렷한 갈등 구조가 드러나지 않으므로 갈등 해소의 계기를 마련했다는 진술은 적절하지 않다.
ㄹ. [A]에서 최 여인이 겪었던 일에 대해 환기하고 있기는 하지만 그 사건의 교훈을 말하고 있지는 않다.

06 사건과 갈등의 전개 양상 파악

이생과 최 여인의 거듭된 만남과 헤어짐은 3차에 걸쳐 진행된다. 주인공이 모두 죽는 비극적 결말이므로 (다)에서 현실에서의 재회를 전제로 사랑이 연기되었다고 보는 것은 적절하지 않다.

오답 잡기

① (다)에서 이생은 혼령이 된 최 여인과 다시 만나므로 생사를 초월하여 사랑이 이루어진다고 볼 수 있다.
③ '천자께서 저와 그대의 ~'를 통해 (다)의 만남에는 제3자가 개입하였음을 알 수 있다.
④ (다)의 헤어짐은 운명적 요인, (나)의 헤어짐은 사회적 요인에 의한 것이다.
⑤ (가)~(다)에서 주인공들의 거듭된 만남과 헤어짐은 자신들을 둘러싼 세계와 끊임없이 갈등하는 과정으로 볼 수 있다.

후편 마무리 전략

신유형·신경향 전략

62~67쪽

01 ③	02 ④	03 ③	04 ④
05 ③	06 ⑤	07 ③	08 ④
09 ⑤	10 ②		

01~03

애정 시조에 나타나는 달의 작중 기능

- 해제 연정이라는 주제와 달이라는 소재가 결합하는 애정 시조에서 달이 시적 정황이나 함께 언급되는 다른 소재들과 정서적으로 연결되어 몇 가지 기능을 발휘하고 있음을 서술한 글이다. 임과 이별하는 배경을 형상화하고, 이미 발생한 이별의 상황과 결합되어 화자의 정서를 불러일으키며, 임이 부재한 상황에서 화자와 임을 이어 주는 기능을 담당했음을 구체적인 작품과 함께 밝히고 있다.
- 주제 애정 시조 속 달의 기능
- 구성

처음	애정 시조에서 시적 정황이나 다른 소재들과 정서적으로 연결되어 기능을 발휘하는 달
중간	① 임과 이별하는 배경을 형상화하는 데 활용되는 달 ② 화자의 정서를 불러일으키는 요인이 되는 달 ③ 임의 부재 상황에서 화자와 임을 이어 주는 기능을 하는 달
끝	시대나 나라가 달라도 문화적인 보편성이 존재함.

가 작자 미상, 〈돌 뜨쟈 빅 떠나니〉

- 갈래 평시조
- 주제 임과 이별한 슬픔
- 표현상의 특징
① 화자의 소망을 직설적으로 제시함.
② 청각적 심상을 활용하여 화자의 정서를 표현함.
- 감상 포인트

돌 뜨쟈	→	빅 떠나니
작품의 시간적 배경		임이 화자 곁에서 떠남.

↓
만경창파에 가는 듯 돌아오길 바람(화자의 소망을 직설적으로 제시).
↓
노 젓는 소리(청각적 심상)가 화자를 시름겹게 함.

나 작자 미상, 〈객창 돗는 달의〉

- 갈래 평시조
- 주제 임과 이별한 시름
- 표현상의 특징
① 청각적 심상을 활용하여 화자의 정서를 자극함.
② 종장의 서술어를 생략하여 독자의 상상력을 자극함.

• 감상 포인트

객창	돗ᄂᆞᆫ 달
작품의 공간적 배경 (화자가 객지에 있음.)	작품의 시간적 배경

↓

두견이만 우지진다(화자의 시름겨움을 촉발함. – 청각적 심상)

다 작자 미상, 〈주렴에 빗친 달과〉

• 갈래 평시조

• 주제 임과 이별한 시름

• 표현상의 특징

① 숫자를 활용하여 정서의 깊이를 표현함.

② 영탄법을 통해 화자의 시름을 표현함.

• 감상 포인트

초장	주렴에 빗친 달(시간적 배경)+옥적 소리(청각적 심상)
중장	천(千)수+만(萬)한(숫자를 활용하여 화자의 정서를 드러냄.)
종장	잠 못 드러 ᄒᆞ노라(화자의 시름)

↓

임과 이별한 후 시름겨워하는 화자

라 정철, 〈내 ᄆᆞᄋᆞᆷ 버혀 내여〉

• 갈래 평시조

• 주제 임에 대한 그리움

• 표현상의 특징

① 추상적 대상을 구체화함.

② '달'을 화자의 분신으로 제시하여 임에 대한 그리움을 표현함.

• 감상 포인트

ᄆᆞᄋᆞᆷ	ᄃᆞᆯ
임에게 전달하기 어려운 추상적인 개념	임이 확인할 수 있는 구체적인 대상

↓

추상적인 대상을 구체적 사물로 형상화하여 임과 함께하고 싶은 간절한 마음을 표현함.

마 작자 미상, 〈달아 밝은 달아〉

• 갈래 평시조

• 주제 임에 대한 그리움

• 표현상의 특징

① 점층법을 사용하여 임을 그리워하는 화자의 정서를 드러냄.

② '달'을 화자의 소식을 전해 줄 매개체로 제시함.

• 감상 포인트

점층법을 통해 임의 소식을 알고 싶은 간절함을 드러냄.

달아 ➡ 밝은 달아 ➡ 님의 창전 빗친 달아

01 작품의 내용 이해

(다)의 옥적 소리는 잠 못 들어 하는 화자의 애절한 심정을 자극하는 역할을 하는 소재이지만 먼 곳의 임이 화자에게 직접 보내는 소리는 아니다.

오답 잡기

① (가)에서는 달이 뜨자 배가 떠났다고 하였으므로 달은 임을 태운 배가 떠나는 상황의 시간적 배경이라 할 수 있다.

② (나)에서는 임과 이별한 후 잠 못 들어 하는 화자의 애잔한 심정을 달밤이 자극하고 있다.

④ (라)에서는 내 마음이 만든 달이 구만 리 하늘에 떠서 임 계신 곳을 비춘다고 하였으므로, 이때 달은 임과 화자를 이어 주는 매개체이다.

⑤ (마)에서는 달에게 달이 본 대로 소식을 일러 달라고 하였으므로 달은 화자에게 임의 소식을 전해 줄 수 있는 존재이다.

02 표현상의 특징 파악

(라)에서는 추상적 대상인 '내 ᄆᆞᄋᆞᆷ'을 구체적 사물인 'ᄃᆞᆯ'로 형상화하여 임에 대한 화자의 그리움을 표현하고 있다.

오답 잡기

① '지국총 소릐'는 노 젓는 소리를 나타낸 것으로 청각적 심상을 통해 임과의 이별을 안타까워하는 화자의 정서를 자극하고 있음을 알 수 있다.

② 임과 이별한 후 객지에서 '돗ᄂᆞᆫ 달'이 '지ᄂᆞᆫ 달'이 되도록 잠들지 못하는 화자를 통해 임과 이별한 시름을 드러내고 있다.

③ 시적 화자는 '님'과 이별한 상황에서 잠들지 못하는 괴로운 심정을 'ᄒᆞ노라'에서 영탄법으로 드러내고 있다.

⑤ '달아 – 밝은 달아 – 님의 창전 빗친 달아'로 '달아'의 앞에 수식어를 사용하여 화자의 정서를 점층적으로 전달하는 효과가 나타난다.

03 작품의 공통점 및 차이점 파악

'허ᄉᆞ로다'는 꿈에서 깨어 임과 함께하지 못하는 것을 안타까워하는 상황이므로 달이 사라질까 걱정한다는 진술은 적절하지 않다.

오답 잡기

① '이 님이 어ᄃᆡ 간고'는 임이 화자의 곁에 없다는 의미이므로 이별의 상황을 형상화하는 것은 아니다.

② 밤에 그림자가 생긴다는 것은 달빛이 비친 것이며, '어엿븐 그림자'는 화자 자신을 의미한다. 임과 이별한 화자가 꿈에서 깨어나 외로운 시간을 보내고 있다고 추론할 수 있다.

④ '석여디여'는 죽는다는 의미이므로 화자가 죽어서 되는 존재인 '낙월'은 화자의 분신이며 임과 함께하고 싶은 화자의 간절한 심정을 드러낸다.

⑤ 화자는 임의 곁에 가지 못하지만 달은 임 계신 곳의 창 안을 비출 수 있으므로 화자와 임을 이어 주는 역할을 한다고 볼 수 있다.

04~07

가 한국 문학의 전통

- 해제 한국 문학에서 발견할 수 있는 공통적인 특질인 '정(情)'과 '한(恨)'을 한국 문학의 전통이라고 언급하면서 〈별사미인곡〉과 〈봉산 탈춤〉을 예시로 들어 설명한 글이다.
- 주제 한국 문학의 전통인 '한(恨)'을 해소하는 방법
- 구성

1문단	'한의 문학'이자 '풀이의 문학'인 한국 문학
2문단	유배 가사인 〈별사미인곡〉에서 '한'을 해소하는 방법
3문단	〈봉산 탈춤〉에서 '한'을 해소하는 방법

나 김천택, 〈별사미인곡〉

- 갈래 유배 가사
- 주제 임에 대한 변함없는 충절
- 표현상의 특징

① 〈사미인곡〉과 〈속미인곡〉의 영향을 받은 부분이 나타남.
② 설의법, 대구법 등을 통해 주제 의식을 강조함.

- 감상 포인트

〈사미인곡〉, 〈속미인곡〉과의 관련성	• 화자의 분신을 설정하여 임에 대한 사랑을 드러낸다는 점에서 〈사미인곡〉이나 〈속미인곡〉과 공통점이 있음. • 〈속미인곡〉과 유사하게 상징적 소재를 사용하여 임에 대한 사랑과 정성을 드러내고 대화 형식으로 내용이 전개됨.

다 작자 미상, 〈봉산 탈춤〉

- 갈래 민속극, 가면극(탈춤) 대본
- 주제 양반에 대한 풍자와 조롱
- 서술상의 특징

① 언어유희, 열거, 대구, 익살, 과장 등을 통해 양반을 풍자하고 비판함.
② 서민 계층의 언어와 양반 계층의 언어가 함께 사용됨.

- 구성

제1과장	사상좌춤(사방신(四方神)에게 배례하는 의식무)
제2과장	팔목중춤(팔목중의 파계와 법고놀이 장면 – 중을 희화화함.)
제3과장	사당춤(사당과 거사들이 흥겹게 노는 내용)
제4과장	노장춤(노장이 유혹에 넘어가 파계했다가 취발이에게 욕을 봄.)
제5과장	사자춤(사자가 파계승을 혼내고 화해의 춤을 춤. – 놀이판 정비)
제6과장	양반춤(양반집 하인 말뚝이가 양반을 희롱하는 내용 – 양반의 허세를 희화화하고 공격함.)
제7과장	미얄춤(영감, 미얄, 첩의 삼각관계와 미얄의 죽음 – 서민의 생활상과 남성의 횡포를 표현함.)

- 감상 포인트

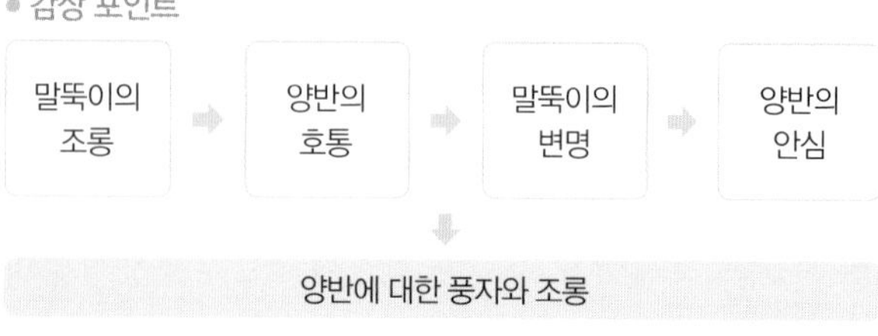

04 내용의 일치성 파악

〈별사미인곡〉에서 임과 화자가 이별한 원인이 수난이 잦은 역사적 비운 때문이라는 내용은 제시되지 않았다.

오답 잡기

① 한국 문학의 전통을 한국 문학 작품들 사이에 면면히 흐르는 공통적인 특질이라고 하였고, 한국 문학에는 정과 한의 정서를 담아낸 작품들이 많다는 진술에서 확인할 수 있다.
② 한국 문학 작품들을 살펴보면 단순히 한으로 인한 아픔과 슬픔만을 그리지 않고, 그것을 극복하려는 풀이의 모습도 그리고 있다고 하였다.
③ 〈별사미인곡〉과 같은 유배 가사를 비롯한 작품들은 대개 임금에 대한 변함없는 충정으로 한을 극복한다고 하였다.
⑤ 임에 대한 사모의 마음은 '정'에 해당하는 감정이므로 한국 문학의 전통 중 '정'에 해당한다고 볼 수 있다.

05 시어 및 시구의 의미 파악

임 향한 마음을 '하늘'과 '성현'과 관련지으며 절대적인 것으로 진술하는 것은 적절하나 이어지는 내용에서 '님 향한 이 마음이 변할손가'라고 하며 임 향한 마음에 변함이 없다는 충절을 드러내고 있으므로 이것을 충 사상에서 벗어나지 못하는 '한'이라고 하는 진술은 적절하지 않다.

오답 잡기

① '백옥경'은 옥황상제가 사는 곳을 의미하므로 임이 높은 신분임을 알 수 있다.
② '님을 뫼셔 즐기더니'는 화자가 임과 함께 있을 때 관계가 원만했다는 의미이다.
④ '일백 번 죽고 죽어'는 과장법을 통해 임을 향한 절대적인 마음을 드러낸 것이라고 할 수 있다.
⑤ '구름'과 '바람'은 화자가 죽어서라도 임 곁으로 가고자 하는 존재이므로 화자의 분신이라고 할 수 있다.

06 외적 준거에 따른 작품 감상

돈이나 몇백 냥 내라고 하여 나눠 쓰자는 것은 말뚝이가 샌님에게 권하는 내용이므로 양반의 권위가 유효하다고 보기 어렵다.

오답 잡기

① 양반이 호통을 치는 것이므로 권위와 관련이 있다.
② 취발이를 잡아들이라고 명령하는 내용이므로 양반의 권위와 관련이 있다.
③ 전령을 본 취발이가 말뚝이에게 끌려 양반에게 잡혀 오는 내용이므로 양반의 권위를 보여 준다고 할 수 있다.
④ 생원이 취발이의 모가지를 뽑아서 밑구녕에 넣으라고 말하는 것은 양반의 횡포에 해당한다. 양반의 권위가 유지되기 때문에 가능한 진술이다.

07 표현상의 특징 파악

'차생이 이렇거든 후생을 어이 알고'라는 것은 임과 이별한 상황에 대한 한탄이다. 이 진술에서 화자와 임을 갈라놓은 대상을 원망하는 것은 아니다.

오답 잡기

① 각시님에게 말을 건네고 있으므로 대화 형식으로 시상이 전개된다고 할 수 있다.

② '같을손가'와 같은 의문형 진술을 통해 각각의 이별이 다 다르다고 하는 생각을 강조하여 드러내고 있다.

④ '노새 원님'과 '노생원님'의 발음이 유사하므로 적절하다고 할 수 있다.

⑤ '날랩이 비호 같은데'라는 직유법을 통해 취발이가 힘이 세고 날쌘 존재임이 드러난다.

08~10

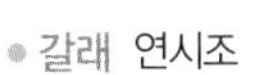

가 주세붕, 〈오륜가〉

- 갈래 연시조
- 주제 삼강오륜의 교훈 강조
- 표현상의 특징
  ① 비유, 대구, 설의법을 통해 교훈을 제시함.
  ② 〈제2수〉~〈제6수〉가 병렬적으로 제시됨.
- 감상 포인트

〈제1수〉 – 서사		
삼강오륜을 배워야 하는 이유		
⋮		
〈제2수〉	부자유친(父子有親)	인간의 도리
〈제3수〉	군신유의(君臣有義)	
〈제4수〉	부부유별(夫婦有別)	
〈제5수〉	형제우애(兄弟友愛)	
〈제6수〉	장유유서(長幼有序)	

나 이곡, 〈차마설〉

- 갈래 한문 수필, 설(說)
- 주제 소유에 대한 성찰과 깨달음
- 서술상의 특징
  ① '사실+의견'의 2단 구성임.
  ② 인용을 통해 설득력을 높임.
  ③ 유추의 방식으로 개인적 경험을 보편적 깨달음으로 일반화함.
- 감상 포인트

노둔하고 야윈 말	↔	준마
조심함. – 후회할 일이 거의 없음.		유쾌하게 질주함. – 환란을 면하지 못함.

↓

사실(말을 탄 경험)에 대한 의견(소유에 대한 성찰과 깨달음) 제시

08 작품 간의 공통점 및 차이점 파악

(나)에서는 '맹자'의 말을 인용하여 독자의 이해를 돕고 주제 전달의 효과를 높이고 있다.

오답 잡기

① (가)는 유교적 관념을 제시하고 있으므로 대상을 예찬한다고 보기 어렵고, (나)는 '대부분 자기가 본래 ~' 라는 진술에서 비판적 태도가 드러나고 있다.

② (가)는 유교적 관념을 제시하며 인간의 도리를 논하고 있으므로 현실에 대한 비관적 태도를 취한다고 보기 어렵고, (나)는 경험을 통한 깨달음을 제시하면서 사람들의 태도를 비판하는 내용이 일부 서술되어 있으므로 현실에 대한 낙관적 태도라고 하기 어렵다.

③ (가)에서는 통념을 깨뜨리는 방식의 내용이 나타나지 않는다. (나)는 노둔하고 야윈 말에 만족하는 글쓴이의 모습에서 통념을 깨뜨리는 방식을 사용하였다고 볼 수 있다.

⑤ (가)와 (나) 모두 역사적 사건에 대해 서술한 부분을 찾을 수 없다.

09 시상의 전개 방식 파악

〈제2수〉와 〈제5수〉 모두 명령의 어조를 통해 주제를 강조하고 있다고 보기 어렵다.

오답 잡기

① 〈제1수〉의 '이 말삼 잇디 말고 배우고야 마로리이다'에서 사람이 배워야 할 내용을 진술할 것임을 암시하고 있다.

② 〈제2수〉~〈제6수〉는 '부자유친, 군신유의, 부부유별, 형제우애, 장유유서'의 오륜의 다섯 덕목을 병렬식으로 제시하고 있다.

③ 〈제3수〉는 '벌과 개미'의 속성을 근거로 제시하고 있다.

④ 〈제5수〉의 초장은 아우의 목소리가 중장은 형의 목소리가 등장한다. 이렇게 각 장에서 화자를 교체하는 표현으로 주제를 드러내고 있다.

10 외적 준거에 따른 작품 감상

〈제5수〉에서는 개 돼지는 형제간에 불화할 수 있지만 사람은 화합해야 함을 이야기하고 있다. 따라서 짐승과 인간의 차이점을 부각하면서 교훈을 강조하고 있다고 볼 수 있다.

오답 잡기

① (가)에서는 '부자유친, 군신유의, 부부유별, 형제우애, 장유유서' 등의 유교적 덕목을 제시하고 있다.

③ (나)는 임금, 신하, 자식, 지어미, 비복 등을 예시로 제시하고 있다.

④ (나)는 말을 빌려 탄 경험을 바탕으로 내용을 전개하고 있다.

⑤ (나)는 글쓴이의 경험을 확대하여 일반화하고 있으므로 유추의 방식을 사용하고 있다고 할 수 있다.

보기 돋보기

○문학의 갈래

서정 갈래	주관적 감정을 함축적 언어로 형상화한 갈래
서사 갈래	사건과 갈등을 특정한 시, 공간에서 허구적으로 형상화한 갈래
극 갈래	인물들의 대사나 행동을 직접 보여 주는 문학 양식
교술 갈래	대상이나 세계를 묘사하거나 설명하는 문학 양식

1·2등급 확보 전략

68~75쪽

01 ④	02 ④	03 ②	04 ④
05 ③	06 ④	07 ⑤	08 ③
09 ④	10 ⑤	11 ④	12 ①
13 ③	14 ⑤		

01~05

가 정몽주, 〈홍무정사봉사일본작〉

- 갈래 한시
- 주제 타지에 사신으로 가서 느끼는 고향에 대한 그리움
- 표현상의 특징

① 계절적 이미지가 화자의 정서와 조응함.

② 시각, 청각적 심상을 통해 시상을 구체화함.

- 감상 포인트

화자의 처지		화자의 감정
사신의 직분을 수행하느라 고향을 떠나 타국인 일본에 머물고 있음.	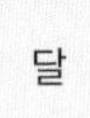	• 고향에 대한 그리움 • 신하로서의 책임감 • 남자로서의 포부

나 조우인, 〈매호별곡〉

- 갈래 양반 가사, 은일 가사
- 주제 속세를 떠나 자연과 벗하며 사는 삶의 즐거움
- 표현상의 특징

① 자연물을 통해 화자의 감정을 효과적으로 드러냄.

② 시상 전개 과정에서 공간의 이동이 드러남.

- 감상 포인트

달 →
• 자연 속에서의 삶을 표상함.
• 화자의 풍류 의식을 고조함.
• 자연과 함께하는 삶에 대한 화자의 만족감을 나타냄.

01 작품 간의 공통점 파악

(가)는 고향과 공간적으로 멀리 떨어져 있는 수국(일본)에 있는 것이, (나)는 속세를 떠나 자연과 함께 있는 현재의 상황이 화자의 정서 형성에 영향을 미친다. 따라서 (가)와 (나) 모두 공간적 배경이 화자의 정서와 밀접한 관련을 맺고 있다고 말할 수 있다.

오답 잡기

① (나)에는 바람직하게 생각하는 삶의 태도가 나타나 있지만, (가)에는 나타나 있지 않다.

② (가)에서 화자는 타국에서 고향을 그리워하며 안타까움의 감정을 표출하고 있으므로 자신이 처한 상황에 순응하는 태도는 나타나지 않는다. (나)는 자연 속에서의 삶에 만족감을 표출하고 있으므로 이를 자신이 처한 상황에 순응하는 태도로 해석하는 것은 적절하다고 볼 수 있다.

③ (가)에는 내면의 갈등이 나타나지만 이를 극복하려는 의지는 찾아볼 수 없다. (나)에는 내면적 갈등이 제시되어 있지 않다.

⑤ (가)는 고향으로 돌아가고자 하는 마음과 그렇지 못한 현실 사이의 괴리가 나타나 있지만, (나)에서는 이상과 현실의 괴리를 발견할 수 없다.

02 소재의 기능 파악

(가)에서 화자는 '달'을 보며 고향에도 '달'이 떠 있을 것이라 생각한다. 따라서 '달'은 화자로 하여금 고향을 떠올리게 하는 매개체로 작용한다고 볼 수 있다. (나)에서 화자는 '달'을 보며 풍류를 느끼고 있다. 따라서 여기서의 '달'은 화자의 흥겨움을 자아내는 자연물이라 할 수 있다.

오답 잡기

① (가)에서 화자는 고국이 아닌 타국에서 '달'을 바라보고 있으므로 화자가 이를 통해 자신의 외로운 처지를 떠올린다고 볼 수도 있다. 한편 (나)의 '달'은 화자의 감정을 고조시키는 자연물이므로 외로운 처지를 보여 준다고 보기 어렵다.

② (가)와 (나)에서 모두 '달'로 인해 화자의 심리가 전환된 부분은 나타나지 않는다.

③ (가)와 (나)에서 모두 '달'로 인한 화자의 성찰적 태도는 살펴볼 수 없다.

⑤ (가)의 화자가 '달'을 심리적 동질감을 느끼는 대상으로 보고 있다는 설명이나, (나)의 화자가 '달'을 심리적 거부감을 느끼고 있는 대상으로 보고 있다는 설명 모두 적절하지 않다.

03 외적 준거에 따른 작품 감상

자신에게 주어진 임무를 수행하느라 가지고 온 황금을 모두 써 버린 상황을 나타내는 말이므로 이를 자연과 대비된 인간 세상의 속된 모습을 나타낸 것으로 이해하는 것은 적절하지 않다.

오답 잡기

① 그리운 고국과 고향으로 돌아가지 못하고 있는 화자의 상황을 나타내고 있다.

③ 고국을 떠나 다른 나라를 돌아다니면서 사신으로서의 임무를 수행하는 것은 공명을 위한 것이 아니라 나라를 위한 것이라는 의미를 담고 있는 말로 화자의 호방한 기운이 담겨 있다고 볼 수 있다.

④ 평생 남과 북으로 떠다녔다는 것은 사신으로서의 임무를 수행하느라 여러 나라를 돌아다녔던 화자의 삶을 나타낸 것으로 이해할 수 있다.

⑤ 화자는 고향으로 돌아가고자 하나 그렇게 할 수 없는 현재의 처지에 대해 안타까움을 표출하고 있다.

함정문제 해결 전략

외적 준거를 참고하여 작품을 감상하는 문항은 가장 자주 출제되는 유형 중 하나입니다. 〈보기〉에서 제시한 내용을 파악하고, 이를 근거로 작품을 감상하는 연습을 해야 합니다. 이 문제는 〈보기〉에서 작품이 창작된 배경을 밝히고 있으므로, 이를 바탕으로 화자가 처한 상황과 감정을 파악할 수 있어야 합니다.

04 표현상의 특징 파악

(가)에서 '어찌 집 생각 괴롭지 않겠나'와 (나)에서 '아니 널랴', '날 대할까'에서 설의적 표현이 사용되고 있다(ㄴ). (가)의 '외로운 배는 하늘가에 있다네'와 (나)의 '외로운 새 무슨 일인가'에서 자연물에 화자의 감정을 이입한 표현이 활용되고 있다(ㄷ).

오답 잡기

ㄱ. (가)와 (나) 모두 독백조의 어조로 시상을 전개하고 있으므로 구체적인 청자를 대상으로 하고 있지 않다.

05 구절의 의미 파악

㉢에서 화자는 산림에서의 분주한 일상도 번거로워하며 높은 곳으로 올라 경치를 감상하고 있다. 이를 정치 현실의 갈등에서 벗어나고픈 화자의 마음이 행동으로 표출되고 있다고 해석하는 것은 적절하지 않다.

오답 잡기

① 차를 다리기 위해 솔방울을 줍거나, 막걸리를 거르거나, 갈건을 너는 모습은 자연과 벗하며 사는 일상적인 삶의 모습을 나열한 것으로 산속에서의 삶이 한가롭지만은 않다는 것을 보여 준다.

② 약초 캐는 일을 하다 보니 날이 저물어 스님을 찾지도 못한 상황이므로 산속에서의 하루가 빨리 저무는 것에 대해 아쉬움의 감정을 나타낸 것으로 이해할 수 있다.

④ 속세를 눈 속의 티끌이라고 표현한 것은 화자가 속세를 부정적으로 보고 있음을 보여 준다.

⑤ 속세의 부귀영화를 멀리하고 자연과 함께하는 현재의 삶에 대해 화자는 만족하고 있음을 보여 준다.

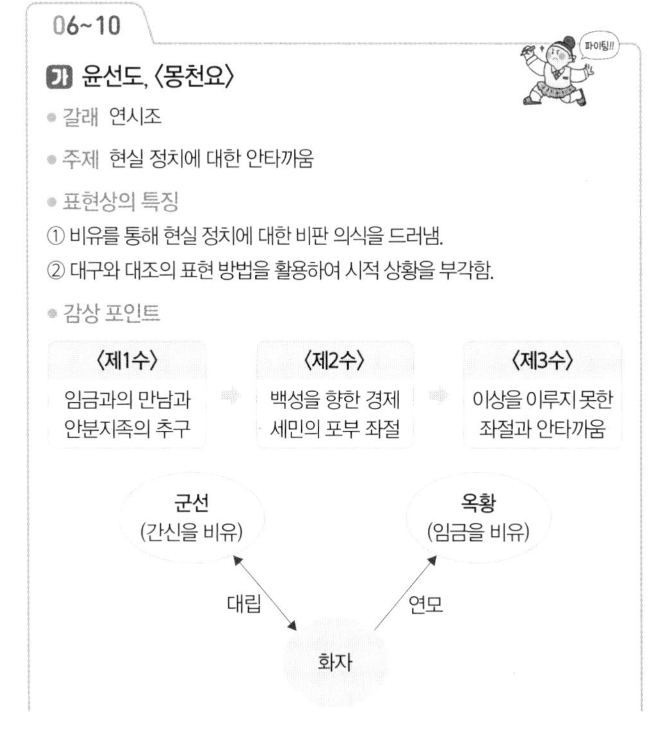

나 이건명, 〈보망설〉

- 갈래 고전 수필, 설(說)
- 주제 나라를 다스림에 있어 훌륭한 인재의 필요성
- 서술상의 특징

① 대화를 통해 얻은 깨달음을 전달함.

② 유추를 사용하여 현실을 비판하며 주제를 구체화함.

- 감상 포인트

그물을 손질하는 행위 —유추를 통한 의미 형성→ 나라를 다스리는 것

06 작품 간 공통점 파악

(가)에서는 '어느 결에 물으리'에서 설의적 표현을 확인할 수 있으며, (나)에서는 '~ 몇이나 되던가?'에서 설의적 표현을 확인할 수 있다.

오답 잡기

① (가)와 (나) 모두 반어적 표현이 활용되지 않았다.

② (가)와 (나) 모두 색채어를 통해 대상의 속성을 부각하는 부분을 확인할 수 없다.

③ (가)와 (나) 모두 음성 상징어를 활용한 생동감 넘치는 표현은 확인할 수 없다.

⑤ (가)와 (나) 모두 과거의 현재의 대비가 두드러지게 나타나지 않는다.

07 외적 준거에 따른 작품 감상

'하늘이 무너진 때 무슨 술로 기워 낸고'는 나라가 위기에 처했을 때 어떻게, 어떤 기술로 나라를 구했는지를 묻는 내용으로 쇠퇴한 국운을 일으킬 묘책이 필요하다는 의미이다. 이를 자신의 포부를 펼칠 수 없는 현실 정치에 대한 안타까움이 표출된 구절로 해석하는 것은 적절하지 않다.

오답 잡기

① 백옥경은 도교적 세계관을 나타내는 공간으로, 옥황은 도교적 세계관을 나타내는 인물로 볼 수 있다.

② 옥황은 자신을 반기는데 군선은 이를 꺼려하고 있다. 여기서 옥황은 임금을 비유한 표현으로, 군선은 반대 당파를 비유한 표현으로 볼 수 있다.

③ 자연과 함께하는 삶이 자신의 분수에 맞다고 말하는 것은 벼슬을 버린 현재의 삶을 받아들이겠다는 태도가 표출된 것으로 볼 수 있다.

④ 백만억 창생은 백성을 가리키는 말이므로 우국지정이 담긴 표현으로 볼 수 있다.

함정문제 해결 전략

외적 준거를 참고하여 작품을 감상하는 문항에서는 자료를 근거로 작품을 감상하는 것이 중요합니다. 자료에서 제시한 작품의 배경을 토대로 작품에 사용된 시어와 시구의 의미를 파악해 보도록 합니다.

08 시어 및 시구의 의미 파악

화자와 글쓴이는 각각 자신을 꺼리는 군선이나 자신이 해야 할 직분을 제대로 수행하지 못하는 존재들로 그려지는 어리석은 종놈을 부정적으로 인식하고 있다.

오답 잡기

① 군선은 (가)의 화자가 임금의 총애를 받는 것을 가로막고자 하는 반대 당파를 비유하고 있다. (가)의 화자 입장에서 이들은 세속적 욕망을 추구하는 존재이지 이를 세속적 욕망에서 초연한 존재로 해석하는 것은 적절하지 않다.

② (가)의 화자는 옥황에게 자신의 마음을 전하려 하지만 군선이 이를 가로막고 있다. 어리석은 종놈은 (나)의 글쓴이가 바라는 국가의 평안을 가로막는 존재로 설정되어 있다.

④ 군선이나 어리석은 종놈이 (가)의 화자나 (나)의 글쓴이에게 삶에 대한 깨달음을 주는 것은 아니다.

⑤ (가)의 화자나 (나)의 글쓴이는 군선이나 어리석은 종놈을 통해 현실 대응에 대한 자신의 자세를 성찰하고 있지 않다.

09 외적 준거에 따른 작품 감상

정 군의 말을 통해 그물 손질에 있어서 선후를 잘 알아 처리하는 것의 중요성을 깨닫고 나라를 다스리는 일에 있어서도 선후를 알고 처리하는 것이 중요하다는 생각을 드러내고 있다. 현상에 매몰되지 않는 사고의 중요성을 강조한 것은 아니다.

오답 잡기

① 글쓴이는 정 군과 그물 손질에 대해 실제로 대화를 나누고 있는데, 이를 통해 실제의 경험을 바탕으로 하는 교술 문학의 성격을 알 수 있다.

② 정 군이 말한 그물 손질의 방법을 통해 글쓴이는 나라를 다스리는 원리와 관련한 깨달음을 얻고 있다. 따라서 유추의 방식이 활용되고 있다고 볼 수 있다.

③ 정 군과의 대화를 통해 알게 된 그물 손질의 방법을 나라를 다스리는 원리와 연결 지어 의미를 도출한 후 글쓴이가 살고 있는 당대의 현실에 적용하고 있다.

⑤ 정 군이 말한 그물 손질 방법의 의미를 표면적으로만 파악한 것이 아니라 이를 통해 나라를 다스리는 원리와 관련한 깨달음도 얻고 있으므로 정 군의 말에 담긴 의미를 남다르게 발견한 것으로 볼 수 있다.

10 세부 내용의 이해

자신의 의견만을 고집하는 것이 아니라 상대의 의견도 경청하려 노력하는 모습은 [A]를 통해 이끌어 낼 수 있는 내용이 아니다.

오답 잡기

① 당면한 사안을 미루지 말고 빨리 처리하는 것은 해어진 곳이 생기면 바로바로 손질하는 모습을 통해 연상할 수 있는 내용이다.

② 적합한 사람에게 업무를 지시하는 것은 미련한 종에게 일을 맡기지 않는 모습을 통해 연상할 수 있는 내용이다.

③ 잘못된 부분을 철저하게 파악하려 하는 것은 해어진 부분을 자세히 살피는 모습을 통해 연상할 수 있는 내용이다.

④ 어떤 일을 할지 순서를 제대로 정해서 처리하는 것은 벼리를 먼저 손질하고 코를 나중에 손질하는 모습을 통해 연상할 수 있는 내용이다.

11~14

작자 미상, 〈운영전〉

- **갈래** 고전 소설, 염정 소설, 몽유 소설, 액자 소설
- **주제** 신분을 초월한 남녀 간의 사랑
- **서술상의 특징**

① 외화 안에 내화가 들어 있는 액자식 구성을 취함.
② 궁중이라는 특수한 사회를 배경으로 함.
③ 고전 소설의 보편적 주제인 권선징악에서 벗어나 자유연애 사상을 보여 주는 개성을 나타냄.

- **구성**

발단	선비 유영이 수성 궁터에서 홀로 술을 마시다 잠이 들고, 꿈속에서 운영과 김 진사를 만나 그들의 사랑 이야기를 듣게 됨.
전개	안평 대군의 궁녀인 운영과 시객이었던 김 진사가 우연히 만나 사랑하는 사이가 되어 편지로 연정을 나누고 밤마다 궁에서 만남.
위기	안평 대군이 운영과 김 진사 사이를 의심하게 되어 더 이상 궁에서 만날 수 없게 되자 두 사람은 함께 도망치려 하나, 이를 들키고 운영이 자결함.
절정	운영을 잃은 슬픔에 김 진사도 뒤따라 죽음.
결말	유영이 졸다가 깨어 보니 운영과 김 진사의 일을 기록한 책만 남아 있음.

- **감상 포인트**

〈외화〉
유영이 수성 궁터에서 술을 마심.

〈내화 2〉
유영이 꿈속에서 운영과 김 진사를 만남.

〈내화 1〉
운영과 김 진사의 사랑 이야기

11 인물의 성격 및 태도 파악

운영은 진사를 사랑하는 마음 때문에 궁을 벗어나고 싶다는 생각을 하고 있을 뿐 진사를 사랑하는 마음과 대군의 뜻을 저버리면 안 된다는 마음 사이에서 갈등하는 모습을 보이고 있지 않다.

오답 잡기

① 진사는 운영에게 함께 도망가자고 말하고 있다. 이는 대군이 둘의 관계를 의심한다고 생각하여 나온 말이라고 볼 수 있다.

② 진사는 특이 성품이 음흉하지만 악한 일을 하지 않을 것이라 말했다. 하지만 특은 진사가 잘 지키라고 말한 재보가 자신의 소유가 될 것이라 생각하고 있다.

③ 대군은 시녀들이 지은 오언 절구의 시를 보면서 운영과 진사의 관계를 의심한다. 하지만 운영이 죽는 것을 원하지 않아 자란으로 하여금 운영의 목숨을 구하도록 하였다.

⑤ 자란은 운영에게 진사와 도망가는 성급한 일을 하지 말고 대군이 허락해 줄 때까지 기다리는 것이 좋은 방법이라 말하고 있다.

12 말하기 방식 파악

[A]에서 고사를 활용하는 부분은 나타나지 않는다. 또한 자란은 직설적으로 자신이 말하고자 하는 바를 전할 뿐 우회적으로 말하고 있지 않다.

오답 잡기

② [A]에서는 대군이 운영과 진사의 관계를 허락할 것이라는 긍정적 미래를 제시하고 있다.

③ [B]에서 운영은 '바다같이 크고 넓은 정은 다하지 못하였나이다.'와 같이 비유적 표현을 활용하여 자신과 진사의 관계를 말하고 있다.

④ [A]에서는 '차마 할 수 있으리오?', '도망간들 어디를 가리오?' 등에서, [B]에서는 '어찌 하루 이틀이었겠습니까?', '조물주의 시기함이 없을 수 있겠습니까?' 등에서 물음의 방식을 활용하여 말하고자 하는 바를 강조하고 있음을 알 수 있다.

⑤ [A]에서는 대군으로부터 벗어날 수 없다는 현실적 한계를, [B]에서는 조물주의 시기를 어찌할 수 없다는 한계를 제시하고 있다.

13 소재의 기능 파악

운영은 자신을 의심하는 대군에 맞서 죽을 각오로 비단 수건을 꺼내 목을 매달려 하고 있다. 이는 자신에 대한 대군의 의심을 무마하기 위해서라고 볼 수 있다.

오답 잡기

① 운영은 꿈을 근거로 특을 조심할 것을 말하고 있을 뿐 꿈이 특과 진사 사이의 과거 사건을 운영에게 알려 주는 것은 아니다.

② 대군은 시녀들에게 시를 짓게 하고 그 시를 평가하고 있을 뿐 이를 통해 자신의 시 짓기 능력을 뽐내는 것은 아니다.

④ 운영은 진사와의 인연이 이루어지지 못할 것이라는 안타까움의 마음을 담아 봉서를 쓴 것이지 자신의 과오에 대한 회한의 감정을 드러내는 것은 아니다.

⑤ 특은 재보를 가로챌 생각을 하고 있으므로 이는 특의 간악한 마음을 보여 주는 소재이다. 이를 진사가 특의 간악한 마음을 간파하고 있음을 보여 주는 소재로 설명하는 것은 적절하지 않다.

14 공간의 의미 파악

운영의 친구인 자란은 운영과 진사의 사랑을 보면서 안타까워하고 있다. 하지만 궁을 벗어나 도망가려는 운영과 진사의 계획을 만류하고 대군의 허락을 기다리자고 말하는 것으로 보아 궁궐 안을 지배하는 가치관을 순응하는 것으로 볼 수 있다. 따라서 자란이 궁궐 안을 지배하는 가치관과 궁궐 밖을 지배하는 가치관 사이에 혼란을 느낀다는 설명은 적절하지 않다.

오답 잡기

① 궁궐 안은 대군에 의해 지배되는 공간이므로 이 공간에서 시녀들은 다른 남자와의 만남이 허락되지 않는다는 것을 알 수 있다.

② 운영은 궁궐을 벗어나 진사와 도망을 치려 한다. 이는 운영이 진사와의 사랑을 자유롭게 성취할 수 있는 궁궐 밖을 지향하는 것으로 이해할 수 있다.

③ 진사는 밤에 담을 넘어 운영을 만나고 오는데 이는 진사와 운영의 사랑이 사회적으로 받아들여지지 않는 것이기 때문이라고 이해할 수 있다.

④ 운영이 진사와의 사랑을 꿈꾸는 것 자체가 대군이 지배하는 궁궐 안의 질서에 균열이 생기고 있음을 보여 주는 것으로 이해할 수 있다.

함정문제 해결 전략

작품을 감상할 때는 작품의 배경이 되는 공간을 이해하는 것도 중요합니다. 이 작품은 '궁중'이라는 특수한 사회를 배경으로 하고 있는데, 이 공간의 성격과 상징적인 의미를 바탕으로 각 인물과 사건의 진행되는 양상을 파악할 수 있어야 합니다.

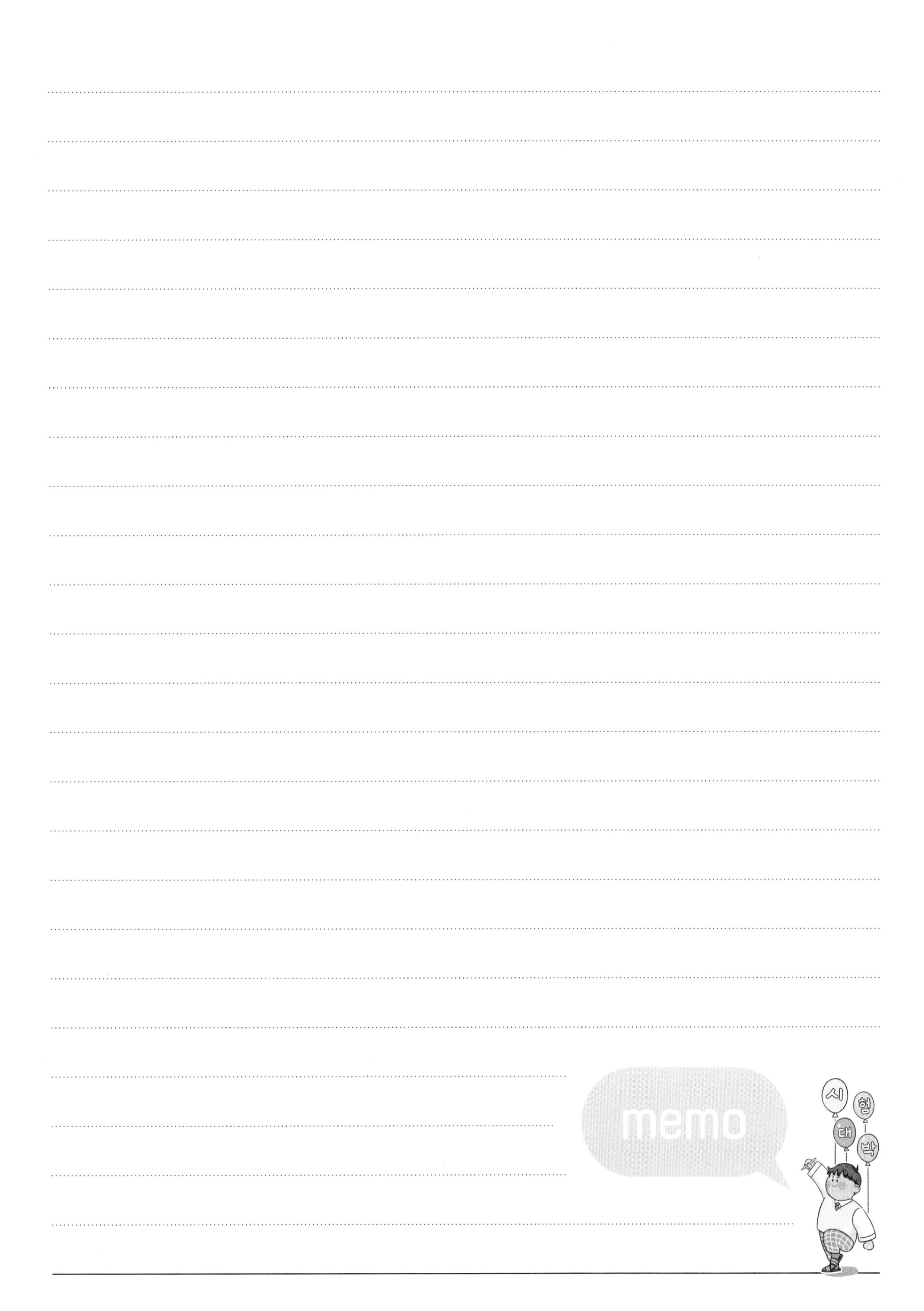
memo
시
험
대
박

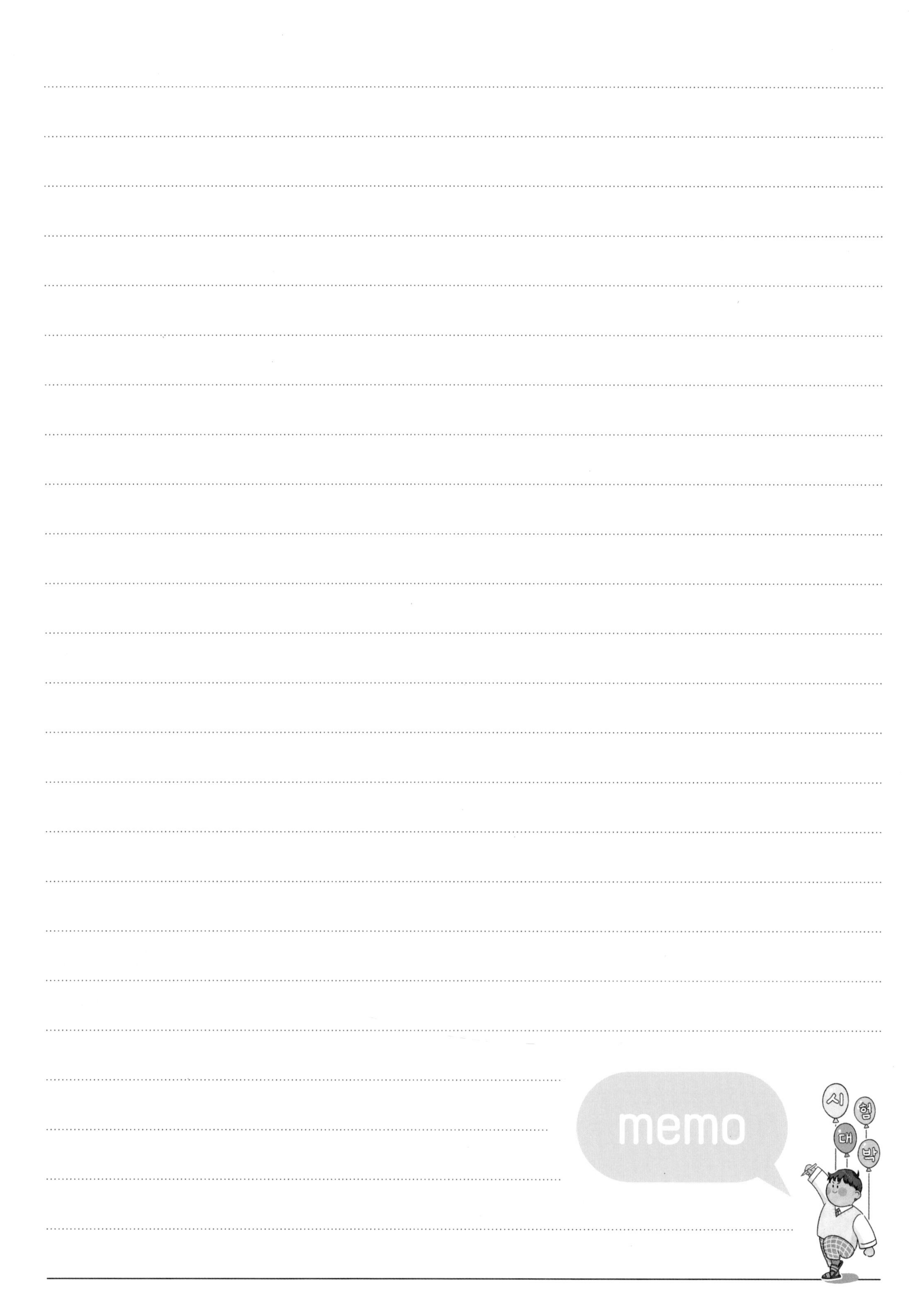
memo
시
험
대
박